LE THÉÂTRE MODERNE

II

Depuis la deuxième guerre mondiale

COLLECTION « LE CHŒUR DES MUSES »

Recherches sur le théâtre

Recueils de travaux

LA MISE EN SCÈNE DES ŒUVRES DU PASSÉ.
LE THÉÂTRE MODERNE : HOMMES ET TENDANCES.
RÉALISME ET POÉSIE AU THÉÂTRE.
LES THÉÂTRES D'ASIE.
LE THÉÂTRE TRAGIQUE.
LE LIEU THÉÂTRAL DANS LA SOCIÉTÉ MODERNE.

Monographie

LE DÉCOR DE THÉÂTRE DE 1870 À 1914, par Denis BABLET.

Renaissance et périodes voisines

Recueils de travaux

LE LIEU THÉÂTRAL À LA RENAISSANCE.
LES TRAGÉDIES DE SÉNÈQUE ET LE THÉÂTRE DE LA RENAISSANCE.
LES FÊTES DE LA RENAISSANCE, vol. 1.
FÊTES ET CÉRÉMONIES AU TEMPS DE CHARLES-QUINT (vol. 2 des *Fêtes de la Renaissance*).
MUSIQUE ET POÉSIE AU XVIe SIÈCLE.
LA MUSIQUE INSTRUMENTALE DE LA RENAISSANCE.
LE LUTH ET SA MUSIQUE.

Monographies

LA REPRÉSENTATION D'EDIPO TIRANNO AU TEATRO OLIMPICO (Vicence, 1585), par Leo SCHRADE, avec la musique des Chœurs d'Andrea GABRIELI.
POÈMES DE DONNE, CRASHAW, HERBERT, MIS EN MUSIQUE PAR LEURS CONTEMPORAINS, édition par André SOURIS.
LES FÊTES DE FLORENCE (1589) : vol. I, MUSIQUE DES INTERMÈDES DE « LA PELLEGRINA », édition par D. P. WALKER.
L'ART DU BALLET DE COUR EN FRANCE, 1581-1643, par Margaret M. McGOWAN.
LA COMMEDIA DELL'ARTE VUE À TRAVERS LE ZIBALDONE DE PÉROUSE, par Suzanne THERAULT.

Entretiens d'Arras, 1957.

LE THÉÂTRE MODERNE

II

Depuis la deuxième guerre mondiale

Etudes de

J. ROBICHEZ — J. TRUCHET — G. MICHAUD — G. BORRELI — B. DORT
J.C. MARREY — M. ODDON — J. SCHERER — Ch.-V. AUBRUN — L. CODIGNOLA
G. REEVES — P. DOMMERGUES — M. GRESSET — R. PINI — C. DEMANGE
M. KESTING — Ph. IVERNEL — M. GRAVIER — N. GURFINKEL — N. AKIMOV
K. KRAUS — T. SIVERT — F.K. KUMBATOVIČ

réunies et présentées
par Jean JACQUOT

ÉDITIONS DU CENTRE NATIONAL DE LA RECHERCHE SCIENTIFIQUE
15, quai Anatole-France — PARIS VIIe
1967

AVANT-PROPOS

Le recueil que voici répond à un double besoin. D'abord de compléter *Le Théâtre Moderne,* publié en 1958 et réédité en 1965, où il est surtout question de mouvements qui se situent entre le début du siècle et la deuxième guerre mondiale, d'auteurs dont la carrière s'inscrit, entièrement ou en majeure partie, dans la période antérieure à 1939. Cette fois nous avons voulu examiner la période qui suit la deuxième guerre, et qui demeure si profondément marquée par elle. Nous ne nous sommes pas privés de retours en arrière parfois très nécessaires, mais c'est la création de ces vingt dernières années, et par conséquent l'avenir même du théâtre, que nous nous sommes efforcés d'éclairer sous divers angles.

Pas plus que son prédécesseur, cet ouvrage ne prétend être exhaustif. Mais le tour d'horizon international qui s'y trouve relaté a permis de cerner des problèmes, de dégager des tendances ou des thèmes significatifs. Et à ce titre il possède une seconde utilité qui est de constituer une étape préparatoire, en vue d'une Recherche Coopérative sur Programme consacrée aux *Rapports de l'écriture dramatique et de la mise en scène dans le théâtre d'aujourd'hui.* Cette formule neuve nous a permis d'entreprendre une action concertée de longue durée, rendant possible un travail commun plus soutenu et plus approfondi, dont les résultats seront publiés en leur temps.

Nous espérons que ce livre apparaîtra alors comme une bonne base de départ pour cette nouvelle prospection. Il réunit les actes de deux rencontres internationales organisées par l'Equipe de Recherches Théâtrales et Musicologiques du C.N.R.S. La première, préparée en collaboration avec le Centre Universitaire International de Formation et de Recherche Dramatique de Nancy, se déroula au Cercle Culturel de l'ancienne abbaye des Prémontrés, à Pont-à-Mousson, du 9 au 13 mars 1966. La seconde eut lieu la même année, à Royaumont, du 24 au 27 novembre. Les organisateurs ont bénéficié, pour ces deux rencontres, de l'aide précieuse de la Direction des Arts et des Lettres, du Festival Mondial du Théâtre Universitaire, du Cercle Culturel de Royaumont, des Services Culturels des Ambassades de la République Fédérale Allemande, de la Grande-Bretagne, et de l'Italie.

Lors des journées d'études des Prémontrés, M. Roger Asselineau, professeur à la Sorbonne, avait, dans un exposé introductif, présenté les communications se rapportant au théâtre américain. A l'issue de ces journées fut inaugurée, à Nancy, une exposition consacrée à Josef Svoboda. Denis Bablet présentait dans une brochure, publiée par l'Institut du Théâtre de Prague, l'œuvre de ce scénographe tchèque.

Cet ouvrage a été préparé pour l'impression avec la collaboration d'Odette Aslan, Elie Konigson et Marcel Oddon.

LA MÉDIATION LA PLUS EFFICACE [1]

Constatons d'abord, une fois de plus, la rapidité croissante dans la circulation des œuvres, l'intensification des échanges dramatiques. Telle pièce peut être créée simultanément (ou presque) en divers points du globe. Telle mise en scène peut être transportée en quelques heures vers une capitale lointaine. Mais si le théâtre bénéficie de ce rétrécissement de la planète qu'il est devenu banal de constater, s'il dispose dans le monde d'une audience prête à accueillir d'emblée des œuvres venues de tous les points de l'horizon, on ne peut parler pour autant d'uniformisation du répertoire et des publics. La rapidité des communications ne suffit pas à vaincre des résistances qui proviennent de la raison d'état, de la pression commerciale ou de la sclérose. D'autre part l'évolution des publics doit garder son rythme propre et ne saurait être forcée. Ainsi les animateurs de nos Centres dramatiques de banlieue ou de province, où souvent une seule compagnie doit suffire à toute une communauté, voire à toute une région, ont appris à doser leurs audaces en tenant compte de la composition sociale, du type de culture, du style de vie d'auditoires nouvellement conquis. Enfin s'il existe un cosmopolitisme de ceux pour qui le théâtre est un métier, un objet d'études, une passion, et s'ils se comprennent à demi-mot, malgré les langues et les frontières, c'est, comme toujours en art, à travers le particulier et le concret, à travers la diversité des tempéraments et des milieux que tend à s'établir aujourd'hui cette universalité du théâtre. *Zoo Story* fut d'abord créée à Berlin, cependant cette première pièce d'Albee nous renvoie d'abord à une réalité new yorkaise : c'est à Central Park qu'un homme oppose sa détresse au contentement béat d'un autre.

Cette unité et cette pluralité étant données, il peut être utile de dégager des constantes dans la diversité, de ne pas se borner à dénombrer les visages de l'actualité, ni à coller des étiquettes (absurde, engagé ...) mais de chercher les vraies lignes de force, les oppositions majeures, afin de saisir le théâtre dans son devenir. C'est ce qu'a tenté une équipe du Centre National de la Recherche Scientifique. Sans préjuger du résultat final, mais en tenant compte des premiers apports,

---

(1) Cet essai est une réflexion sur les exposés présentés au Cercle Culturel des Prémontrés lors de la rencontre de mars 1966. Il a paru peu de temps après dans le n° 55 des *Cahiers Renaud Barrault*, publié à l'occasion des représentations du Théâtre des Nations. Son titre m'a été suggéré par une observation de Charles Aubrun.

on essaiera d'indiquer ici l'une des dimensions du problème. Il est trivial de constater que toute activité théâtrale possède une fonction sociale. Mais cette fonction ne se laisse pas aisément définir. Comme pour d'autres arts il existe une tension entre les modalités individuelles de la création et la destination de l'œuvre à une collectivité de lecteurs, de spectateurs. Le théâtre a ceci de particulier qu'un poème, un roman sont achevés lorsqu'ils sont écrits, tandis qu'une pièce ne vit théâtralement que lorsqu'on la joue. La pièce, comme toute fiction, est une construction imaginaire fondée sur les expériences de l'auteur dans le milieu où il vit. Mais sa réalisation scénique implique toute une série de rapports entre les individus et les groupes qui composent la communauté théâtrale. Certes il existe une série d'opérations intermédiaires (impression, édition, distribution) entre la « production » et la « consommation » d'un livre. Mais au théâtre elles sont réunies en une seule, qui est le couronnement de l'acte créateur, et qui établit un lien vivant entre interprètes et public dont on chercherait en vain l'équivalent ailleurs.

L'action scénique s'offre à la fois comme représentation d'un groupe, d'une société où les passions et les idées s'affrontent, et comme jeu d'une équipe où les talents individuels sont concertés en vue du résultat commun. C'est grâce à cette dualité, à ce détour du personnage assumé par l'acteur, d'une situation imaginaire renvoyant à des expériences vécues, que le théâtre acquiert son rôle médiateur, qu'il devient cet instrument d'une extraordinaire souplesse, si merveilleusement apte à stimuler l'esprit et à émouvoir.

Mais s'il suscite en chacun des spectateurs des réactions qui ont leur coloration particulière, il établit aussi entre eux une connivence. On parle volontiers à son propos de participation, de communion. Et si sur ce point les avis s'opposent aujourd'hui, si pour les uns l'efficacité de la dramaturgie réside dans un appel au jugement lucide, pour les autres dans un abandon aux forces profondes, c'est que le théâtre possède vraiment cette double nature à la fois claire et sombre. Il la doit peut-être à son origine et à son développement, si l'on suppose qu'il avait au début le rôle d'un rituel, destiné à maintenir un lien entre l'homme et la nature, à intégrer son activité dans le rythme des saisons, à rendre propice des puissances redoutées et qu'à un certain moment il est devenu le lieu d'un débat où se posaient les problèmes de la conduite humaine.

Si le théâtre conserve ce double pouvoir, quelle sera sa fonction en un siècle cruel comme le nôtre ? Ceux qui l'ont précédé avaient, sans doute, été pour la majorité des hommes, des siècles de fer. Celui-ci joint à l'accumulation d'une puissance illimitée la destruction de la foi en l'avenir. Il a vu s'entasser les moyens de réduire les ennemis naturels de l'espèce, la maladie, la faim, le labeur excessif, et de faire disparaître du même coup les causes de l'oppression de l'homme par son semblable. Mais il a vu croître démesurément les moyens de destruction et se réinstaller au cœur de notre civilisation, avec une efficacité décuplée par la technique moderne, des pratiques permettant de briser physiquement et moralement un homme que l'on croyait reléguées dans un passé barbare. La machine à tourmenter, avilir, exterminer, que décrit *L'Instruction* de Peter Weiss, a pu fonctionner à l'échelle d'un grand complexe industriel. Le monde concentrationnaire y apparaît comme la caricature d'une société avec sa hiérarchie, ses lois, son code d'honneur, mais aussi comme le modèle, la limite de perfection à laquelle tendrait une société future où l'honnête citoyen pourrait, en toute âme et conscience, devenir tortionnaire, et la victime être récupérée comme auxiliaire des bourreaux. Car une fois déchaînées, ces formes extrêmes du mal que l'homme inflige à l'homme n'ont pu être aisément exorcisées. On a pu constater leur résurgence, apprendre qu'elles n'étaient pas liées à la responsabilité d'un seul peuple, qu'elles pouvaient être mises au service d'autres idéologies que celles de la race élue.

La croyance au progrès, religion du XIX° siècle, fortement ébranlée par une première guerre mondiale, n'a pas résisté à la seconde conflagration. Voici ce que nous écrivions aux participants à la première de nos rencontres, que nous invitions à faire le tour de l'horizon théâtral :

L'homme s'efforce de surmonter le traumatisme né de la conscience d'avoir touché le fond de la cruauté et de la dégradation, et cherche à s'installer dans une apocalypse où les progrès devenus vertigineux sont dotés de signes contraires, à s'adapter à la coexistence de la « société de l'abondance » et de la famine, de l'organisation des loisirs et de la torture, de l'exploration du cosmos et de l'arme thermonucléaire. On peut tenir ce monde pour absurde. On peut considérer aussi que l'histoire continue à un rythme implacable, mais qu'elle n'est pas simplement un mécanisme qui broie, qu'il est possible d'agir dans un sens positif, bien que le conflit entre la fin et les moyens se révèle plus âpre que jamais, et que le mirage d'une société idéale se soit à jamais dissipé.

Les pièces les plus significatives de ce temps se réfèrent, explicitement ou par allusion, à cette situation de la planète à la veille de l'an 2000, soit qu'elles soulignent l'irrémédiable solitude de l'homme voué à la futilité, à la vieillesse et à la mort au milieu des conquêtes de la civilisation matérielle, soit qu'elles montrent au contraire ses efforts, au fond d'enfers créés par ses semblables, pour donner un sens à la vie, au geste fraternel.

Et nous demandions si les deux tendances ainsi définies étaient vraiment inconciliables. Les témoignages qui nous ont été apportés sur divers pays confirment bien l'existence d'une série d'oppositions. L'accent peut être mis sur l'originalité de la création dramatique ou sur son efficacité pour l'action — sur l'abandon aux puissances du rêve ou sur l'acceptation du réel — sur les aspects personnels du bonheur et du malheur humain ou sur le destin d'un groupe, d'une classe, d'une nation — sur ce qui dans notre condition est incurable et sur ce qui peut être soustrait à la fatalité. Mais ces oppositions sont-elles irréductibles ? N'est-il pas souhaitable pour la vie du théâtre que des œuvres où l'une ou l'autre tendance domine puissent être librement confrontées ? Ou mieux qu'elles puissent être intégrées dans une même œuvre qui tirerait de leur tension et de leur conciliation sa vertu dramatique.

De bonne heure en ce siècle, le théâtre politique a pris une importance dont on ne peut se faire une idée à juger sur le seul exemple de la France. En Allemagne il apparaît déjà avec les expressionnistes qui protestent contre la guerre et sympathisent avec Spartakus, et il s'affirme au premier plan durant les années vingt, dans les œuvres dont la destination, pour reprendre les catégories de Camille Demange, va de l'agitation la plus immédiate à la formation d'une culture politique. Le régime nazi réduit la majorité des dramaturges au silence ou à l'exil et laisse derrière lui un vide durable. Le théâtre allemand survit dans l'émigration et le Schauspielhaus de Zurich devient son principal relai. Dans l'émigration comme dans la renaissance à laquelle on a assisté depuis dans les deux républiques allemandes, les thèmes politiques ont conservé toute leur importance, et c'est peut-être sur la scène que le débat sur les responsabilités a trouvé son expression la plus complète et la plus franche.

Un théâtre aussi étroitement lié aux problèmes de la société est nécessairement de valeur très inégale. Les pièces dont la portée ne dépasse pas l'actualité qui les a suscitées n'intéressent plus avec le recul du temps que l'historien et le sociologue. D'autres, tout en conservant leur valeur de témoignage sur la période qui les a vu naître, possèdent une signification plus générale, susceptible d'être appliquée à des situations nouvelles : ainsi les pièces de Brecht sur le IIIe Reich. Une autre discrimination doit être faite. Durant la phase où la révolution russe lutta pour survivre et jeta les bases d'une nouvelle économie, le théâtre descendit dans la rue, les artistes les plus originaux furent mêlés jour après jour à l'histoire vivante. Ce théâtre « engagé », Nina Gourfinkel prend soin de le distinguer du théâtre « dirigé » de la période jdanovienne. Les normes imposées à l'artiste changent l'épopée en poncif, la satire devient suspecte, l'audace dans l'expression est jugée subversive. Il ne peut plus y avoir de drame puisqu'on sait d'avance comment les conflits doivent être résolus : à la limite on aboutit à un spectacle qui tient du divertissement et du rite officiel, et que K. Kumbatovič appelle « boulevard idéologique ». On ne songe nullement à porter ici un jugement d'ensemble sur les hommes et les œuvres du « réalisme socialiste », mais à rappeler que l'intervention politique dans la création conduit l'art à une impasse.

Dans une république populaire comme la Pologne on observe à partir de 1956 un élargissement du répertoire. Durant les dix années qui précèdent, dont les œuvres les plus marquantes sont celles de Kruczkowski sur l'Occupation et la Résistance, on ne donne guère, en dehors des classiques, que des pièces polonaises ou russes. Mais peu après le XXe Congrès la scène s'ouvre à la dramaturgie internationale, de Maïakovski à Brecht, de Sartre à Beckett, de Frisch à Arthur Miller. Cette extension du répertoire correspond à un besoin de renouvellement des thèmes et des moyens d'expression. On reconnaît par exemple, dans l'« avant-garde » occidentale des années cinquante, des recherches du même ordre que celles de Witkiewicz ou Gombrowicz, ces précurseurs de l'entre-deux-guerres, et cette conjonction d'influences favorise l'apparition de talents neufs.

Une dramaturgie dont le thème majeur est la vie collective, dont les personnages sont affectés d'un signe positif ou négatif selon la manière dont ils s'acquittent de leur rôle social, tend à négliger les aspects intimes de notre existence, voire à considérer avec suspicion ce qui est subjectif, et partant dépourvu d'utilité.

Or il est dangereux que la personnalité humaine soit divisée en deux parts dont l'une reste plongée dans l'ombre. Le théâtre est connaissance, et doit explorer l'homme tout entier. Sa médiation peut s'exercer valablement là où menacent de se produire les ruptures, où l'être de chair cherche en vain à s'identifier à l'image abstraite que le dogme, l'appareil social, lui proposent de lui-même.

Le théâtre étant mise en commun, le succès d'une dramaturgie dont les thèmes sont la solitude, la sociabilité difficile, l'absence d'espoir, semble paradoxal. Mais la personne la plus dévouée à son prochain ou à son métier a pu éprouver cette vacuité, cette agressivité contenue, de même que le croyant a pu ressentir douloureusement le silence de Dieu, ou que l'homme qui s'est consacré à une cause a pu découvrir l'inaptitude de celle-ci à le combler. Il ne faut donc point s'étonner si les spectateurs réagissent par une émotion ou par un rire libéra-teurs à cette réduction à l'absurde de notre condition que lui propose un certain théâtre. De même ils trouveront salubres une manière irrévérencieuse de parler de ce qui exige d'être constamment pris au sérieux, une manière sérieuse de parler de choses aussi peu récupérables socialement que nos fantaisies et nos rêves.

L'art permet la communication de la vie intérieure même aux niveaux appa-remment les moins accessibles. Le poète refaçonne des mythes anciens ou invente des mythes personnels où les autres peuvent reconnaître leur expérience, et qu'ils peuvent réinterpréter à leur tour selon leurs besoins. La richesse d'une telle création ne se vérifie qu'avec le temps et il appartient aux réalisateurs successifs d'en extraire des significations latentes que l'auteur lui-même peut n'avoir pas vues. Ce théâtre d'imagination, qui heurte davantage les habitudes et les idées reçues, et se laisse progressivement découvrir, a sa place et ses droits aussi bien que celui qui s'attache à serrer au plus près la réalité sociale, et dont le message est transcrit en clair, car s'il emploie des moyens très différents, il se réfère à la même situation de l'homme d'aujourd'hui.

Une situation saine serait donc celle où l'on donnerait une même chance aux tendances les plus diverses, où aucune expérience ne serait condamnée avant qu'on l'ait mise à l'épreuve. Ceci n'est pas dit pour tresser une couronne au libé-ralisme de l'Occident. On y connaît la place d'un théâtre pré-fabriqué qui relève de l'industrie du divertissement, on sait combien la puissance commerciale y pèse sur la création, et quel peut y être le rôle du critique influent plus soucieux de confirmer ses lecteurs dans leurs préjugés que de rendre justice aux œuvres. Lorsque la pression commerciale et la censure d'état se conjuguent pour étouffer l'expression d'une pensée libre, comme en Espagne, le théâtre ne parvient à sur-vivre qu'à force de courage et d'ingéniosité : il faut employer des détours, parler d'une chose pour en désigner une autre. Mais, sans sortir de chez nous, pouvons-nous ignorer que certains sujets sont interdits, aussi longtemps du moins qu'ils restent d'actualité brûlante. Voulant mettre la conscience française devant ses responsabilités dans l'emploi de la torture en Algérie, Sartre dut procéder par allusion et situer ses *Séquestrés* en Allemagne.

Il arrive souvent que l'artiste élève sa voix contre la persécution, le racisme, la guerre. Il ne s'ensuit pas nécessairement qu'il puisse, sans forcer son tempérament, faire de ces formes extrêmes du mal dont l'homme est responsable la matière de sa création. On conçoit qu'une œuvre soit nourrie de souvenirs nostalgiques de l'enfance, de l'insatisfaction de ce que le présent apporte, de l'obsession de la boue, de la hantise de l'azur, de la crainte de la mort, car en effet ceci est l'homme. On admet qu'une leçon de compassion pour tous nos semblables soit tirée de ce sentiment de l'usure des choses et de la destruction des êtres. Cependant lorsque Ionesco, puisque c'est de lui qu'il s'agit, nous dit que le véritable thème de *Mère courage* n'est pas la guerre, mais la mort et la fuite irréparable du temps (2) nous ne suivons plus. Car *Mère courage* ne nous paraissait pas une pièce sur la nécessité de mourir, mais sur une tuerie collective et son cortège de misères, sur la manière dont l'individu s'y trouve impliqué, dont il peut être finalement brisé après avoir tenté de s'installer dans l'événement, de tirer son petit profit du malheur commun. Certes on voit bien que Ionesco rappelle la loi universelle de la mort pour montrer qu'elle rend odieuse et dérisoire l'entreprise de ceux qui tuent au nom de la nécessité historique, ou d'un principe humanitaire, et qui ne sont en réalité que les pitoyables auxiliaires du grand tueur. Nous touchons à cette question angoissante pour la conscience moderne : l'histoire est-elle ce mécanisme sanglant dont on devient l'esclave lorsqu'on cherche à en obtenir le contrôle ? Et l'expérience de notre siècle fournit bien des raisons de penser qu'il en est ainsi. Cependant une tentation possible du pessimisme serait de s'abstenir de toute action pour ne pas perdre sa pureté, de ne jamais intervenir contre l'injustice ou le crime d'aujourd'hui, parce que les victimes pourraient devenir les bourreaux de demain. D'ailleurs nous restons solidaires (ou complices) de la société et de l'histoire, même à notre corps défendant. La marge de liberté dont nous disposons encore dans notre coin du monde pour penser à haute voix ou agir selon notre conscience a dû être reconquise, il y a quelque vingt-cinq ans, et il a fallu alors que les hommes acceptent le combat et ses souillures. *Rhinocéros* donne de la contagion d'une idéologie totalitaire une image qui suffit à justifier le succès de la pièce. Mais si elle présente un cas d'immunité elle ne montre pas comment on *résiste à l'ascension* du mal, ni *comment on s'en débarrasse*.

Nous ne voudrions pas faire rebondir des polémiques déjà vieilles, mais seulement suggérer ceci. Ce théâtre qui se donne pour celui d'une avant-garde permanente (vouloir être de son temps c'est déjà être dépassé) a trouvé des accents nouveaux dans l'humour, la sensibilité, l'imagination, il a posé à la conscience quelques questions dignes d'être méditées. Mais il nous semble trop dégagé des coordonnées de l'espace et du temps pour rendre compte à lui seul, sous tous ses aspects, du monde où nous vivons. *Richard II* qu'il invoque en exemple n'est pas simplement une pièce sur un roi qui se meurt (3). L'agonie spirituelle et le meur-

---

(2) Eugène IONESCO, *Notes et contre-notes*, 1962, p. 133.
(3) *Ibid.*, pp. 18-19. *Le roi se meurt* fait penser, plutôt qu'à Shakespeare, à une moralité d'ailleurs très belle : *Everyman*.

tre du souverain lui donnent sa résonance tragique, mais l'emprisonnement et la mort de Richard font partie de tout un enchaînement de causes et d'effets — qui se prolonge d'ailleurs dans d'autres pièces appartenant au même cycle. Le moment tragique est celui de la découverte de la nudité de l'homme, une fois dépouillés les attributs royaux. Cependant la méditation sur le temps perdu n'est pas un simple « tout passe tout lasse » mais une réflexion sur le temps mal employé, l'ordre et la justice abandonnés, la gloire acceptée sans les responsabilités. Le meurtre du roi déchu pèsera lourd aux épaules de celui qui l'a laissé commettre et de ses descendants, mais c'est par un choc en retour qu'il atteint la victime qui s'est jadis souillée du meurtre de Gloucester. C'est donc l'enracinement de cette histoire dans une époque qui la rend valable pour d'autres temps, l'effort pour en saisir tous les tenants et aboutissants qui permet d'y discerner divers plans — politique, moral, métaphysique — et d'y puiser plusieurs enseignements.

Il semble possible de retrouver cette fonction du théâtre. Césaire s'y est attaché avec la *Tragédie du roi Christophe* qui, tirant son argument d'une page d'histoire, nous confronte avec le destin d'une race, l'enfantement douloureux des nations nouvelles, nous contraint à une réflexion sur la fin et les moyens, les rapports du chef politique et des masses, mais nous montre aussi un homme avec sa foi, son orgueil, son acharnement à réaliser son œuvre, sa solitude, sa défaite.

Le *Roi Christophe* est donné ici comme exemple d'une des voies où pourrait s'engager le théâtre poétique. On aurait pu citer aussi bien *Fin du Carnaval* de Joseph Topol, ou le *Marat-Sade* de Peter Weiss dans lequel d'aucuns ont voulu voir le signe d'une conciliation possible d'Artaud et de Brecht. Quoi qu'il en soit on peut conclure que la pluralité des expériences et leur libre confrontation sont plus que jamais nécessaires à la vie du théâtre. Et aussi que l'œuvre dont le pouvoir médiateur est le plus grand est celle qui parvient à saisir dans leurs rapports mouvants les aspects publics et les aspects personnels de l'existence, la réalité et le rêve, la pensée lucide et la voix des profondeurs.

J. J.

L'ESTHÉTIQUE DU DÉSORDRE
DANS LE THÉÂTRE DE CLAUDEL

par Jacques ROBICHEZ
Professeur à la Sorbonne

En vous proposant quelques remarques sur cette question, je soumets à votre réflexion un sujet et touche à une période qui se distinguent des sujets et de la période qui vous préoccupent cette semaine. Je veux dire que mon sujet est beaucoup moins précis que ceux qui concernent les différentes mises en scène sur quoi portent vos travaux et qu'il n'est pas non plus aussi exactement contemporain. Cependant il me semble qu'il est légitime d'étudier cette question, justement pour se reporter à des considérations plus générales, et pour toucher dans l'histoire de notre théâtre d'aujourd'hui à une œuvre qui, je crois bien, est vraiment la source de la plupart des expériences intéressantes et originales de quoi vous vous occupez.

Je commencerai par vous lire une page que je trouve admirable en tout, non seulement par les idées qu'elle nous apporte, mais aussi par ce ton inimitable de Claudel prosateur. Il l'a écrite il y a une quarantaine d'années ; elle se trouve en tête du *Soulier de Satin*.

Comme après tout il n'y a pas impossibilité complète que la pièce soit jouée un jour ou l'autre, d'ici dix ou vingt ans, totalement ou en partie, autant commencer par ces quelques directions scéniques. Il est essentiel que les tableaux se suivent sans la moindre interruption. Dans le fond la toile la plus négligemment barbouillée, ou aucune, suffit. Les machinistes feront les quelques aménagements nécessaires sous les yeux mêmes du public pendant que l'action suit son cours. Au besoin rien n'empêchera les artistes de donner un coup de main. Les acteurs de chaque scène apparaîtront avant que ceux de la scène précédente aient fini de parler et se livreront aussitôt entre eux à leur petit travail préparatoire. Les indications de scène, quand on y pensera et que cela ne gênera pas le mouvement, seront ou bien affichées ou lues par le régisseur ou les acteurs eux-mêmes qui tireront de leur poche ou se passeront de l'un à l'autre les papiers nécessaires. S'ils se trompent, ça ne fait rien. Un bout de corde qui pend, une toile de fond mal tirée et laissant apparaître un mur blanc devant lequel passe et repasse le personnel sera du meilleur effet. Il faut que tout ait l'air provisoire, en marche, bâclé, incohérent, improvisé dans l'enthousiasme ! Avec des réussites, si possible, de temps en temps, car même dans le désordre il faut éviter la monotonie.

L'ordre est le plaisir de la raison : mais le désordre est le délice de l'imagination.

D'abord une réflexion sur la première phrase et sur la dernière. Est-ce que la première phrase : « Comme après tout il n'y a pas impossibilité complète que la pièce soit jouée un jour ou l'autre » nous donne la pensée profonde de Claudel; est-ce qu'il est tout à fait sincère ? Je ne le crois pas et en voici une preuve que je trouve dans Claudel même, dans les *Mémoires improvisés,* qui sont, vous le savez, les entretiens que Claudel a eus à la radio avec Jean Amrouche (pp. 283-284) : Claudel souligne, bien loin de prendre cet air modeste qu'il affecte au début du *Soulier de Satin,* qu'il n'y a pas (au contraire de ce qui se passe dans d'autres pièces) de tirade dans cette pièce, et qu'il s'y rencontre une très grande variété entre les scènes, que tout semble fait pour ne pas lasser le spectateur, et qu'effectivement le spectateur en 1943 à la Comédie Française a accepté un spectacle qu'on ne pensait pas, à cause de sa longueur, qu'il pourrait accepter. L'administrateur de l'époque croyait qu'une attention si prolongée était au-dessus des forces du public normal de la Comédie Française. Et Claudel dit :

Aucune de mes pièces n'a été écrite avec une pensée aussi directe de la réalisation théâtrale.

La dernière phrase : « L'ordre est le plaisir de la raison : mais le désordre est le délice de l'imagination » a à peine besoin d'être commentée, car on sent immédiatement la différence d'intensité qu'il y a entre le mot *plaisir* et le mot *délice.* Et entre ce plaisir de la raison et ces délices de l'imagination on voit de quel côté penche le cœur de Claudel. Si bien que je me garderai de faire un exposé qui serait en deux parties, et qui serait centré d'une part sur ce qu'il y a pour la raison dans ce théâtre et ce qu'il y a pour l'imagination : c'est de désordre que je veux parler, c'est-à-dire d'imagination.

S'il y a dans le théâtre composé par Claudel, ou joué d'après ses indications, quelque chose pour la raison, je crois qu'il faudrait chercher pour l'organisation et la structure, du côté de ce que Claudel appelle ailleurs « l'atmosphère ». L'atmosphère dans une pièce comme *Macbeth,* ou dans *Phèdre,* très curieusement rapprochées par Claudel dans les *Conversations sur Jean Racine,* donne l'unité de la pièce. Autrement dit l'atmosphère est un principe d'ordre.

Encore une question préalable: de quel théâtre s'agit-il ? A quelles pièces de Claudel peut-on appliquer l'esthétique du désordre qu'il a lui-même définie ? Est-ce seulement au *Soulier de Satin* ? est-ce à tout son théâtre ? J'ai posé la question à deux témoins particulièrement qualifiés : Jean-Louis Barrault, et Pierre Claudel. Les deux réponses n'ont pas été exactement semblables. M. Barrault à qui je demandais si en 1943 Claudel pensait toujours de même quand il avait monté *Le Soulier* et si jusqu'à la fin de sa vie il a continué à penser de même, si cette page que je viens de citer est valable pour tout son théâtre, m'a répondu sans hésitation : oui, Claudel n'a pas du tout changé, cette page rend compte, d'une façon tout à fait générale et universelle, de son esthétique dramatique. S'il y a eu évolution, pense Jean-Louis Barrault, c'est dans le sens d'une simplicité de plus en plus grande. Tandis que M. Pierre Claudel estime que cette page ne s'applique pas directement à la trilogie, ni à une pièce à quatre personnes comme *L'Echange,* ni à *L'Annonce faite à Marie.* Et à voir les choses de près c'est à ce second avis que personnellement je me rangerais.

Je ne dis pas que cette page soit sans intérêt, même pour des pièces comme celles-là, mais elle nous éclaire surtout sur *Le Soulier de Satin,* sur *Christophe Colomb,* ou sur des pièces de moindre importance, mais extrêmement intéressantes aussi, comme *L'Endormie, Protée,* ou bien *L'Ours et la Lune.* Donc plus particulièrement à propos des pièces que je viens de nommer, j'envisagerai cette esthétique du désordre sur deux plans qui sont des plans de création : 1) la création du poème dramatique écrit, et 2) la création du poème dramatique représenté. C'est-à-dire, en isolant artificiellement les choses, un point de vue qui est d'abord un point de vue d'auteur, et ensuite un point de vue d'acteur.

1) *Désordre au niveau de la création du drame écrit*

En réfléchissant à cet exposé, je lisais, pour un cours que je fais en ce moment, le livre de Jean Rousset, *Forme et Signification* et en particulier le chapitre consacré à Marivaux. Et je trouvais, relevée par Rousset, cette phrase de Marivaux : « Je ne sais point créer, je sais seulement surprendre en moi les pensées que le hasard me fait ». On voit donc que cette esthétique de Marivaux est une esthétique du hasard et de l'improvisation. Et naturellement l'on pense à d'autres écrivains français, de théâtre ou non, Montaigne, Stendhal que Claudel détestait, ou peut-être encore davantage Péguy pour lequel il avait en somme une assez médiocre estime. Claudel est de ce côté. C'est-à-dire que Claudel, en fait, ne compose pas. Et là aussi nous avons, à propos du *Soulier de Satin,* une confidence de notre auteur. Il dit que le choc initial, pour le *Soulier de Satin,* a été une rencontre avec la femme qui avait inspiré *Partage de Midi,* avec Ysé, et qu'à la suite de cette rencontre il y a eu d'autre part en lui l'idée de mettre sur la scène une sorte de fête nautique. Et il a écrit la quatrième journée du *Soulier de Satin,* « Sous le vent des Iles Baléares ». *Le Soulier de Satin* est donc une pièce qui a été commencée par la fin.

Ayant écrit « Sous le vent des Iles Baléares », que fait Claudel ? Ici encore je cite les *Mémoires improvisés* (p. 272) :

Petit à petit, les idées se sont agrégées; et suivant mon mode de composition, qui n'est jamais fait d'avance et qui est pour ainsi dire inspiré par la marche, par le développement, comme un marcheur qui voit d'autres horizons se développer de plus en plus devant lui, sans souvent, qu'il les ait prévus, les différentes journées se sont placées l'une derrière l'autre, chacune avec ses horizons, ses vues latérales, ses souvenirs, ses aspirations, enfin tout ce qui fait la vie d'un homme et d'un poète.

Je citais Marivaux, mais il est clair que les deux cas sont extrêmement différents, car ces dons du hasard qui sont offerts à Marivaux le sont avec une certaine économie, sinon une certaine parcimonie, en tout cas une certaine modération. Tandis qu'à Claudel ils sont jetés avec une sorte de prodigalité extraordinaire, et dans un torrentiel bouillonnement.

Claudel, dans une très belle page que vous trouverez dans les *Œuvres en
Prose* de la Pléiade (p. 52), texte qui date de la fin de sa vie (1952), nous fait confidence sur ce bouillonnement au moment de la création d'une pièce. « Avec le
drame, dit-il, nous pénétrons dans la région la plus obscure du cerveau humain,
celle du rêve. Dans le rêve notre esprit, réduit à un état passif ou semi-passif,
celui de plateau, est envahi par des fantômes — d'où venus ? (...) Peu à peu tout
s'organise. (Il y a) ce piétinement enragé dans les coulisses de ces acteurs pressés
de prendre leur rôle, (...) ce hourra torrentiel qui peu à peu entraîne une action
accélérée créatrice de sa propre loi et de sa propre vraisemblance. (Et) l'expression
nous jaillit littéralement sous les pieds ».

Et cette esthétique du hasard, on pourrait la définir négativement en disant
que c'est le refus du choix. Vous savez que Claudel a écrit aussi cette phrase si
parlante : « Si vous donnez une rose rouge à une dame, c'est au préjudice de
cette rose blanche que vous ne lui donnez pas ». Donc ne rien choisir, tout accepter de ce qui se précipite dans le cœur et dans le rêve du poète, ce qu'il a lui-même
exprimé d'une manière brutale et humoristique en disant que sa devise était :
vite et mal !

Cette ouverture à toute inspiration — Claudel est scandalisé de ce que Valéry
écrit contre l'inspiration — se rattache à l'esthétique générale de Claudel. On peut
se souvenir de la fameuse phrase de Rodrigue qui dit « Que j'aime ce million de
choses ensemble ! ». Là encore, c'est ne rien choisir, parce que tout choix est un
sacrifice. Et ne rien choisir, cela implique nécessairement la contradiction, mais la
contradiction, on le sait, n'effarouche pas Claudel. Il la recherche même quelque
fois, de la façon la plus provocante, et il s'en est expliqué non sans un certain
cynisme, au début des *Conversations dans le Loir et Cher*. Je ne sais plus qui,
à la fin de sa vie, après l'avoir entendu s'emporter éloquemment contre les *Misérables*, lui disait : « Mais, mon cher Maître, est-ce que vous les avez lus ? »
Claudel les avait lus à l'âge de quinze ans et il en avait plus de quatre-vingts.
« Ça ne fait rien, disait-il, au contraire : j'aime mieux ne plus me souvenir du tout
de ce qu'il y a dans les *Misérables*, cela me permet d'en parler plus librement ! »
Il y a mille boutades dans la vie de Claudel qui montrent que la contradiction ne
l'embarrassait pas. Et elle ne l'embarrassait pas parce qu'il avait le génie, dramatique et poétique, de la conciliation.

On se rappelle, dans *Art poétique,* cet admirable passage où Claudel dit :
Vous me parlez de Grouchy et de Blücher et de la bataille de Waterloo et vous
établissez certains rapports entre Blücher et Waterloo. Très bien, mais moi je
vois, à ce moment de la bataille, la tête de ce pêcheur de perles qui crève l'eau
à côté de son catamaran, et je vois aussi la possibilité d'un rapport entre ces deux
phénomènes qui sont apparemment tout à fait étrangers l'un à l'autre : « tous

les deux écrivent la même heure, tous les deux sont des fleurons commandés par le même dessein ».

C'est non seulement à sa pensée esthétique, mais aussi à sa pensée religieuse qu'on peut rattacher cette esthétique du désordre, car pour Claudel, il l'a dit et répété, la création littéraire (et surtout la création littéraire de l'auteur dramatique) était une image de la Création, telle qu'elle nous a été rapportée au début de la Genèse. Le texte qui peut le mieux nous éclairer à cet égard, c'est celui de la *Légende de Prakriti*. On voit là Claudel reconstituer en quelque sorte sur son écran intérieur, comme cela a été un peu reconstitué sur l'écran au début de *Christophe Colomb*, la création du monde.

Le monde n'est pas alors achevé, il est encore imparfait, comme en ébullition. Ce qui peuple la surface de la terre, ce sont des êtres incomplets, anormaux, monstrueux. Il est certain que Claudel a une certaine prédilection et une certaine tendresse pour ce moment intermédiaire de la création. Il écrit : « Tout y est à la fois disparate et exagération ». N'est-ce pas là une bonne définition de maintes scènes de son théâtre où tout est à la fois, en effet, disparate et exagération.

Quant aux monstres qui dans la philosophie du XVIIIe siècle ont si souvent été brandis, dans une intention blasphématoire, contre un Dieu qui ne serait qu'un artisan maladroit et féroce, ils ne gênent pas du tout Claudel dans sa foi : il s'intéresse à eux et il s'en amuse. Il dit que ce sont des « joujoux drôlatiques que la Sagesse éternelle a laissé faire pour s'en amuser ». Dans ce désordre que constitue la monstruosité Claudel trouve, non pas une raison de s'indigner, mais une raison de sourire. A vrai dire il y a deux notions qui sont indissolublement liées pour lui, c'est la notion de création et la notion de gaîté. Toute création est une fête. Et dès *La Ville* on trouve un passage assez extraordinaire où faisant allusion au geste créateur de Dieu dans la Genèse, Claudel modifie le texte sacré. Celui-ci, on le sait, dit : « Dieu vit que son œuvre était bonne ». Claudel ajoute ceci : « Dieu se mit à rire ». Dieu se mit à rire dans cette satisfaction du créateur, qui a été, d'un bout à l'autre de sa carrière, la satisfaction de Claudel.

Ecoutons-le encore, dans les *Mémoires improvisés* (p. 287), parlant à Amrouche :

Si on admet que tous les acteurs d'une pièce — et il pense à n'importe quelle pièce quand ce serait *Polyeucte* — sont, en somme, des *déguisés*, il est certain que, même dans le drame le plus sombre, intervient un élément de comique. On sait que ce n'est pas tout à fait sérieux, et qu'il y a une intention amicale dans tous ces terribles jeux d'épée, ou de conflits qui se produisent. Et, de même, aux yeux du Père, qui est le bon Dieu, je suppose qu'il garde une espèce de sympathie humoristique, de sympathie amusée pour ces pauvres êtres qui se donnent tant de mal, qui, dans le fond, ne font rien de très sérieux.

Cette sympathie humoristique de Dieu à notre égard, c'est la sympathie humoristique de Claudel à l'égard de son œuvre. On l'a beaucoup taxé d'orgueil, et lui-même a reconnu que le grief était justifié, mais cet orgueilleux ne se prenait pas au sérieux et je suppose que personne ne prend au sérieux le dernier mot du *Soulier de Satin* : Ici finit « l'opus mirandum », l'œuvre admirable. S'il n'y a pas de point d'exclamation dans le texte, il y en certainement un dans l'esprit de Claudel.

Tout ce que je viens de dire, c'est-à-dire tout ce qui touche au désordre dans la création, à cet aspect de festivité dans la création, s'applique à l'œuvre qui se crée dans l'esprit du poète, plutôt qu'à l'œuvre achevée, enfermée, ne varietur, dans les pages d'un livre. Le moment de théâtre qui intéresse Claudel, suivant une formule qui lui est familière, c'est le moment du *théâtre naissant*. Et c'est une des raisons pour lesquelles il ne cesse de refaire ses pièces. On n'a jamais vu un grand dramaturge reprendre avec une aussi maniaque application ses drames les plus admirés, considérés comme des chefs-d'œuvre, modifier, tailler, ajouter, au grand désespoir de ses admirateurs et aussi des metteurs en scène qui voyaient au moment même où ils s'apprêtaient à monter une œuvre de Claudel, s'exercer de la part du redoutable auteur cette activité réformatrice et dévastatrice.

Car il vient un moment où la pièce est représentée. Sur ce moment de la création du drame joué, je vous proposerai maintenant quelques réflexions, qui touchent donc plus à l'acteur qu'à l'auteur.

2) *La création du poème dramatique représenté*

On peut admettre qu'une pièce, que toute pièce, est créée trois fois. Elle est créée au moment de cette fête intime dans le cerveau de l'auteur, dont je vous ai parlé en citant Claudel. Elle est créée une deuxième fois lorsqu'elle vient en répétition, lorsque l'auteur et le metteur en scène essayent de faire entrer dans la peau des acteurs les rôles, le texte du poète. Elle est créée une troisième fois au moment de la représentation devant le public. Tant que la représentation n'a pas eu lieu, la pièce n'est pas vraiment créée.

Je crois que le principe général, en ce qui concerne Claudel, est le suivant : une pièce de Claudel, au moment de cette troisième création, devant le public, doit conserver tout ce qui était fièvre, spontanéité, animation, caractère de fête et d'improvisation, désordre au moment de la création littéraire et de la répétition des acteurs. Il est évident que ce principe est chimérique, mais je crois que Claudel y tenait et je crois qu'il faudrait, quand on joue Claudel, se rapprocher le plus possible de cet unisson entre la fièvre du créateur-écrivain et celle du créateur-comédien.

Avant de passer à quelques considérations plus pratiques, permettez-moi une parenthèse, éclairante je crois, et qui touche à la musique. Je lis dans les *Œuvres en prose* (p. 152) un texte intitulé « Le Drame et la musique », et j'y trouve ceci dont vous allez voir comment on peut l'appliquer au théâtre :

Pascal dit un mot bien juste : *L'éloquence continue ennuie*. Je serais tenté de le modifier en disant : *La musique continue ennuie...* L'âme n'est pas constamment dans le même état de tension, et je parle ici aussi bien des spectateurs que des acteurs sur la scène. Elle a besoin de regagner le sol de temps en temps, ne fût-ce que pour y trouver le support d'un nouveau bond. L'auteur, et le spectateur avec lui, a avantage à agir comme les tâteurs de vin en France qui sucent un citron de temps en temps pour se nettoyer la bouche et s'apprêter à mieux goûter une nouvelle gorgée de nectar. Le drame ainsi compris n'est pas un vol monotone dans le ronron ininterrompu de l'orchestre ou de la prosodie. C'est une série d'élans et de rémissions.

Et Claudel applique cette remarque à Wagner, en lui reprochant justement de ne pas donner de temps en temps à l'auditeur ce citron qui lui permet de se reposer les papilles. Il dit de Wagner :

Son erreur a été de ne pas créer de gradation entre la réalité et l'état lyrique, d'appauvrir ainsi sa palette sonore et de raccourcir la portée de son essor; (...) nous n'entrons pas peu à peu dans un monde conquis ou mérité, nous sommes placés d'emblée par l'enchantement des timbres amalgamés et de ces filtres à base de cuivres, au sein d'une espèce d'atmosphère narcotique où tout se passe comme dans un rêve.

Et Claudel continue (il s'agit de la musique de *Christophe Colomb*) :

Milhaud et moi, au contraire, nous avons voulu montrer comment l'âme arrive peu à peu à la musique, comment la phrase jaillit du rythme, la flamme du feu, la mélodie de la parole, la poésie de la réalité la plus grossière, et comment tous les moyens de l'expression sonore, depuis le discours, le dialogue, et le débat soutenus par de simples batteries, jusqu'à l'éruption de toutes les richesses vocales, lyriques et orchestrales, se réunissent en un seul torrent à la fois divers et interrompu. Nous avons voulu montrer la musique non seulement à l'état de réalisation, de grimoire réparti aux pages de la partition, mais à l'état naissant quand elle jaillit et déborde d'un sentiment violent et profond.

Ce qu'il dit de la musique, il le pense aussi profondément du drame. Pour lui, au théâtre, il faut que nous ayons un drame à *l'état naissant*. Et c'est d'ailleurs ce qui explique cette tentative, malheureuse, je trouve, mais intéressante dans son principe et dans son intention, qui s'appelle *Tête d'Or au Stalag*. Après avoir répété cent fois que *Tête d'or* était du charabia et que lui-même n'y comprenait plus rien, après l'avoir refusé à Barrault, il s'était laissé tenter par cette variation en marge de *Tête d'Or* qui consistait à montrer des prisonniers de guerre français dans un stalag se proposant de jouer la pièce, la répétant et achoppant sur des phrases, des mots mystérieux, et mêlant ce texte avec leurs propos familiers, avec le vocabulaire de leurs propres souffrances, avec la réalité quotidienne de leur vie, et faisant naître ainsi *Tête d'Or*.

Si vous lisez ce texte qui a été publié dans les *Cahiers Renaud-Barrault,* vous verrez que la réussite n'est pas au niveau de l'intention. Je répète que l'intention est très intéressante, et je ne vois pas pourquoi Claudel n'aurait pas continué. De même, il y avait dans ma jeunesse toutes sortes de *Bécassine : Bécassine chez les Turcs, Bécassine pendant la guerre, Bécassine en apprentissage;* vous vous rappelez aussi le répertoire inépuisable de la Comédie Italienne : *Arlequin gaze-*

tier, Arlequin apothicaire, peintre, astrologue, banqueroutier, condamné à mort...
Je ne vois pas pourquoi nous n'aurions pas une série de *Tête d'or* : un *Tête d'or au Brésil*, un *Tête d'or à Prague, à Nagasaki, à Copenhague, au Pôle Nord, au Sahara...* Il me semble que Claudel n'aurait pas refusé de s'engager dans un pareil cycle !

Mais, pour revenir au *théâtre naissant,* quelle en est la conséquence, d'abord du point de vue du décor et des accessoires ? Claudel, dans une lettre inédite à Barrault, du 7 novembre 1944 écrit : « Les accessoires sont des personnages passionnants et en même temps des instruments de l'action ». Et ce qu'il dit des accessoires il le dirait volontiers aussi, je pense, du décor. Ici rappelez-vous les trois étapes de la création d'une pièce de théâtre : il faudrait, à la représentation, qu'on se trouvât exactement dans la situation où l'on est à la répétition. On le sait, quand on répète, rien n'est prêt, et l'on est obligé d'avoir recours à des équivalents. Il faut un vase précieux, on prend une boite de conserves. Il faudrait au théâtre que l'on eût vraiment l'impression, quand la pièce est jouée, que l'accessoire n'est pas soigneusement préparé par le régisseur, mais quelque chose qui tient lieu d'un vase, d'une fleur, quelque chose que l'acteur au dernier moment prend dans la coulisse ou n'importe où, et qui, par la volonté, l'intention de l'acteur, accède à la qualité d'objet poétique. C'est ainsi que l'utilisation de l'accessoire serait conforme à la théorie du théâtre naissant, improvisé. Et pour le décor c'est la même chose. Vous vous rappelez, pour *Le Soulier,* « une toile négligemment barbouillée ou n'importe quoi suffit ». N'importe quoi, ou n'importe qui ! Le décor pourrait être avantageusement remplacé aux yeux de Claudel par l'acteur. Et c'était déjà l'idée de Jarry. C'est ainsi qu'*Ubu Roi* a été joué. Il y avait en 1896, à la création d'*Ubu,* quantité de cas où au lieu d'un décor, de quelque chose en bois ou en toile, c'était un comédien qui figurait une porte ou une fenêtre. Ce système de l'acteur qui fait le décor a été appliqué, par Barrault, et bien dans l'intention profonde de Claudel, en particulier au Palais Royal, en 1959 ou 1960. On y a vu dans *Le Soulier de Satin,* dans cette scène où Camille et Prouhèze se parlent de part et d'autre d'une haie, s'avancer en diagonale et traverser la scène une procession de cinq ou six jeunes femmes en collant sombre, parées de quelque feuillage, qui sont entrées et qui se sont immobilisées pour former ce décor d'une haie vivante. Pour ma part je n'ai jamais eu mieux que ce soir-là l'impression de beauté, et d'un théâtre profondément original et vivant, — vraiment dans l'esprit de Claudel.

En dehors de cette conséquence touchant le décor et les accessoires, on peut proposer, pour répondre à l'intention de Claudel, deux solutions. L'une, puisqu'il s'agit de *théâtre naissant* serait évidemment la pure et simple improvisation. C'est-à-dire que dans ce cas le poète ne donnerait à l'acteur qu'une sorte de canevas très modeste sur quoi l'acteur exercerait sa spontanéité. Et l'on sait que Claudel a écrit des canevas comme *L'Homme et son désir, La Femme et son ombre,* et qu'il ne serait pas loin de considérer *Christophe Colomb* comme une sorte de canevas, au moins, dit-il — et il insiste là-dessus dans les *Mémoires improvisés* — une ébauche. Ce serait une sorte de Commedia dell' arte.

I. PAUL CLAUDEL : Tête d'or.

Ici nous nous heurtons à une contradiction. Que l'on pratique la Commedia dell' arte sur un texte comme celui d'*Ubu Roi*, aucune importance, ce texte n'ayant de toute évidence aucune valeur littéraire. Mais comment réduire, quand on a la chance, grâce au génie de Claudel, de voir s'entr'ouvrir ce monde extraordinaire d'images et de poésie, comment réduire ce poète au silence ? Comment se priver de son texte ou lui demander de se limiter à ce rôle trop modeste d'un fabricant de canevas. Il ne s'agit donc pas, nous l'admettrons, de la pure Commedia dell' arte. De quoi s'agit-il ? J'ai demandé à Jean-Louis Barrault comment il essayait d'être fidèle à cet esprit d'improvisation. Il m'a d'abord répondu : « Il faut donner l'impression d'improviser plutôt qu'improviser ». Mais selon ce système, si vous alliez dix fois voir *Le Soulier de Satin*, vous observeriez dix soirs de suite la même improvisation, et ce serait malgré tout une sorte de duperie. Comme je l'interrogeais davantage, Barrault s'est rappelé un souvenir qui date du temps où il fréquentait Despiau. Il admirait dans son atelier un buste, avec une joue informe et rugueuse et l'autre parfaitement lisse, où miroitait la lumière; le sculpteur lui avait expliqué : « L'une fait valoir l'autre ». Et Barrault estime que la mise en scène de Claudel doit un peu s'inspirer d'un contraste de ce genre.

Il conçoit cette mise en scène comme une succession de moments impitoyablement serrés et précis et de moments où il laisse au contraire la bride sur le cou à l'acteur. Ces moments de relâchement, me faisait-il remarquer, ne détendent que le jeu : l'acteur peut improviser dans une certaine mesure entre ces points fixes, — mais ne sont en tout cas jamais relâchés pour le texte.

En somme, Claudel, à l'égard de son texte, était plus désinvolte que Barrault. Et cela est parfaitement normal (quoique l'inverse se rencontre souvent dans les relations de l'auteur et de l'acteur). J'ai l'impression que, dans un cas comme celui de Claudel, les acteurs ne profitent pas de toute la chance qui leur est offerte. Ces comédiens ont l'occasion de s'affirmer en tant que comédiens, mais ils préfèrent, en général, s'affirmer en tant que personnages. Je veux dire que l'actrice qui sent qu'elle peut faire pleurer dans la mort de la Dame aux camélias, aime beaucoup mieux faire couler ces larmes faciles que d'interrompre l'émotion qu'elle communique au spectateur en lui disant de façon ou d'autre : *ce n'est que du théâtre et tout va s'arranger !* L'acteur croit plus à la fiction qu'il sert qu'à son art.

Or pour l'interprète de Claudel, il faudrait presque que ce soit le contraire, il faudrait s'employer à *rompre l'illusion*. Je crois que c'est la formule qui rend le mieux compte de la représentation d'une pièce de Claudel conçue selon son esprit et ses intentions. Qu'est-ce que l'illusion ? C'est cette espèce de passivité, d'état d'hypnose où se trouve le spectateur sentimental qui va voir *La Dame aux camélias*, qui oublie qu'il est au théâtre, et dont le cœur est déchiré par cette navrante histoire. Et cette hypnose, où le spectateur est davantage dans l'état d'un lecteur, d'un homme qui lit *Les Misérables* par exemple, Claudel l'a parfaitement définie dans la tirade de Lechy Elbernon dans *L'Echange* qui se termine par : « Et ils regardent et écoutent comme s'ils dormaient ».

Cette esthétique de l'hypnose est en réalité la plus opposée à celle de Claudel. Comment faut-il faire pour *rompre cette illusion ?* Je n'entrerai pas dans le détail, mais il y a ce que l'on pourrait appeler l'incohérence systématique. Le monde, notre expérience quotidienne, sont revêtus d'une certaine cohérence. Il s'agit de la violer. Et l'exemple le plus accessible d'incohérence systématique, c'est l'anachronisme tel qu'il est pratiqué dans *Protée.* Le spectateur le plus bon enfant ne peut pas ne pas revenir alors à la réalité et se dire : *c'est vrai je suis au théâtre.* Il y a d'une façon plus générale un procédé qui consiste à rompre l'illusion en rappelant justement que nous sommes au spectacle, c'est-à-dire en ne se contentant pas d'attirer l'attention sur le plateau, mais aussi sur les coulisses, et au besoin en les découvrant; en attirant l'attention sur les machinistes, sur les besognes matérielles du théâtre comme Claudel, drôlement, recommande de le faire dans l'avant-propos que j'ai cité. Bref, en nous rappelant que ces hommes qui parlent et qui s'agitent devant nous, et ces femmes, sont non pas des personnages, mais des acteurs. Vous voyez que ceci se résume en somme dans une intervention constante de l'auteur, que Claudel n'a pas inventée, mais qui est l'un des principes de la Comédie italienne.

Cette façon de nous rappeler que nous sommes au théâtre, c'est un peu ce que pratiquerait un prestidigitateur qui expliquerait ses tours, comme certains le font. A vous de savoir si vous aimez mieux voir un tour parfaitement fait à quoi vous ne comprenez rien, ou ayant vu ce tour de prestidigitation, comprendre d'après les explications de l'artiste comment les choses se sont faites. Personnellement, je préfère que l'artiste m'explique. De la même façon je préfère au théâtre, et surtout lorsqu'il s'agit de Claudel, sentir l'auteur présent. Et l'auteur présent nous le sentons dans *Christophe Colomb,* nous le voyons même puisqu'il y a cet « explicateur » qui se livre à un commentaire sur la pièce. Dans *Le Soulier de Satin* il y a « l'Annoncier ». Il y a aussi « l'irrépressible » qui entre en scène trop tôt, et qui parle de cette impatience, de cette trémulation, qui l'empêchent de rester en coulisse, à un moment très pathétique où Rodrigue est en danger de mort — il n'a pas repris connaissance depuis quinze jours —, et qui prend par le bras la mère de Rodrigue qui est là, l'expédie sans façon dans les coulisses, avant d'aller l'y rechercher en lui disant : *maintenant vous pouvez parler.* On voit que le pathétique, qui serait à ce moment-là naturel, et qui jaillirait normalement, est systématiquement combattu.

On pourrait imaginer quantité d'autres procédés pour nous rappeler selon le désir de Claudel que nous sommes au spectacle. Ainsi je verrai très bien du Claudel joué dans une salle qui resterait allumée, comme c'était le cas il y a un siècle. Les spectateurs pourraient se voir, se regarder et entre-temps, pas constamment sans doute, prêter attention aux « petites histoires » que se racontent les acteurs. (C'est ainsi que dans la 4e journée du *Soulier de Satin* il parle de l'admirable dialogue. Pendant que les acteurs sont en train de se raconter « leurs petites histoires », dit-il, il y aura un écran où on pourra passer des images « appropriées »). Même ces images ne seraient pas tout à fait « appropriées », cela n'aurait pas tellement d'importance. On y passerait au besoin je ne sais quelles bribes d'actualité, un match de football ou tout autre chose, je crois qu'on serait fidèle par là à l'intention de Claudel.

Un autre procédé qui me paraît dans le même esprit, serait de réinstaller des banquettes sur la scène. On nous dit que la suppression des banquettes, au XVIIIe siècle, a été une victoire du théâtre. Victoire et régression à la fois ! J'imagine volontiers aujourd'hui une représentation de Claudel, encadrée par des spectateurs, non pas des figurants, mais de vrais spectateurs. Et le drame se reflèterait sur leur visage, et leur présence, entre autres moyens, servirait à rompre l'illusion.

Quel est, pour finir, l'effet de cette rupture ? D'abord, c'est que nous voyons enfin, ici, un acteur qui mérite le nom d'artiste. Autrement nous l'oublions. Si nous ne pensons qu'à Marguerite Gautier, nous ne pensons plus à l'artiste. Mais avec le système de Claudel nous voyons une œuvre d'art en train de s'accomplir, nous voyons naître une œuvre d'art par la voix, par les gestes et par le jeu du comédien. Nous sommes aussi, par là-même, appelés à jouer, nous autres spectateurs, un rôle actif, à prendre un certain recul qui est offert à notre émotion, beaucoup plus décantée que celle à laquelle je faisais allusion tout à l'heure, et à notre réflexion.

Quand on parle de recul, on pense évidemment tout de suite à Brecht et à la fameuse « distanciation ». Il y a en effet un singulier rapprochement à faire entre ces deux auteurs dramatiques, autrement si éloignés l'un de l'autre. Ce rapprochement a d'ailleurs été proposé par la revue *Théâtre populaire* qui a publié, au moment où Claudel est mort, des entretiens sur son œuvre.

Ce que j'ai dit de cette esthétique du désordre chez le créateur, de la fête, de l'improvisation, du théâtre naissant pour l'acteur, souligne, il me semble, l'importance extraordinaire de ce théâtre de Claudel qui va contre un siècle ou un siècle et demi pendant lequel a régné le théâtre d'illusion. Les conquêtes du théâtre au XIXe siècle ont été des conquêtes de l'illusion. Et le point culminant de ce théâtre d'illusion, c'est le *Théâtre Libre*, où l'on prétend calquer la réalité. C'est la théorie du quatrième mur. Claudel a opéré une révolution. À mon gré, elle n'est pas allée aussi loin (mais tous les espoirs sont permis) qu'il était dans la logique, sinon dans l'intention de Claudel, de la faire aller. Elle consiste à négliger une période de notre théâtre qui n'est pas tellement intéressante, et à revenir à la grande tradition du théâtre antique et de la comédie italienne, c'est-à-dire d'un théâtre qui est vraiment théâtre, où tout le monde sait que l'on est au théâtre et où, lorsqu'on risque de l'oublier, on se charge de vous le rappeler.

Je crois, comme je l'ai dit en commençant, que parmi les différentes mises en scène que nous étudions pendant ces quelques jours, il y en a un grand nombre qui pourraient dictement ou non se rattacher à cette esthétique de Claudel.

« HUIS CLOS » ET « L'ÉTAT DE SIÈGE »
SIGNES AVANT-COUREURS DE L'ANTITHÉÂTRE

par Jacques TRUCHET

Professeur à la Faculté des Lettres de Paris-Nanterre

Cette étude n'a pas pour but une recherche, de type universitaire, de sources. Je ne sais pas dans quelle mesure *Huis clos* ou *L'Etat de siège* ont pu influencer l'antithéâtre. J'y vois seulement deux signes privilégiés d'un moment psychologique que nous avons connu, et qui précède immédiatement la naissance de l'antithéâtre (*Huis clos*, 1944; *L'Etat de siège*, 1948; *La Cantatrice chauve*, 1950; *La grande et la petite manœuvre*, 1951; *En attendant Godot*, 1953).

Nous disposons déjà d'un recul suffisant pour que l'antithéâtre ne puisse plus nous apparaître comme accidentel ou insolite. D'ores et déjà, il se situe dans un processus normal dont il est possible de retracer les grandes lignes. A ne le considérer qu'en lui-même, indépendamment des influences étrangères particulièrement puissantes en ce domaine, le théâtre français du XXe siècle se caractérise par une abstraction croissante en même temps que par un existentialisme également croissant; il tend — on peut le dire sans paradoxe —, vers un abstrait existentiel. Cette abstraction s'est d'abord manifestée par une renaissance de la tragédie à sujets mythologiques ou tirés de l'histoire ancienne, à l'époque de Giraudoux. Toutefois ces tragédies présentaient encore des personnages psychologiquement bien dessinés, une intrigue clairement articulée, des dialogues logiques, une progression facile à définir. Il en est encore ainsi des *Mouches* de Sartre et du *Caligula* de Camus. Au contraire *Huis clos*, du premier, et *L'Etat de siège*, du second, sont, on l'a souvent dit, des passages à la limite. Chacune de ces deux pièces, d'une manière différente, annonce l'*antithéâtre*, en supprimant ou en contestant certains éléments que l'on tenait traditionnellement pour constitutifs du *théâtre*.

Avec *Huis clos*, c'est l'intrigue qui disparaît. Elle est abolie par définition, puisqu'il s'agit de personnages morts, donc situés au-delà de toute possibilité d'acte ou de changement. Or l'intrigue était tacitement considérée comme essentielle au théâtre. La pièce de Sartre se ramène en quelque sorte à la pureté des unités, le temps et le lieu constituant les vrais agents du drame, ce qui lui confère un très haut degré d'abstraction.

L'*Etat de siège* au contraire présente une intrigue marquée par des étapes très nettes. Le passage à l'abstraction s'y fait d'une autre manière : par la conception des personnages. A l'exception de Diego, ils ne possèdent plus de psychologie. Ils représentent des entités (la Peste), ou sont ramenés à une fonction (Le Juge, La Femme du Juge, Le Gouverneur), sans parler de celui qui porte le nom encore plus abstrait de Nada. D'autre part il se produit dans *L'Etat de siège* une mise en question du langage qui n'existait à aucun degré dans *Huis clos :* il y est critiqué, désarticulé, souvent relayé par le mime.

Dans chacune de ces deux pièces, on observe donc un dépouillement, une contestation partiels certes, mais incontestables, orientés dans le sens de l'antithéâtre. C'est ce que l'on voudrait examiner de plus près, en s'en tenant à quelques points de vue majeurs.

Le thème de la déchéance

La peinture de la déchéance humaine est caractéristique de l'antithéâtre, ainsi que celle des efforts dérisoires constamment faits par l'homme pour s'y arracher et sauver, s'il le peut, sa dignité. Ni les personnages d'Ionesco, ni ceux de Beckett n'acceptent en effet leur déchéance, même s'ils finissent en dernier recours par en faire étalage. Ainsi le personnage de Bérenger, « âge moyen, citoyen moyen » (1), représente une protestation, d'ailleurs naïve et falote, en faveur de la dignité humaine. Dans *En attendant Godot,* Vladimir proclame : « Pas de laisser-aller dans les petites choses » (2), et Pozzo ne peut tolérer le manque de dignité de Lucky. Cela est exprimé par des symboles très clairs, notamment celui des pantalons qui tombent et que les personnages s'ordonnent les uns aux autres de relever. De même, à la fin d'une pièce d'Adamov, le professeur Taranne se déshabille : strip-tease grotesque symbolisant la perte de toute dignité. On peut ajouter que beaucoup de ces personnages se tiennent difficilement debout; ils s'avachissent et retombent sans cesse.

Or *l'Etat de siège* comporte des effets analogues :

> DIEGO. — Personne n'est au-dessus de l'honneur.
> NADA. — Qu'est-ce que l'honneur, fils ?
> DIEGO. — Ce qui me tient debout.

— et la secrétaire, vers la fin de la pièce, constate et avoue : « Nous triompherons de tout, sauf de la fierté » (3).

---

(1) C'est ainsi que le définit la liste des personnages de *Tueur sans gages.*
(2) Acte I, p. 14.
(3) CAMUS, *Théâtre, récits, nouvelles,* « Bibliothèque de la Pléiade » (nos références à *L'Etat de siège* renverront toujours à cette édition), p. 196 et 296.

Dans *Huis clos*, le souci de la respectabilité à maintenir à tout prix se manifeste d'une manière plus nette encore. Les personnages sont hantés par la peur
de se laisser voir tels qu'ils sont; ils refusent désespérément la dérision. A peine
entré dans un enfer moins spectaculaire qu'il ne l'avait imaginé, Garcin s'inquiète
de sa brosse à dents, et le garçon lui fait cette remarque sarcastique : « Et voilà.
Voilà la dignité humaine qui vous revient. C'est formidable » (4). Cette brosse à
dents, ne la retrouvera-t-on pas entre les mains de l'héroïne d'*Oh les beaux jours !*,
où elle continuera à exprimer le souci de la dignité humaine lié à l'objet le plus
simple et le plus prosaïque ?

La méchanceté

A l'idée de la déchéance se lie celle d'une cruauté, ou plutôt d'une *méchanceté*
(*cruauté* aurait une résonance trop classique et trop tragique), fondée sur un
sentiment d'impuissance.
En attendant Godot commence ainsi :

> ESTRAGON. — Rien à faire.
> VLADIMIR. — Je commence à le croire, J'ai longtemps résisté à cette
>   pensée, en me disant : Vladimir, sois raisonnable, tu n'as pas encore
>   tout essayé. Et je reprenais le combat (5).

Il a donc existé une volonté de sortir de cet état, mais l'échec est déjà
constaté. Au moment où l'on s'installe dans l'univers antithéâtral, le constat
d'impuissance est achevé. « C'est comme ça que ça se passe sur cette putain de
terre » (6), dira Pozzo. Et c'est ce constat qui engendre une méchanceté au sein
de laquelle il n'est plus possible de discerner les bourreaux de leurs victimes. Dans
un théâtre de type traditionnel, les bourreaux sont détestables et les victimes
sympathiques, en raison de leur situation même; dans le monde antithéâtral,
une telle distinction n'a plus cours. Cela est évident dans le théâtre d'Adamov, et
davantage encore dans le couple Pozzo-Lucky : de prime abord on éprouve de la
sympathie pour le personnage que l'on voit entrer en scène la corde au cou, et
de la répulsion pour celui qui le traîne et semble son tortionnaire; mais après
avoir entendu leur dialogue, on se demande si la victime ne serait pas plus
méchante encore que son bourreau.
    Cette torture mutuelle, caractéristique de l'antithéâtre, constituait le sujet
même de *Huis clos* : « L'enfer, c'est les Autres » (7). Inutile d'insister sur un point
aussi connu. Mais la méchanceté humaine n'est guère moins visible dans *L'Etat*

---

(4) SARTRE, *Théâtre*, t. I (nos références à *Huis clos* renverront toujours à cette édition),
scène I, p. 116.
(5) Acte I, p. 11-12.
(6) Acte I, p. 61.
(7) Scène V, p. 187.

de siège. Dès qu'ils sont en possession du carnet de la secrétaire qui permet, en rayant des noms, de faire disparaître ceux qui les portent, les habitants de Cadix s'empressent de procéder eux-mêmes à de nombreuses « radiations ». Posséder ce carnet, loin de les sauver, ne sert qu'à les perdre davantage, et la Peste peut déclarer : « Ils font eux-mêmes le travail ! » —ce qui lui donne apparemment raison quand elle dit à Diego : « Le reste ne mérite pas d'être sauvé » (8).

Mais surtout il y a dans *L'Etat de siège* ce personnage de Nada, au nom caractéristique, qui proclame sa haine pour les enfants, pour les amoureux, pour les fleurs, — et pour Dieu : « Dieu nie le monde, et moi je nie Dieu ! Vive rien puisque c'est la seule chose qui existe ! » (9). Il prononce même cette phrase terrible : « J'ai du mépris jusqu'à la mort » (10).

La mort

L'antithéâtre ne cesse d'orchestrer le thème de la mort. Elle y est présentée comme une lente agonie, un envahissement, un enlisement. Il ne s'agit jamais d'un décès constaté d'une manière nette et clinique, mais d'une disparition en quelque sorte par morceaux, telle qu'Adamov la montre dans *La grande et la petite manœuvre*, avec le personnage du Mutilé qui perd successivement ses différents membres. Beckett surtout est le spécialiste des états ambigus qui se situent sur les confins de la vie et de la mort. Dans *Fin de partie*, aux deux premiers vieillards en succèdent deux autres, émergeant de leurs poubelles et révélant un stade encore plus avancé de gâtisme et de décomposition morale. *La dernière bande* aussi représente une de ces morts progressives : un passé qui se déchire et se détruit par bribes, parmi l'amoncellement des bandes de magnétophone. Avec *Oh les beaux jours !*, cette orientation ne fait que s'accentuer.

L'Etat de siège et *Huis clos* avaient préfiguré cette manière de concevoir la mort.

Dans *L'Etat de siège*, la peste ne prend pas les hommes d'un seul coup. Elle se manifeste par trois marques successives. La situation des habitants de la ville est ambiguë. S'inspirant des souvenirs de l'occupation, Camus les soumet notamment à la nécessité de se procurer une absurde série de certificats qui mesurent en quelque sorte le degré de non-mort de ceux qui sont au fond déjà morts.

Dans *Huis clos*, le thème de la mort progressive apparaît d'une autre manière : par la suppression des échappées que les personnages peuvent garder un certain temps sur le monde des vivants. En effet, au début de la pièce, ils ont dans une certaine mesure la possibilité de voir ce que font ceux qui leur survivent. Dans un passage tout à fait saisissant, Sartre nous montre Inès, qui fut certainement

---

(8) P. 283 et 292.
(9) P. 237.
(10) P. 195.

de son vivant très méticuleuse, en train de regarder sa maison habitée par d'autres, son lit même sur le point d'être occupé par un couple d'inconnus; soudain elle ne voit plus rien. « A présent, dit-elle, je suis tout à fait morte. » De même Estelle aperçoit l'homme qu'elle aimait dansant avec une de ses anciennes amies; mais la vision s'estompe, et elle constate : « La terre m'a quittée » (11).

Ces mots, « La terre m'a quittée », feraient une admirable épigraphe pour *Oh les beaux jours !* Cette pièce ne se situe-t-elle pas dans les au-delà de la mort. ou peut-être dans son immédiat en-deçà ? La mort en train de se faire, et jamais achevée... D'où ces actions dramatiques qui se réduisent à une sorte de pulsation, de mouvement de va-et-vient dans un perpétuel recommencement. Le « Eh bien, continuons » qui termine *Huis clos* est typiquement antithéâtral. Il ressemble tout à fait à la fin, semblable, de chacun des deux actes d'*En attendant Godot* :

> — Alors on y va ?
> — Allons-y.
> *Ils ne bougent pas.*

Le cadre et les accessoires

Le cadre, le matériel, les accessoires de l'antithéâtre sont également caractéristiques. Le lieu en est volontiers très vague, indéfinissable, évoqué plutôt que réalisé. Il relève d'une sorte de mythologie de l'insolite. Dans *Le Piéton de l'air*, Ionesco est allé, pour renforcer cet effet, jusqu'à faire appel à la notion physique, ou pseudo-physique, d'anti-monde. Dans une telle ambiance, des objets usuels, souvent représentatifs d'une civilisation moderne et urbaine, prennent une valeur de fantastique; par exemple le magnétophone dans *La dernière bande*, les poubelles dans *Fin de partie*, la cité radieuse dans *Tueur sans gages*. Ils recréent, par ce qu'ils représentent d'inquiétant, un univers onirique.

De même, lorsqu'il entrait en scène dans la deuxième partie de *L'Etat de siège,* « vêtu du masque, l'allure traquée », Diego demandait :

> Où est l'Espagne ? Où est Cadix ? ce décor n'est d'aucun pays ! Nous sommes dans un autre monde où l'homme ne peut pas vivre. Pourquoi êtes-vous muets ? (12).

Dans ce décor d'au-delà du monde, le pathétique est strictement interdit; Camus le montre très nettement. Tout ce qui rappellerait le tragique traditionnel, celui du théâtre grec, de nos classiques, de Giraudoux, est sévèrement réprimé; tout est fait pour qu'il n'éclate pas, et les accessoires sont prévus en conséquence. La Peste explique qu'elle a pris intentionnellement « l'air d'un sous-officier », le personnage du sous-officier étant sérieux, prosaïque, tout à fait dépourvu de

---

(11) Scène V, p. 148 et 153.
(12) P. 248.

pathétique : « C'est la façon que j'ai de vous vexer, car il est bon que vous soyez vexés » (13). Quant à la Secrétaire, elle est munie d'un carnet et de crayons, comme toute secrétaire. Or quel est le rôle d'une parfaite secrétaire, si ce n'est de faire obstacle au pathétique, de faire écran entre son patron et les solliciteurs, d'opposer d'une voix neutre des fins de non recevoir ? Oui, le pathétique est bien éliminé, à moins que de cette ambiance même il n'en jaillisse un autre, d'un type nouveau : celui de la bureaucratie, pathétique glacé qui rejoint celui des accessoires de l'antithéâtre.

Quant à *Huis clos*, on sait que cette pièce débute par un véritable inventaire des accessoires (canapé, bronze de Barbedienne, coupe-papier...). Tous ces objets se font les dérisoires agents d'un pathétique qui s'interdit d'aller jusqu'au tragique. Prosaïques ustensiles, ils remplacent ostensiblement l'arsenal classique de l'enfer.

Le langage

De ces objets usuels, les plus intéressants et les plus inquiétants sont les mots; il est juste qu'ils occupent une place privilégiée. De fait l'antithéâtre, depuis *La cantatrice chauve*, apparaît peut-être surtout comme une contestation du langage. Rappelons seulement le très long discours incohérent de Lucky, quand il a reçu l'ordre de « penser », dans *En attendant Godot*, et les tentatives de Jean Tardieu.

Il semble révélateur qu'en tête de *L'Etat de siège* Camus ait placé cette indication scénique, qui vaut pour tout le début de la pièce : « Le dialogue est à peu près incompréhensible » (14), consigne d'autant plus paradoxale en apparence qu'elle était donnée par un auteur particulièrement épris de dialectique et de clarté. Et Nada proclamera :

Il s'agit ici de faire en sorte que personne ne se comprenne, tout en parlant la même langue. Et je puis bien te dire que nous approchons de l'instant parfait où tout le monde parlera sans jamais trouver d'écho.

Alors la cacophonie s'établira, plusieurs personnages parlant à la fois, et Nada enthousiasmé reprendra :

Vive rien ! Personne ne se comprend plus : nous sommes dans l'instant parfait ! (15)

Ainsi l'absurde camusien s'étend jusqu'au langage, de la manière parfois la plus déconcertante. Je pense en particulier à ce moment de la pièce où surgit cette phrase, hermétique en elle-même et sans rapport avec le contexte : « Après

---

(13) P. 228.
(14) P. 189.
(15) P. 247-248.

la mort de l'ami blond, tu recevras une lettre brune » (16). Dans cet exemple, le langage n'est pas moins malmené que dans une œuvre antithéâtrale.

Il faut en outre souligner la part considérable du mime dans *L'Etat de siège*. C'est ainsi que toute la scène de l'apparition du fléau ne présente aucun dialogue; elle est entièrement mimée : on voit un homme qui tombe, des gens qui se précipitent, des reflux, des avancées; on entendra seulement ce mot, péniblement articulé : « La Peste. » Autre recul du langage.

Jusqu'ici nous avons toujours trouvé des signes avant-coureurs de l'antithéâtre à la fois dans *L'Etat de siège* et dans *Huis clos*. Mais sur ce point nous devons avouer que nous ne pourrions sans artifice faire appel à cette dernière pièce. Elle est au contraire caractérisée par des dialogues d'une cohésion intellectuelle et d'une rigueur sans faille, qui constituent d'ailleurs les vrais instruments de torture de l'enfer sartrien.

*
* *

Il serait abusif de vouloir retrouver tout l'antithéâtre préfiguré chez Sartre et chez Camus. Sartre, on vient de le voir, respecte trop les mots (ne vient-il pas d'intituler *Les Mots* ses mémoires ?). Quant à Camus, il affirme si fortement son respect pour la volonté de l'homme qu'il est impossible de l'apparenter totalement aux dramaturges de l'antithéâtre. Rien n'est moins antithéâtral que cette proclamation du chœur, à la fin de *L'Etat de siège* : « Il arrive donc que l'homme triomphe ! » (17).

Encore pourrait-on se demander si l'antithéâtre lui-même ne réintègre pas souvent certains des éléments qu'il semble le plus âprement contester.

Il conteste le langage. Mais ne récèle-t-il pas à son tour une rhétorique, — une rhétorique qui n'aurait évidemment rien à voir avec celle d'Emile Augier ou de Dumas fils, ni même avec celle de Giraudoux ou de Sartre ?... Le « Guerre à la rhétorique ! » de Hugo n'a pas fini de retentir; mais toute guerre menée contre la rhétorique risque d'aboutir à l'instauration d'une rhétorique nouvelle (Hugo lui-même en offre un exemple évident).

De même, si nous disons que Camus fait trop confiance à l'homme pour être assimilé à un auteur d'antithéâtre, il conviendrait de se demander si l'antithéâtre lui-même reste uniquement négateur. L'humain, le fraternel s'y expriment également — particulièrement dans *Tueur sans gages* et, d'une manière presque prudhommesque, dans *Rhinocéros*, à travers le personnage de Bérenger. Dans l'œuvre même de Beckett, *Oh les beaux jours !* me semble marquer un retour vers certaines valeurs de tendresse, comme naguère *Les Chaises* d'Ionesco. Ces deux pièces peuvent être considérées comme la transposition moderne de la légende de Philémon et Baucis : il s'agit d'un vieux couple qui disparaît ensem-

_____

(16) P. 202.
(17) P. 285.

ble, dans une tendresse un peu niaise, mais profonde et touchante. A tout prendre il faut bien reconnaître que de toutes les pièces ici évoquées c'est *Huis clos* qui reste la plus désespérée.

Ces quelques réflexions, qui ne pouvaient être que très générales, trouveraient aisément leur conclusion dans la phrase suivante, que j'emprunte au texte liminaire de notre colloque :

« Comme toujours en art, l'exploration lucide de la souffrance et du mal est un acte de connaissance, donc un témoignage de dignité, sinon d'espoir. »

Ceci est vrai de Sartre et de Camus. Ce l'est également de l'antithéâtre, dont il leur est arrivé de présenter au moins les germes intellectuels, et parfois d'esquisser les réalisations scéniques.

IONESCO

DE LA DÉRISION A L'ANTI-MONDE

par Guy MICHAUD

Professeur à la Faculté des Lettres et Sciences humaines de Paris-Nanterre

« Le rire, écrit Henri Jeanson, ce n'est pas un substantif, c'est un verbe ». Un verbe, ou, si l'on préfère, un acte. C'est pourquoi le rire est éminemment scénique et communicatif. Qu'un personnage — ou plusieurs — se mette à rire sur la scène, et généralement toute la salle rit à son tour : ainsi au troisième acte du *Barbier de Séville*, que l'on pourrait appeler aussi bien une comédie en trois rires. Souvent ce verbe est un impératif : « Riez ! » semble crier l'auteur au public. Et il sait bien que le public ne pourra pas faire autrement. Pourquoi ? C'est ce qu'il importe de comprendre en premier lieu.

Dans la tragédie, on sait que le spectateur doit être de connivence avec le héros. Bien plus, l'illusion tragique consiste pour lui à passer de l'autre côté de la rampe, à s'imaginer sur la scène et à s'identifier au personnage. Ce qui fait dire à P.A. Touchard : « L'atmosphère tragique existe, en définitive, dès que je me sens *sujet* dans l'action qui se joue. » Les moyens techniques en sont connus : le monologue, les périls du héros, bref, tout ce qui peut susciter chez le spectateur terreur, angoisse ou pitié.

Dans la comédie, c'est exactement l'inverse. Il ne s'agit pas de rapprocher le spectateur du personnage, mais de lui imposer le recul nécessaire. Même s'il a pu être dupe un moment, et se croire de connivence avec Alceste contre les admirateurs de Célimène, l'auteur s'empresse de le rappeler à l'ordre, de faire succéder à la tension la détente, à la sympathie le détachement amusé :

Eh bien, ne faut-il pas que Monsieur contredise ?

Tant il est vrai que le rire implique à la fois détente sur le plan physiologique et détachement sur le plan psychologique. « Le rire est un baptême de la Ligne », dit fort bien Ramon Fernandez, précisément à propos de Molière. La Ligne, c'est la rampe. En riant, nous passons la ligne, nous reprenons nos

distances. De notre fauteuil, nous devinons les ficelles qui tirent les marionnettes, nous jugeons et nous rions. Au nom de quoi ? D'un système de valeurs,
d'une image de l'homme qu'une société bourgeoise nous a enseignés.

Or, aujourd'hui, la société bourgeoise se désagrège sous nos yeux. Les
valeurs sont remises en question, et il n'est plus d'image de l'homme à partir
de laquelle juger et rire. On peut dire que, depuis *Ubu Roi*, le théâtre d'avant-
garde, devant cette décomposition de l'homme et de la société, dresse un constat
de faillite. Dès lors, le rire n'a plus de référence, de points de repère. Le guignol
fait place au jeu de massacre. Il se métamorphose : tout s'effondre dans la
dérision.

Mais le paradoxe, c'est que de nouveau cela nous concerne, car c'est l'homme
lui-même, l'homme tout entier qui est devenu dérisoire. Par un nouveau renversement, nous sommes renvoyés à ces fantoches qui s'agitent en face de nous et
auxquels, cette fois, nous sommes bien près de nous identifier : miroir terrible,
qui nous projette sur la scène, avec eux; dans un monde qui n'a plus de sens,
un monde absurde, où évoluent des êtres absurdes, qui sont aux prises avec des
événements absurdes, et qui commettent des actes absurdes. Et c'est ici le monde
d'Eugène Ionesco.

★
★ ★

Pour bien le comprendre, il importe de le laisser parler, s'expliquer, et il ne
s'en fait pas faute, par la voix de ses personnages comme dans ses *Notes et
Contre-notes*.

Ecoutons donc d'abord comment il se définit lui-même à travers son héros
Bérenger. « Vous faites partie de la catégorie des tempéraments poétiques », lui
dit l'Architecte de *Tueur sans gages*. Oui, mais le Bérenger du *Piéton de l'air*
précise au journaliste venu l'interviewer : « Je suis obligé de vous faire des
aveux. Je me suis toujours rendu compte que je n'avais aucune raison d'écrire ».
Et c'est vrai ! Surtout pas du théâtre : « Je n'allais pour ainsi dire jamais au
théâtre », avouait-il en 1958. « Je n'y goûtais aucun plaisir, je ne participais pas...
C'était pour moi une sorte de tricherie grossière... » (*Notes et Contre-Notes*, p. 3).
Et pourtant, non, ajoute-t-il plus loin. Dans son enfance, il se passionnait pour
le Guignol.

C'était le spectacle même du monde, qui, insolite, invraisemblable, mais plus vrai
que le vrai, se présentait à moi sous une forme infiniment simplifiée et caricaturale,
comme pour en souligner la grotesque et brutale vérité.

Déclarations précieuses : Ionesco est donc, par vocation, un poète sans « message », qui aimait le guignol dans son enfance, mais qui détestait le théâtre. Ne
serait-ce pourtant pas là, paradoxalement, l'origine de son œuvre ? « Il me semble
parfois que je me suis mis à écrire du théâtre parce que je le détestais ». Il y a
dans cette phrase plus qu'une boutade.

Il n'empêche qu'il a attendu d'avoir 36 ans pour écrire sa première pièce. On sait comme elle est née de la lecture d'un manuel de conversation anglais. Il y découvre d'abord des vérités surprenantes et essentielles, « qu'il y a sept jours dans la semaine, par exemple, ou bien que le plancher est en bas, le plafond en haut » ; vérités qu'il veut dès lors communiquer à ses contemporains. Sous quelle forme ? Celle-là même du manuel :

> Les dialogues des Smith, des Martin, des Smith et des Martin, c'était proprement du théâtre, le théâtre étant dialogue. C'était donc une pièce de théâtre qu'il me fallait faire.

Ainsi, *La Cantatrice chauve* est une œuvre « spécifiquement didactique » et objective. Ou du moins elle le serait si, peu à peu, il ne s'était produit un étrange phénomène. Les propositions si simples bougèrent toutes seules, se corrompirent, les répliques du manuel se déréglèrent, M. Smith enseignait que la semaine se composait de trois jours qui étaient : mardi, jeudi et mardi : « les vérités élémentaires et sages étaient devenues folles ».

> Pour moi, ajoute Ionesco, il s'était agi d'une sorte d'*effondrement du réel*. Les mots étaient devenus des écorces sonores démunies de sens; les personnages aussi, bien entendu, s'étaient vidés de leur psychologie et le monde m'apparaissait dans une lumière insolite. *Peut-être dans sa véritable lumière*, au-delà des interprétations et d'une causalité arbitraire (*N.C.N.*, p. 159. C'est moi qui souligne).

Il n'y avait donc pas de quoi rire. *La Cantatrice chauve*, une comédie ? Parlons plutôt de « comédie de la comédie » en même temps que de tragédie du langage. « Une vraie parodie de pièce », bref : « une anti-pièce ». Dès lors, Ionesco voit clair. « J'ai compris, moi, ce que j'avais à faire ». De l'anti-théâtre.

*
* *

Ionesco a fort bien vu l'ampleur de la révolution que subit la civilisation à notre époque, dans tous les domaines : « Un bouleversement dans nos habitudes mentales ». Cette révolution s'est manifestée d'abord dans la peinture, dans la musique, le cinéma, les sciences. Mais le théâtre est en retard. Il a été stoppé dans sa révolution. « Le théâtre », affirme Ionesco, « n'est pas de notre temps. » (*N.C.N.*, p. 35-36). Et il déclare ailleurs : « *Je suis pour un anti-théâtre* ». Qu'est-ce à dire ?

Il ne s'agit pas, comme on pourrait le penser, pour faire la révolution au théâtre, de prendre naïvement le contrepied des règles et des habitudes acquises, mais de pousser le théâtre jusqu'au bout, d' « aller à fond dans le grotesque, la caricature », jusqu'à la charge parodique extrême. « Pousser tout au paroxysme, là où sont les sources du tragique. Faire un théâtre de violence : violemment comique, violemment dramatique. » (*N.C.N.*, p. 13).

Ionesco a très bien vu, comme l'avait déjà pressenti Molière, que si le comique se situe au-delà d'un certain tragique, le vrai tragique, lui, se situe au-delà du comique, car il nous confronte à nous-même, à notre détresse. Pour mieux dire encore, à ce degré d'intensité et de rupture, le comique rejoint le tragique, ce qui fait dire à Ionesco : « Je n'ai jamais compris, pour ma part, la différence que l'on fait entre comique et tragique. Le comique étant intuition de l'absurde, il me semble plus désespérant que le tragique ». Il s'agit donc pour lui de réunir l'un et l'autre dans « une synthèse théâtrale nouvelle », ou plus exactement peut-être de créer entre eux un «équilibre dynamique ».

Ainsi, avec Ionesco, nous sommes presque simultanément écartés de la scène et projetés sur la scène, identifiés malgré nous avec ce monde, ce monde sans consistance, où évoluent des fantoches. Et puis, brusquement, comme sous l'effort d'une machine infernale, ce monde explose, révélant l'absurde ou l'insolite cachés sous les apparences, et notre raison explose avec lui. C'est bien là chez Ionesco une intention délibérée : « *Il faut réaliser une sorte de dislocation du réel, qui doit précéder sa réintégration* ».

Dislocation du réel, c'est-à-dire un théâtre-limite, vidé de tout sujet, car « toute intrigue, toute action particulière est démunie d'intérêt » ; vidé de tout langage, car le langage chez Ionesco, réduit à des automatismes, tourne fou ; vidé de toute pensée, car il s'agit bien, lorsque les mots ne signifient plus rien, « d'une sorte de crise de la pensée » (*N.C.N.*, p. 223) ; vidé enfin de tout personnage humain, car les « personnages comiques, ce sont les gens qui n'existent pas ». Un théâtre non-figuratif alors ? Ionesco n'est pas loin de le penser (p. 195). On pourrait parler, à ce point de dépouillement, de degré zéro du théâtre : tout n'y est-il pas dérision, vanité et vacuité ? « Je puis dire que mon théâtre est un théâtre de la dérision. Ce n'est pas une certaine société qui me paraît dérisoire, c'est l'homme ».

Pourtant, par un apparent paradoxe, ce théâtre du vide est un théâtre du plein, du trop-plein, où « la matière remplit tout, prend toute la place » : meubles, cadavres, champignons prolifèrent sur la scène. Mais Ionesco s'en explique fort bien : « L'Univers encombré par la matière est vide, alors, de présence : le *trop* rejoint ainsi le *pas assez* » (p. 142). Et le monde devient un cachot étouffant.

*
* *

Heureusement pour lui, — et pour nous, — Ionesco est un poète, et c'est ici que son « tempérament poétique » reprend ses droits. Comment sort-il de ce cachot ? Comme tout poète, en déchirant « le voile de l'apparence » (p. 115) et du quotidien. A ce moment, *l'insolite*, lui, saute aux yeux. « L'univers me paraît alors infiniment étrange, étrange et étranger ». Et, comme Mallarmé, il se demande : « Qu'est-ce que cela veut dire ? » Mais, pour Ionesco, il n'y a pas de réponse. Il y a seulement une constatation : « Le surréel est là, à la portée de nos mains », dans le quotidien, dans le bavardage de tous les jours. Il s'agit seulement pour lui de l'en faire surgir, et c'est la tâche du poète qui est en même temps un dramaturge. Ne parlait-il pas tout à l'heure de la « réintégration du réel » ? Aller jusqu'au bout, « jusqu'au terminus », comme dit l'Architecte, c'est créer l'inso-

2. EUGÈNE IONESCO : Rhinocéros.

lite, l'invraisemblable, le surréel, ce qui est contraire à toute logique, et c'est lui donner vie et consistance. Je n'en connais pas de meilleur exemple que la petite fille anglaise du *Piéton de l'Air*, qui chante des trilles, et qui soudain, au moment où le Petit Garçon tire ses nattes, apparaît chauve :

> *Deuxième anglaise.* — Mais oui, notre petite fille, c'est la petite cantatrice chauve.

Et Ionesco prend le soin d'ajouter : « Les personnages, les Anglais et la famille Bérenger, ne sont pas du tout étonnés de la chose qui doit se passer tout naturellement ».

Car cet univers poétique n'est rien moins qu'imaginaire. Comme le dit Bérenger dans *Tueur sans gages*, « les mirages, il n'y a rien de plus réel ». Et il s'explique :

> Vous savez, j'ai tellement besoin d'une autre vie, d'une nouvelle vie... un autre décor... qui correspondrait à une nécessité intérieure, qui serait, en quelque sorte le jaillissement, le prolongement de l'univers du dedans... En somme, monde intérieur, monde extérieur, ce sont des expressions impropres, *il n'y a pas de véritables frontières entre ces soi-disant deux mondes*.

Il s'agit donc pour Ionesco, comme pour tout poète dramatique, mais sans doute de façon beaucoup plus radicale, plus intransigeante, de projeter sur la scène son univers surréel, et il le déclare très expressément :

> Je tâche de projeter sur scène un drame intérieur (incompréhensible à moi-même) me disant, toutefois, que, le microcosme étant à l'image du macrocosme, il peut arriver que ce monde intérieur, déchiqueté, désarticulé, soit, en quelque sorte, le miroir ou le symbole des contradictions universelles (*N.C.N.*, p. 136).

C'est pourquoi Ionesco a besoin de libérer le théâtre. C'est sa hantise, et il ne comprend pas que la scène soit aussi sclérosée. « Alors que le théâtre peut être le lieu de la plus grande liberté, de l'imagination la plus folle, il est devenu celui de la contrainte la plus grande. » Et s'il veut faire paraître sur scène une tortue, la transfigurer en cheval de course; puis métamorphoser celui-ci en chapeau, en chanson, en cuirassier, en eau de source ? « On peut accuser l'auteur d'être arbitraire : *mais l'imagination n'est pas arbitraire, elle est révélatrice* ».

*
* *

La preuve de tout cela, Ionesco a tenté de la fournir avec *Le Piéton de l'air*. Et il nous prévient, par la bouche de John Bull :

> Il paraît qu'il faut faire très attention à ce que disent les poètes. Ils ont souvent raison. C'est ce que l'on m'a dit. Ils prévoient et cela se vérifie (*Théâtre,* III, p. 141).

Or le Bérenger du *Piéton de l'air* tente d'expliciter cet autre monde que pressentait le Bérenger de *Tueurs sans gages*, d'accéder à cette nouvelle vie qu'il entrevoyait de l'autre côté du décor, et dont nous ne percevons d'ordinaire que des signes. Précisément voici un signe: c'est le Passant de l'Anti-Monde. Avec ses favoris blancs et sa pipe à l'envers, il n'est visible qu'aux yeux des poètes — Bérenger et sa fille. Mais Bérenger sait bien d'où il vient :

« C'est un être qui n'est pas de chez nous... Il est de l'anti-monde; il est passé de l'autre côté du mur... Il a passé la frontière. »

A vrai dire, il n'y a pas de véritable frontière entre notre monde et l'autre, tout au plus un *no man's land*. Car l'anti-monde, en un sens, c'est la projection de notre univers intérieur : « Il n'y a pas de preuve qu'il existe, mais en y pensant, on le retrouve dans notre propre pensée. *C'est une évidence de l'esprit* ». Mais l'anti-monde a cependant pour Ionesco une existence réelle, objective. Ou plutôt les anti-mondes, car « il y a plusieurs univers, imbriqués les uns dans les autres... il y en a des quantités et des quantités ». Le Passant de l'Anti-Monde vient certainement de celui qui est le plus près du nôtre, et qui en contient en quelque sorte une image *négative* : c'est bien l'envers du décor, le « monde à l'envers ».

Sont-ce là des vues d'ivrogne, comme l'insinue Joséphine, la femme de Bérenger ? Ou bien, au contraire un effort de « réintégration du réel », une fois atteint le degré zéro ? Voyons plutôt cette colonne rose qui soudain surgit du sol devant eux.

> JOSÉPHINE. — Elle n'était pas là tout à l'heure.
> BÉRENGER. — Bien sûr, elle surgit du néant. Tu vois, elle est encore toute fraîche.
> JOSÉPHINE. — Qu'est-ce que le néant ?
> BÉRENGER. — C'est une hypothèse cosmique de travail.

Entreprise de déménagement, en quelque sorte, que celle du dramaturge selon Ionesco: reconstruire le monde à partir du néant, de cette boîte sans dimension dans laquelle entrent et de laquelle sortent tous les mondes et toutes les choses, — mais le reconstruire *de l'autre côté*, à l'envers, certes, puisque c'est « de l'autre côté ». Comment y accéder dès maintenant, ou du moins comment en avoir une idée ? Pour assurer ce passage, l'homme doit « retrouver le moyen oublié », les pouvoirs perdus. Il doit réapprendre à voler, vieux rêve qui hante Ionesco et que l'on retrouve à travers son théâtre; que l'on se souvienne de la fin d'*Amédée*, ou de *Tueur sans gages* : « J'aurais certainement pu m'envoler ». Or, cette fois, Bérenger s'envole, au grand scandale de tous les Anglais rassemblés. Il s'envole, car « vouloir, c'est pouvoir », et Bérenger veut « rester un piéton de l'air ». Il monte, il disparaît, puis redescend enfin. D'où revient-il donc ? De l'Anti-Monde ? Non, il est seulement arrivé « à l'arête du toit invisible où se rejoignent l'espace et le temps ». Qu'y a-t-il de l'autre côté ? Rien, plus rien que les abîmes illimités. — A moins peut-être, suggère sa fille Marthe, à moins peut-être que les jardins... les jardins...

Un poète n'a pas à conclure, mais à suggérer. Par son pouvoir de suggestion, le théâtre de Ionesco est peut-être le seul théâtre vraiment poétique de notre époque. Par son pouvoir de libération, il est certainement celui qui a le mieux fait éclater les cadres de la représentation scénique. Mais cette poésie et cette libération ne sont pas gratuites. Ce théâtre sans message, et qui se moque des messages, est hanté par le problème métaphysique. Et pourtant Ionesco ne veut jamais être dupe. Il sait bien que le monde connaît une totale métamorphose, que dans « le monde nouveau qui semble s'ouvrir à nous », le théâtre, la poésie, l'art seront totalement remis en question. Il faut donc savoir attendre, et, en attendant, « rire, malgré tout, rire », de ce rire dérisoire et impitoyable, certes, mais qui nous rend à notre dignité d'hommes et qui est la condition nécessaire de toute libération.

BECKETT ET LE SENTIMENT DE LA DÉRÉLICTION

par Guy BORRÉLI
Faculté des Lettres de Nancy

Si, au moment de déposer le titre de cette communication, j'ai choisi le mot un peu recherché de « déréliction », ce n'est pas parce que ce vocable, dont le volume et la musicalité plurent à Chateaubriand, sonnait mieux à mon oreille; mais il me semblait désigner avec plus de pertinence le sentiment latent, lancinant, confus, de solitude et de délaissement, dont souffrent tous les héros de Beckett. Un homme peut en effet se trouver seul à la suite d'une décision volontaire de retranchement, qui prélude au recueillement, à la prière, au travail. C'est la « sainte solitude » chère à Vigny, courageuse, hautaine, féconde. Chez Beckett au contraire, le sentiment de solitude naît d'un universel abandon. Ses personnages l'éprouvent par instants comme un vertige, ou la redoutent comme la plus terrible des malédictions. L'aveugle Hamm en menace Clov son domestique :

L'infini du vide sera autour de toi... Oui, un jour, tu sauras ce que c'est, tu seras comme moi, sauf que toi tu n'auras personne, parce que tu n'auras eu pitié de personne et qu'il n'y aura plus personne de qui avoir pitié (1).

dans *Cendres*, Ada la promet à son mari :

Le moment viendra où personne ne te parlera plus, même les inconnus (*Un temps*). Tu seras seul au monde avec ta voix, il n'y aura pas d'autre voix que la tienne (2).

Mais avant de connaître ce gouffre où ils tombent avec terreur, ils en sentent l'aspiration lointaine et la sourde rumeur.

Le personnage de Beckett se découvre d'abord seul, parmi des choses inertes,

---

(1) *Fin de Partie*, p. 54. Les œuvres théâtrales et radiophoniques de Beckett ont été publiées en France par les Editions de Minuit : *En attendant Godot*, en 1952; *Fin de Partie*, suivi d'*Acte sans paroles*, en 1957; *Tous ceux qui tombent*, en 1957; *La dernière bande*, suivi de *Cendres*, en 1959; *Oh ! les beaux jours*, en 1963; et, en 1966 *Comédie et actes divers*. Les références citées dans cet article renvoient toujours à ces éditions.

(2) *Cendres*, p. 64.

sur « cette vieille charogne de planète », comme dit le héros de *La dernière bande,*
dans un monde dont la beauté s'est évanouie. Il ne voit rien autour de lui qui
lui fasse un signe tentateur ou fraternel : dans la plaine où Vladimir et Estragon
attendent Godot, un seul arbre, indifférent lacis de branches. Si Clov, dans *Fin
de partie,* braque sa lunette sur les alentours, c'est pour satisfaire son maître,
l'aveugle Hamm, qui le harcèle de questions : mais il ne voit qu'un océan déserté
par les oiseaux et les voiles, baigné dans la lumière sépulcrale d'un demi-jour
éternel :

> HAMM. — Et l'horizon ? Rien à l'horizon ?
> CLOV (*baissant la lunette, se tournant vers Hamm, exaspéré*). — Mais
>   que veux-tu qu'il y ait à l'horizon ? (*Un temps*).
> HAMM. — Les flots, comment sont les flots ?
> CLOV. — Les flots ? (*Il braque la lunette.*) Du plomb.
> HAMM. — Et le soleil ?
> CLOV (*regardant toujours.*). — Néant.
> HAMM. — Il devrait être en train de se coucher pourtant. Cherche bien.
> CLOV (*ayant cherché*). — Je t'en fous.
> HAMM. — Il fait donc nuit déjà ?
> CLOV (*regardant toujours*). — Non.
> HAMM. — Alors quoi ?
> CLOV (*de même*). — Il fait gris (*Baissant la lunette et se tournant vers
>   Hamm plus fort.*) Gris ! (*Un temps, encore plus fort.*) Gris !! (3).

La toile de fond que Beckett a choisie pour clore la scène d'*Oh ! les beaux
jours* « représente la fuite et la rencontre au loin d'un ciel sans nuages et d'une
plaine dénudée » (4). La beauté des êtres et des choses, les voluptueux spectacles
offerts à notre sensibilité gourmande, ne sont que les décors d'une illusion tragique, le déguisement d'un néant. Hamm cite à Clov l'histoire d'un fou qui croyait
que la fin du monde était arrivée :

> ... Je le prenais par la main et le traînais devant la fenêtre. Mais regarde ! Là ! Tout
> ce blé qui lève ! Et là ! Regarde ! Les voiles des sardiniers ! Toute cette beauté ! (*Un
> temps.*) Il m'arrachait sa main et retournait dans son coin. Epouvanté. Il n'avait vu que
> des cendres. (*Un temps.*) Lui seul avait été épargné. (*Un temps.*) Oublié. (*Un temps.*) Il
> paraît que le cas n'est... n'était pas si... rare (5).

Dans ce monde, l'homme se sent donc irrémédiablement séparé, perdu, oublié,
il est orphelin de la nature, orphelin d'une nature marâtre, qui ne se manifeste
en lui que comme une sourde puissance de destruction. « La nature nous a
oubliés » soupire Hamm; « il n'y a plus de nature », répond Clov; « Mais nous

---

(3) *Fin de Partie,* p. 47-8.
(4) *Oh ! Les beaux jours,* p. 9.
(5) *Fin de Partie,* p. 63.

respirons, nous changeons, nous perdons nos cheveux, nos dents ! Notre fraîcheur ! Nos idéaux ! », rétorque Hamm avec désespoir (6).

Contre la terrible insouciance du monde, ou pour se délivrer de la fascination de sa vanité, trouverons-nous auprès d'autrui secours, consolation, tendresse ? En fait, chez Beckett, les liens les plus simples et les plus naturels semblent brisés ou détendus. Hamm, dans *Fin de Partie*, traite le vieux Nagg, son père, avec une dureté froide; Henry dans *Cendres*, ne semble guère éprouver pour sa fille Addie qu'une vague pitié de l'avoir faite, mêlée du ressentiment d'en être désormais embarrassé. Monsieur Rooney, dans *Tous ceux qui tombent*, voit dans la vitalité et les promesses tapageuses de l'enfance comme une insulte à la vérité de notre condition : « Tu n'as jamais eu envie de tuer un enfant, dit-il à sa femme. Couper court à un fiasco en fleur » (7). D'ailleurs la plupart des personnages de Beckett sont des solitaires : ni les deux vagabonds, Vladimir et Estragon, ni l'aveugle Hamm, ni Clov son domestique, ni Krapp, le héros de *La dernière bande,* n'ont connu la quiétude confortable et un peu monotone d'un foyer. Mais ne semblent-ils pas aller par couples, dira-t-on; Vladimir et Estragon, Pozzo et Lucky, Hamm et Clov ? Témoignage apparent d'une exigence de fraternité ? A la vérité, ils s'attachent inconsciemment l'un à l'autre, non parce qu'ils sont semblables, mais parce qu'ils sont différents. Beckett figure leur dissemblance par quelques oppositions flagrantes : Estragon aime à rêver, Vladimir répugne aux songes. Hamm ne peut se lever, Clov ne peut pas s'asseoir; Pozzo est le maître et Lucky l'esclave... Ces êtres se complètent, mais ne communient pas. Le couple humain n'est guère mieux partagé : Monsieur Rooney ne ressent aucun plaisir à retrouver sa femme sur le quai de la gare et ne cesse de la rudoyer de paroles amères; dans *Oh ! les beaux jours,* Willie n'interrompt le long soliloque de sa femme Winnie que par quelques mots isolés, ou la lecture monocorde de phrases de journaux. Faut-il souscrire à la grinçante définition que donne Monsieur Rooney du « couple idéal », marchant tête-bêche vers l'horizon : « ... toi droit devant toi et moi à reculons. Le couple idéal. Comme les damnés de Dante, la tête vissée à l'envers. Nos larmes arroseront nos fesses » (8). L'amour, s'il est possible, est toujours au passé chez Beckett, souvenir d'un bonheur fugace et peut-être imaginaire, mémoire d'instants précieux sans cesse remâchés avec une nostalgie morose. Nell se rappelle une promenade romantique sur le lac de Côme, un après-midi d'avril, le lendemain de ses fiançailles. Krapp, écoutant *La dernière bande,* se plaît à réentendre ce passage où trente années plus tôt il évoquait un moment de volupté : fulgurante vision qui traverse la mémoire d'un homme menacé par la décrépitude, une des rares images heureuses du théâtre de Beckett.

L'homme épuise ainsi ses premières forces dans la poursuite d'un bonheur qui se dérobe, dans l'attente interminable d'un Godot qui ne viendra jamais, en quête d'une réalité qui se réduit en cendres, d'un prochain toujours distant. Puis

---

(6) *Ibidem,* p. 25.
(7) *Tous ceux qui tombent,* p. 57.
(8) *Ibidem,* p. 57.

il se résigne dans l'angoisse à n'être qu'une présence inutile. Beckett a rarement mieux exprimé la détresse de l'homme en cette condition que dans un éloquent petit *Acte sans paroles*, créé à Londres en 1957 et repris la même année à Paris. Un homme fait de vains efforts pour atteindre une carafe d'eau immobilisée à trois mètres du sol. Il s'aide de quelques objets qui descendent des cintres, un grand cube, un autre plus petit, une corde, un arbre; mais il en fait un usage maladroit, ou bien l'objet se dérobe; la corde se détend, la branche de l'arbre se rabat contre le tronc. A un moment il est sur le point d'atteindre la carafe, mais celle-ci remonte légèrement et s'immobilise hors d'atteinte. De guerre lasse, jeté à terre par l'un des cubes qui remonte vers les cintres, il reste allongé sur le flanc, « le regard fixe ». La carafe peut désormais descendre à sa portée, se balancer autour de son visage, il ne bougera plus. C'est une autre « fin de partie » : toute existence est « une fin de partie ». L'homme cesse alors de jouer la grande comédie de la vie. « Oublié » par la nature, séparé des autres, distant de ses projets et de ses rêves, il consent avec une sombre amertume à plonger toujours plus avant dans les ténèbres de la déréliction.

*
* *

Cet état de solitude et d'abandon est parfois rendu sensible par une terrible infirmité qui plonge le personnage dans la nuit de la séparation : la cécité. L'un des deux personnages principaux de *Tous ceux qui tombent* est aveugle, Monsieur Rooney, de même que Hamm dans *Fin de Partie*. Pozzo le devient dans l'intervalle indéterminé qui sépare les deux actes d'*En attendant Godot*, comme Lucky son domestique devient muet. Impossibilité de contempler le monde et de voir les autres, impossibilité de communiquer avec eux : tel est le sort qui est réservé à tout homme et dont Pozzo, furieux des interrogations de Vladimir, menace les deux vagabonds :

... Un jour pareil aux autres, il est devenu muet, un jour je suis devenu aveugle, un jour nous deviendrons sourds, un jour nous sommes nés, un jour nous mourrons... (9).

Cette cécité, acceptée comme une mutilation fatale et irrémédiable et non surmontée par un patient effort d'adaptation, retranche l'individu dans la ténèbre du néant. Hamm décrit à Clov ce passage inéluctable de la lumière à la nuit :

Un jour tu seras aveugle. Comme moi... Tu regarderas le mur un peu, puis tu te diras, je vais fermer les yeux, peut-être dormir un peu, après ça ira mieux, et tu les fermeras. Et quand tu les rouvriras il n'y aura plus de mur (*Un temps*). L'infini du vide sera autour de toi, tous les morts de tous les temps ressuscités ne le combleraient pas, tu y seras comme un petit gravier au milieu de la steppe... (10).

---

(9) *En attendant Godot*, p. 154.
(10) *Fin de Partie*, p. 53.

Cette solitude accablante, en face même et au milieu des autres, est représentée pour les yeux des spectateurs, rendue palpable en quelque manière, localisée dans l'espace, par l'objet auquel sont mystérieusement liés les personnages, l'espace clos et creux dans lequel Beckett les enferme et les rêve : l'arbre sous lequel Vladimir et Estragon attendent Godot, la corde qui attache tout en les séparant Lucky à Pozzo, l'intérieur sans meubles de *Fin de Partie*, le fauteuil à roulettes où Hamm, aveugle et impotent, est rivé, les deux poubelles où végètent son père et sa mère, Nagg et Nell, côte à côte, mais juste assez éloignés l'un de l'autre pour qu'ils ne puissent plus s'embrasser, les jarres où les trois personnages de *Comédie*, un homme et deux femmes sont enfermés, « le cou étroitement pris dans le goulot », précise Beckett (11), le mamelon enfin au centre duquel est enterrée Winnie « jusqu'à la taille », puis « jusqu'au cou » dans *Oh ! les beaux jours*. Image obsédante de la monade humaine, presque sans portes ni fenêtres, de cet espace étroit, hanté de nos souvenirs, de nos projets et de nos rêves, que l'homme appelle pompeusement son « univers » et qui n'est qu'un trou vague où il s'enlise peu à peu. Repliés sur eux-mêmes, certains des personnages de Beckett jouent avec des objets futiles, dérisoires ou absurdes, gestes qui occupent, hochets qui consolent, épaves que le flux du temps a déposés à leurs pieds : les chaussures qu'Estragon ne cesse de mettre et d'enlever, le chapeau que Vladimir ôte, et inspecte avec inquiétude, comme s'il était devenu soudain trop petit, les chiens en peluche et le linge de Hamm, le petit sac de Winnie, plein de choses hétéroclites, parmi lesquelles elle se plaît avec délices à « farfouiller ». A ces objets, surtout à ceux parfois qu'ils ont conservés sans raison, mais qu'ils serrent contre eux avec quelque tendresse, compagnons muets et fidèles, ces personnages se raccrochent désespérément : dans la dernière scène de *Fin de Partie*, Hamm, qui s'apprête à « finir » seul dans sa nuit, garde son mouchoir qu'il plie et déplie avant de le poser sur son visage :

Puisque ça se joue comme ça... (*il déplie le mouchoir*)... jouons comme ça... (*il déplie*)... et n'en parlons plus... (*il finit de déplier*)... ne parlons plus. (*Il tient à bout de bras le mouchoir ouvert devant lui*). Vieux linge ! (*Un temps*). Toi — je te garde (12).

Dans *Oh ! les beaux jours*, Winnie qui s'épouvante du désert qui l'entoure, se rappelle avec un sourire qu'

... Il y a le sac bien sûr. (*Elle se tourne vers le sac.*) Il y aura toujours le sac. (*Elle revient de face*). Oui, je suppose. (*Un temps*). Même quand tu seras parti, Willie... (13).

Ces objets attestent en effet dans le vide indéterminé où ces êtres végètent, une permanence, une stabilité, une épaisseur insolites; ils gardent à leur surface

---

(11) *Comédie*, p. 9
(12) *Fin de Partie*, p. 112.
(13) *Oh ! les beaux jours*, p. 37.

quelque reflet de ceux qui les possèdent encore et qui tentent de les ravir à l'abîme pour se convaincre de leur propre réalité.

Peut-être que dans l'immobilité à laquelle il se résigne après tant d'efforts inutiles, comme le personnage d'*Acte sans paroles,* le héros de Beckett va connaître enfin une sorte de sérénité, l'indifférence apaisante de l'ataraxie. Rousseau trouvait le bonheur suprême dans le pur sentiment d'exister. Rien au contraire n'est plus insupportable aux héros de Beckett. Ils n'y sauraient d'ailleurs vraiment parvenir, minés qu'ils sont par l'angoisse de vivre. Loin de pouvoir se rassembler, se ressaisir dans la pléniture d'un instant de songe, de prière ou de recueillement, ils éprouvent la terrible impression de se défaire, de s'évanouir à tout moment dans l'absence.

« Je n'ai jamais été là », crie Hamm à Clov... « Absent, toujours. Tout s'est fait sans moi » (14).

Ils perdent jusqu'à la notion du temps. Vladimir et Estragon ne savent plus quel jour ils sont. Estragon au second acte d'*En attendant Godot,* a oublié ce qui lui est arrivé dans le premier. Lorsque Vladimir demande à Pozzo depuis quand Lucky est muet, Pozzo s'emporte :

Vous n'avez pas fini de m'empoisonner avec vos histoires de temps ? C'est insensé ! Quand ! Quand ! Un jour, ça ne vous suffit pas, un jour pareil aux autres... (15).

Par un étrange paradoxe, le temps pour eux est, non pas une succession mouvante d'instants fugaces, mais une immobile et morte éternité. « Ça n'en finit plus de finir » dit l'un d'entre eux ; « la fin est dans le commencement » ; et à son maître Hamm qui lui demande quelle heure il est, Clov peut répondre avec une ironie grinçante : « La même que d'habitude ». Dans cette morne solitude où rien d'essentiel ne change, où le temps lui-même semble s'être arrêté, l'homme dont la vie s'évapore à chaque minute et se dissout dans les ténèbres, perd jusqu'au sentiment d'exister. Peut-être n'est-il, comme dans un nouvel idéalisme berkeleyen, qu'un rêve maussade de Dieu, un fantôme, une illusion de vie : ainsi Vladimir s'interroge sur sa propre réalité :

Est-ce que j'ai dormi, pendant que les autres souffraient ? Est-ce que je dors en ce moment ? Demain, quand je croirai me réveiller, que dirai-je de cette journée ? Qu'avec Estragon mon ami, à cet endroit, jusqu'à la tombée de la nuit, j'ai attendu Godot ? Que Pozzo est passé, avec son porteur, et qu'il nous a parlé ? Sans doute. Mais dans tout cela qu'y aura-t-il de vrai ? (16).

Cependant cette solitude et cette évanescence, les héros de Beckett ne sauraient y consentir avec sagesse, les supporter avec résignation. Ils tentent d'y échapper, de combler par tous les moyens ce vide fascinant en lequel chacun de

_____

(14) *Fin de Partie,* p. 97-8.
(15) *En attendant Godot,* p. 154.
(16) *Ibidem,* p. 156.

3. SAMUEL BECKETT : En attendant Godot.

leurs actes se perd. Estragon se réfugie dans le sommeil et dans le rêve; à tout moment, il s'assied et s'endort. « Je rêvais que j'étais heureux », avoue-t-il ensuite à Vladimir. Mais celui-ci, qui paraît des deux vagabonds le plus sensé et le plus ferme, réveille Estragon chaque fois qu'il s'assoupit.

> (... *Vladimir s'arrête devant Estragon*) Gogo... (*Silence*) Gogo... (*Silence*) GOGO !
> *Estragon se réveille en sursaut.*
> ESTRAGON (*rendu à toute l'horreur de sa situation*) Je dormais. (*Avec reproche*) Pouquoi tu ne me laisses jamais dormir ?
> VLADIMIR. — Je me sentais seul. (17).

L'homme a besoin d'autrui, non pour communiquer ou échanger, mais comme d'une pure présence, même distante et silencieuse, qui lui donne l'illusion de ne pas être délaissé. Cette présence, dont il veut peupler sa solitude, il la provoque ou il la crée. Il la provoque comme Vladimir qui réveille Estragon, ou Hamm qui fait tirer son père Nagg d'un lourd sommeil de vieillard. Celui-ci d'ailleurs proteste et se plaint :

> Je dormais, j'étais comme un roi, et tu m'as fait réveiller pour que je t'écoute. D'ailleurs je ne t'ai pas écouté. (*Un temps*) J'espère que le jour viendra où tu auras vraiment besoin que je t'écoute, et besoin d'entendre ma voix, une voix... (18).

Dans *Oh ! les beaux jours*, Winnie se contente de s'adresser à Willie sans grand espoir de réponse; mais il lui suffit qu'il soit là, présence impalpable pour elle qui souvent ne le voit point, vivante possibilité d'entendre et même d'écouter :

> ... Non pas que je me fasse des illusions, tu n'entends pas grand-chose, Willie, à Dieu ne plaise. (*Un temps*) Des jours où peut-être tu n'entends rien. (*Un temps*) Mais d'autres où tu réponds. (*Un temps*) De sorte que je peux me dire à chaque moment, même lorsque tu ne réponds pas et n'entends peut-être rien, Winnie, il est des moments où tu te fais entendre, tu ne parles pas toute seule tout à fait, c'est-à-dire dans le désert, chose que je n'ai jamais pu supporter à la longue. (19).

Cet interlocuteur nécessaire, le personnage peut le créer autour de lui et en lui, en suscitant une présence idéale, le fantôme d'un mort dont il ressuscite l'image, le foisonnement d'une histoire qu'il ne cesse de se raconter. Le héros de *Cendres*, Henry, a soudain ressenti, un jour, le besoin

> d'un autre, à côté de moi, n'importe qui, un étranger, à qui parler, imaginer qu'il m'entend, des années de çà, puis, maintenant, d'un autre, d'un autre... qui m'aurait connu, autrefois, n'importe qui, à côté de moi, imaginer qu'il m'entend, ce que je suis devenu... (20).

---

(17) *Ibidem*, p. 23.
(18) *Fin de Partie*, p. 77.
(19) *Oh ! les beaux jours*, p. 28.
(20) *Cendres*, p. 44.

Aussi s'adresse-t-il désormais à son père mort qu'il imagine à ses côtés. Ce silence effrayant, le personnage peut le peupler enfin de paroles vaines, et d'histoires indéfiniment ressassées. Quand il ne s'adresse pas à son père, Henry marmonne à part soi des contes interminables et incohérents, pour couvrir le bruit de la mer, insupportable bourdonnement des choses :

> Aujourd'hui elle est calme, mais souvent, je l'entends là-haut chez moi ou quand je me promène dans la campagne et commence à parler assez haut pour ne plus l'entendre, personne n'y fait attention. (*Un temps*) C'est-à-dire que je parle tout le temps à présent, tout le temps et partout. (21).

Winnie dans *Oh ! les beaux jours* emplit le silence de son désert d'une multitude de mots épars, réflexions, confessions, souvenirs, que relie comme une pâte fluide le perpétuel commentaire de tous ses actes. Et Krapp se contente d'écouter *La dernière bande,* cette voix qui lui vient de son passé et qui lui parle une langue qu'il ne comprend déjà presque plus. Paroles vaines, frivoles, dérisoires, mais nécessaires, pour combler sans relâche et sans espoir le trou de notre néant qui se creuse sans cesse en nous, pour nous convaincre aussi que nous ne sommes pas les fantômes d'une illusion.

*
* *

Sans doute les motifs que l'on repère au fil de la lecture ou de la représentation des pièces de Beckett se retrouvent-ils sous des formes différentes dans les œuvres d'autres dramaturges contemporains. Du théâtre d'Adamov on a pu dire aussi qu'il était un théâtre de la solitude. Le thème du vieux couple qui apparaît à travers les personnages de Nagg et Nell dans *Fin de Partie,* qui fournit les deux protagonistes de *Cendres,* de *Tous ceux qui tombent,* ou d'*Oh ! les beaux jours,* est un des plus rebattus du théâtre contemporain : *les Chaises* l'avaient déjà illustré à merveille. Il est remarquable que certains dramaturges aujourd'hui choisissent avec prédilection pour leurs rôles principaux des êtres de vitalité amoindrie, sans ressort ni obstination, des épaves ou des déchets : infirmes, vagabonds, clochards, vieillards égrotants et ergotants, perdus dans un rabâchage sénile de platitudes ou de niaiseries. Ne sont-ils pas des personnages privilégiés pour exprimer la futilité du langage, l'usure irrémédiable de la vitalité, la vanité de l'existence et l'angoisse de la mort ?

Mais les personnages de Beckett ne sont pas des marionnettes, comme ceux de Ionesco, des fantoches dont l'auteur tire des effets comiques sûrs. S'ils font rire parfois, ils prêtent rarement au ridicule : ils souffrent et leur détresse ou leur dureté nous émeuvent. Les images peuvent faire illusion : on tombe souvent dans le théâtre de Beckett. Le héros trébuche et se relève, ou reste allongé sur le sol, victime vaincue et résignée. Parfois il rampe péniblement, blessé incurable de la

---

(21) *Ibidem,* p. 40.

vie, comme Willie dans *Oh ! les beaux jours*. Est-ce encore des hommes, ne serait-ce pas plutôt des larves immondes — ou des morts en sursis ? En fait ils pensent et souffrent, et par là même témoignent plus que jamais de notre dignité, même dans leurs réticences ou leur confusion. Ainsi le remarque Vladimir avec une ironie un peu amère, en constatant qu'Estragon et lui hésitent à répondre à l'appel insistant de Pozzo :

> Profitons-en, avant qu'il soit trop tard. Représentons dignement pour une fois l'engeance où le maheur nous a fourrés. Qu'en dis-tu ?
> ESTRAGON. — Je n'ai pas écouté.
> VLADIMIR. — Il est vrai qu'en pesant, les bras croisés, le pour et le contre, nous faisons également honneur à notre condition. Le tigre se précipite au secours de ses congénères sans la moindre réflexion. Ou bien il se sauve au plus profond des taillis... (22).

Ces êtres désemparés sont des victimes pitoyables, non les jouets grotesques d'un absurde destin. Ils sont vraiment tragiques, parce que lucides. Ils nourrissent au plus secret d'eux-mêmes des aspirations inassouvies à un monde plus beau et plus parfait : Clov ainsi récite à Hamm la litanie douloureuse des espoirs déçus :

> On m'a dit, Mais c'est ça, l'amour, mais si, mais si, crois moi, tu vois bien que...
> HAMM. — Articule !
> CLOV (*de même*). — Que c'est facile. On m'a dit, Mais c'est ça l'amitié, mais si, mais si, je t'assure, tu n'as pas besoin de chercher plus loin. On m'a dit, C'est là, arrête-toi, relève la tête et regarde cette splendeur. Cet ordre ! On m'a dit, Allons, tu n'es pas une bête; pense à ces choses-là et tu verras comme tout devient clair. Et simple ! On m'a dit, Tous ces blessés à mort, avec quelle science on les soigne. (23).

Dans l'expérience de Clov, rien n'a jamais correspondu à ce qu'il croyait être l'amitié, l'amour, ou l'ordre du monde... Mais ne sentait-il pas en lui-même l'irrépressible besoin de « chercher plus loin », comme il dit ? Ne souffre-t-il pas jusqu'au désespoir du romantique tourment de l'idéal ? En fait tous ces personnages ont soif d'une présence, non plus muette, fortuite et provisoire, mais d'une présence à la fois nécessaire et absolue, qui les sauve de la nuit et du malheur.

Le théâtre, si profane en apparence, de Beckett, orchestre et dramatise en réalité le tourment d'une conscience religieuse qui n'accepte pas le silence d'un ciel vide. En témoignent des cris et des aveux, qui retentissent çà et là sur la scène, et n'ont de valeur que par rapport à une foi perdue mais regrettée. Lorsque Hamm, s'écrie, en pensant à un acte d'égoïsme que Clov lui a durement reproché : « Et moi ? Est-ce qu'on m'a jamais pardonné, à moi ? » on croit entendre le commentaire, hargneux et désarmant, de l'un des versets du Pater : « Pardonne-nous nos offenses, comme nous pardonnons à ceux qui nous ont offensés ». D'ailleurs,

---

(22) *En attendant Godot*, p. 134.
(23) *Fin de Partie*, p. 107-108.

cette prière apprise depuis la plus tendre enfance, obsède Hamm comme un bruit
de mots qui n'ont plus de sens ou comme un mensonge qui le révolte. « Prions
Dieu », ordonne-t-il à Nagg son père et à Clov son domestique. Nagg commence :

> Notre père qui êtes aux...
> HAMM. — Silence ! En silence ! Un peu de tenue ! Allons-y. (*Attitudes
> de prière. Silence. Se décourageant le premier*) Alors ?
> CLOV (*rouvrant les yeux*). — Je t'en fous ! Et toi ?
> HAMM. — Bernique ! (*A Nagg*) Et toi ?
> NAGG. — Attends. (*Un temps. Rouvrant les yeux*) Macache !
> HAMM. — Le salaud ! Il n'existe pas !
> CLOV. — Pas encore. (24).

Répliques équivoques. Dieu est-il mort ? Ou nous a-t-il abandonnés ? N'est-il
qu'une illusion de l'homme ? Ou nous fait-il attendre dans l'angoisse et la nuit le
jour inconnu du pardon ? C'est sur cette ambiguïté que nous laisse *En attendant
Godot*. On a beaucoup épilogué sur ce mystérieux personnage; mais en formant
son nom sur le mot anglais qui signifie Dieu, Beckett n'offre guère de champ à
notre perplexité. Les questions qu'il pose restent cependant sans réponse;
Dieu existe-t-il ? S'il existe, viendra-t-il rendre l'homme à la lumière, comme il
a été promis, et, comme le disent Vladimir et Estragon eux-mêmes, viendra-t-il
les « sauver » ?

A la vérité, les personnages de Beckett ont l'obscur sentiment de subir les
effets d'une mystérieuse malédiction. Ils souffrent dans leur corps et dans leur
âme parce qu'ils sont châtiés pour une faute inconnue qui n'est peut-être que le
péché d'être hommes. « Elles accouchent à cheval sur une tombe... » affirme
Pozzo des femmes qui croient donner la vie, et Vladimir poursuit, plus loin : « A
cheval sur une tombe et une naissance difficile. Du fond du trou, rêveusement,
le fossoyeur applique ses fers. On a le temps de vieillir. L'air est plein de nos
cris » (25). Mais c'est Clov qui exprime le mieux cette impression vague et lanci-
nante : « Je me dis — quelquefois, Clov, il faut que tu arrives à souffrir mieux
que ça, si tu veux qu'on se lasse de te punir — un jour... » (26). Dieu se lassera-t-il
de punir un jour ? Pourquoi redouter après la mort les tortures de l'Enfer ?
Cette vie de ténèbres et de solitude est déjà notre damnation. Si Sartre a dit :
« L'Enfer, c'est les autres », on pourrait dire, avec Beckett, au contraire : « L'enfer
c'est la déréliction ».

---

(24) *Fin de Partie*, p. 76.
(25) *En attendant Godot*, p. 156-7.
(26) *Fin de Partie*, p. 108. Des souvenirs de la Bible, vestiges épars d'une lointaine éducation
religieuse, obsèdent plusieurs personnages de Beckett. Mais ils les évoquent sans les comprendre,
comme on prononcerait les mots sans vertu d'une langue morte. Sous les sarcasmes la parodie
ou l'indifférence, affleure cependant l'angoisse du salut et de la damnation. Vladimir se demande
par exemple si l'un des deux larrons crucifiés en même temps que le Christ fut sauvé, comme
l'affirme un évangéliste. Puis il ajoute, à l'intention d'Estragon: « Si on se repentait ? ». Mais
de quoi se repentir ? « D'être né ? » répond, dubitatif, Estragon, avec la terrible clairvoyance des
naïfs (*En attendant Godot*, p. 15-16).

*
* *

Théâtre sombre, a-t-on souvent écrit, l'un des plus amers de notre temps. Il n'en est pas moins éclairé de quelques lueurs consolantes : la patience et la bonne volonté de Vladimir et d'Estragon, les remords de Hamm, qui se reproche par moments de n'avoir pas eu un mouvement de vraie charité, surtout la bonne humeur allègre de Winnie, pour qui le plus piètre bonheur suffit à faire un « beau jour ». Cependant, il serait vain de chercher dans ces pièces une solide raison d'espérer. En réalité, par son sens du sacré, confus peut-être mais obsédant, par l'obscure lucidité de ses héros, par l'action d'une mystérieuse et implacable fatalité qui enlève toute efficacité à la liberté humaine, Beckett renoue avec l'une des plus anciennes traditions théâtrales. Ne nous offre-t-il pas une forme moderne de la tragédie ?

GENET OU LE COMBAT AVEC LE THÉÂTRE

par Bernard DORT

Faculté des Lettres, Paris-Sorbonne

On parle beaucoup de Genet et fort peu de son œuvre. Commente-t-on celle-ci, c'est pour en revenir au personnage Genet, pour exalter la légende de cet« enfant de l'Assistance, voleur, mendiant, bagnard, pédéraste... et artiste ». Bref, on ne cesse de canoniser « Saint Genet ». Chaque critique se croit tenu de refaire, pour son propre compte et à sa mesure, l'itinéraire tracé une fois pour toutes par Sartre. Impossible de sortir du tourniquet : l'œuvre de Genet renvoie au personnage Genet et ce personnage n'existe que pour cette œuvre. Alors, tout discours critique paraît dérisoire et vain : Sartre n'a-t-il pas dit tout ce qu'il y avait à dire sur l'artiste Genet comme héros de notre temps et antithèse du révolutionnaire Boukharine, et Genet lui-même n'avait-il pas déjà, dans le *Journal du voleur*, mis la dernière main à son portrait ?

Certes, une de ses préoccupations essentielles a été de façonner son image. Ses romans sont autant de biographies imaginaires, autant de miroirs trompeurs destinés à faire resplendir son image. Mais Genet ne s'en est pas tenu là. Dès le *Journal du voleur*, il nous avait aussi montré l'envers de ces miroirs. Peut-être est-ce précisément le livre de Sartre qui lui a permis de sortir du tourniquet dans lequel, maintenant, s'enferment ses critiques. Il l'a reconnu lui-même : « J'ai mis un certain temps à me remettre. J'ai été presque incapable de continuer à écrire... Le livre de Sartre a créé un vide qui a permis une espèce de détérioration psychologique. Cette détérioration a permis la méditation qui m'a conduit à mon théâtre » (1).

A l'exception de *Haute Surveillance*, encore assez proche de ses romans, et des *Bonnes*, tout le théâtre de Genet est en effet postérieur au *Saint Genet comédien et martyr*. Depuis, Genet n'a pas écrit ou du moins pas publié de roman. Ainsi son activité de dramaturge coïncide, pour l'essentiel, avec une mutation. L'écrivain Genet s'est détaché, grâce à la médiation sartrienne, du personnage

---

(1) « Interview de *Play-Boy* » (1964). Cité par Jean-Marie MAGNAN : *Essai sur Jean Genet*, coll. « Poètes d'aujourd'hui » n° 148, Pierre Seghers éditeur, Paris, 1966, p. 32.

Genet. Tout en conservant la même thématique, son œuvre a changé de structure, de fonction et peut-être de sens. C'est précisément ce que, à force de renchérir sur le personnage, la critique n'a guère marqué : dans les récents ouvrages de Claude Bonnefoy (2) ou de Jean-Marie Magnan (3), la place faite au théâtre reste mince, et les pièces ne sont généralement évoquées que par référence à l'univers romanesque. Or, c'est en comprenant la distance qui sépare ses pièces de ses romans que nous pourrons comprendre le théâtre de Genet. Non en ramenant celui-ci à ceux-là.

Une première constatation s'impose : l'univers de Genet s'est élargi. Dans ses romans, il était limité au milieu clos de la prison ou des arrière-salles des cafés de Pigalle où les « tantes » de *Notre-Dame des Fleurs* se donnent la comédie... Sur la scène, voici qu'il s'agrandit vertigineusement : d'abord restreint à la cellule d'une prison (*Haute Surveillance*), puis à la chambre de Madame où les bonnes jouent leur servitude et leur fausse révolte (à l'origine, Genet souhaitait que ce jeu eût lieu dans l'escalier de service qui de l'appartement des maîtres mène aux chambres des bonnes)... il s'est étendu à tout l'espace d'une ville, de la maison close au quartier général des révolutionnaires en passant par un fantôme de Palais Royal (*Le Balcon*) puis à un continent fictif : l'Afrique des *Nègres*, enfin à un pays réel : l'Algérie en lutte pour son indépendance, que vient encore prolonger le « balcon » du royaume des morts. Et à la concentration dans le temps qui était la règle, par exemple, de *Pompes funèbres*, cette longue méditation de Genet, de retour de la morgue, sur la mort de Jean D., succède le déroulement de la chronique des moments et des événements (de la colonisation à l'indépendance) des *Paravents*.

Faut-il se hâter d'en conclure que, comme l'écrit Claude Bonnefoy, « Genet se socialise » ? Sans doute, « dans *les Bonnes* déjà, le rapport maître-domestique doublait et troublait le rapport amoureux unissant les servantes à Madame. *Le Balcon, les Nègres, les Paravents* sont critiques des préjugés, de la justice, des pouvoirs, de l'oppression, du colonialisme. Mais ils sont critiques indirectement car Genet donne tout d'un bloc, montre les situations dans leur complexité. Au spectateur de conclure » (4). A faire du dramaturge Genet un écrivain engagé, on courrait d'ailleurs le risque de ne rien comprendre à son théâtre et, en outre, de justifier certaines des attaques imbéciles dont il est l'objet.

Sur ce point, Genet est formel : il n'a pas composé ses pièces pour attaquer ou pour défendre qui que ce soit : « Une chose doit être écrite : il ne s'agit pas d'un plaidoyer sur le sort des domestiques. Je suppose qu'il existe un syndicat des gens de maison — cela ne nous regarde pas (5) [...] Si mes pièces servent les

---

(2) Claude BONNEFOY : *Genet,* coll. « Classiques du XXᵉ siècle », n° 76, Editions Universitaires, Paris, 1965.

(3) Ouv. cité.

(4) Claude BONNEFOY, ouv. cité, p. 118.

(5) Jean GENET : « Comment jouer *les Bonnes* », in *Les Bonnes,* L'Arbalète-Marc Barbezat, éditeur, Décines (Isère), 1963, p. 11.

Noirs, je ne m'en soucie pas. Je ne le crois pas d'ailleurs. Je crois que l'action, la lutte directe contre le colonialisme fait plus pour les Noirs qu'une pièce de théâtre (6) ». Mieux, toute entreprise théâtrale de cet ordre lui est suspecte. Elle risque fort de se retourner contre la cause qu'elle entend défendre. Car « voilà ce qu'une conscience conciliante ne cesse de souffler aux spectateurs : *Le problème d'un certain désordre — ou mal — venant d'être résolu sur les planches indique qu'il est en effet aboli puisque, selon les conventions dramatiques de notre époque, la représentation théâtrale ne peut être que la représentation d'un fait. Passons donc à autre chose et laissons notre cœur se gonfler d'orgueil du moment que nous avons pris le parti du héros qui tenta — et l'obtint — la solution* (7) ». Il s'agit donc de faire tout autre chose et de ne pas prétendre résoudre, par le théâtre, les difficultés du monde : « Aucun problème exposé ne devrait être résolu dans l'imaginaire surtout que la solution dramatique s'empresse vers un ordre social achevé. Au contraire, que le mal sur la scène explose, nous montre nus, nous laisse hagards s'il se peut et n'ayant de recours qu'en nous (8) ».

On peut toutefois tourner ce refus catégorique et voir dans le dramaturge Genet sinon un écrivain engagé du moins un écrivain réaliste — ce qui est bien différent. Constatant que, dans une pièce comme le *Balcon*, de « nombreux thèmes traditionnels de Genet, *le double, le miroir, la sexualité* et surtout *la supériorité du rêve « pur et stérile » et à la limite de la mort sur la réalité efficace mais « impure et entachée de compromis »* ont été « relégués au niveau d'accidents de second plan », Lucien Goldmann soutient que l'œuvre « a, dans l'ensemble, une structure réaliste et *didactique* (dans le sens brechtien du mot) (9) ». Pour lui, « le sujet de la pièce, parfaitement clair, presque *didactique*, est en effet constitué par les transformations essentielles de la société industrielle de la première moitié du siècle ». *Le Balcon* serait ainsi une vaste parabole réaliste dans laquelle Genet aurait (consciemment ou inconsciemment) « transposé sur le plan littéraire [...] les grands bouleversements politiques et sociaux du XXe siècle et notamment, pour la société occidentale [...] l'avortement de l'immense espoir révolutionnaire qui a caractérisé les premières décennies du siècle ». Lucien Goldmann en voit la meilleure preuve dans ce qu'il considère comme l'action centrale de la pièce : « l'ascension du Chef de la Police et de la Propriétaire de la maison d'illusions — incarnations particulières, commente-t-il, de ce qu'un sociologue aurait désigné plus largement comme la technocratie, incarnations cependant qui

---

(6) « Interview de *Play-Boy* », in Jean-Marie MAGNAN, ouv. cité, pp. 177-178.

(7) Jean GENET : « Avertissement » in *Le Balcon,* deuxième édition, Marc Barbezat éditeur, Décines (Isère), 1960, pp. 7-8.

(8) *Ibidem.*

(9) Lucien GOLDMANN : « Une pièce réaliste : *le Balcon* de Genet », in *les Temps Modernes,* n° 171, juin 1960. Les citations suivantes de Lucien Goldmann sont toutes extraites de ce texte. Ayant écrit et présenté cette communication à Royaumont avant que ne paraisse dans les *Cahiers Renaud-Barrault* (n° 57, novembre 1966) la longue étude de Lucien Goldmann intitulée « Le théâtre de Genet et ses études sociologiques », je n'ai pu tenir compte ici des analyses beaucoup plus poussées et plus précises auxquelles s'est livré Goldmann. Je le regrette.

ne sont pas accidentelles puisque les deux personnages représentent les deux aspects essentiels de celle-ci, l'organisation de l'entreprise et le pouvoir de l'Etat — à un prestige antérieurement réservé à la Reine, au Juge et au Général ».

Une telle construction est assurément fort ingénieuse. Elle n'en soulève pas moins de graves objections. D'abord, elle passe sous silence certains personnages du *Balcon* : par exemple, ceux du Mendiant (du 8e tableau) et de l'Esclave (du 9e tableau) qui étaient joués, à Paris, par le même comédien. Or ce double personnage qui n'a en apparence qu'un rôle secondaire remplit une fonction essentielle : seul, avec l'Envoyé du Palais, à ne pas se métamorphoser et à ne pas accéder à la gloire morte des « images » de la maison d'illusions, il représente sans doute le poète, voire Genet lui-même (« célèbre par mes chants, monsieur, mais qui disent votre gloire (10) »). Ensuite, elle réduit l'œuvre à un schéma socio-historique beaucoup trop large et trop imprécis pour qu'on puisse affirmer, comme le fait Goldmann, que nous ayons affaire, avec *le Balcon*, à la « première grande pièce brechtienne de la littérature française », à un exemple de « théâtre épique et didactique » dont l'objet serait de raconter « sur un *plan typique* un *devenir essentiel* ». Goldmann le reconnaît lui-même au passage : c'est seulement au niveau de « leurs manifestations dans la superstructure » que *le Balcon* nous décrit les grandes transformations historiques. Alors, plutôt que de réalisme épique brechtien, c'est d'un simple constat naturaliste, sur une très large échelle, qu'il conviendrait de parler. Car, à la différence de Brecht, Genet ne cherche pas à montrer les causes de telles transformations : il se contente d'en dire les effets — des effets en apparence irréversibles. Enfin, la tentative de décryptage goldmanienne néglige un élément capital de la structure dramatique de l'œuvre : son caractère de cérémonie et l'usage constant du théâtre sur le théâtre que fait Genet. Peut-être Goldmann pourrait-il répondre à cette dernière objection qu'un tel jeu théâtral est précisément le signe de la réification de la société industrielle moderne. Avouons-le : pareille analogie reste assez vague, et elle vaudrait sans doute pour n'importe quelle société.

A l'opposé de cette interprétation sociologiste, il en est une autre qui consiste à voir dans l'œuvre dramatique de Genet la réalisation même du « théâtre métaphysique » dont rêvait Antonin Artaud. Genet et Artaud partagent en effet la même admiration pour le théâtre d'extrême-Orient et la même méfiance devant l'art dramatique occidental dégradé au point de n'être plus qu'un prétexte à divertissement ou un instrument de propagande. Pour l'un comme pour l'autre, il s'agit de rendre à la représentation théâtrale son caractère de cérémonie et d'en refaire un acte (11), de restituer à la scène, ce « lieu voisin de la mort, où toutes les libertés sont possibles (12) », sa dignité. Aussi ne manque-t-on pas lorsqu'on

---

(10) *Le Balcon*, édit. citée, p. 232.

(11) « Tous, vous, moi, les acteurs, nous devons macérer longtemps dans la ténèbre, il nous faut travailler jusqu'à l'épuisement afin qu'un seul soir nous arrivions au bord de l'acte définitif » (Jean GENET : *Lettres à Roger Blin*, Gallimard, Paris, 1966, p. 62).

(12) *Lettres à Roger Blin*, p. 12.

parle de Genet de se référer à Artaud. Geneviève Serreau (13), par exemple, cite Artaud, réclamant, contre « la longue habitude des spectacles de divertissement », « un théâtre grave, qui, bousculant toutes nos représentations, nous insuffle le magnétisme ardent des images et agit finalement sur nous à l'instar d'une thérapeutique de l'âme et dont le passage ne se laissera pas oublier (14) ». Le théâtre de Genet ne vaudrait ainsi « que par une liaison magique, atroce, avec la réalité et le danger (15) ». Et il est de fait que certaines phrases des *Lettres à Roger Blin* résonnent comme des échos du *Théâtre et son double*.

Laissons de côté la question, d'un intérêt secondaire, de l'influence que les écrits d'Antonin Artaud pourraient avoir eue sur Genet. Si des rapprochements s'imposent parfois, ils demeurent assez flous et, surtout, n'ont guère de valeur d'explication. Car la démarche de Genet demeure fondamentalement différente de celle d'Artaud. Geneviève Serreau le reconnaît (16) : le refus de Genet est beaucoup moins radical que celui d'Artaud. Loin de rejeter toute la dramaturgie occidentale comme « un théâtre d'idiot, de fou, d'inverti, de grammairien, d'épicier, d'anti-poète et de positiviste (17) », Genet renchérit plutôt sur elle : il la pousse jusque dans ses limites extrêmes, il la démultiplie, il en joue jusqu'à l'épuisement. Son théâtre reste un théâtre de texte (18). Bien qu'il fasse une large part au spectacle, nulle part il ne tente de ramener la parole à son origine « au bord du moment où le mot n'est pas encore né, quand l'articulation n'est déjà plus le cri mais n'est pas encore le discours, quand la répétition est *presque* impossible et avec elle la langue en général (19) ». De même, c'est moins le corps que Genet veut exposer sur la scène que les déguisements de celui-ci : loin d'avoir à retrouver ce « chemin de sang par lequel il pénètre dans tous les autres chaque fois que ses organes en puissance se réveillent de leur sommeil (20) », l'acteur selon Genet ne cesse de déclarer sa comédie. Ce n'est ni un personnage copié du réel ni lui-même comme entité physiologique qu'il montre sur la scène, c'est un assemblage de masques et de faux-semblants, c'est un perpétuel déguisement. On peut même dire que Genet prend exactement le contre-pied d'Artaud : alors que celui-ci récuse la représentation en ce qu'elle est répétition, amoindrissement et travestissement (21), Genet en fait l'objet même de son théâtre, il la met en scène, il

---

(13) Geneviève SERREAU : *Histoire du « nouveau théâtre »*, coll. Idées-N. R. F., n° 104, Gallimard, Paris, 1966. Cf. notamment le chapitre VI consacré à Jean Genet.

(14) Antonin ARTAUD : *Œuvres complètes*, t. IV, « le Théâtre et son double », p. 102. Cité par Geneviève Serreau, *ibid.*, p. 137.

(15) Cité par Geneviève Serreau, *ibid.*, p. 137.

(16) *Ibid.*, p. 137.

(17) In *le Théâtre et son double*, ouv. cité, p. 50.

(18) Artaud met au contraire l'accent sur la nécessité d'un « langage physique, ce langage matériel et solide par lequel le théâtre peut se différencier de la parole » (*ibid.*, p. 46).

(19) Jacques DERRIDA : « Le théâtre de la cruauté et la clôture de la représentation », in *Critique*, n° 230, juillet 1966, p. 604.

(20) Antonin ARTAUD : *Œuvres complètes*, t. IV, déjà cité, p. 160.

(21) Voir notamment l'étude de Jacques Derrida déjà citée.

l'exalte. Son théâtre est, au sens propre du terme, théâtre de la représentation :
non seulement théâtre *dans* le théâtre mais encore théâtre *sur* le théâtre. Un
théâtre doublement théâtral. Ajoutons toutefois que pareille opération ne va pas
sans mettre en cause ce théâtre de la représentation lui-même. Genet ne le célèbre
que pour mieux le détruire. Ainsi, par un singulier renversement chronologique,
Artaud pourrait-il commencer lorsque Genet finit.

Est-ce donc Genet lui-même qui, dans les *Avertissements* de ses pièces, ses
Comment jouer... ou les *Lettres à Roger Blin*, nous livre la clef de son théâtre ?
Dans ces textes à la fois minutieux et amples, une préoccupation ne cesse
de s'exprimer : celle de faire du théâtre une cérémonie, une fête, « la Fête ». Là
encore, nous rencontrons Artaud. Et que Genet ne croie guère possible qu'une
seule représentation des *Paravents* (« Une seule représentation bien au point, ça
doit suffire (22) »), cela est assez proche du refus de la répétition qu'Artaud
opposait au théâtre occidental. Mais les deux démarches n'en divergent pas moins
fondamentalement : alors que, pour Artaud, le théâtre « se met en communication
s'il le peut avec des forces pures (23) », pour Genet, il doit demeurer, au contraire,
une célébration sans contenu : « Les pièces, habituellement, dit-on, auraient
un sens : pas celle-ci. C'est une fête dont les éléments sont disparates, elle n'est
la célébration de rien (24) ». Et si pour l'auteur du *Théâtre et son double*, l'activité
théâtrale, cette « sorte de Physique première, d'où l'Esprit ne s'est jamais
détaché (25) », tend vers la mise au jour, dans le jeu de la scène et de la salle,
d'une vérité essentielle, pour celui des *Paravents,* elle reste captive de la facticité
qui est le mode même de notre vie en société. Plus exactement, cette facticité
est son être même.

Certes, Genet ne cesse de réclamer que la scène s'oppose à la vie : « Sans pouvoir dire au juste ce qu'est le théâtre je sais ce que je lui refuse d'être : la description de gestes quotidiens vus de l'extérieur (26) ». C'est qu'il s'agit là d'un
autre domaine et que rien ne peut être transporté tel quel de l'existence quotidienne sur les planches : que les comédiens ne se laissent surtout pas aller
« aux gestes qu'ils ont chez eux ou dans d'autres pièces (27) », leurs gestes, ici,
doivent étonner, fulgurer (« l'acteur doit agir vite, même dans sa lenteur, mais sa
vitesse, fulgurante, étonnera (28) »)... Bref, sur la scène, tout doit être *différent*.
Genet exclut même que l'on puisse y allumer une cigarette, non par crainte
d'incendie mais parce que la flamme de l'allumette ne peut « sur la scène être
imitée : une flamme d'allumette dans la salle ou ailleurs, est la même que sur la

---

(22) *Lettres à Roger Blin*, déjà cité, p. 18.
(23) Antonin ARTAUD, *ibid.*, p. 98.
(24) *Lettres à Roger Blin*, déjà cité, p. 15.
(25) Antonin ARTAUD, *ibid.*, p. 72. Cité par Derrida, *ibid.*, p. 609.
(26) « Comment jouer *les Bonnes* » in édition des *Bonnes* déjà citée, p. 10. Voir aussi
les *Lettres à Roger Blin* : « Il s'agit, bien sûr, d'un comportement spirituel, et j'ai pris soin
de préciser que le rêve s'oppose à la vie », pp. 21-22.
(27) *Lettres à Roger Blin*, déjà cité, p. 20.
(28) *Ibid.*, p. 48.

scène. A éviter (29) ». Et pas plus que le théâtre n'est un reflet ou une copie de la réalité, il ne saurait être enseignement d'une morale ou délivrance d'un message. Genet refuse que *les Paravents* signifient quoi que ce soit : « Ma pièce n'est pas l'apologie de la trahison. Elle se passe dans un domaine où la morale est remplacée par l'esthétique de la scène (30) ».

Ici nous tournons en rond. Se dérobant à l'affirmation de toute vérité (celle du monde ou d'un anti-monde) qui lui serait extérieure, le théâtre de Genet n'aurait-il d'autre fonction que d'affirmer un certain ordre esthétique, une certaine vérité du théâtre ? On peut le contester et voir dans l'insistance avec laquelle Genet refuse de dépasser l'opposition entre la scène et l'existence quotidienne, entre le théâtre et la vie, une sorte de masque et comme un déguisement, théâtral lui aussi, de sa propre pensée. Peut-être est-il temps d'en revenir à la thématique de Genet.

A la base de son œuvre et de sa vie même, il y a en effet une expérience que nous pouvons dire proprement théâtrale. Ce passage du *Journal du voleur* en fait foi : « Afin de survivre à ma désolation, quand mon attitude était davantage repliée, j'élaborais sans y prendre garde une rigoureuse discipline. Le mécanisme en était à peu près celui-ci (depuis lors je l'utiliserai) : à chaque accusation portée contre moi, fût-elle injuste, du fond du cœur je répondrai oui. A peine avais-je prononcé ce mot — ou la phrase qui le signifiait — en moi-même je sentais le besoin de devenir ce qu'on m'avait accusé d'être (31) ».

C'est ici que naît le théâtre pour Genet. Pour s'opposer au monde, il ne se revendique pas tel qu'il est; il se transforme d'abord en celui que les autres voient en lui. Il ne va donc plus nous montrer, sur la scène, des hommes tels qu'ils sont ou tels qu'il devraient être : ces hommes, il va les mettre en scène tels que nous autres, spectateurs, les soupçonnons et les accusons d'être. Ni ses Bonnes ni ses Nègres ne sont véritablement des domestiques ou des noirs : ils sont des bonnes telles que les rêvent et les craignent leurs patronnes, des nègres tels que, blancs et tous plus ou moins racistes, nous les imaginons. Genet le stipule nettement : c'est pour qu'elle soit jouée devant des blancs et pour eux qu'il a écrit *les Nègres;* « Cette pièce, je le répète, écrite par un Blanc, est destinée à un public de Blancs. Mais si, par improbable, elle était jouée un soir devant un public de Noirs, il faudrait qu'à chaque représentation un Blanc fût invité — mâle ou femelle [...] On jouera pour lui. Sur ce Blanc symbolique un projecteur sera dirigé durant tout le spectacle. Et si aucun Blanc n'acceptait cette représentation ? Qu'on distribue au public noir à l'entrée de la salle des masques de Blancs. Et si les Noirs refusent les masques, qu'on utilise un mannequin (32) ».

---

(29) *Ibid.,* p. 47.
(30) *Ibid.,* p. 22.
(31) Jean GENET : *Journal du voleur,* Gallimard, Paris, 1949, pp. 185-186. Genet poursuit : « Je me reconnaissais le lâche, le traître, le voleur, le pédé qu'on voyait en moi ».
(32) Jean GENET : *Les Nègres,* deuxième édition, Marc Barbezat éditeur, Décines (Isère), 1960, p. 7.

Peut-on encore parler ici de personnages ? Le mot suppose une autonomie, une réalité individuelle dont la plupart des héros de Genet sont dépourvus. Remarquons, par exemple, qu'ils sont généralement privés de nom. Un prénom sert à les désigner ou, mieux, l'indication de leur fonction sociale : voici le Chef de la Police, l'Envoyé (le Balcon)..., le Policier, le Gendarme, le Lieutenant, le Sergent (les Paravents)... Loin d'être des individus, ils apparaissent comme des figures allégoriques, comme des rôles. Jean Genet les nomme des « Images » ou des « Reflets ». Ne nous y trompons pas; cette réduction du personnage au type, cette absorption de l'individu par la fonction n'est pas, comme c'est habituellement le cas, un moyen de satire. Il ne s'agit pas de peupler la scène de caricatures. Au contraire. Genet tient à nous en prévenir : « Encore une chose : ne pas jouer cette pièce comme si elle était une satire de ceci ou de cela. Elle est, — elle sera donc jouée comme — une glorification de l'Image et du Reflet. Sa signification — satirique ou non — apparaîtra seulement dans ce cas (33) ». Qu'il fasse monter sur le plateau un Gendarme ou un Voleur, ce n'est pas pour glorifier l'un et se moquer de l'autre : il les exalte tous deux pareillement. « Les scènes des soldats sont destinées à exalter — je dis bien *exalter* — la vertu majeure de l'Armée, sa vertu capitale : la bêtise (34) ». Jamais il ne diminue sciemment tel ou tel personnage : s'il le réduit à sa fonction, ce n'est pas pour le rapetisser, c'est au contraire pour le grandir à travers cette fonction. Son théâtre est d'abord célébration. Jamais « je n'ai méprisé aucun de mes personnages — ni Sir Harold, ni le Gendarme, ni les Paras. Sachez bien que je n'ai jamais cherché à les *comprendre*, mais, les ayant créés, sur le papier et pour la scène, je ne veux pas les renier. Ce qui me rattache à eux est d'un autre ordre que l'ironie ou le mépris. Eux aussi ils servent à me composer. Jamais je n'ai copié la vie — un événement ou un homme, Guerre d'Algérie ou Colons — mais la vie a tout naturellement fait éclore en moi, ou les éclairer si elles y étaient, les images que j'ai traduites soit par un personnage soit par un acte (35) ».

Sur la scène se trouvent ainsi rassemblées toutes les Images (36) de ce que Genet aurait pu être, toutes les attitudes que la société aurait pu l'obliger à endosser. Peut-être le théâtre, pour lui, est-il précisément cela : cette maison d'illusions où l'on devient enfin ce que tous les autres veulent qu'on soit. Un lieu parfaitement ordonné où l'être et le paraître, le personnage et le rôle coïncident totalement. Du moins, Genet ne cesse-t-il de rêver à un tel jeu de marionnettes plus grandes que nature, de « sur-marionnettes » pour reprendre l'expression de Craig, c'est-à-dire de « comédiens avec le feu en plus et l'égoïsme en moins (37) ».

(33) Jean GENET : « Comment jouer *le Balcon* », in *Le Balcon,* édition troisième et définitive. Marc Barbezat éditeur, Décines (Isère), 1962, p. 10.

(34) *Lettres à Roger Blin,* déjà cité, p. 63.

(35) *Ibid.,* p. 64.

(36) Le LIEUTENANT : « Ce n'est pas d'intelligence qu'il s'agit : mais de perpétuer une image qui a plus de dix siècles, qui va se fortifiant à mesure que ce qu'elle doit figurer s'effrite, qui nous conduit tous, vous le savez, à la mort » (*Les Paravents,* p. 157).

(37) Edward GORDON CRAIG : *De l'Art du théâtre,* nouvelle édition, Lieutier et Librairie Théâtrale, Paris s. d. Préface de l'édition de 1925, p. 8.

4. JEAN GENET : Les Paravents.

L'image d'un tel univers suprêmement théâtral, nous en trouvons l'équivalent dans le monde des morts des *Paravents*. Ceux-ci ne sont que des faux morts : ils n'ont pas succombé à une mort physiologique, réelle; ils sont plutôt devenus leurs propres Images. La mort n'a été pour eux qu'une manière de se réaliser comme Reflets en s'irréalisant tout à fait. C'est avec la plus déconcertante facilité (« Eh bien ! — Eh oui ! — Par exemple ! — C'est ça ! Et on fait tant d'histoires : (38) ») qu'ils ont accédé à leur pleine existence théâtrale. En crevant un paravent de papier blanc, ils ont pénétré sur la scène de la scène : au cœur même du théâtre. Là, ils peuvent resplendir, comme la sur-marionnette de Gordon Craig qui « ne rivalisera pas avec la vie mais ira au-delà; elle ne figurera pas le corps de chair et d'os, mais le corps en état d'extase, et tandis qu'émanera d'elle un esprit vivant, elle se revêtira d'une beauté de mort (39) »; là, ils sont inaltérables, ils sont parfaits. Comme Genet le notait déjà dans le *Journal du voleur* : « S'ils (ces héros) ont atteint la perfection, les voici au bord de la mort et ils ne craignent plus le jugement des hommes. Rien ne peut altérer leur étonnante réussite (40) ». En outre, ces morts de parade sont aussi des spectateurs : ils se penchent sur ce qui se passe en bas sur l'existence de Saïd et de Leïla, ils attendent l'arrivée de ceux-ci (mais — nous y reviendrons — ni Saïd ni Leïla ne gagneront le royaume des morts). Ainsi, ils sont tout le théâtre : à la fois purs objets resplendissants, sans faille ni incertitude, dévoilés et transparents, et spectateurs contemplant la scène. En eux, sous la lumière des pleins feux réclamée par Genet (« Enfin, si je tiens tellement aux pleins feux, sur la scène et sur la salle, c'est que je voudrais, d'une certaine façon que l'une et l'autre soient prises dans le même embrassement et que nulle part l'on ne réussisse à s'à-demi dissimuler (41) », le théâtre s'accomplit : ici règne, en effet, sans partage « l'esthétique de la scène ».

Toutefois, pour peu que l'on considère non plus seulement ce lieu privilégié mais l'ensemble de l'univers théâtral (texte et représentation) de Genet, ce règne apparaît moins absolu. Il est doublement contesté, sur la scène même et par la salle à la fois.

A la différence, par exemple, de Pirandello pour qui le jeu théâtral au second degré est l'expression d'une vérité essentielle que les hommes ne parviennent ni à dire ni à vivre dans leur existence quotidienne mais qu'ils peuvent atteindre dans l'exercice du théâtre, Genet ne cesse de souligner le caractère artificiel d'un tel jeu. Il vend la mèche. Dans *les Nègres*, c'est Archibald qui est chargé de nous rappeler à la réalité et il ne s'en fait pas faute : « La distance qui nous sépare, originelle, nous l'augmenterons pas nos fastes, nos manières, notre insolence — car nous sommes aussi des comédiens (42). [...] Des spectateurs nous obser-

---

(38) Jean GENET : *Les Paravents,* Marc Barbezat éditeur, Décines (Isère), s. d., XVᵉ tableau pp. 185-6.

(39) CRAIG, ouv. cité, p. 74.

(40) *Journal du voleur,* ouv. cité, p. 120.

(41) *Lettres à Roger Blin,* déjà cité, p. 66.

(42) *Les Nègres,* éd. déjà citée, p. 23.

vent. Si vous deviez monsieur, apporter parmi nous la moindre, la plus banale de leurs idées qui ne soit caricaturale, allez-vous en ! Barrez-vous ! (43) ». Il ne s'agit pas de trouver la vérité dans le théâtre mais au contraire d'exalter le faux, le factice qui sont le lot de tout théâtre. Nous, les spectateurs, avons condamnés les noirs à être des Nègres, les domestiques à être des Bonnes, etc. Ceux-ci vont donc jouer pour nous les Nègres et les Bonnes : « Nous sommes sur cette scène semblables à des coupables qui, en prison, joueraient à être des coupables (44) ». Et le Balcon, maison d'illusions, ne représente pas d'emblée toute une société, comme Maya, la prostituée métaphysique de la dramaturgie de l'entre-deux guerres, incarnait l'image de toutes les femmes, était la Femme elle-même; c'est la société qui entre dans le jeu du Balcon, qui se soumet à la facticité du théâtre.

Jean Genet refuse que les figures de son univers théâtral soient dotées d'une valeur symbolique générale. Je l'ai déjà souligné : la scène ne saurait être pour lui le lieu où se trouve exposé et résolu un problème réel, où se reconstitue un « ordre social achevé (45) ». Elle est au contraire un masque. La cérémonie théâtrale cache et révèle à la fois l'essentiel : l'activité des hommes, leur lutte concrète, la négation qu'ils opposent à la société, voire à la nature. Voyons *les Nègres :* tandis que sur la scène se joue la mise à mort imaginaire d'une Blanche qui n'est en fait qu'un noir travesti par des noirs devenu des Nègres (« que les Nègres se nègrent (46) »), derrière le plateau, loin dans les coulisses, plus loin encore, se passe l'action vraie : l'exécution d'un noir coupable d'avoir pactisé avec les blancs (« Réfléchissez : il s'agit de juger, probablement, de condamner, et d'exécuter un Nègre. C'est grave. Il ne s'agit plus de jouer. L'homme que nous tenons et dont nous sommes responsables est un homme réel. Il bouge, il mâche, il tousse, il tremble : tout à l'heure, il sera tué. (47) »). Le théâtre n'était « là que pour la parade (48) ». Ce qui change, ce qui se produit réellement est hors de notre atteinte. Sur la scène, les noirs-Nègres sont condamnés à la répétition infinie : « Nous sommes ce qu'on veut que nous soyons, nous le serons jusqu'au bout absurdement », alors qu'ailleurs, autre part, quelque chose a lieu : non seulement une exécution réelle (car le traître « a payé. Il faudra nous habituer à cette responsabilité : exécuter nous-mêmes nos propres traîtres. (49) ») mais encore un avènement : « Alors qu'un tribunal condamnait celui qui vient d'être exécuté, un congrès en acclamait un autre. Il est en route. Il va là-bas organiser et continuer la lutte » — une lutte qui, nous précise-t-on, atteindra les blancs dans leurs « personnes de chair et d'os (50) ».

(43) *Ibid.,* p. 52.
(44) *Ibid.,* p. 58.
(45) *Le Balcon,* passage déjà cité, cf. ci-dessus, note 8.
(46) *Les Nègres,* éd. déjà citée, p. 76.
(47) *Ibid.,* p. 115.
(48) *Ibid.,* p. 161.
(49) *Ibid.,* p. 160.
(50) *Ibid.,* p. 161.

Le théâtre ne peut que *trahir* la réalité — au double sens de ce mot. Il la cache dans la mesure où il ne saurait être que théâtre, c'est-à-dire un jeu d'images tournées vers le spectateur et lui renvoyant ses propres phantasmes. Il la révèle car, en fin de compte, il se dénonce lui-même comme théâtre : il ne sait que répéter les mêmes mots, les mêmes gestes en une cérémonie poussée jusqu'à l'absurde.

Dans *les Paravents,* Genet ne se contente plus de superposer une scène fausse à des coulisses vraies : c'est sur la scène même qu'il fait jouer le théâtre et sa négation, la vie. Aussi le plateau des *Paravents* est-il, plus encore que celui des *Nègres,* divisé en plans différents dont le nombre augmente à mesure (au XVIIe tableau, c'est sur quatre étages que sont disposés les paravents). On pourrait même dire que toute l'action des *Paravents* tient dans la différenciation progressive de ces plans. Au début, tout se passe au ras du sol. C'est peu à peu que naissent les décalages, que le théâtre surgit. Les personnages des *Paravents* se groupent et se définissent selon un double mouvement : le mouvement ascensionnel de la plupart d'entre eux qui est littéralement accession au théâtre, et le mouvement descensionnel du couple que forment Saïd et Leïla. Les premiers deviennent peu ou prou leurs Images : leur être s'accomplit dans la radicalisation de leurs apparences. Aussi se retrouvent-ils tous dans ce royaume des morts qui est en fait le domaine même du théâtre. Le couple Saïd-Leïla suit, lui, le chemin inverse. Loin de s'affirmer comme de pures effigies, Saïd et Leïla ne cessent de se nier, de s'effacer. De toutes leurs forces, ils refusent de se figer, de devenir quelque chose. Pour eux, il s'agit « d'aller jusqu'au bout », non de perpétuer une image mais de détruire toutes les images que l'on peut se faire d'eux. De n'offrir aucune prise à qui que ce soit, parce que, comme le dit Saïd, « je dois continuer jusqu'à la fin du monde à me pourrir pour pourrir le monde (51) ». Aussi, ni Saïd, ni Leïla n'accéderont jamais au théâtral domaine des morts. Eux, ils connaîtront une vraie mort : la mort qui est négation de la vie — travail de négation indéfiniment poursuivi. Lorsqu'elle meurt, Leïla ne gagne pas les hauteurs du plateau : elle s'abîme littéralement en elle-même. Et sa mort refuse tout théâtre, toute facilité ostentatoire : elle est effacement, destruction du personnage (un personnage qui a partie liée avec elle : à la représentation des *Paravents* par la troupe de l'Odéon-Théâtre de France, Leïla, encore vivante, était déjà effacée : une cagoule de linge sale nous dérobait son visage). Saïd, lui non plus, ne rejoindra pas les autres qui l'attendent : comme Leïla, il va vraiment « chez les morts (52) ». Il *est* dans la mort, inutilisable pour tous, devenu personne et cependant présent partout comme une inépuisable puissance de négation. Par

---

(51) *Les Paravents,* déjà cité, p. 250.
(52) Voici les dernières répliques des *Paravents :*
LA MÈRE : Saïd ! ... Il n'y a plus qu'à l'attendre...
KADIDJA (*riant*) : Pas la peine. Pas plus que Leïla, il ne reviendra pas.
LA MÈRE : Alors, où il est ?
KADIDJA : Chez les morts.   (p. 260).

Saïd et Leïla, le théâtre de Genet se met en question lui-même : il jette le doute sur les trop faciles métamorphoses des hommes en personnages, des personnages en Images. Il récuse toute « solution dramatique » qui « s'empresse vers un ordre social achevé ». Cette fois, c'est bien « le mal [qui] sur la scène explose, nous montre nus, nous laisse hagards s'il se peut et n'ayant de recours qu'en nous » (53). Leïla le dit expressément : « Je sais où nous allons, Saïd, et pourquoi nous y allons. Ce n'est pas pour aller quelque part mais afin que ceux qui nous y envoient restent tranquilles sur un rivage tranquille. Nous sommes ici, et cela, pour que ceux qui nous y envoient sachent bien qu'ils ne le sont pas et qu'ils n'y sont pas (54) ». Saïd et Leïla brisent les jeux de reflets (entre personnages et images, entre scène et salle) qui étaient pour Genet tout le théâtre.

L'œuvre dramatique de Genet est le produit d'un combat sans merci avec le théâtre. D'abord Genet consent au théâtre, il abonde dans son sens, il renchérit sur sa facticité. La scène devient le lieu d'une cérémonie où le jeu social se trouve exalté dans ses plus fragiles apparences. Tout est anobli et transfiguré, jusqu'aux personnages les plus médiocres ou les plus dérisoires, figés dans leurs rôles. Alors règne sans partage « l'esthétique de la scène ». Mais ce jeu ne secrète pas sa propre vérité. Poussé jusqu'à son terme, jusqu'à l'absurde, il se détruit lui-même et nous découvre son néant. Les Images montrent leur envers — noir comme la destruction et la mort.

C'est qu'il fallait prendre les spectateurs au piège. Il fallait leur donner cette fête où ils se gavent de leurs propres reflets promus à la dignité de figures allégoriques, pour que, à la fin, ils recouvrent leur lucidité et se voient eux-mêmes, sans masque ni déguisement — peut-être pour qu'ils reconnaissent, dans leur vie même, la mort au travail. Tout comme dans ses romans Genet avait en quelque sorte dérobé le beau langage et, sous couleur d'anoblir les faits, les gestes et les paroles de ses « folles », de ses souteneurs et de ses assassins, le leur avait livré pour qu'ils l'avilissent sans retour et le rendent inutilisable pour nous, ici, il ne se sert du théâtre, c'est-à-dire du moyen le plus noble par lequel notre société se donne à elle-même en spectacle, que pour mieux le détruire et s'en prendre au bout du compte, par la voie du spectacle, à la société qui a besoin de tels spectacles.

On pense ici au potlatch de certaines peuplades primitives qui était à la fois offrande, célébration et destruction. Le théâtre de Genet est un potlatch des représentations que notre société se fait d'elle-même. Et la catharsis qu'il nous procure est comme l'envers de la catharsis classique. Après avoir suscité pitié et crainte, loin d' « opérer la purgation propre à pareilles émotions (55) », elle ouvre au contraire sur la crainte ou la pitié d'une existence nue : celle du plus pauvre

(53) *Le Balcon*, passage déjà cité, cf. ci-dessus p. 59, note 8.
(54) *Les Paravents*, déjà cité, p. 144.
(55) ARISTOTE : *Poétique*, texte établi et traduit par J. Hardy, coll. « Guillaume Budé », société d'édition « Les Belles Lettres », Paris, 1952, 1449 B, p. 37.

parmi les pauvres, du plus deshérité parmi les deshérités, celle d'une homme dont la vie et la mort ne font qu'un. Nous délivrant de la comédie d'une société qui ne cesse de se contempler elle-même, Genet nous introduit dans ce que l'on pourrait appeler le silence des « damnés de la terre ». Partie de la fascination du théâtre, sa dramaturgie est finalement négation du théâtre. Car ce qu'elle expose sur la scène, ce « lieu où non les reflets s'épuisent, mais où des éclats s'entrechoquent (56) », c'est le théâtre lui-même. Ainsi Genet fait place nette : il nous donne la dernière et peut-être la plus fascinante des fêtes de notre vieux théâtre. Nul ne doit en réchapper — sinon la réalité elle-même irréductiblement rebelle à tous théâtre.

---

(56) *Lettres à Roger Blin,* déjà cité, p. 49.

LES DRAMATURGES FRANÇAIS CONTEMPORAINS
DEVANT L'HISTOIRE

par Jean-Claude MARREY

C'est au printemps dernier, en écoutant l'exposé de Camille Demange sur le théâtre allemand contemporain — lors du premier colloque de Pont-à-Mousson —, que m'est venu l'idée d'une communication sur les dramaturges français devant l'Histoire. Remontant aux premières années de ce siècle, Demange avait successivement analysé les répercussions sur les auteurs d'Outre-Rhin de la Guerre de 14-18, puis de l'écrasement du mouvement spartakiste, de la montée et du triomphe du nazisme, enfin de la Deuxième Guerre mondiale avec ses conséquences : l'effondrement du IIIe Reich, la prise de conscience de l'univers concentrationnaire, la rupture entre les générations, la culpabilité allemande et la guerre froide. En somme, l'histoire du théâtre allemand suivait l'Histoire tout court. Et à l'entendre, j'étais pris d'un sentiment étrange, comme si tout ce dont il parlait concernait un pays lointain, quasi-mythique, comme si en vérité Verdun, Dunkerque, le maquis du Vercors, Dachau marquaient les étapes cruelles d'une guerre qui se serait située, en des siècles passés, aux confins de la Mongolie, car tous ces événements monstrueux en leur démesure, les indicibles souffrances qu'ils avaient entraînées, les nouvelles manières de penser qu'ils avaient provoquées, avaient peut-être touché la sensibilité allemande, mais non la sensibilité française puisqu'on n'en trouvait nulle trace dans notre théâtre. En somme, cette histoire n'était pas *notre* histoire.

C'est cette curieuse absence, en une période si agitée que je voudrais tenter d'analyser en examinant le répertoire contemporain, puis d'expliquer, sinon de justifier, en vous proposant des ébauches de réponses aux questions que l'on ne peut manquer de se poser.

En premier lieu, je ferai un saut très rapide hors des limites chronologiques de ce colloque pour rappeler que le théâtre classique français a pu être un théâtre politique, mais n'a jamais été lié à notre histoire nationale. Que notre alexandrin, avec sa rigidité et sa noblesse, se prête fort mal au mélange des genres qui est la loi du drame et de la chronique — je n'en veux pour preuve que l'échec de Victor Hugo pour renouveler dans son théâtre la prosodie française,

Enfin que la France est probablement le seul pays au monde qui, s'il veut représenter dignement les grands épisodes de son passé, doit avoir recours à des
dramaturges étrangers. Rien dans la production française par exemple n'approche
de la *Sainte Jeanne*, de Shaw, ou de *la Mort de Danton*, de Büchner. Ce ne sont
pas les œuvres correspondantes d'Anouilh ou de Romain Rolland qui me feront
varier sur ce point. A regarder de près, on s'aperçoit, non sans stupeur, que la
seule pièce digne de considération qui traite, presque directement, de la Révolution de 1789, est *l'Otage* de Paul Claudel, dans une perspective évidemment
aussi peu révolutionnaire que possible. De même, grâce au prodigieux personnage
de Turelure, le *Pain Dur*, nous donne en arrière-plan d'un conflit avant tout
spirituel, un tableau saisissant, parce que vu de l'intérieur, de la prise du pouvoir
par la bourgeoisie capitaliste au milieu du XIXe siècle. Il est regrettable que la
Trilogie se perde ensuite dans les sables symboliques du *Père Humilié*, mais il
est très intéressant, à ce propos, de noter que c'est avec une parfaite lucidité
que Claudel adopta, pour sa Trilogie, un parti pris classique et pourrait-on dire
anti-shakespearien, ainsi qu'en témoigne cet article écrit en 1934 :

L'histoire littéraire nous montre qu'il y a deux manières de traiter le drame
historique.

La première qui a été employée par les grands Anglais et les grands Espagnols du
XVIIe siècle est de choisir, j'allais dire de *monter*, un certain nombre d'épisodes caractéristiques qui procurent au spectateur une sensation vive et contrastée des forces en
présence, des personnages qui s'affrontent et se confrontent, des événements qui se
préparent et qui se dénouent. C'est la technique que de nos jours le cinéma a renouvelée
et à qui nous devons par exemple cette espèce de grossier chef-d'œuvre qu'est *la Vie
d'Henry VIII*.

Tout autre est la conception de notre grande tragédie classique. Le Français
amateur d'horizons et habitant des vallées aime par dessus tout la ligne, la continuité,
la tenue. Il aime, encore plus qu'à sentir, à connaître et à comprendre. Il aime à avoir
devant lui de larges ensembles, quelque chose de construit et de composé, à quoi l'œil
et l'esprit puissent longuement s'attacher. Il aime le durable, les positions nettement
établies que le cours du temps vient animer d'un mouvement en quelque sorte démonstratif. C'est ainsi, quand nous descendons la vallée du Rhône, que nous voyons à notre
droite et à notre gauche la double ligne des collines et des montagnes accompagner
notre course en une cantilène sans cesse interrompue et reprise. C'est ainsi que des
tragédies comme *Bérénice*, comme *Le Cid*, comme *Britannicus*, et *Polyeucte*, ne sont
qu'une sorte d'insistant contre-point où les passions personnelles qui animent les
personnages nous montrent un effort plus ou moins réussi et douloureux vers la
réduction ou en tout cas vers la position intégrale et éclatante d'une crise collective
et d'un conflit d'idées. Entre les forces opposées qui prennent leur appui sur une
espèce de nécessité et de devoir, le drame a fait son œuvre quand il a trouvé un
certain point de composition. Les acteurs ont été recrutés pour la solution d'un
problème plus vaste qu'eux.

Cette seconde conception est celle de *L'Otage* (1).

_____

(1) *Le Figaro*, 29 octobre 1934. Cité dans *Théâtre*, T. II, Bibliothèque de la Pléiade. Gallimard, 1965.

*
* *

Si *L'Otage* est la seule pièce de notre répertoire inspirée par la Révolution, *Siegfried*, de Giraudoux, est à sa manière la seule grande œuvre qui traite de la Guerre de 1914. Giraudoux connaissait bien l'Allemagne, et on peut dire que les conflits franco-allemands, l'opposition entre une certaine France (celle de Racine) et une certaine Allemagne (celle d'Hoffmann et de Novalis) sont au centre de son œuvre et de sa méditation. Mais là aussi, il est évident que la réconciliation symbolique entre les deux peuples esquissée dans *Siegfried* — et qui faisait s'écrier à René Doumic, avec l'indignation que l'on devine : « une pièce allemande par un auteur français, une pièce à l'honneur de l'Allemagne, saturée du sentiment de la grandeur allemande. » (2) — est sans commune mesure avec le massacre de quatre années qui, dans le sang et la boue, accoucha du XXᵉ siècle, provoqua d'un côté la Révolution d'Octobre, de l'autre créa le climat favorable aux mouvements fascistes. Giraudoux que nos metteurs en scène devraient relire avec attention, comme vient de le montrer la reprise, au T.N.P., de *la Folle de Chaillot*, ancêtre de la *Vieille Dame* de Dürrenmatt, était très conscient de l'antagonisme entre les théâtres allemands et français :

Au moment même où (en Allemagne) le metteur en scène devenait le tyran des auteurs, le public devenait le tyran et l'inspirateur du metteur en scène. Tout ce grand appareil d'imagination que le metteur en scène avait construit pour orner et illuminer les grands poètes de l'humanité, le public, ne se contentant pas de chercher dans les dialogues de Kleist ou de Schiller une réponse à ses angoisses, obligeait la régie à l'appliquer à des pièces rapides et modernes. (...) La situation du pays et de chaque citoyen était trop tragique pour que le terme tragédie, confiné aux malheurs théoriques et hypothétiques des princes, ne changeât soudain de camp et ne désignât pas uniquement les quelques terribles aventures où se débattait le peuple lui-même. (...) Après 1918, dans le but de trouver une distraction à l'obsession de la guerre, tout ce qu'il y avait de jeunesse et de talent dans l'intelligence et la poésie allemande se précipita ainsi vers un purgatoire imaginaire de meurtres, de batailles sociales, de mutineries qui devaient forcément ramener tous les écrivains à l'enfer même, à la guerre. De là les pièces et les romans sur les lois de la propriété, sur les lois des sexes, sur les grandes naissances et les grands avortements de l'humanité, aboutissant à l'éclosion subite de tant de films et de romans dont la guerre, civile ou nationale, était le sujet. De là l'apparition d'un théâtre d'excitation directe. Mobilisant sur la scène non plus des armées de figurants, mais de participants, mélangeant les acteurs et les marionnettes, la lumière colorée et le cinéma, la scène centrale et les trottoirs roulants, poursuivant son rêve d'un théâtre complètement en verre et transparent jusque dans le bureau de location, le metteur en scène fait courir Berlin vers une série de spectacles de mutineries, de meurtres, de scandales, où les héros périmés cèdent la place à Guillaume II et à Trotsky, à Nicolas II et au maréchal Foch, à Liebknecht et au roi des pétroles.

---

(2) Dans *La Revue des Deux Mondes*, 1-6-1928.

Ainsi était atteint le point culminant de cette évolution à laquelle la montée du National-Socialisme semble d'ailleurs devoir apporter un terme (3).

Après avoir décrit le théâtre allemand de son temps, Giraudoux lui oppose le théâtre français :

Le Français n'aime pas dépenser tous ses sens à la fois. Alors que tout l'effort théâtral européen aboutissait à une confusion générale des genres, il s'appliqua à réaliser leur séparation. En art comme en cuisine, le mélange lui répugne, Tout ce qu'il exige dans le ballet ou l'opéra, il le réprouve dans la comédie. Il vient à la comédie pour écouter, et s'y fatigue si on l'oblige surtout à voir. En fait, il croit à la parole et ne croit pas au trésor. Ou plutôt, il croit que les grands débats du cœur ne se règlent pas à coups de lumière et d'ombre, d'effondrements et de catastrophes, mais par la conversation. Le vrai coup de théâtre n'est pas pour lui la clameur de deux cents figurants, mais la nuance ironique, le subjonctif imparfait ou la litote qu'assume une phrase du héros ou de l'héroïne. Le combat, assassinat ou viol, que prétend représenter le théâtre russe sur la scène, est remplacé chez nous par une plaidoirie, dont les spectateurs ne sont pas les témoins passifs, mais les jurés. Pour le Français, l'âme peut s'ouvrir de la façon la plus logique, comme un coffre-fort, par un mot, par le mot, et il réprouve la méthode du chalumeau et de l'effraction. Il se refuse à ne pas considérer le dialogue comme la forme suprême du duel pour la créature douée de parole; c'est le pouvoir de ce dialogue, son efficacité, sa forme, dont les mérites purement littéraire du texte, qu'il aime éprouver sur soi-même. L'action théâtrale consiste pour lui non pas à se soumettre à un massage forcené de vision et d'émotion presque physique d'où il sort exténué, comme du hammam, mais de brancher ses soucis et les conflits de sa vie et de son imagination personnelle sur un dialogue modèle qui peut les élucider. » (3).

Ce plaidoyer *pro domo* n'empêche pas Giraudoux de conclure son exposé par un point d'interrogation, non dénué d'inquiétude :

Il reste seulement à savoir si l'imagination des auteurs, en France, sera capable de faire naître dans leur public cet intérêt à la vie, cette propension à la grandeur, cette confiance dans le monumental au point où l'imagination des metteurs en scène des pays du Centre Europe les a suscités dans le leur. (3).

C'est en effet une question qui reste encore sans réponse aujourd'hui.

Je demande votre indulgence pour ces citations un peu longues, mais que j'ai crues révélatrices. Comme je crois révélateur également que le chef-d'œuvre de Giraudoux, sa grande pièce engagée, celle où il traita, courageusement et sans concession, du conflit franco-allemand dont il pressentait la menace, fût... *La Guerre de Troie n'aura pas lieu*. Rien ne montre mieux à quel point les auteurs français, même ceux qui se font la plus haute idée de la portée civique du théâtre — et c'était le cas de Giraudoux —, même ceux qui sont les plus conscients des

---

(3) *Le Metteur en scène*, conférence faite le 4-3-1931 à un congrès de théâtre, recueillie dans *Littérature*, Grasset, 1941.

nécessités de l'engagement moral sinon politique, se dérobent, par instinct autant que par choix raisonné devant l'Histoire. Car la leçon de Giraudoux ne sera pas perdue pour la génération suivante. Et les trois pièces qui marqueront avec le plus de force le choc subi par la nation française pendant les années noires seront *l'Antigone* d'Anouilh, *Les Mouches* de Jean-Paul Sartre, et le *Caligula* de Camus, soit trois pièces dont l'action est volontairement « déplacée » dans l'Antiquité.

Je n'insisterai pas davantage sur le théâtre d'Anouilh (encore qu'une pièce comme *Pauvre Bitos* mériterait d'être examinée plus attentivement) ni sur celui de Camus. *L'Etat de Siège,* malgré certain vieillissement, me paraît pourtant toujours une des tentatives les plus remarquables pour faire éclater la scène à l'italienne. Théâtre « ouvert », théâtre de méditation sur l'histoire très précisément localisé dans l'Espagne franquiste, théâtre populaire sur le thème de la liberté, *l'Etat de Siège* fût un des échecs les plus retentissants de l'après-guerre. Le cadre de Marigny n'était sans doute pas le cadre souhaité — mais il faut reconnaître que si les dramaturges français esquivent parfois leurs responsabilités, critiques et public ont plutôt tendance à les encourager, quitte à les condamner ensuite. John Arden, comme Camus, mais quinze ans plus tard, fit l'amère expérience de cette surdité avec *le Sergent Musgrave.*

Et revenons à Sartre, dont les rapports avec le théâtre sont à la fois troublants et instructifs. Troublants parce qu'il n'existe aucun dramaturge, je crois, dont les déclarations soient aussi nettement en contradiction avec les œuvres. Les attaques fracassantes portées par Sartre contre le théâtre bourgeois ne doivent pas faire oublier la technique « bourgeoise » de la plupart de ses pièces ni qu'il ait donné ces mêmes œuvres à des metteurs en scène et à des théâtres « bourgeois ». Mais là n'est pas l'important. L'important est que Sartre s'est voulu un écrivain engagé, que sa réflexion philosophique comme ses prises de position politiques et la nature de son talent, le portaient presque naturellement à être ce grand dramaturge — qui nous manque tellement — traitant pour le plus large public des grands conflits historiques qui ont secoué notre époque, qui continuent à la secouer : que ce soit l'affrontement des démocraties et du totalitarisme, du capitalisme et du communisme, la tragédie des guerres coloniales ou celle des pays sous-développés. *Et qu'il ne l'a pas été. Morts sans Sépulture* n'est pas plus le témoignage d'une génération sur la Résistance que *Les Mains Sales* ne sont la tragédie des militants communistes broyés par l'appareil stalinien. Tout se passe comme si les forces écrasantes de l'Histoire étaient réduites dans ses œuvres à des cas personnels où l'auteur se contente de mettre en situation les problèmes particuliers du héros sartrien, identique à lui-même d'une pièce à l'autre. Peut-être parce que la philosophie intéresse davantage Sartre que la scène elle-même, considérée plus comme une tribune que comme un outil conditionnant la nature même de l'œuvre. Exploitant l'héritage de Strindberg mais s'inscrivant naturellement dans la démarche philosophique de Sartre, entre *La Nausée* et *l'Etre et le Néant, Huis clos* — pièce a-historique s'il en fût — reste son chef-d'œuvre, avec les pièces satiriques dont je parlerai en conclusion. Ces mêmes thèmes du huis-clos, de l'autre, et de la mauvaise foi se retrouvent, mais comme délayés, dans les *Séquestrés d'Altona* qui, malgré des faiblesses et des redites par rapport aux pièces précédentes, est incontestablement une œuvre riche et attachante. A-t-elle vraiment été pour le public français, une pièce dénonçant la torture et les crimes de guerre commis en Algérie, comme le souhaitait Sartre ? Je ne le pense pas. Il était trop facile pour ce public, de se contenter de la lettre : c'est-à-dire, de décharger son éventuelle mauvaise conscience sur le nazisme et l'Allemagne, bref sur les ennemis de toujours. De même, *Les Troyennes* — écrites pour une fois dans un langage dépassant le naturalisme — restent très en retrait sur le courage politique d'Euripide qui montrait à un public grec les excès de l'armée grecque, et faisait des ennemis traditionnels — et des victimes — du peuple grec, les héros de sa tragédie.

*
* *

Alors que Brecht, avec l'appui d'une tradition toute autre que les Français, se trouve naturellement de plain-pied, même dans ses œuvres de jeunesse, avec l'Histoire, on constate chez nos auteurs comme une déperdition d'énergie, de chaleur et d'acuité dès qu'ils s'efforcent de dépasser leurs contradictions intérieures, les conflits psychologiques individuels — qui peuvent d'ailleurs avoir une portée générale — pour atteindre à une objectivité plus large, à la mise en œuvre de forces qui leur sont extérieures. Cette perte de substance, de densité, nous la ressentons très vivement si nous passons de *Huis Clos* aux *Séquestrés*, mais aussi de *La Leçon* à *Rhinocéros*, et plus encore du *Professeur Taranne* au *Printemps 71.*

Il est certain que le théâtre dit « de l'absurde » n'est pas, ne peut pas être un théâtre de l'Histoire, bien qu'il reflète indirectement les tragédies de notre histoire récente et que son succès général, à l'Ouest comme à l'Est, s'explique par la sensibilisation du public à l'horreur et à la démesure. Auschwitz et Hiroshima précèdent Beckett et Ionesco comme 1789 précède le romantisme. Théâtre mettant en cause les moyens même du théâtre et du langage, théâtre de l'incommunicabilité et de la déréliction, le « nouveau théâtre » est un théâtre de la condition humaine en général qui se soucie peu des catégories politiques et historiques. *Oh ! les Beaux Jours !* est une pièce de tous les temps et de tous les pays. Comme dans une certaine mesure, *Rhinocéros* qui, selon les régimes, peut être considéré comme une satire, soit du nazisme, soit du communisme. La « non-résistible » contagion du virus totalitaire n'est pas saisie dans son épaisseur historique, dans les contradictions essentielles de l'Histoire, mais dans son éternité symbolique. C'est une pièce qui devient fable, avec la rigueur abstraite et comme démonstrative, propre aux fables. Ce qui explique sans doute le triomphal accueil qu'elle a reçu des deux côtés du rideau de fer.

Le cas d'Adamov est très différent puisqu'il s'agit d'une conversion, avec tous les excès propres aux néophytes. Parti du nihilisme, Adamov est devenu marxiste et son théâtre, qui relevait de l'esthétique de l'absurde, relève maintenant, et peut-être trop directement, de l'esthétique brechtienne — sans que la réussite soit venue jusqu'à ce jour couronner cette nouvelle orientation. La tragédie de la Commune, si proche de nous pourtant, dans le temps, dans l'espace et dans l'esprit, n'a pas mieux inspiré Adamov que Brecht. C'est que je crois Adamov un auteur expressionniste plus qu'un auteur politique.

Il faut absolument, si déjà le monde continue — et si le théâtre aussi continue que celui-ci se trouve *contraint* de se situer toujours aux confins de la vie dite indivi- duelle, et de la vie dite collective. Tout ce qui ne relie pas l'homme à ses propres fantômes, mais aussi, mais encore à d'autres hommes, et partant, à leurs fantômes, et cela dans une époque donnée et, elle, non fantômatique, n'a pas le moindre intérêt, ni philosophique, ni artistique. (4).

Ces lignes qui concluent *Ici et Maintenant* me paraissent tracer la voie propre à Adamov, voie qui reste à défricher.

*
* *

Si les rapports du théâtre et de l'Histoire m'intéressent, on l'aura compris, c'est que je ne crois pas possible un véritable théâtre populaire sans que s'éta- blisse une confrontation dramatique et scénique entre un peuple et son histoire, sans que ce peuple puisse vivre son histoire sur la scène. Ne remontons pas à Vercingétorix — Astérix s'en charge très bien — mais que ni la Convention, ni Napoléon (sauf dans *Madame Sans Gêne*), ni 1848, ni la Commune, ni Dreyfus, ni Verdun, ni 1936, ni Juin 40 (qui a inspiré cependant des pièces à Brecht et à Miller), ni les camps de concentration, ni 1945, ni l'Indochine, ni le 13 Mai, ni, malgré *Les Paravents*, l'Algérie, n'aient suscité d'œuvres dramatiques françaises, constitue pour moi une infirmité spirituelle grave, décèle un désordre profond de notre culture.

Il est vrai que cette réalité historique, aussi tragique soit-elle, ne suffit pas à créer une œuvre dramatique. Il faut l'assimiler, la repenser, la transposer, lui donner une cohérence et une signification. Il ne suffit pas de découper l'histoire en tranches — que la machine fonctionne sur le modèle Sardou ou sur le modèle Brecht — pour que l'Histoire revive sur la scène de cette vie mystérieuse et indépendante, celle d'Antigone ou de Richard II.

C'est ce que Gatti a fort bien compris : qu'une certaine vision « à l'italienne » de l'Histoire n'était plus supportable aujourd'hui où non seulement l'homme n'occupe plus la position privilégiée qui était la sienne au sein de l'univers, mais où aucune idéologie ne jouit d'une audience suffisamment universelle pour assurer un point fixe de vision. C'est ainsi qu'il y a autant de distance entre le *Chant Public* de Gatti et *Marie Tudor* qu'entre *l'Entrée des Croisés à Jérusalem* de Delacroix et la *Victoire de Denain* de Georges Mathieu. Ce que confirme à sa manière Armand Gatti :

---

(4) *Ici et Maintenant*, Pratique du Théâtre, Gallimard, 1964.

L'esthétique d'une pièce, quelle que soit la manière dont le sujet l'engrosse, ne peut se façonner qu'à partir de l'expérience quotidienne. — C'est devenu chez moi une fatalité — Donc, au départ toute tentative de reconstitution (type drame historique) était exclue pour ce *Chant Public*. Exclusion d'autant plus définitive que par une tendance toute sectaire de mon esprit, j'incline à voir dans la reconstitution théâtrale, un lieu commun quelque peu décharné. Certes, la meilleure façon d'être entendu au théâtre, c'est encore le lieu commun. Les auteurs avertis le savent, et ils en tirent un juste profit de leur savoir. Malheureusement, dans un certain sens, c'est aussi la plus mauvaise. Si les lieux communs dont nous bénéficions sont des signes éprouvés, ils ne communiquent aucune expérience. Loin de moi l'idée de rouvrir la querelle, toujours stérile, autour de la vérité théâtrale en demandant quel rapport pourrait avoir un décor stylisé (ou réévoqué ou rematérialisé) avec celui dans lequel Nicola et Bartolomeo ont vécu. — Quel rapport pourraient avoir les problèmes personnels d'un acteur qui le soir venu se colle la moustache de Vanzetti ou endosse la bure de Sacco, avec ceux des deux emmurés de Charlestown. Non, mes griefs vont seulement à l'encontre de ces mille choses vraies qui dans la reconstitution tuent la vérité (5).

Je ne suis pas sûr cependant qu'en multipliant les points de vue, qu'en compliquant à l'extrême les structures, Gatti n'aboutisse moins à une représentation qu'à une célébration du passé. Cela est vrai pour la *Deuxième Existence du Camp de Tattenberg*, comme pour *Auguste Geai* et le *Chant Public* — bien que les deux premières pièces rapportent des expériences personnelles mais purifiées, désincarnées et comme soutenues par un lyrisme dont la magie séduit davantage les spectateurs que la réalité du conflit. À la limite, le *Chant Public* est par rapport aux « vrais » Sacco et Vanzetti, ainsi que l'a souligné B. Poirot-Delpech, comme est une messe par rapport à la Passion du Christ. Il est vrai que Jean Genet, aussi, après Mallarmé, a proclamé que « la messe est le plus haut drame moderne » (6). Mais de même que le spectacle du TNP se présentait comme une remémoration d'un sacrifice où les personnages dans leur particularité disparaissent, de même la messe ignore les péripéties concrètes de l'ascension du Calvaire. Inspiré par l'histoire la plus immédiate, le théâtre de Gatti dépasse cette histoire, la vide de la complexité du vécu pour inviter le public à participer à une célébration collective, organisée sur quelques grands thèmes, liés presque tous à l'écrasement de l'individu par la machine sociale. On retrouverait le même penchant vers l'oratorio, mais moins abouti, dans le théâtre d'Audureau et dans celui de Gabriel Cousin (dans le *Drame du Fukuryu-Maru*, notamment).

Les Paravents, avec un génie très différent et une maturité dans les moyens d'expression que ne possède pas encore Gatti, traduisent une attitude devant l'Histoire encore plus ambiguë. Cette pièce qui dans certaines scènes atteint au chef-d'œuvre est le couronnement de l'œuvre théâtrale de Genet, et peut-être de

---

(5) Préface à *Chant Public devant Deux Chaises Electriques*, Editions du Seuil, 1964.
(6) Cité dans *Histoire du « Nouveau Théâtre »* de G. Serreau, Idées, Gallimard, 1966.

5. ARMAND GATTI : Chant public devant deux chaises électriques.

toute son œuvre. Mais il est clair qu'elle est avant tout pour lui un moyen de provocation, un acte poétique et que, comme Genet l'a écrit à Roger Blin :

> Jamais je n'ai copié la vie — un événement ou un homme, Guerre d'Algérie ou
> Colons — mais la vie a tout naturellement fait éclore en moi, ou les éclairer si elles
> y étaient, les images que j'ai traduites soit par un personnage soit par un acte. (7).

Pas plus dans le *Balcon,* histoire d'une révolution mâtée, que dans les
Paravents, la politique n'intéresse Genet. Et pas plus la politique algérienne que
la politique française, *les Paravents* étant sûrement plus scandaleux à Alger
qu'à Paris. Ce qui l'intéresse, c'est d'aller au-delà des apparences, de franchir
le miroir du même pas que les morts crèvent ses paravents. A Roger Blin, toujours, il écrit :

> Je cherche seulement à vous encourager dans votre détachement d'un théâtre qui,
> lorsqu'il refuse la convention bourgeoise, recherche ses modèles : de types, de gestes,
> de ton, dans la vie visible et pas dans la vie poétique, c'est-à-dire celle qu'on découvre
> quelquefois vers les confins de la mort. Là, les visages ne sont plus roses, les gestes ne
> permettent pas d'ouvrir une porte — ou alors c'est une drôle de porte et donnant
> sur quoi —. Enfin, vous savez bien de quoi, sans le pouvoir, je voudrais parler (7).

Ce qui l'intéresse, c'est la ruine, c'est la trahison — c'est la machine de guerre
que constitue la trahison contre l'ordre établi, l'armée, les gendarmes, les colons,
contre les mêmes forces sociales qui ont jadis condamné, rejeté, emprisonné
l'adolescent Jean Genet qui ne cessera désormais d'aggraver sa solidarité « avec
tous les bagnards (...) par l'amour des garçons et cet amour par le vol, et le vol
par le crime ou la complaisance au crime. Ainsi refusai-je décidément un monde
qui m'avait refusé » (8).

Il est certain que *les Paravents* ont été un des grands événements du théâtre
contemporain. Il est certain qu'on ne pourra plus écrire de pièces sur la guerre
d'Algérie sans se référer à Genet. Il est même possible qu'aucun auteur n'ait le
courage ou l'inconscience de défier pareil modèle et que la guerre d'Algérie
qui n'avait déjà guère inspiré les auteurs français, reste l'apanage de Genet,
comme Galilée est celui de Brecht, ou Danton celui de Büchner. Qui ne voit cependant que, si les *Paravents* sont bien nés de la situation algérienne, ils ne sont en
aucun cas *la* pièce sur la guerre d'Algérie. Et que tout un drame, dont Genet à sa
manière nous montre les conséquences, reste théâtralement inexploité : qu'il
s'agisse de la rébellion nationaliste, du cycle sans fin de la terreur, ou de la
déviation de l'esprit révolutionnaire par l'exercice du pouvoir. Il y a même un
scandale — réel celui-là — à nier les pouvoirs de libération de l'homme et à
continuer d'assimiler le « nord-africain » aux domestiques, aux criminels, aux
invertis, aux putains, à tous « ces bagnards » auxquels s'identifie Genet — comme

---

(7) *Lettres à Roger Blin,* Gallimard, 1966.
(8) *Journal du Voleur,* Gallimard, 1949.

si la résistance algérienne n'avait pas fait du « nord'af », l'égal de ses maîtres d'hier.

Que l'on me comprenne bien : *les Paravents*, étant donné ses prémisses — et il serait vain de lui en substituer d'autres — est une œuvre qui atteint parfaitement son but, comme le théâtre de Gatti est une tentative passionnante de renouvellement des vieilles structures, et l'on a pu, on peut toujours, écrire de l'excellent théâtre qui ne satisfasse que ce que Jean Vilar appelle « l'âme privée ». Mais il me paraît qu'en ignorant l'Histoire, le théâtre français s'ampute d'une grande part de ses richesse. Si, selon Faulkner, l'écrivain doit écrire « au sujet des aspirations, des angoisses, du courage et des lâchetés, de la petitesse et de la splendeur du cœur humain » où trouvera-t-il mieux ses sources que dans l'histoire de son pays ? Et l'exemple de Faulkner et de la Guerre de Sécession montre bien que l'exploitation artistique des données historiques ne conduit pas nécessairement à Cécil B. de Mille ou à Meissonnier, comme on le croit trop volontiers en France. Si le théâtre est un tribunal public, où trouver de meilleures causes à juger, de grandes leçons morales ou politiques à tirer, comment mieux montrer la lutte incertaine du bien et du mal, le difficile équilibre entre les vertus privées et l'ordre collectif. le combat indécis — souvent malheureux, jamais abandonné — pour la justice et la liberté, que dans ses grands et terrifiants scénarios qui s'appellent Guernica, le Ghetto de Varsovie, l'Insurrection de Budapest, ou, sur un mode plus subalterne et vulgaire, dans la toute chaude affaire Ben Barka ?

Le théâtre qui ne recueille pas la pulsation sociale, la pulsation historique, le drame de son peuple et la couleur authentique de son paysage et de son esprit, avec son rire et ses larmes, ce théâtre là n'a pas le droit de s'appeler théâtre, mais « salle de divertissement », local tout juste bon pour cette horrible chose qui s'appelle « tuer le temps » (9).

Apparemment les dramaturges français ne pensent pas comme Lorca. Ou s'ils le pensent — ainsi qu'en témoigne, après Benjamin Constant, Victor Hugo dans nombre de ses écrits théoriques — ils s'inspirent dans leurs œuvres d'autres principes. J'ai déjà souligné l'absence de tradition en France à cet égard. Il faut ajouter que notre théâtre a toujours dédaigné le réalisme. Nous n'avons ni un Balzac, ni un Flaubert ni un Zola de la scène. Que l'effort singulier — et que pour ma part je trouve génial — d'Antoine, a été immédiatement ridiculisé par Copeau qui était loin de le valoir. On a fait des gorges chaudes des fameux, et accidentels, quartiers de viande, comme plus tard le « système » de Stanislavski a été déclaré périmé sans jamais avoir été sérieusement appliqué dans nos théâtres. Et on est reparti immédiatement dans cette bonne vieille stylisation, inséparable chez nous de l'idée d'« art » (avec un grand A). Confirmant nombre de déclarations antérieures, Jouvet(10) jugeait qu'un nombre élevé d'accessoires est le sûr indice d'une

---

(9) F. G. LORCA, *Œuvres Complètes*, T. VII. Causerie sur le tnéâtre prononcée le 31 janvier 1935. Gallimard, 1960.

(10) Notamment dans *le Comédien Désincarné*, Flammarion.

pièce médiocre — ignorant d'une boutade toute l'œuvre de Tchekhov. Et Vilar notait de son côté :

> En ce qui concerne le réalisme, je reste étonné de la longévité de ce mot. L'art est une certaine région de mettre en ordre ou en désordre la nature. Qui peut donc, en cette affaire, signifier le mot réalisme ? Rimbaud est-il réaliste ? (11).

supprimant, d'une autre boutade, une bonne part de l'œuvre de Strindberg — lui qui fut pourtant le metteur en scène de la Danse de Mort. Nous n'avons aucun écrivain de poids qui de près ou de loin se rattache au grand mouvement qui à la suite de Tchekhov et Strindberg se poursuit avec Gorki, Synge, O'Casey, Brecht, et de nos jours, revit avec Wesker ou John Arden. De même pour la mise en scène — si l'on excepte Planchon, exception de taille, il est vrai — rien chez nous ne peut se comparer au réalisme du Berliner Ensemble ou du Piccolo Teatro. Nous confondons toujours le réalisme avec le naturalisme, pour le mépriser. Car si les pièces françaises inspirées par l'Histoire sont exceptionnelles, comme je crois l'avoir montré, celles situées dans la réalité de tous les jours le sont tout autant. Il semble que pour le dramaturge français, la concentration, l'élaboration, la transposition nécessaires à la vie scénique, ne peuvent s'opérer qu'à partir d'une abstraction préalable, hors d'un temps et d'un espace définis. L'écrivain français va naturellement au mythe, seule réalité noble à ses yeux. Ou, si le mythe — particulièrement le mythe gréco-latin lui fait défaut, il le compense par la distance dans l'espace ou le temps, qui est une autre manière de se détacher ainsi que l'a montré Racine avec Bajazet. Je me demande même si le réflexe qui conduit nos metteurs en scène à s'intéresser à Oppenheimer et à Sacco et Vanzetti, plutôt qu'à Dreyfus ou à Pétain, ne participe pas de la même esthétique non-écrite. Il est certes plus facile de s'en prendre à la justice américaine. On risque moins d'exciter les infiniment susceptibles susceptibilités françaises. Mais il est vraisemblable aussi que le juge américain mal connu, lointain, quasi-mythique, représente, à leurs yeux, mieux et davantage le Juge que le procureur Lindon ou le Président Pérez.

J'ajouterai à la décharge des auteurs de notre temps que jamais la tâche d'assumer sur une scène les grands moments de l'histoire contemporaine n'a posé des problèmes aussi difficiles.

Parce que d'abord, comme l'a très bien vu George Steiner :

> La langue naturelle qui sert à exposer, à justifier et à enregistrer l'expérience est maintenant la prose. Cela ne signifie pas que la poésie d'aujourd'hui soit moins stimulante ou moins importante pour la culture et pour l'intelligence du monde sensible, mais cela signifie que, la distance entre la poésie et les réalités de la vie ordinaire, qui doivent être l'objet du théâtre, est plus grande que jamais (12).

---

(11) *De la Tradition Théâtrale*, Editions de l'Arche, 1955.
(12) *La Mort de la Tragédie*, Editions du Seuil, 1965.

Ecartelé entre un langage poétique replié sur lui-même et une prose proche du journalisme, le dramaturge manque aujourd'hui d'un « outil verbal » assez simple pour se faire entendre, assez souple et riche pour épouser les mille contradictions du réel, assez musical pour véhiculer l'émotion avec les mots. Parce que, ensuite, le dramaturge doit s'élever personnellement à la hauteur du drame qu'il représente, le re-créer, s'égaler en quelque sorte à cette somme de deuils et de souffrances et faire que ces personnages historiques deviennent aussi réels que des personnages imaginaires. Rastignac écrase M. Thiers, son modèle, et c'est Shakespeare qui par son génie donne au Richard III de la scène sa grandeur démoniaque. Mais le Richard III de l'Histoire, aussi machiavélique fut-il, n'était jamais qu'un individu. Le dramaturge aujourd'hui a à faire à des monstres encore plus redoutables pour lui comme pour les autres hommes, parce qu'ils sont impersonnels. Eichmann n'était qu'un rouage parfaitement interchangeable, dont le seul démon était celui, habituellement inoffensif chez des millions d'employés, de l'avancement. Comme étaient également interchangeables, hélas, les millions de victimes des fours crématoires. Les crimes industriels de notre société technicienne ne sont plus à l'échelle artisanale de la scène, ainsi que l'a bien compris Peter Weiss qui avec l'Instruction a choisi de traiter la réalité au deuxième degré, par le truchement d'un procès plutôt que la réalité elle-même. Chaque matin, le journal apporte des faits qui défient l'imagination dramatique. J'avais, il y a quelques années, commencé à bâtir une comédie sur le communisme chinois que je pensais intituler, non sans quelque malice, la Règle sans Exception, mais chaque jour les Gardes Rouges m'apportent la preuve qu'ils ont beaucoup plus de talent que moi. Steiner soulignait déjà que :

> Faute de catastrophe dans son voisinage, le spectateur des époques élisabéthaine et classique était venu à Hamlet ou à Phèdre l'esprit relativement tranquille, ou du moins sans défense contre la poésie et le choc de la pièce. Le nouvel homme « historique » (celui de la révolution de 89) au contraire venait au théâtre avec un journal dans sa poche; dans le journal pouvaient se trouver des faits plus terribles et des sentiments plus bouleversants que beaucoup de ceux qui peuvent tenter un auteur dramatique (12).

D'où, cette forme de démission qui s'appelle le théâtre-document et qui permet enfin au metteur en scène de régner sans opposition sur des documentalistes, ainsi que le montrent les récents propos sur le spectacle U.S. et le Vietnam, prêtés à Peter Brook par P. Dommergues (13). Tout metteur en scène de théâtre rêve, comme le réalisateur de cinéma, d'avoir un — ou de préférence, plusieurs — scénaristes à sa botte. Ce qu'on appelle, soit travailler en équipe (tendance esthétique de droite), soit animer un collectif de travail (tendance marxiste de gauche). Bref, ce sont les vieilles méthodes d'Hollywood.

Je n'y aurais pas insisté si cette réaction violente contre les privilèges de

---

(13) Le Monde du 9-10-1966. Shakespeare à l'heure du Vietnam.

l'auteur n'était le signe d'un malaise qui dépasse de beaucoup notre pays. On a le sentiment en effet qu'il y a une immense demande d'un théâtre « ouvert », à la fois politique et historique, venant des metteurs en scène et du public dit populaire, auquel répond faiblement, médiocrement, une offre insuffisante de la part des auteurs. C'est que tout auteur bien né craint dans cette aventure de perdre son autonomie, de n'avoir pas le talent ou le génie pour que son art soit à la dimension de ce qu'on lui propose de représenter. C'est ainsi que Roger Planchon d'une démarche toute naturelle, est allé d'abord, dans *la Remise*, explorer sa généalogie : il s'y sentait sur un terrain plus solide où son originalité ne ferait pas de doute. C'est aussi que l'esprit souffle où il veut, et pas forcément dans le sens où le souhaitent les metteurs en scène, pris, par exemple, complètement à contre-pied par l'explosion du « nouveau théâtre » (Jean-Louis Barrault, entre autres, a mis dix ans à faire le rétablissement, du théâtre dit « total » de *Christophe Colomb* à l'épure de *Ah ! les Beaux Jours !*).

J'aimerais conclure, en ce qui concerne la France, par une note d'espoir raisonnable. Je n'ai parlé tout au long que du théâtre dramatique ou tragique, et pas du tout du théâtre comique. C'est que, dans ce registre, ma démonstration serait beaucoup moins convaincante. Racine aurait pu écrire une pièce sur la vie de Saint Cyran ou sur le Grand Arnauld. Il a fallu attendre Lucien Goldmann, d'un côté, et Montherlant de l'autre, pour que nous ayons un *Port-Royal*. Mais *Tartuffe* est au centre des conflits religieux du XVIIe siècle. Et à travers, *Dom Juan, le Bourgeois Gentilhomme*, et même *l'Ecole des Femmes*, nous avons une appréhension directe du siècle de Molière que l'on chercherait en vain chez ses confrères tragiques. Ce n'est pas moi qui le dit, mais Stendhal : « Molière était romantique en 1670, car la cour était peuplée d'Orontes et les châteaux de province, d'Alcestes fort mécontents » (14). Racine et Corneille sont devenus des monuments publics que l'on salue et visite de loin en loin, qui animent des polémiques closes entre intellectuels. Mais c'est Molière qui joue de plus en plus, aussi bien auprès du public que des metteurs en scène, le rôle de poète national tenu par Shakespeare en Angleterre. Le même décalage s'établit au XVIIIe siècle entre les comédies de Marivaux et les tragédies de Voltaire. De même pour les proverbes de Musset, plus « réalistes », plus « engagés » finalement, que les drames de Hugo. Et pour Labiche. Et pour Feydeau. Si nous n'avons aucun drame sur la prise de la Bastille, nous avons *le Mariage de Figaro* qui la préfigure et l'annonce. Oserais-je dire qu'*Ubu* est mieux en rapport avec les excès de n'importe quel totalitarisme que bien des débats idéologiques prétentieux et qu'enfin, à mon goût, le meilleur Sartre, au théâtre, on le trouve dans *la Putain Respectueuse* et *Nekrassov*.
    Je n'aurais garde surtout de croire que la comédie ou la satire soient des voies plus aisées pour le dramaturge que la tragédie pure, surtout par les temps que

---

(14) *Racine et Shakespeare*, Delpeuch, 1928.

nous vivons. Mais c'est ce temps qui est le nôtre. C'est ce monde — notre monde — en constante et parfois inhumaine évolution, qu'il faut essayer de comprendre. Comme c'est avec la conscience nouvelle que nous avons de nouveaux problèmes qu'il faut porter l'Histoire au théâtre, celle immédiate que nous venons de vivre ou celle des grandes époques du passé. Ionesco a raison quand il nous rappelle par la bouche de Béranger que :

Tous les littérateurs et presque tous les auteurs de théâtre dénoncent des maux, des injustices, des aliénations, un malaise d'hier. Ils ferment les yeux sur le mal d'aujourd'hui. Le mal ancien n'est plus à dénoncer. Il est inutile de démystifier ce qui est démystifié. C'est du conformisme. Cela ne sert qu'à masquer le nouveau malaise, les nouvelles injustices, les tricheries nouvelles (15).

**

Il reste que nos parti-pris intellectuels ou esthétiques, nos querelles d'école ou de style, ne doivent pas nous inciter — ce qui est notre tendance naturelle et comme instinctive à nous autres français — à détourner notre regard de la réalité :

Des millions d'êtres brûlés et tués, une partie de l'Europe *ausradiert* — supprimée de la surface de la terre —, le rôle de l'homme ramené à celui d'un microbe, la perspective de l'esclavage à l'échelle de continents entiers, tels est le tableau du monde d'aujourd'hui. Les écrivains qui, dans leur œuvre, veulent se mesurer avec l'Histoire, devraient venir à Varsovie, devraient marcher dans ces rues qui n'existent pas, regarder ces hommes qui ne sont pas, se rappeler des événements naguère plus lourds que le sang, aujourd'hui plus fragiles que les fils de la Vierge, devraient regarder, contempler les ruines au travers desquelles rayonne pour eux la plénitude, mais, pour la génération montante, rien que le néant (16).

Tel était le constat que l'écrivain polonais Adolf Rudnicki dressait de son pays en 1945. Je ne voudrais pas en dire plus : si cette réalité-là, d'une manière ou d'une autre, ne vit pas sur nos scènes, il manquera toujours quelque chose à notre théâtre, qui est peut-être simplement l'expression de la souffrance des hommes. Et chacun sait, par expérience ou intuition, que c'est la matière première de toute dramaturgie. Peut-être aussi comme le disait Brecht qu'il n'y a pas d'art nouveau sans objectif nouveau.

---

(15) *Le Piéton de l'Air*, Théâtre t. III. Gallimard, 1963.
(16) *Les Fenêtres d'or, et autres récits*, Gallimard, 1966.

LES TRAGÉDIES DE LA DÉCOLONISATION

par Marcel ODDON
(*C.N.R.S.*).

Les quatre pièces qui font l'objet de cette étude sont l'œuvre de deux écrivains martiniquais. Trois, *Et les chiens se taisaient, La Tragédie du Roi Christophe, Une Saison au Congo*, sont d'Aimé Césaire; la quatrième, *Monsieur Toussaint*, d'Edouard Glissant, a été jointe à celles-ci à cause des préoccupations semblables de ces deux auteurs.

Une analyse détaillée de chacune des pièces ne pouvait être envisagée ici. On a donc jugé utile, pour la clarté de l'exposé, de donner dans une première partie une analyse succincte de la structure dramatique de chacune d'entre elles et de la manière dont l'auteur a utilisé les faits historiques, puis de centrer l'étude du contenu sur les thèmes communs à *La Tragédie du Roi Christophe* et à *Une Saison au Congo*.

.·.

La première œuvre d'Aimé Césaire écrite spécialement pour la scène est *La Tragédie du Roi Christophe* publiée en 1961. Mais dès 1946 Césaire faisait figurer à la fin du recueil *Les armes miraculeuses,* un long poème dramatique, *Et les chiens se taisaient (tragédie),* à partir duquel il devait établir, dix ans plus tard, un arrangement théâtral qui diffère assez peu de la première version. Le sujet de ce poème, c'est la vie d'un révolutionnaire, un Noir, habitant de la Caraïbe, revécue au moment de mourir, dans la prison qui s'est refermée sur lui. Lorsque le poème s'ouvre, le Rebelle va mourir : l'Echo, qui joue le rôle du Prologue, nous en avertit et nous explique le sens de cette mort : elle va faire « clair pour tous » que « l'Architecte aux yeux bleus », le blanc colonisateur est « le bâtisseur d'un monde de pestilence ». Loin d'être l'échec individuel d'un révolutionnaire vaincu elle sera donc une menace pour l'Architecte. Elle agira comme un révélateur, elle montrera, aux yeux dessillés des hommes, « un monde de viol où la victime est par (la) grâce (de cet architecte) une brute et un impie », et elle les amènera à poser à celui-ci la question essentielle qui remettra en cause la légitimité de son pouvoir : « qui t'a sacré ? », « En quelle nuit as-tu troqué le compas contre le poignard ? ».

Cependant, à cette victoire momentanée du pouvoir colonial, correspond la tragédie du héros, symbole de la tragédie de ce peuple d'esclaves qu'il a voulu libérer. Et c'est cette tragédie que nous allons voir se dérouler sous nos yeux depuis la prise de conscience du Rebelle jusqu'à sa confrontation finale avec la mort. Il serait d'ailleurs plus précis de dire : que nous allons entendre, puisque *Et les chiens se taisaient,* même dans la version théâtrale, est avant tout une œuvre lyrique où, à de rares exceptions — comme la scène où le geolier et sa femme maltraitent le prisonnier qui les défie — il n'y a pas de véritable dialogue, seulement des voix : Chœur, Récitant, Récitante, Amante, Mère et personnages épisodiques dont les chants concertants ou alternés développent pour nous les thèmes affectifs essentiels de la vie du héros. Il n'y a pas non plus de véritables personnages : Amante, Mère, sont des symboles de l'Amour, de la Maternité, des manifestations de l'esprit de vie, des forces du sentiment, et de simples voix tentatrices représentent les forces du passé qui sollicitent la faiblesse du héros aux moments de plus grande tension. C'est qu'en fait, il faut le souligner, ce ne sont pas des épisodes précis de la vie du héros, avec leurs circonstances particulières, même transformées et stylisées par la mémoire, qui nous sont présentées; c'est la trame affective qui l'a colorée. Et le poète la restitue en un flot ininterrompu d'images profondément ancrées dans la réalité de son pays.

Cette démarche explique certaines contradictions apparentes du texte. Par exemple, si le Rebelle, le Chœur et les Récitants évoquent d'abord, comme un événement vécu, restitué par la mémoire, le débarquement des Blancs, la traite et l'esclavage, c'est-à-dire un passé africain puis caraïbe; plus tard, le jour où le Rebelle s'est révolté et a tué de ses propres mains le maître qui s'apprêtait à faire un esclave de son fils; enfin, les 306 années d'esclavage subies par son peuple jusqu'à l'abolition de cette institution inhumaine, il est évident que tous ces événements douloureux n'ont pu être vécus par le héros. S'il les évoque sous nos yeux, c'est comme un passé ancestral, assumé par lui et revécu symboliquement avec toute sa charge affective, en une sorte de descente aux enfers d'où il sortira grandi. En effet, d'avoir accepté de souffrir toutes les souffrances de son peuple fera de lui non pas un rebelle quelconque, mais le rebelle noir symbole de la négritude, l'amant de la liberté, le Roi appelé et reconnu par son peuple, Roi martyr dont la passion est tout le sujet de la pièce.

Cette absence de dialogue et de personnages, le caractère symbolique de la vie du héros, expliquent aussi qu'il n'ait pas suffi d'une division en actes, de quelques adjonctions et du déplacement de certaines parties du texte, pour faire une œuvre scénique, c'est-à-dire visuelle, d'un chant profond dont la beauté incontestable reste à mi-chemin entre le théâtre et la poésie; à mi-chemin, dans l'œuvre du poète, entre *Le Cahier d'un Retour au pays natal* et cette *Tragédie du Roi Christophe* dont il sera question plus loin.

Cette analyse trop brève de *Et les chiens se taisaient* suffit, croyons-nous, à éclairer les rapports particuliers qui unissent ce poème tragique et l'histoire des colonies à peuplement noir. Profondément enraciné dans le réel par les thèmes qu'il développe, nourri de faits précis particulièrement douloureux, son auteur va toujours du particulier au général, de l'histoire à l'interprétation de l'histoire sans effectuer le mouvement inverse de retour au particulier imaginaire, à l'histoire inventée ou remodelée qu'il effectuera quelques années plus tard : il se contente de nous faire partager le drame des colonisés sous une forme symbolique qui reste à mi-chemin entre la confidence lyrique et la création d'un univers proprement théâtral.

Dans l'œuvre de Césaire, ce passage du poème tragique au théâtre proprement dit va se réaliser en deux temps. Au cours d'une première étape l'auteur va faire œuvre d'historien. Il va écrire une monographie consacrée au premier chef de la révolution haïtienne, Toussaint Louverture — ce même Toussaint auquel Edouard Glissant consacrera sa première pièce de théâtre : *Monsieur Toussaint* —. Puis, quelques années plus tard, il publiera *La Tragédie du Roi Christophe* dans laquelle il utilisera l'histoire de l'un des principaux lieutenants de Toussaint pour illustrer théâtralement certains problèmes de la libération des peuples colonisés.

Dans son étude, Césaire montre le rôle déterminant de Toussaint Louverture dans la libération de Haïti, et il définit son combat comme un « combat pour la transformation du droit formel en droit réel, le combat pour la *reconnaissance* de l'homme ». Il fait de Toussaint « dans l'histoire, dans le domaine des droits de l'homme (...) pour le compte des nègres, l'opérateur et l'intercesseur », cet opérateur et cet intercesseur qu'était déjà le rebelle de *Et les chiens se taisaient*. Il s'attache aussi à expliquer l'échec final de Toussaint, et fidèle à sa méthode « ce n'est pas de la psychologie qu'il s'agit ici, c'est de tout autre chose, de la force des événements et de la poussée historique », il va essayer de le faire par référence implicite à une logique de l'histoire. Si Toussaint échoue finalement dans son effort pour libérer son peuple; s'il voit certains de ses généraux traiter avec le chef des troupes du Premier Consul; s'il finit par traiter, lui aussi, puis par accepter le rendez-vous où il sera arrêté par traîtrise avant d'être déporté au Fort de Joux, dans le Jura, c'est comme le voulait C. L. R. James (1), parce qu'il ne sut pas garder le contact avec la révolution populaire. De ce fait il ne parvint pas à opposer, aux manœuvres du général Leclerc pour le perdre dans l'esprit des noirs, le mot d'ordre que cette révolution imposait : non plus « liberté générale » sans rupture avec la France, ce qui avait toujours été son mot d'ordre, mais « indépendance ». « Au lieu de quoi il se perdit en ruses subalternes et en arguties » qui ne pouvaient tromper l'ennemi. Mais « s'il ne trompait pas l'ennemi, du moins était-ce son peuple qui, victime du subterfuge, tombait dans le piège vainement tendu à l'ennemi ». Et c'est conscient de ceci, et convaincu d'être un obstacle à la réconciliation des Mulâtres et des Noirs qui seule pouvait mener au succès

---

(1) C. L. R. JAMES, *Les Jacobins Noirs*. Cette étude contient l'essentiel de ce que l'on sait des événements qui ont abouti à la libération de Saint-Domingue, et cherche à expliquer pourquoi Toussaint échoua si près du but.

que, préparé depuis toujours à la mort par « un sens tragique de la vie qui lui faisait voir dans la politique la forme moderne du destin », il décida de se sacrifier en un dernier acte politique indispensable pour sauver son pays, et alla, sachant ce qui l'attendait, au rendez-vous fatal.

Edouard Glissant, dans la préface de *Monsieur Toussaint*, dit sa dette à l'égard de James et de Césaire. Il précise aussi le but qu'il vise. Sa pièce n'est pas d'inspiration politique, mais poétique. Elle tend à donner « une vision prophétique du passé », c'est-à-dire à faire œuvre de récupération de ce passé caraïbe pour « mieux *toucher* l'actuel ». Pour cela elle cherche à donner « la chronique littérale, comme l'antique *roman*, de cette destinée ».

Pour réaliser ce programme Glissant utilise un procédé analogue à celui de Césaire dans *Et les chiens se taisaient* : il prend son héros peu avant sa mort, dans sa prison du Jura, et il lui fait revivre le passé, depuis le jour de sa révolte jusqu'au moment où il est fait prisonnier par traîtrise. De ce fait l'action se déroule simultanément sur deux plans principaux, le plan du présent, c'est-à-dire de la prison, avec ses geôliers et les morts qui hantent Toussaint, et le plan du passé, de la lutte de Toussaint pour la libération de son peuple. A quoi il faut ajouter, dans la dernière partie, la chronique de la libération définitive de l'île, postérieure à la mort de Toussaint.

A l'intérieur de cette construction le passage se fait naturellement d'une époque à l'autre. Comme le dit Glissant, « Pour lui (Toussaint) l'équivalence est essentielle de ce qu'il a ou n'a pas accompli et de ce qu'il attend — ou n'attend plus ». Et si, dans la pièce, Toussaint ne meurt vraiment, malgré ce que nous dit l'histoire, que lorsque l'île est entièrement libérée par ses généraux, Dessalines et Christophe; si, pendant cette partie de l'action, il est seulement plongé dans un profond sommeil, c'est parce que cette libération est dans la logique de sa vie. Dessalines lui-même en est conscient. Christophe lui reproche de raconter des histoires aux soldats en promettant à ceux qui mourront : « Le commandant Toussaint est en Afrique, il prépare une armée invincible pour la délivrance de nos frères ! Ceux qui tombent vont rencontrer Toussaint et combattre sous ses ordres ». Il lui répond brutalement : « Tais-toi. Je commande, tu te bats. Mais c'est Toussaint qui nous dirige ». C'est seulement lorsque Haïti sera libérée, lorsque l'acte unique qui résume toute la vie de Toussaint sera accompli, que celui-ci mourra vraiment. Alors, son attente satisfaite, il sortira de ce profond sommeil où il était plongé et traversera les murs de la prison pour rejoindre les morts.

Le passage d'un temps à l'autre, logique dans la perspective de la pièce, s'opère dramatiquement grâce à l'intervention des morts qui entourent Toussaint, le harcèlent sans répit, et contribuent par leur intervention à donner à la pièce un deuxième niveau de significations. Chacun d'eux est en effet un symbole : de la liberté sans entraves, anarchique, des « marrons » (Macaïa); de la croyance ancestrale (Maman Dio); de la race (Mackandal); de l'ordre moral du colonisateur (Libertat); c'est-à-dire des obstacles que Toussaint a rencontrés un jour sur sa route et qu'il a renversés.

Aveugles et sourds à tout ce qui n'est pas leur univers figé, ces fantômes de Toussaint sont sans avenir et, à l'exception peut-être de Mackandal, symbole de la race, ils ne comprennent pas la passion qui l'habite et cette attente obstinée qui lui permet de résister à la faim et au froid. C'est pourquoi, lorsque le geôlier Manuel feindra de s'endormir dans la cellule, mettant ses clefs à la disposition du prisonnier, ils ne comprendront pas que celui-ci s'obstine à refuser la liberté, c'est-à-dire la mort qui l'attend s'il tombe dans le piège tendu. Pour eux, Toussaint a déjà accompli sa destinée, il devrait les rejoindre sans tarder au royaume des morts. Leur impatience tient aussi au fait que leur sort est étroitement lié au sien. Morts depuis un siècle, comme Mackandal, ou depuis quelques années seulement, comme Moyse ou Macaïa, leur présence auprès de Toussaint est tout à la fois l'annonce de la mort prochaine de celui-ci et le signe de leur dépendance puisque seule cette mort les délivrera d'une existence fantomatique, et puisqu'ils ont besoin de Toussaint pour les guider dans le royaume de la mort. Ils sont impatients d'entraîner Toussaint avec eux; ils s'irritent de son obstination à remonter le courant de sa vie pour la justifier, ils la trouvent inutile et dangereuse, mais en fait ce sont leurs sarcasmes et leurs accusations qui créent ce besoin de justification. D'ailleurs n'est-ce pas leur rôle de le provoquer, cela ne fait-il pas partie du rituel ? Ce que dit Libertat, le géreur de la plantation où Toussaint était esclave le laisse supposer.

Quoi qu'il en soit des rapports exacts de Toussaint et des morts — rapports complexes qui demanderaient une longue analyse — on voit quel est le rôle dramatique de ceux-ci. En forçant Toussaint à se justifier, en l'entraînant à la fois vers son passé et vers sa mort, ils sont le véritable moteur de la pièce, et ils l'enrichissent de nouvelles significations. Ils renforcent aussi son unité. Grâce à eux, il y a un niveau où Toussaint n'est plus que désir de justification : auprès du Premier Consul qui l'accuse de trahison, de rébellion à l'égard de la France, auprès de chacun d'entre eux en particulier, et aussi auprès de lui-même Toussaint puisque ce qu'il attend pour suivre Mackandal et rejoindre « ses » morts, c'est la justification de son sacrifice final, c'est-à-dire de toute sa vie : la liberté assurée pour son peuple avec la victoire de Dessalines sur les Français. A sa manière, poétique, cette pièce est, comme l'étude de Césaire, un moyen de dévoiler le passé. Il est donc nécessaire de voir de plus près comment l'auteur a utilisé l'histoire et l'a restituée dans la structure dramatique qui vient d'être indiquée.

Tout d'abord Glissant, qui a divisé sa pièce en quatre parties, insère dans chacune d'elles les événements, essentiels pour son propos, d'une période de l'histoire de la libération de Saint Domingue depuis la révolte initiale de Toussaint jusqu'à la victoire finale de Dessalines; et ces quatre périodes, de durée très inégale, se succèdent chronologiquement. La première va de 1790 à 1795-6, la deuxième de la fin de 1795 à 1801-2, la troisième de la fin de 1801 à juin 1802, enfin la quatrième de juin 1802 à novembre 1803. Et s'il est parfois fait mention d'événements qui ne coïncident pas avec cette chronologie générale, il s'agit presque toujours d'allusions des morts à leur histoire personnelle, réelle ou mythique. Ainsi les allusions de Mackandal à son activité d'empoisonneur, un siècle avant la naissance de Toussaint, ou le récit que Macaïa fait de sa mort.

Par contre, à l'intérieur de chacune de ces périodes les faits sont utilisés d'une manière synthétique, sans souci de la chronologie véritable, et en fonction du sens historique général qu'ils donnent à l'action des divers personnages, et de ce que ceux-ci « auraient pu être, ou furent effectivement ». Pour ne donner qu'un exemple de la manière dont procède Glissant, dans une scène de la première partie qui se déroule entre Blancs fuyant devant les troupes de Toussaint, l'action se passe, historiquement, en 1793 lorsque Toussaint est général des armées du roi d'Espagne puis, quelques répliques plus loin Blénil, l'un des colons, utilise les arguments de ceux-ci à la Constituante, au cours des débats de mai 1791. Il fait ensuite allusion à la révolte des Noirs en août 1791 comme à un événement actuel, puis prophétise la République proclamée depuis 1792, avant que la proclamation de Toussaint, à la fin de la scène, nous ramène en 1793.

La présentation dramatique de ces événements, c'est-à-dire, dans l'univers de la pièce, du passé de Toussaint, s'effectue sur deux plans principaux qui correspondent sommairement à deux partis en présence, les Noirs révoltés et les Blancs de la colonie opposés à leur libération. Ceux-ci complotent tout au long de la pièce pour se débarrasser de Toussaint. Ils développent ainsi une intrigue secondaire qui se déroule d'abord indépendamment, puis rejoint l'action principale lorsque les comploteurs, à bout de ressources, se rallient à Toussaint pour mieux utiliser contre lui la seule arme qui reste à leur disposition : le caractère même de Toussaint. En particulier, comme le dit Césaire et comme la pièce le fait ressortir, une certaine sclérose de la pensée qui lui fait appliquer aux problèmes de gouvernement les méthodes mises au point pour la création de son armée et la conduite de la guerre. Mais Toussaint n'a pas besoin d'être poussé dans cette voie : il y va de lui-même, sans illusion sur le but poursuivi par ses collaborateurs d'un moment.

A cela il faut ajouter un certain nombre de monologues où des personnages épisodiques, comme Rigaud, chef des Mulâtres, viennent se justifier de leur action. Ces monologues sont en marge de l'action, mais ils l'éclairent d'un jour nouveau. Ils donnent soudain du relief à des acteurs absents jusque là de la scène mais dont il a souvent été fait mention et dont le rôle, dans la destinée de Toussaint, justifie cette incarnation.

La complexité de la structure de *Monsieur Toussaint*, avec ce passage constant du présent au passé et à l'avenir, cette façon de mêler les morts à l'action passée pour leur permettre de la commenter au présent suivant leur point de vue, ce jeu constant du réel et de l'imaginaire, cette façon de recréer le passé d'un peuple à travers la destinée d'un individu n'obscurcit pas, comme on pourrait le craindre, le propos de l'auteur. Elle ne déforme pas la réalité historique. Elle la restitue telle que l'auteur la comprend, c'est-à-dire, pour l'essentiel, telle qu'elle se dégageait de l'étude d'Aimé Césaire à laquelle il se référait. Elle fait aussi de cette pièce une œuvre originale, trop longue sans doute pour être portée à la scène sans modification, mais d'un intérêt dramatique certain.

*⋅

Après le départ définitif des troupes françaises en novembre 1803, l'île d'Haïti est gouvernée par son libérateur, Dessalines, qui prend le titre d'empereur. En 1806, à sa mort, le pouvoir revient de droit à son premier lieutenant, le général Christophe, gouverneur de la Province du Nord. Celui-ci refuse une présidence de la République qui, grâce à une loi de circonstance votée par les Mulâtres du Sénat, ferait de lui un simple fantoche. Il n'abandonne pas pour autant l'idée de gouverner Haïti. Au contraire, il se retire dans sa Province du Nord et là, se faisant sacrer roi en 1807 sous le nom de Henry Ier, il entreprend de créer un état capable de se faire respecter pendant que Pétion, chef des mulâtres, se voit confier la présidence de la République du Sud. Cette division de l'île entraîne une guerre civile entre les deux provinces, c'est-à-dire surtout entre Mulâtres et Noirs. Christophe finit par sortir vainqueur de ce conflit mais, brusquement, au moment où ses troupes commencent à pénétrer dans Port-au-Prince assiégée, il leur donne l'ordre de repartir vers le nord. Là, de 1812 à 1818, date à laquelle Boyer succède à Pétion à la tête de la République, il gouverne son royaume en monarque éclairé mais despotique. Il s'entoure d'une cour brillante copiée sur les cours européennes, développe l'agriculture, organise le travail de tous sur des bases militaires. Ses exigences lassent un peuple qui, après une longue et cruelle guerre de libération, puis des années de guerre civile, aspire au repos. En mai 1820, Christophe est victime d'une attaque d'apoplexie qui pourtant ne l'empêche pas de continuer à gouverner. Cependant la situation s'aggrave rapidement. La ville de Saint-Marc se soulève et fait appel à Boyer pour la défendre contre les troupes de Christophe. Boyer, profitant de la situation, provoque une nouvelle guerre civile au cours de laquelle, abandonné par les siens, Christophe se suicidera.

C'est cette destinée que Césaire porte à la scène avec *La Tragédie du Roi Christophe*. Son but, en le faisant, n'est pas très éloigné de celui que visait Glissant. Il s'agit une nouvelle fois d'utiliser le passé d'un peuple colonisé pour, à travers le destin de l'un de ses héros, poser les problèmes les plus actuels de la décolonisation. La pièce débute par un Prologue constitué d'une scène de réjouissance populaire, un combat de coq, métaphore de la situation politique de l'île, dont les adversaires emplumés s'appellent Christophe et Pétion, et d'un monologue où le Présentateur-Commentateur explique cette métaphore, situe l'action de la pièce et la résume.

Ainsi préparé le 1er acte se développe d'abord dans le climat bouffon, parodique, de la querelle entre Christophe et Pétion, de la guerre civile qui oppose Noirs et Mulâtres, Royaume du Nord et République du Sud, et de cette cour où un maître de cérémonie envoyé par l'Europe, initie les Noirs aux mystères de l'étiquette. Mais s'il y a quelque chose de ridicule dans ces querelles intestines et dans cette création d'une nouvelle noblesse et d'un faste de parade, si Christophe au début semble tout entier pris dans ce triste engrenage qui fait de lui un coq de combat, il éprouve une soif de bâtir, un besoin de dignité pour son

peuple et pour lui qui se manifestent d'abord par éclairs, puis se font de plus
en plus conscients, de plus en plus impérieux, jusqu'à devenir cette passion
dévorante à laquelle tout devra se plier et qui le conduira à la catastrophe finale.
Et au cours du 1er acte nous voyons la bouffonnerie s'estomper peu à peu, au
profit du sérieux, pour ne plus persister, au cours des deux actes suivants, que
dans la personne de Hugonin, à la fois bouffon parasite et agent politique du roi.
Tout au long de la pièce, par ses couplets railleurs il soulignera le tragique de
la situation.

Il y a une parenté incontestable — et voulue par l'auteur — entre le couple
Christophe - Hugonin et le couple shakespearien du roi Lear et de son bouffon.
Il y a aussi une certaine similitude entre la construction dramatique de *La Tragédie du Roi Christophe* et les drames historiques du poète élisabéthain : scènes
de guerre ou de cour, débats politiques, actes de gouvernement, banquets et
cérémonies se succèdent faisant passer l'action d'un lieu à un autre de manière
à illustrer à la fois le destin du héros et celui de son peuple. Ce peuple lui-même
fait son apparition, en dehors du Prologue, dans des scènes hautes en couleurs
où paysans, ouvriers de la citadelle, flotteurs de bois et délégués auprès du roi
précisent le climat social dans lequel se poursuit l'entreprise de Christophe. C'est
donc toute une société qui est mise en scène dans les trois actes de la tragédie.

Césaire fait également un usage de la prose et du vers analogue à celui de
Shakespeare. En dehors des couplets de Hugonin et des flagorneries du rimeur
officiel, il réserve le vers à l'expression de l'être profond de ses personnages qui
se fait toujours sur le mode lyrique. Aussi le vers est-il surtout utilisé par le
personnage principal. La poésie est également présente dans le dialogue en
prose, Césaire est avant tout poète, et sa langue est riche en images. Très souple,
elle se modèle parfaitement sur les caractères des personnages. Surtout — et c'est
une des grandes réussites de l'œuvre — elle s'inspire avec bonheur du français
de l'époque où se situe l'action.

Dans *Une Saison au Congo* Césaire ne cherche plus à illustrer le présent
par des exemples tirés du passé. Il puise directement dans l'histoire contemporaine et choisit d'évoquer le destin tragique de Patrice Lumumba. Les termes
qu'il utilise pour justifier son choix :

> A travers cet homme, homme que sa stature même semble désigner pour le mythe,
> toute l'histoire d'un continent et d'une humanité se joue de manière exemplaire et
> symbolique.

montrent que dans l'ensemble ses préoccupations dramatiques sont restées les
mêmes. Il s'agit toujours d'allier le destin du héros à celui de son peuple pour
faire surgir sous nos yeux le drame tout entier de la décolonisation.

Comme dans *La Tragédie du Roi Christophe* Césaire utilise l'histoire en
respectant, à des exceptions de détail près, la chronologie des faits. Il se contente
de choisir les épisodes de la vie de Lumumba qui lui paraissent les plus propres
à évoquer la carrière de celui-ci et les interprète dans un esprit proche de celui
de Sartre dans sa préface au recueil de textes de Lumumba.

6. AIMÉ CÉSAIRE : La Tragédie du Roi Christophe.

L'agencement des scènes se fait ici avec une grande liberté. Aucune intrigue ne les relie. Seule la cohérence du destin du héros assure l'unité de l'ensemble. L'alternance des scènes : épisodes de la vie de Lumumba, scènes populaires, cérémonies officielles, débats du parlement, chœur des banquiers, etc., en une série de tableaux qui se suivent rapidement apportant chacun leur touche forte ou faible à l'ensemble dramatique, fait penser à un documentaire auquel viendraient se mêler quelques images d'Epinal.

Césaire reste fidèle à l'emploi de la poésie pour exprimer la vie profonde de ses personnages, et il utilise les chants d'un joueur de « zanza » pour souligner la tonalité et le sens de certaines scènes, ou en contre-point. En outre il organise les banquiers en une sorte de chœur chargé d'exprimer en faux alexandrins le caractère à la fois dérisoire et redoutable de leurs réactions aux événements.

Malgré l'affinité de ses thèmes avec ceux de *La Tragédie du Roi Christophe*, *Une Saison au Congo* ne donne pas la même impression de plénitude dramatique. Les personnages sont trop schématiques. Même le personnage de Lumumba n'échappe pas à cette constatation. Cela tient peut-être aux conditions dans lesquelles Césaire a composé son œuvre. La plupart des acteurs de sa tragédie sont encore vivants, il lui était plus difficile dans ces conditions d'en faire de véritables personnages de théâtre, de les recréer de l'intérieur; vaille que vaille il était obligé de respecter leur réalité. Il était aussi obligé de respecter celle du mort, le souvenir qu'en ont gardé ses proches, surtout sa femme et ses amis. Le sujet répond à ses propres préoccupations, mais ce n'est plus tout à fait lui qui s'exprime dans son œuvre, il n'est plus qu'une sorte de révélateur, le porte-parole d'un groupe d'êtres humains. Ici et là on retrouve bien des thèmes fondamentaux, mais ils ne sont plus exprimés avec la liberté et la profondeur poétique dont il avait fait preuve jusqu'alors.

*
★ ★

Un des thèmes de *Et les chiens se taisaient* était celui du sacrifice du héros. Sacrifice lucide, pressenti et accepté dès le début de son engagement, nécessaire d'ailleurs pour sortir un peuple avili, humilié par des siècles de colonisation, de sa passivité. Et pour un spectateur européen c'était la passion d'une sorte de Christ noir que le poème développait. Comme le Christ annonçait la bonne nouvelle d'un rachat de l'humanité et, pour rendre celui-ci possible, se détachait des biens de ce monde et acceptait les souffrances de la passion, la solitude du Mont des Oliviers, la trahison des siens et le martyre, le Rebelle tranchait tous les liens qui pouvaient entraver son action. Lui aussi annonçait la bonne nouvelle : celle d'un monde meilleur, libéré du joug de la colonisation. Le sacrifice de tout ce qui le liait au destin habituel des hommes, en particulier les liens du sang et de l'amour était, avec ses souffrances, le prix qu'il devait payer pour préparer cet avènement. Toutefois, cet avenir radieux était un avenir lyrique, et la réalité de la décolonisation est bien loin, comme *Monsieur Toussaint* le suggère déjà, de la vision exaltée proposée par le premier héros de Césaire. Au contraire, elle

est une source permanente de conflits qui font leur apparition dès que la lutte
pour la liberté laisse la place aux problèmes de gouvernement. Alors, dit la prière
d'insérer de *La Tragédie du Roi Christophe*, l'épopée des combats fait place aux
tragédies de l'indépendance.

Dans *Monsieur Toussaint*, ce phénomène était mis en relief par l'existence
simultanée des deux genres de situation. Chef militaire de grande valeur, Toussaint libérait son peuple une première fois, dans les limites de la colonisation.
Sa victoire, précaire, était seulement une victoire sur les Blancs de la colonie, et
sur l'esclavage. Ce triomphe provisoire dépendait avant tout de l'attitude du
gouvernement français. Cependant, il suffisait à faire de lui, de 1794 à 1802, le
maître d'Haïti, et pour le mettre en face des problèmes de gouvernement. Sa
tragédie, la nécessité de son sacrifice final, naissait, en partie tout au moins, de
l'impossibilité où il se trouvait de dominer la situation.

Toussaint était convaincu qu'il fallait réorganiser le pays entraîné vers le
chaos par des années de guerre civile, par la rivalité des Mulâtres et des Noirs
et par le départ précipité des administrateurs blancs des plantations et des
distilleries. Il était conscient des dangers que cet état de choses faisait courir à
une liberté si chèrement conquise, en particulier de l'obligation de rétablir une
économie sans laquelle les Noirs ne pourraient pas résister à un retour offensif
des colonialistes. Cependant sa lucidité se heurtait à l'inconscience de beaucoup
de Noirs, en particulier à celle des Macaïa, esclaves « marrons » réfractaires à
toute organisation, à toute contrainte, pour qui la liberté se confondait avec
l'anarchie et le bon plaisir. A ceux là, et à tous ceux qui considéraient la fin de
leur esclavage comme la fin de leurs maux et qui n'aspiraient qu'à se reposer
ou à jouir paisiblement de la terre conquise aux Blancs, la volonté de Toussaint
était tout à fait étrangère. Ses mesures de gouvernement, maladroitement calquées
sur l'organisation de l'armée, son refus de distribuer le sol aux paysans noirs, le
travail obligatoire sur les plantations devaient provoquer la révolte, et la répression de ces troubles risquait de faire de lui un tyran. Aussi on peut se demander
ce qui serait arrivé si cette expérience n'avait été interrompue par l'arrivée des
troupes du Premier Consul et la reprise des combats, c'est-à-dire par un retour
provisoire à l'épopée.

Avec *La Tragédie du Roi Christophe* les choses deviennent plus claires.
L'épopée est finie. Le pays, libéré. Aucune intervention étrangère ne vient
entraver l'action du héros. Certes la France n'a pas renoncé à la reconquête de
sa colonie et le danger d'un retour offensif du passé subsiste. Mais il est moins
pressant que dans *Monsieur Toussaint,* plus diffus. En tout cas il ne se manifeste
pas sur le plan militaire, et Christophe à tout loisir de pousser jusqu'au bout
son expérience de gouvernement. Cependant, si les circonstances sont plus favorables, le passé colonial pèse toujours lourdement sur la vie du pays et c'est à
lui que Christophe se heurte avant tout. On pourrait même dire que toute la
tragédie réside justement dans l'incapacité où il est de se libérer vraiment de ce
passé.

Ce passé, c'est la traite qui a fait des nègres d'Afrique des déracinés, des transplantés; c'est l'esclavage qui, durant des siècles, a nié leur véritable nature et les a ravalés au niveau de la bête; c'est le mépris avec lequel les ont toujours traité les Blancs et les conséquences les plus visibles de ce mépris : le rôle essentiel que joue la couleur de la peau dans la vie d'Haïti. En faisant de celle-ci le critère essentiel de la distinction sociale, au-dessus même de l'argent, le racisme des Blancs a empoisonné la vie sociale d'Haïti. Il a créé une hiérarchie de la couleur, un véritable système de castes où le degré de blancheur de la peau suffit pour déterminer à jamais la situation de chaque individu. De là des oppositions, une rivalité dont la principale est celle de Christophe et de Pétion, des Mulâtres qui n'ont jamais été esclaves, et des Noirs. Et elle va jusqu'à la guerre civile.

Au début de la pièce la bouffonnerie naît de l'aveuglement de ces hommes qui, à peine libérés, n'ont semble-t-il d'autre souci que de singer leurs anciens maîtres et sont incapables d'oublier les oppositions créées par ceux-ci pour leur plus grand profit. Elle est le résultat du décalage entre le prix qu'ils ont accepté de payer pour devenir libres et l'usage dérisoire qu'ils font de cette liberté.

La grandeur de Christophe c'est d'échapper, d'abord par instants, puis totalement, à cette dérision; de voir au-delà de ces pauvres querelles; de viser à la fois plus haut et plus loin que la caricature d'un cérémonial ou d'une forme de gouvernement. Pétion et les Mulâtres du Sénat se contentent de peu. La liberté leur suffit. Une liberté facile, qui sonne le creux. Il n'en est pas de même pour Christophe. Dès la première scène, en pleine querelle de coqs, il le dit clairement à Pétion : pour ce peuple la liberté c'est d'avoir un Etat, c'est-à-dire, dans son esprit « quelque chose qui l'aide à s'enraciner et à donner ses fruits, qui l'oblige, au besoin par la force, à devenir lui-même et à se dépasser ».

Pour réaliser ce programme ambitieux, Christophe a choisi de donner à l'Etat la forme consacrée par les Etats européens. Il a décidé d'être couronné roi suivant la tradition de Reims, de créer une noblesse noire et d'instituer un cérémonial de cour emprunté aux Français. Cette volonté d'imitation pourrait sembler, au premier abord, un manque d'originalité ou, pire, la réaction d'un parvenu ébloui par le faste de ses anciens maîtres. Et sans doute au début de la pièce il y a un peu de cela. Comme M. Jourdain, Christophe se juge l'égal de ceux qu'il imite; comme lui, il ne trouve pas de meilleur moyen que cette imitation pour affirmer cette égalité et désarmer leur mépris. Pourtant ce n'est pas l'essentiel. Christophe, sait bien que les ornements royaux qu'il devra revêtir pour le couronnement sont des hochets. Mais ces hochets sont le symbole d'un pouvoir : pouvoir de dire, de faire, de construire, de bâtir, et ils sont lourds à porter quand on s'en charge non pour se déguiser mais pour prendre sur soi le fardeau de l'Etat.

Si Christophe organise son propre couronnement, s'il impose un cérémonial de cour à son entourage, c'est dans l'espoir que de cette mascarade dont ses courtisans sont les premiers à se moquer faute d'en comprendre le sens, surgira un jour une nouvelle nation. Vastey son secrétaire, le dit clairement : dans ces usages étrangers, dans ces institutions il trouve, au sens artisanal du mot, la forme toute prête, la matrice dans laquelle pourra se couler le peuple de Haïti.

Christophe n'est donc pas le fantoche emplumé que nous décrit le Présentateur. C'est un personnage complexe, mu par une passion noble qui finira par le dominer tout entier. Ce qu'il entreprend, comme il le dit lui-même. « c'est une remontée jamais vue » du fond de la fosse où son peuple crie, « d'où il aspire à l'air, à la lumière, au soleil ». Cela suppose un effort inouï, de tous les instants, « le pied qui s'arcboute, le muscle qui se tend, les dents qui se serrent, la tête, oh ! la tête large et froide ! ».

Cet effort Christophe est prêt à le fournir — même paralysé par une attaque il ne s'accordera pas un instant de répit — mais il exige aussi que tout son peuple le fournisse et pour y parvenir il organise la vie publique sur des bases militaires et impose à ses sujets un régime de travail forcé qui leur rappellera fâcheusement l'esclavage d'hier.

A ce point de vue la similitude est grande entre Christophe et Toussaint. Anciens esclaves, ces deux hommes se sont formés au cours de la lutte contre le même oppresseur, ils sont devenus généraux et ont joué un rôle de premier plan dans la libération de leur île. Amenés, à quelques années d'intervalle, à diriger un pays désorganisé par le brusque départ des colons et par les combats, ils ont compris les dangers de la facilité et de l'anarchie, la nécessité de créer une administration capable de rivaliser avec celle des Etats européens. Tous deux se trouvent isolés par leur lucidité même, par leur vision de l'avenir et la grandeur de leur exigence. Aussi, pris, d'une part, entre l'urgence et l'immensité de la tâche à accomplir et la lassitude de leur peuple, habitués, d'autre part, depuis des années, à être obéis sans discussion, tous deux en viennent à surestimer les vertus de l'organisation militaire et à la transposer dans l'administration de l'Etat. Leur erreur est de croire que l'on peut, sans danger, consolider la liberté d'un peuple, faire en sorte qu'il « s'épanouisse, lançant à la face du monde les parfums, les fruits de la floraison », en le contraignant, comme si les voies de la liberté pouvaient être identiques à celles de la tyrannie.

Vastey, fidèle interprète de son roi, pense qu'il y a des circonstances où, aussi paradoxal que cela puisse paraître, il en est bien ainsi, ou « bien dépensé, l'argent du diable devient l'argent de Dieu ». Pourtant les faits vont se charger de lui donner tort. Sur le moment la force paraît efficace. Elle permet de construire rapidement la citadelle invincible symbole de la nouvelle nation. Elle mobilise soldats, hommes, femmes, enfants et vieillards, oblige les paysans à travailler sans relâche, les nobles à remplir leurs devoirs sous peine de sévères sanctions. Mais elle mine en même temps le pouvoir qui l'emploie. Les paysans murmurent; les garnisons sont peu sûres; les nobles rejoignent la République du Sud. Il suffit alors que Boyer, le successeur de Pétion, juge le moment venu de reprendre les hostilités pour que le bel édifice s'effondre, prouvant ainsi que la noblesse des intentions de Christophe — la grandeur du but poursuivi pour son peuple — ne l'autorisent pas à nier la liberté de ses sujets.

Dans les intentions il n'y a, certes, aucune commune mesure entre le roi Christophe et les colons esclavagistes. Il ne s'agit pas pour lui de satisfaire des intérêts personnels. On peut même supposer qu'il rendrait son indépendance à son peuple le jour où l'œuvre entreprise serait achevée. On ne peut cependant nier une certaine analogie dans leurs attitudes, et cette analogie découle d'un sentiment commun : Christophe, comme les colons mais pour d'autres raisons, méprise les Haïtiens, « Cette canaille... Ce peuple qui pour conscience nationale n'a qu'un conglomérat de ragots ». Ce peuple indolent, effronté, indiscipliné, jouisseur, sans lucidité ni ambition, sur lequel il faut taper dur. Il n'aurait d'ailleurs pas besoin de le manifester si ouvertement. Il faut mépriser les hommes pour les utiliser comme de simples machines que l'on peut rejeter lorsqu'elles sont hors d'usage, pour régler à leur place chaque acte de leur vie et pour décider en leur nom de ce qui est bon pour eux. Christophe a beau se donner de bonnes raisons pour agir ainsi, il n'en reste pas moins que pour son peuple, le temps de son règne est finalement celui du mépris.

Pour avoir les mains libres dans son entreprise, Christophe a pris en outre sur lui la responsabilité d'un acte très grave que le caractère ambigu des premières scènes peut faire oublier : pour ne pas être prisonnier du Sénat à majorité mulâtre, il n'a pas hésité à provoquer la scission du pays. Le laisser-aller de la République, méprisable à ses yeux, affaiblit peut-être l'Etat et l'oblige à des concessions à l'égard des anciens colonisateurs qui essayent par tous les moyens de reprendre pied sur l'île, il n'en reste pas moins qu'en provoquant la division de Haïti par son intransigeance, Christophe a créé les conditions de la guerre civile : celle du début, dont il serait sans doute provisoirement sorti vainqueur s'il l'avait poursuivie jusqu'au bout, et celle qui l'abat définitivement et le conduit au suicide. En ruinant l'unité du pays il a aggravé les malheurs de son peuple et, sans le savoir, préparé la ruine de ses propres efforts. Son échec, est total, irrémédiable. Il se retrouve seul dans son palais, alors que son entourage, à l'exception de Hugonin, de Vastey et de la Reine, a rejoint le camp de Boyer, et meurt sans que l'on puisse savoir s'il restera autre chose de son œuvre que la citadelle et les châteaux. Cet échec apparaît comme une condamnation sans appel de ses méthodes de gouvernement. Toutefois il ne fait pas oublier la grandeur de son rêve. Celui-ci garde toute sa valeur. Son enterrement, par les soins de Vastey, au sommet de la Citadelle, face à l'océan, prend la valeur d'un symbole : figure de proue, Christophe continuera à montrer le chemin à son peuple.

Nouveau Prométhée, Christophe a défié l'histoire, le passé, la nature, il s'est attaqué à une tâche impossible avec des moyens mauvais, mais il meurt sans regret. Il a trop d'orgueil pour en avoir. Surtout, il est trop conscient de la valeur de ce qu'il a voulu apporter aux siens : « la faim de faire et le besoin d'une perfection ». « Parce qu'ils ont connu rapt et crachat, le crachat, le crachat à la face, (il a) voulu leur donner figure dans le monde, leur apprendre à bâtir leur demeure, leur enseigner à faire face », et cela lui suffit.

Patrice Lumumba, dans *Une Saison au Congo*, se trouve dans une situation assez proche de celle de Christophe. Premier Ministre de la République du Congo, il voit le pays menacé par ses anciens maîtres, il se heurte partout à leur volonté de rétablir le passé et de réduire à néant ses efforts pour créer un Etat indépendant. Au Congo où les querelles raciales sont remplacées par les haines tribales il gouverne, à Léopoldville, dans une ville où les siens sont en minorité, où tout le monde lui met des bâtons dans les roues, où il devient rapidement une sorte d'otage. Ses confrères du Gouvernement, les parlementaires, voudraient bien faire de lui un chef de parade, une marionnette inoffensive qui les laisserait profiter de leur situation privilégiée. Sa femme, Pauline, lui conseille de rompre avec ces hommes pour rejoindre ses partisans, à Stanleyville. Là, au prix d'une nouvelle sessession, il pourrait réaliser cet Etat dont personne ne veut. Lumumba refuse cette proposition. Depuis son arrivée au pouvoir il n'a cessé de lutter contre les tentatives de sessession et il ne peut envisager un instant de faire ce qu'il a toujours reproché à ses ennemis.

Aussi ambitieux que Christophe, aussi lucide que celui-ci, Lumumba voit au-delà de la situation présente un avenir qui ne le cède en rien à celui qu'imaginait le roi d'Haïti. Sa foi est aussi grande dans la destinée de son pays et il est seul à y penser parmi les dirigeants du Congo, seul aussi à désirer sa réalisation. Sa solitude n'est pourtant pas aussi grande que celle de Christophe. Il est le seul dans la mesure où il est le guide, le prophète, le poète, dira Césaire dans la prière d'insérer, qui aperçoive ce que les autres sont incapables de voir. Son isolement est celui du héros qui se meut sur un autre plan que le commun des mortels. Il est en avance sur ses semblables; il ne les méprise pas. Il ne s'enferme pas dans une supériorité illusoire. Au lieu de donner, sans explication, des ordres sans réplique, de traiter son peuple comme une troupe de forçats, il se conduit avec lui d'égal à égal. A l'obéissance passive exigée par Christophe, il substitue l'adhésion volontaire et cherche à obtenir celle-ci par la compréhension. Christophe était un fanatique que son pouvoir métamorphosait en tyran, ce n'est pas le cas de Lumumba. Pourtant il échoue lui aussi, son destin est tragique; les intrigues des politiciens, les manœuvres des puissances étrangères, la force de ses ennemis triomphent de son courage et de sa volonté. D'abord prisonnier, il est enlevé par la ruse et assassiné par ses ravisseurs. Son destin rejoint celui de Christophe, il meurt vaincu, son œuvre compromise à peine commencée, laissant le pays aux mains de ses ennemis.

Certes dans le domaine de la morale politique il y a entre le tyran et le démocrate une différence fondamentale qui est suffisamment symbolisée par le suicide de Christophe et l'assassinat de Lumumba. Volontaire, la mort de Christophe est une sorte d'aveu, presque de châtiment. Henry Ier ne regrette rien de ce qu'il a fait durant son règne, le mal comme le bien, mais ce sont ses erreurs regrettables qui l'acculent finalement à la mort. Au contraire la mort de Lumumba n'est rien d'autre qu'un assassinat. Ici ce sont les vainqueurs qui passent involontairement aux aveux, ils reconnaissent cyniquement que, dans un Congo gouverné selon les principes de leur victime, il n'y aurait pas de place pour leurs machinations. Mais pour l'essentiel, au début du xixᵉ siècle à Haïti, au milieu du xxᵉ siècle au cœur de l'Afrique, c'est, dans le contexte de la décolonisation, la même tragédie qui se déroule sous nos yeux — la même finalement que vivait, intemporellement, le Rebelle de *Et les chiens se taisaient*. Tragédie d'un homme seul que sa lucidité même isole, « homme d'imagination, toujours au delà de la situation présente, et par là même homme de foi, (...) homme qui participe à la force vitale (le ngolo) et homme du *verbe* (le nommo) ». « Il y a en lui du voyant et du poète » (ce que Césaire dit de Lumumba s'applique admirablement aux héros de toutes ses pièces). Sa tragédie est celle d'un peuple placé, à un carrefour de son histoire, devant des problèmes que sa situation ne lui permet pas de résoudre.

Dans les pièces de Césaire la tragédie a son origine dans la même contradiction. L'échec de Christophe et celui de Lumumba ne sont pas dus finalement à des circonstances particulières, la brutalité de Christophe ou les machinations des adversaires de Lumumba; elles viennent d'une opposition, irréductible pour le moment, entre les possibilités de leur peuple et les impératifs de la situation. Seule sa lucidité et son imagination permettent au héros de voir le but à atteindre, son peuple, lui, ne le soupçonne même pas, rien ne l'a préparé à entreprendre une tâche aussi difficile : rayer de l'histoire des siècles d'asservissement, créer une nouvelle nation et combler un retard considérable sur les pays privilégiés. Faire, en quelques années ce que les Blancs ont réalisé progressivement avec la complicité des siècles n'est pas du domaine des possibilités.

Face à cette contradiction chacun des héros réagit suivant son tempérament, Christophe par l'emploi de la force, Lumumba plus démocratiquement, mais le résultat final est le même : tous deux sont sacrifiés comme le Rebelle de *Et les chiens se taisaient*. Leur grandeur — c'est aussi celle de Toussaint — est d'accomplir leur destin jusqu'au bout, de ne pas hésiter devant le caractère démesuré de la tâche, de faire lucidement le sacrifice de leur vie. L'orgueil de Christophe à peut-être tendance à faire oublier cet aspect du héros, mais son sacrifice n'en est pas moins réel.

*
* *

Pris au piège d'une situation sans issue, les héros de Césaire ne peuvent pas échapper à leur destin, et ils l'acceptent lucidement. Ils espèrent, en « se brisant contre les barreaux de la cage », y faire la brèche par où leur peuple pourra s'élancer. En ce sens la tragédie du Rebelle, comme celle de Toussaint est une tragédie optimiste; elle débouche sur une épopée. Dès le début nous savons que la mort du Rebelle réveillera son peuple de sa torpeur : le colonisateur payera cher le crime qu'il a commis. Et la libération de Haïti par les lieutenants de Toussaint prouve que celui-ci ne s'est pas sacrifié en vain.

Au contraire, avec *La Tragédie du Roi Christophe* la perspective change. Le héros meurt solitaire au milieu du peuple qu'il a libéré; il n'a pas réussi à l'entraîner vers l'avenir qu'il rêvait pour lui. A part Vastey, sa femme et son bouffon, tout le monde l'abandonne. Seul en face de son échec, il se suicide parce qu'il n'y a plus de place pour lui dans un pays où triomphe ce qu'il méprise le plus : la facilité, la médiocrité. Le souvenir de son entreprise restera aussi longtemps que la citadelle où les siens vont aller l'enterrer, mais ce symbole du roi mort, debout face à l'océan, est assez ambigu. Aussi ambigu que le personnage. Figure de proue, il montrera le chemin de la grandeur à son peuple comme il l'a fait durant sa vie; toutefois les conditions dans lesquelles la citadelle a été construite donnent un sens redoutable à cette image de l'avenir, et il est douteux que la tyrannie de Christophe puisse être oubliée de sitôt. Comme rien, dans le triomphe de Boyer, n'indique que l'entreprise du vaincu puisse donner des fruits, force est de constater que son échec, lorsque le rideau tombe, semble définitif. En tout cas la pièce ne permet pas de dire ce qui, de l'ombre ou de la lumière l'emportera un jour, et cela suffit à faire de *La Tragédie du Roi Christophe* une pièce d'où l'optimisme des œuvres précédentes est exclu.

Dans *Une Saison au Congo* on retrouve, mais atténuée, cette ambiguïté finale. Le cri de guerre congolais poussé par le Joueur de Zanza et par la femme de Lumumba, auquel répondent déjà, du fond de la nuit, les tambours de la vengeance, montre que rien n'est fini. Les ennemis de Lumumba ont remporté une victoire certaine en se débarrassant de lui, mais ils ne sont pas débarrassés pour autant de l'idée qu'il incarne. Lumumba assassiné par traîtrise, la force qu'il représentait perd à la fois celui qui l'exaltait et celui qui la dirigeait, mais elle demeure, décidée à venger son chef et à poursuivre son œuvre. Un espoir demeure donc que le sacrifice du héros n'ait pas été consenti en vain. Le spectateur ignore si cet espoir sera finalement comblé ou non, mais il existe et il suffit à confirmer qu'à sa manière Lumumba, comme le Rebelle et comme Toussaint, a réussi à faire brèche (c'est d'ailleurs en parlant de lui que Césaire utilise l'image). Son peuple s'y engouffrera-t-il ? Seule l'histoire du Congo peut le dire, puisqu'elle se fait sous nos yeux, mais cette possibilité suffit à rendre moins absolu le tragique de la situation : elle laisse une ouverture sur l'avenir alors que la tragédie de Christophe n'en comportait pas.

D'une grande diversité dans l'expression poétique et le choix des moyens mis en œuvre par les auteurs, ce théâtre possède une grande richesse de contenu émotif et intellectuel, et ses réussites sont certaines. Les thèmes qu'il développe sont très importants pour le monde moderne et n'ont pas fini de nous toucher directement. Même lorsque les événements représentés sont anciens, et semblent ne plus nous concerner, comme l'esclavage, c'est toujours « l'histoire d'un continent et d'une humanité » qui se joue sous nos yeux. Plus généralement, c'est l'histoire de tous les peuples qui recouvrent leur liberté après une longue période d'asservissement où ils sont restés à l'écart de l'évolution des autres peuples, et de tous les groupements humains, classes sociales ou minorités, qui prennent le pouvoir au cours des révolutions avec la volonté de transformer totalement les structures de leur société. Tous se trouvent devant la même tâche que Christophe et que Lumumba.

Etant donné la fréquence des cas où, comme à Haïti, une dictature s'installe à la faveur des événements, il s'agit de savoir si, au nom d'un avenir que l'on veut paré de toutes les séductions, on a le droit de sacrifier les générations présentes et si une minorité d'hommes, ou à la limite, un homme seul a le droit d'imposer ses idées et ses buts à l'ensemble d'un peuple. Le danger le plus évident de cette situation est que les générations qui suivent risquent, elles aussi, d'être sacrifiées à un objectif toujours aussi lointain et qui joue finalement le rôle d'un appât. Le problème s'est posé en Union Soviétique, il se pose aujourd'hui pour la révolution chinoise et dans bien d'autres cas. Plus généralement on peut se demander si, dans un monde divisé par les idéologies, un peuple a le droit d'assurer sa sécurité par le sacrifice d'un autre peuple.

Ce n'est pas le lieu ici de répondre à ces questions. Toutefois le fait qu'elles peuvent venir à l'esprit du spectateur montre la portée universelle d'œuvres qui demanderaient une étude plus approfondie.

On peut donc dire pour terminer que, grâce à Aimé Césaire et à Edouard Glissant, une tragédie moderne est en train de prendre naissance qui s'inscrit en faux contre une soi-disant « mort de la tragédie » dont des auteurs comme Dürrenmatt n'ont pas craint de se faire les choryphées.

LE THÉÂTRE EN AFRIQUE NOIRE FRANCOPHONE

par Jacques SCHERER
Professeur à la Sorbonne
Directeur de l'Institut d'Etudes Théâtrales

Mon expérience du théâtre africain est limitée, mais récente et assez précise. Envoyé en mission par le Ministère de la Coopération, du 17 novembre 1965 au 4 février 1966, je me suis rendu successivement au Dahomey, en Côte d'Ivoire, au Sénégal, en Mauritanie, en Haute-Volta, au Niger, au Cameroun, au Gabon, au Congo-Brazzaville et en République Centre-Africaine pour y contribuer à la promotion d'une dramaturgie africaine originale en langue française.

Dans ces dix pays, j'ai eu de nombreux contacts avec les auteurs dramatiques. Ce qui me frappe d'abord c'est le nombre élevé de ces auteurs. Au cours d'une trentaine de colloques, nous avons parlé de leurs pièces passées et futures. J'ai lu 132 pièces de théâtre manuscrites soit écrites par leurs auteurs, soit improvisées individuellement ou collectivement pendant ces réunions. J'ai eu 39 entretiens privés avec certains de ces auteurs, sur les problèmes qui leur importaient particulièrement. Toutefois je n'ai pu voir représenter que 14 pièces de théâtre, bien que je n'ai évidemment manqué aucune occasion de représentation. Il y a dans ces pays une très grande aspiration vers le théâtre. Cependant, de multiples dificultés d'ordre matériel espacent nécessairement les représentations. Malgré ces difficultés, j'ai pu avoir de l'ensemble de la production dramatique africaine une image dont je voudrais indiquer les grandes lignes.

I. — LES THÉÂTRES

Dans cette immense aire géographique, les théâtres sont peu nombreux. C'est là le premier obstacle à l'épanouissement d'une vie théâtrale. Le climat permet naturellement très souvent les représentations en plein air, mais il est également assez difficile, dans ces conditions, de résoudre les problèmes d'éclairage, de sonorisation ou de rassemblement du public.

Les théâtres construits et propres à une exploitation continue sont très rares. Un magnifique théâtre vient d'entrer en service à Dakar : le théâtre Daniel-Sorano, parfaitement équipé et même luxueux. Il est conçu dans la forme traditionnelle et presque aucun effort n'a été fait pour l'adapter aux conditions originales de la dramaturgie africaine. C'est néanmoins un très bon instrument de travail, pouvant être utilisé pour faire connaître à l'Afrique les productions européennes, et, dans une mesure moindre, pour permettre l'expansion d'un théâtre africain.

Les problèmes de scénographie et d'architecture qui agitent l'Europe n'ont pas encore trouvé d'écho dans un milieu théâtral qui en est encore à la recherche de ses éléments.

Dans d'autres capitales, de vastes salles de réunion peuvent être utilisées comme lieux théâtraux. Ce sont des enceintes, souvent conçues avec une certaine noblesse.

Dans quelques villes aussi, il existe des Maisons des Jeunes, servant à des manifestations culturelles variées, dont le théâtre.

Le second obstacle au développement théâtral est la quasi absence d'acteurs professionnels. Etant donné le très petit nombre des représentations, un comédien ne peut vivre de son métier, sauf dans les très grandes villes. La plupart des acteurs sont des amateurs répétant en dehors de leurs heures de travail, faisant de leur mieux mais n'ayant pas un niveau technique satisfaisant. De plus, les décors, les éclairages sont très insuffisants par rapport aux normes européennes.

En outre, comme aux époques anciennes en France et en Europe, le public africain est très indiscipliné. Le théâtre lui apparaît moins comme un spectacle qu'il convient de regarder en silence que comme un moyen d'extérioriser ses propres sentiments; les spectateurs africains, non seulement rient, crient, manifestent, mais également parlent, communiquent leurs impressions à leurs voisins. Parfois le bruit du public couvre même celui de la représentation. J'ai ainsi assisté à une représentation dans une petite ville où il était impossible d'entendre les acteurs parlant français, car un haut-parleur, au maximum de sa puissance, hurlait en vain d'ailleurs, dans la langue vernaculaire des imprécations au public pour le conjurer de garder le silence.

Avec le développement des représentations et la vulgarisation du phénomène théâtral, ces manifestations tendent à disparaître; elles témoignent de la jeunesse du phénomène théâtral dans les pays africains que j'ai visités.

II. — LA MISE EN SCÈNE

En Afrique, la notion même de mise en scène ne paraît pas avoir été dégagée par de nombreux réalisateurs. La mise en scène est très souvent statique. Les acteurs récitent leur rôle sans songer, ou sans que l'on ait songé pour eux, à de l'animation ou à des mouvements. Parfois, certaines scènes font penser à des représentations françaises du XVIe ou du XVIIe siècle, où les acteurs, alignés debout ou assis, sans faire un geste, débitaient leurs tirades.

Ces scènes statiques alternent heureusement avec des scènes de danse ou de musique très animées. Les dons naturels des acteurs, qui ne sont pas encore très développés, les portent davantage vers l'expression gestuelle et musicale que vers la diction. Il existe un contraste très frappant entre l'impression de gêne, voire de paralysie, émanant de scènes de dialogue dont les acteurs s'acquittent parfois laborieusement, et l'impression d'aisance, et de naturel que donnent les scènes de danse, où le rythme est souvent merveilleux.

Ces difficultés pourraient être dépassées grâce à une dramaturgie mieux adaptée. En particulier, l'opéra, qui actuellement en Europe traîne un passé fort lourd et traverse une période de crise ,pourrait en Afrique se trouver en pleine jeunesse et connaître une expansion qui correspondrait tout à fait au génie national.

Des problèmes de prononciation se posent également aux comédiens. Soit pour des raisons naturelles, soit parce que le français n'est pas leur langue maternelle, les comédiens africains articulent souvent très mal. Cet inconvénient, joint aux causes de trouble et de bruit que j'ai évoquées, rend difficile l'intelligibilité du détail. On pourrait imaginer des scènes de bavardage, ou même de bafouillage, avec des transcriptions musicales ou gestuelles, réalisant une intégration meilleure de ce qui est une insuffisance selon les normes classiques européennes, mais de ce qui serait plus conforme au talent naturel des comédiens.

Malgré toutes ces difficultés, il faut évoquer l'extraordinaire beauté de certaines réalisations et le prodigieux sens du spectacle qu'elles révèlent. Pendant mon séjour à Dakar, j'ai vu une pièce (*Les derniers jours de Lat Dior*, de M. Cissé Dia), représentée en plein air, qui relatait un épisode de la lutte historique d'un ancien chef sénégalais contre des Français. Celui-ci perdait la bataille finale, mais l'échec historique était transmué par la mise en scène en un véritable triomphe : suivi d'une vingtaine de ses lieutenants montés sur des chevaux fougueux qu'ils maîtrisaient avec beaucoup de brio, le chef sénégalais partait pour la mort en une cavalcade extrêmement glorieuse et scénique.

Ce sens du spectacle se retrouve dans de nombreux autres éléments de la vie africaine extérieure au théâtre. J'ai eu la chance d'assister, dans certains pays, à des défilés en l'honneur de la fête nationale. Ce ne sont pas, comme parfois en Europe, de mornes défilés militaires; ce sont des défilés animés de toute la vie nationale, faisant figurer toutes les corporations et les métiers avec des profusions de cavaliers, de chameaux, de costumes, de scènes muettes, montrant un sens du visuel qui ne s'est pas encore adapté techniquement aux réalités du théâtre, mais qui pourrait s'y adapter.

III. — LES AUTEURS DRAMATIQUES

Ils sont en Afrique relativement nombreux et appartiennent à des classes sociales très variées. Alors qu'en France et en Europe, la littérature et le théâtre sont des métiers, correspondant en général à des niveaux sociaux assez définis, en Afrique, le théâtre n'est pas encore une profession. On n'en fait que par goût, par amour. Le nombre et la qualité des personnes se lançant dans cette activité est très variable. De très jeunes gens, élèves des lycées, s'y exercent. La promotion sociale donnée par les études en Afrique est bien plus importante qu'en Europe, en raison du petit nombre de diplômes accordés chaque année. Un élève de lycée, qui n'a pas encore obtenu de diplômes, est déjà en Afrique une valeur culturelle importante pour l'Etat. Le théâtre peut donc dans une certaine mesure compter sur lui. De très jeunes élèves ont parfois participé aux rencontres que j'étais chargé d'animer et ont présenté des essais, certes imparfaits, mais qui témoignaient chez eux d'une absence de complexes très rare chez les aspirants-auteurs européens. Etant donné la liberté dont ils disposent et le besoin que l'on a d'eux dans tous les domaines, les auteurs africains se lancent dans la carrière dramatique avec une intrépidité qui est en elle-même une vertu : jeunes élèves encore très inexpérimentés, étudiants, commerçants, fonctionnaires, tous sont animés de la même ambition théâtrale. J'ai connu même plusieurs ministres auteurs dramatiques. Ils ne considèrent nullement cette activité littéraire et pratique (car ils font répéter les comédiens) comme incompatible avec la dignité de leurs fonctions et le caractère souvent écrasant de leur charge. Il est très normal que, dans des pays où le capital culturel, peu considérable, est utilisé au maximum, un homme exerce à la fois les fonctions de ministre et celles d'auteur dramatique, s'il en est capable.

A tous les niveaux de la société, j'ai été surpris de rencontrer la même passion pour le théâtre. Chacun se lance dans un art dont il ignore encore, bien souvent, les ressources et les dangers, avec une sincérité et une ardeur remarquables. Ces auteurs dramatiques ont une grande ouverture d'esprit et disposent d'une faculté d'inventer sans aucune contrainte. Je me souviens d'une rencontre en Côte d'Ivoire avec des élèves très jeunes, presque entièrement dépourvus d'expérience dans le domaine de la composition dramatique et même du simple théâtre : il suffisait de leur donner quelques suggestions pour qu'ils se mettent à rêver tout haut, à inventer des histoires parfois abracadabrantes, mais parfois d'une réelle valeur poétique ou comique, dans une atmosphère de liberté et de facilité que l'on ne retrouverait pas aisément en Europe.

Cette création n'est pas non plus, comme elle l'est dans la tradition européenne récente, une création jalousement individuelle. L'image de l'auteur s'enfermant pour écrire parce qu'il ne veut pas communiquer ce qu'il a à dire, ou croit avoir à dire, à qui que ce soit, est inconnue en Afrique. Tout s'y passe en plein air et d'une manière volontiers collective. En plusieurs endroits, j'ai été témoin de compositions collectives. Un groupe de personnes, à la fois auteurs et comédiens, se met vaguement d'accord sur l'intrigue, puis une espèce de Commedia dell'Arte se développe; chacun se glisse dans la peau d'un personnage, imagine ce que ce personnage va dire et faire; l'ensemble s'arrange tant bien que mal d'une manière improvisée. Tout cela est enregistré sur magnétophone, puis réarrangé, et l'on parvient ainsi à créer des pièces tout à fait valables. Naturellement, pour les auteurs comme pour les réalisations théâtrales, il y a des limitations évidentes, des dangers ou des difficultés dûs à la nature des traditions africaines.

En Afrique, le poids de la tradition se fait lourdement sentir dans tous les domaines. Les Africains sont très respectueux de ce qui se fait, de ce qui s'est fait avant eux; ce respect explique de nombreux caractères de leur société et de leur histoire, mais aussi leur difficulté à créer un théâtre. Le théâtre est avant tout invention. Si l'on considérait que les traditions historiques, les lois morales et politiques étaient strictement inchangeables, il n'y aurait pas de théâtre possible. Le théâtre européen a commencé avec Antigone, dont la gloire est d'avoir contesté une loi. La contestation des lois n'est pas spontanée dans des pays où l'ordre, par une transmission orale continue, représente une nécessité plus impérative encore qu'ailleurs.

L'obéissance aux traditions, qui constitue un frein dans le domaine de la création dramatique, se manifeste également dans une certaine attitude vis-à-vis du réalisme. Plusieurs auteurs se dégagent difficilement de la réalité et ne parviennent pas à cette liberté dans l'invention sans laquelle il n'est pas de théâtre.

Lorsque je critiquais le peu d'efficacité dramatique de telle scène, son auteur me répondait parfois : « Mais cela est vrai; j'ai vu réellement cela se passer devant moi ».

Certains auteurs, s'exerçant dans le domaine du théâtre historique, se plaignaient du manque de sources nationales. Ils souhaitaient s'appuyer sur ce qui, pour beaucoup, constitue une gêne, et ne parvenaient pas aisément à concevoir un art qui imaginerait, reconstruirait librement le passé.

D'autre part, la spécificité de la fiction théâtrale échappe parfois aux dramaturges africains. Dans le cas de la très belle pièce sénégalaise à laquelle j'ai fait allusion, les réalisateurs n'avaient pas établi de distinction très nette entre la volonté de représentation théâtrale et le rappel d'un événement historique passé. L'invitation ne conviait pas à assister à une représentation théâtrale, mais à une « soirée de gala organisée en souvenir des derniers jours » du personnage dont la pièce nous conterait l'histoire. Il s'agissait donc d'une sorte de commémoration plutôt que d'une création théâtrale. La notion de théâtre, ni même la conscience de la fiction n'était pas véritablement formée.

D'autres entraves à la liberté de création dramatique dans les pays africains sont d'origine française et européenne.

La tradition française, l'enseignement d'une culture européenne ont laissé en Afrique des réminiscences plus ou moins bien assimilées, et gênantes. Certaines références à la mythologie gréco-latine sont très déplacées dans ce contexte, et présentent un caractère scolaire évident. Dans la phraséologie, dans l'emploi de certains procédés pseudo-classiques, on constate les mêmes difficultés. On rencontre par exemple fréquemment dans les pièces africaines des songes rappelant le songe d'Athalie. Malgré son évidente inauthenticité, ce procédé est très recherché parce qu'il permet d'introduire le merveilleux dans une intrigue purement humaine, et d'expliquer ce qui est surprenant, paradoxal, par l'intervention d'une volonté supérieure, d'ordre religieux, à laquelle les Africains sont profondément attachés.

La tradition catholique a également joué un rôle, sans aboutir à une production convaincante dans le domaine théâtral.

Il existe également des entraves d'ordre linguistique.

La connaissance du français n'est pas aussi répandue, ni aussi parfaite que certains se plaisent à l'imaginer; des problèmes d'expression se présentent parfois pour l'auteur, pour les interprètes et pour le public.

Mais ces difficultés sont dues surtout à la grande jeunesse du théâtre africain; elles pourraient être éliminées assez rapidement grâce au développement de sa vitalité et de sa sensibilité naturelles.

Les dramaturges que j'ai rencontrés ont la qualité rare, permettant tous les espoirs, d'être extrêmement perfectibles. Au cours de nos colloques, je voyais évoluer, moins leur opinion du théâtre que l'idée qu'ils se faisaient de leurs propres pièces. Celles-ci se modifiaient avec souplesse vers une perfection plus grande, sous l'empire de réflexions très rapides, assimilées d'une manière ingénieuse. J'ai observé cette étonnante plasticité par laquelle l'œuvre s'adapte immédiatement aux divers caprices de l'imagination; Diderot et Brecht nous en ont donné de merveilleux exemples; aujourd'hui elle se donne libre cours dans de nombreux pays africains.

IV. — LES ŒUVRES

1) *Les types de pièces*

Le théâtre africain contemporain comporte des sujets sérieux et des sujets comiques, en proportion très variable selon les pays. Pour simplifier, je parle de l'Afrique comme s'il s'agissait d'une unité, mais les tendances et les goûts dans les dix pays que j'ai visités sont très variés. Je ne présente ici qu'un tableau général et composite.

Dans l'ordre sérieux, les principaux sujets portent sur des légendes anciennes. Il existe un riche fond floklorique, conservé par tradition orale, encore peu connu, que les ethnologues étudient et qui présente de nombreuses ressources pour l'imagination dramatique. En outre, le drame historique, également exploité en Afrique, s'intéresse spécialement aux luttes coloniales : sur ces sujets, la documentation historique est abondante et largement utilisée. Le contact avec les colons blancs, français en particulier, fournit un point de départ fort intéressant à l'imagination dramatique. J'ai été plusieurs fois frappé par le caractère tragique et étrange que revêtait dans l'imagination des auteurs la scène où pour la première fois les habitants d'une certaine région de l'Afrique voient arriver un Blanc : s'agit-il d'un homme ou d'un fantôme ? C'est une expérience que personne ne peut plus avoir d'une manière concrète de nos jours et sur laquelle n'existe aucun document historique, mais c'est un donné de l'imagination, utilisé parfois d'une façon intéressante. Ces sujets appartiennent à un passé senti comme révolu. Comme eux, le racisme est chose d'hier. Il n'est pratiquement jamais présenté comme un problème actuel.

L'élément original de la magie enrichit ce que les données historiques pourraient avoir de trop abstrait.

Dans le monde africain actuel, la magie joue un rôle très important, qu'on ne saurait sous-estimer. Dans les origines anciennes, historiques ou légendaires, interviennent toujours des devins, des sorciers en grand nombre, écho de l'importance de la magie dans l'imagination populaire africaine actuelle.

Dans l'ordre comique, le sujet du mariage est celui qui passionne le plus l'auteur et son public. Les comédies africaines mettent très souvent en scène les problèmes du mariage, très compliqués, variables selon les lieux et selon les ethnies. Dans presque toutes les sociétés africaines auxquelles s'intéresse le théâtre, le mariage est polygamique; les rapports qu'un homme peut entretenir avec plusieurs femmes et avec les enfants que lui ont donnés ces femmes, sont donc d'une très grande complexité : ils posent des problèmes juridiques, moraux, sentimentaux qui passionnent les spectateurs africains, même les enfants de dix ans qui, dès cet âge, pensent au mariage. Ce sujet, primordial pour les Africains, est difficilement transmissible dans le contexte européen.

Les dramaturges africains exploitent également avec bonheur un second sujet comique : celui de l'escroquerie. Dans cette production théâtrale, comme dans de nombreuses farces françaises médiévales, il y a souvent des escrocs, fort ingénieux, qui trouvent des moyens amusants, variés et théâtraux pour duper leur prochain.

Dans le domaine satirique, il existe une comédie de contestation, s'attaquant à des autorités variées, actuelles ou passées, souvent décrites comme vénales ou influençables. Il s'agit là d'une veine assez riche et hardie, qui touche profondément le public.

Des faits assez étonnants peuvent être relatés dans ces pièces : ils sont toujours, m'a-t-on affirmé, tirés d'une réalité exactement observée.

2) Les tons dramatiques

Il est plus délicat d'en donner une analyse, car les Africains eux-mêmes ne disposent pas d'un instrument rhétorique leur permettant d'introduire une distinction dans ces problèmes. Cependant, j'ai cru constater certains phénomènes que l'on pourrait expliquer par référence à des modèles européens, sans qu'il s'agisse d'une véritable influence; simplement, l'on peut préciser les intentions des auteurs africains en utilisant certaines images déjà créées et analysées par la dramaturgie européenne.

C'est ainsi qu'il existe une influence brechtienne; peu nombreux sont ceux qui ont pratiqué le théâtre de Brecht; mais la plupart des autres auteurs ont rencontré les mêmes problèmes, ont utilisé les mêmes instruments de réflexion et sont parvenus à des résultats similaires.

Une seconde « influence » européenne s'exerce également d'une manière assez surprenante sur le théâtre africain : celle de Tchekhov. Certaines pièces en effet présentent des conversations avec des sous-entendus, d'une profondeur sentimentale que la réalité des problèmes évoqués ne permet pas de soupçonner, qui offrent quelques similitudes avec la manière du grand dramaturge russe. Les auteurs ne semblent cependant pas connaître celui-ci, mais ils ont retrouvé certaines de ses qualités de sensibilité et d'allusion.

Toujours par référence aux normes européennes, on peut étudier dans le théâtre africain l'attitude vis-à-vis de la religion. Elle est fortement ambivalente. Comme Voltaire — les problèmes de la dramaturgie voltairienne sont d'une brûlante actualité en Afrique — le théâtre africain dénonce l'hypocrisie des prêtres, sorciers, féticheurs, imposteurs qui se moquent des crédules et leur volent leur argent. Dans une large mesure, cette imposture est considérée comme réelle par la population; mais il n'en est pas du tout déduit que ces imposteurs soient condamnables, dignes de la prison ou de l'exil; au contraire, ils jouissent encore d'un crédit considérable; sur n'importe quel marché, il est possible de voir en grande quantité les objets destinés à la magie et dont les féticheurs recommandent l'usage. Même chez un dramaturge évolué, on note une certaine réticence à dénuer la magie de toute réalité. L'ambiguïté fondamentale de l'attitude religieuse peut être un ferment créateur. Elle est un des fondements de la vie spirituelle des Africains et l'un des problèmes principaux de leur théâtre; elle n'est pas encore un des éléments conscients de leur dramaturgie.

3) Les rythmes

L'originalité des spectateurs africains est d'être particulièrement sensibles à une certaine rythmique du spectacle, de la musique et même de la phrase : ce fait est bien connu.

La sensibilité des artistes noirs est orientée électivement vers les problèmes du rythme, ce qui explique leur intégration dans de nombreux arts et même leurs réactions en tant que public. Plus que le public européen, le public africain réagit aux effets de rythme au théâtre ou au cinéma. On a expliqué le succès en Afrique de la plus médiocre production américaine ou indienne par l'importance, consciemment recherchée, de ces effets de rythme. A Niamey, le cinéaste Jean Rouch, qui y dirige le musée d'anthropologie, me racontait que, dans les représentations théâtrales données par les organisations catholiques, la figuration de la vie du Christ était rendue impossible par les réactions démesurées des Africains au rythme.

En particulier, la représentation de Jésus portant sa croix et tombant trois fois au cours de la montée au Calvaire provoquait des éclats de rire inextinguibles; cette répétition triple était un effet de rythme qui touchait profondément le public. Cette réaction avait contraint de renoncer à cet aspect de la représentation.

C'est pourquoi, dans les spectacles plus ou moins spontanés que l'on rencontre en Afrique, les effets de rythme (musique, chant, tam-tam) sont particulièrement réussis. Le problème dramatique essentiel sera d'intégrer ces valeurs dans l'ensemble d'un spectacle. Actuellement, il y a encore une alternance assez morne entre ce qui est parlé, plutôt mal articulé, et ce qui est magnifiquement rythmé. Non seulement la phrase, mais également la pièce entière, devrait trouver un rythme : c'est un problème que les Africains seraient peut-être particulièrement qualifiés pour résoudre; mais il n'a encore trouvé aucune solution jusqu'à présent.

4) *Les thèmes*

Le thème très important du mariage est encore emprisonné dans un réalisme limité. Les solutions au problème posé par le mariage varient selon les ethnies. Les dramaturges se dégagent difficilement de ces particularités pour concevoir un théâtre intéressant la communauté tout entière, comme doit l'être tout véritable théâtre. Ils n'arrivent guère à proposer dans sa généralité le problème essentiel de la liberté pour les jeunes de se marier selon leur cœur; ils sont obnubilés par les obstacles à cette liberté.

Le thème de la peur est également important. L'Afrique a longtemps vécu dans le sentiment de la peur, qui lui fut imposé à plusieurs reprises par les Européens. Même dans le contexte spécifiquement africain, il existe des éléments de peur, profondément ressentis par les auteurs et exprimés dans leurs pièces : ainsi, la peur du sacrifice humain. Les auteurs dramatiques n'ont aucune peine à imaginer que dans un passé plus ou moins éloigné, des êtres humains ont été sacrifiés à des divinités, et à nous faire sympathiser profondément avec l'angoisse de ces êtres dans l'attente de leur sort. C'est une réalité qu'ils peuvent imaginer sous les espèces du vécu bien plus profondément que les Européens, et dont ils peuvent rendre compte d'une manière véritablement dramatique.

La peur des ancêtres existe également; elle commande toute la vie. Il faut obéir à l'âme des ancêtres; celle-ci obéit elle-même, comme Dieu dans d'autres

perspectives religieuses, à des raisons que la raison ne connaît pas; elle se manifeste parfois d'une manière cruelle mais inévitable. Il y a là une source tragique
ignorée du théâtre grec ancien, et susceptible d'exploitation. J'ai vu au Congo
une pièce, *La marmite de Koba-Mbala*, de M. Guy Menga, imaginant que les âmes
des ancêtres sont toutes rassemblées dans une marmite, qui dicte au roi ce qu'il
doit faire, notamment condamner à mort ses jeunes sujets sous le moindre prétexte. Il y a là un problème dramaturgique important. Il faut faire en sorte que
le spectateur, surtout le spectateur français ou européen, croie réellement que
des esprits sont dans cette marmite exposée sur la scène et qu'il craigne ce qui
va se passer. Une mise en scène comme celle de Peter Brook pour *King Lear*
parviendrait à créer cette impression nécessaire de peur. Il faudrait également
trouver une crédibilité à la Stanislavski dans le texte lui-même, sans quoi l'on
retomberait dans le simple pittoresque. Mais la recherche d'une émotion dramatique suffisamment intense, comme celle que l'on trouve dans le contexte brechtien (notamment à la fin de *Sainte Jeanne des Abattoirs* ou dans la musique de
scène d'*Arturo Ui*) est un des problèmes de la dramaturgie africaine; sur ce
point elle commence à obtenir certains résultats.

5) *Les types de personnages*

Les innovations africaines dans ce domaine sont particulièrement intéressantes. Elles sont fondées sur un emploi du langage original par rapport à la
tradition européenne. Pour commencer par le moins intéressant et le moins
authentique, il y a un emploi du récitant, non indispensable mais assez curieux,
que l'on retrouve dans de nombreuses pièces africaines comme dans les pièces
européennes classiques. Le récitant, ou speaker, ou narrateur, explique ce qui va
se passer, ce qui s'est passé; il résume les événements antérieurs à la pièce, ou
intermédiaires entre chaque tableau. C'est un procédé commode pour résumer les
faits, et également pour introduire une certaine poésie : le récitant n'est pas
seulement comme un programme de radio qui énonce des faits, il peut donner une
coloration affective particulière aux faits qui sont l'objet de son récit. Son emploi,
cependant, n'est pas toujours très adroit ni authentique.

Il existe un autre type de personnage, très caractéristique et très important :
celui du féticheur. Le féticheur parle, et sa parole a une valeur magique; il trans-
met les ordres du ciel; il se livre à des cérémonies bizarres, très spectaculaires;
il faut lui obéir, puisque le ciel parle par sa bouche : dans ce personnage, il existe
donc une nouvelle dimension qui, suffisamment élaborée, peut apporter un regain
de prestige théâtral.

Il est nécessaire également de mentionner l'institution typiquement africaine
de la palabre, dont on trouve des échos et des figurations dans le théâtre. Palabrer,
c'est discuter, tenter de parvenir à un compromis, à un accord, échanger des
arguments, chacun s'efforçant de persuader l'autre qu'il a raison; c'est confronter
et comparer rationnellement des arguments. Mais la palabre obéit à des règles

proprement stylistiques; donc elle est susceptible d'utilisation théâtrale. Elle est une exaltation de la beauté du langage : on y parle selon certaines conventions, moins précises que celles qui doivent emporter la conviction dans un théâtre comme celui de Marivaux, mais orientées vers la beauté, comme dans un concert où chaque exécutant doit s'accorder aux autres et ne pas faire de fausses notes; c'est une musique concertante dans laquelle on se complaît. Il y a donc un alliage assez curieux, que l'on ne retrouve pas avec cette même netteté dans la tradition européenne, de la volonté d'arriver à un résultat qui est caractéristique de notre langage dramatique et de la volonté de constituer avec l'autre, même ennemi, une sorte d'ensemble orchestral réussi et satisfaisant pour le public.

Le personnage le plus intéressant dans cette perspective est celui du griot; il est représenté surtout dans l'Afrique de l'Ouest. Dans cette utilisation de valeurs du langage pour une dramaturgie nouvelle, il me paraît avoir les prolongements les plus importants et les plus nouveaux pour notre propre théâtre. Le griot n'est évidemment pas une invention des auteurs dramatiques. Il existe dans la réalité depuis fort longtemps. Le fait qu'il soit une sorte de donneur officiel de louanges a été depuis longtemps remarqué par les historiens et étudié par les ethnologues. Dans la réalité, le griot est un personnage situé en dehors des castes traditionnelles de la société; il n'est pas un noble, mais il a pour fonction de faire l'éloge des nobles, de leur donner par la parole la gloire que leurs actions dans la réalité ne suffiraient pas à leur donner. Mais il peut très facilement lier à l'éloge l'insulte; pour l'empêcher d'agir ainsi, il faut lui donner de l'argent. La réalité économique s'insère donc dans une activité poétique et sociale. «Devant les autres, dit un critique, mon don marquera la puissance, témoignera que je suis bien l'homme inscrit dans ces paroles si flatteuses. Si je ne l'exécute pas, le miel se changera en venin, l'encens en ordure. Le chant du griot, mû par un instinct très sûr, s'arrêtera au moment où ma poche sera vide ».

La réalité du personnage du griot est naturellement susceptible d'une interprétation théâtrale amusante et scénique. J'en ai vu des exemples très remarquables. Dans une représentation à laquelle j'assistais, le personnage du griot était très bien montré dans sa fonction lyrique, argumentant successivement le pour et le contre comme les sophistes grecs, sans se fonder aucunement sur la réalité : il disait avec une grande intrépidité ce que les personnages étaient supposés penser, il était le dépositaire des secrets, participant obligé de toutes les discussions intimes (on ne pensait pas pouvoir marier une fille sans demander l'avis du griot). Il bénéficiait d'une ambivalence toute religieuse. On savait très bien que le griot n'était pas désintéressé, qu'il parlait pour celui qui le payait le plus; néanmoins, on se sentait obligé de tenir le plus grand compte de son avis. Le griot acquiert ainsi une liberté et une puissance d'intermédiaire vis-à-vis de l'argent qui sont comiques par elles-mêmes.

Ainsi, au cours d'une fête populaire, avec un petit orchestre, chacun des personnages qui y participaient donnait de l'argent pour montrer sa satisfaction et sa générosité. Par exemple, quelqu'un donnait trois cents francs pour l'or-

8

chestre; il ne les remettait pas directement aux musiciens; il les confiait au griot, qui représentait l'âme, la clef de voûte spirituelle de cet orchestre; le griot alors, en expliquant ce qu'il faisait, donnait deux cents francs au chef du tam-tam, et mettait dans sa poche, comme commission, le reste de l'argent. Sa poche, élément essentiel dans la mise en scène, située en oblique sur le devant de sa poitrine, comme on le voit dans les boubous d'inspiration musulmane qui servent d'habillement masculin dans une grande partie de l'Afrique de l'Ouest, se gonflait progressivement : le jeu se répétait souvent, avec des commentaires cyniques et parfois savoureux, tels que celui-ci, en guise de remerciement aux donateurs : « Merci, cela me permettra d'envoyer toute ma famille chez le coiffeur ». Le griot était donc conscient de sa puissance et de l'abus qu'il en faisait, en même temps que du plaisir esthétique et comique qu'il procurait.

Tout cela suppose vis-à-vis de l'argent une attitude différente de l'attitude européenne. Le scrupule que l'on a dans certains milieux européens envers la matérialité de l'argent n'existe pas chez les Africains; cela leur permet de donner aux figurations de l'argent une valeur scénique importante. Les Africains donnent fréquemment, à des personnes qu'ils connaissent ou ne connaissent pas, de l'argent en signe de cadeau, en marque d'estime ou d'admiration, sans que cela soit considéré comme désobligeant ou surprenant. Cet argent est un don qui finit par aboutir au griot. Au cours d'une fête dansante, si l'on veut manifester le plaisir que cause la danse, on met cent francs sur le front d'une jeune fille en train de danser; celle-ci ne prend pas le billet, il tombe par terre et le griot le ramasse en exprimant sa satisfaction pour ce don qui lui vient du ciel. Il a toujours droit à une sorte de pourcentage. Lors d'un mariage par exemple, il prend dans la corbeille de la mariée un objet sur dix ou sur cinq, comme il lui convient; puis, par la puissance de sa parole, il magnifie et augmente tout cela. Lorsqu'il exalte par exemple la générosité des donateurs, il falsifie les chiffres volontairement et visiblement (tout le monde s'en aperçoit et lui donne son assentiment). S'il compte cinq pagnes dans le trousseau de la mariée, il loue la générosité du donateur qui a donné dix pagnes. Tout est doublé par cette puissance de la poésie.

On peut dégager les différentes fonctions et possibilités dramatiques du griot; elles sont très variées. Le griot est d'abord un chef d'orchestre (il inspire et dirige les joueurs de tam-tam qui sont les participants obligés de toute représentation africaine). En second lieu, il est le dépositaire des légendes du passé, la mémoire poétique de la collectivité, il sait tout ce qu'il y a lieu de savoir et il le dit au bon moment. En troisième lieu, il est un bouffon comme ceux que connaît la dramaturgie européenne : personnage qui fait rire, sorte de fou de cour ayant toute sa liberté, tout son franc-parler, qui détend l'atmosphère quand il le veut au moyen de ses évocations et de ses plaisanteries. En quatrième lieu, il est quelque peu sorcier, en contact avec le pouvoir de la divinité; n'importe qui ne peut pas être griot; ses paroles n'ont toute leur vertu que parce qu'elles transmettent une certaine force extra-humaine. En cinquième lieu, il est une sorte de poète (au sens ancien du terme), dispensateur d'une parole qui n'est ni pure fiction ni réalité, mais qui est ornement, intermédiaire ajouté au théâtre.

Cette forme de théâtre oblige d'ailleurs à repenser le rôle de la parole dans la représentation dramatique. Dans la représentation européenne, la parole a un rôle bien défini, qui s'est cristallisé progressivement au cours des siècles; nous ne pensons plus que ce rôle soit le seul possible; néanmoins, depuis la fin du Moyen Age, le langage a acquis une prédominance, une exclusivité théâtrale caractérisant actuellement la production européenne. Mais il n'avait pas ce rôle primordial dans les dramaturgies proches de la dramaturgie africaine contemporaine : dramaturgies de la Grèce antique et du Moyen Age européen. Dans ces représentations, le texte n'était pas la valeur essentielle. Ce sont les érudits du seizième siècle et du classicisme qui ont fondé le théâtre du langage — ce qui n'était pas inévitable. La nature du théâtre africain est bien différente, et moins soumise à la suprématie du langage. En Europe, Marivaux a porté à son sommet cette conscience du langage; depuis le dix-huitième siècle, la croyance en la vertu du langage a décru dans la tradition européenne et c'est pourquoi nous sommes peut-être plus aptes à comprendre l'expérience africaine. Au dix-neuvième siècle, le domaine du langage s'est étendu en dégénérant. La faiblesse du théâtre européen, et particulièrement français, du dix-neuvième siècle, est due au fait que l'on y parle abondamment, interminablement. Devant cette invasion s'élèvent les protestations et les efforts de ceux qui croient au langage. Le *Livre* de Mallarmé, dernier et pathétique effort pour fonder l'univers sur les mots, n'a pas réussi à imposer sa conception; un tel effort était condamné à être systématique, pour faire usage de toutes les armes encore disponibles. A la suite de Mallarmé, Valéry s'exclame : « Honneur des hommes, Saint Langage ! ». Mais cet idéal s'avère inadéquat au vingtième siècle. Le désintérêt pour le langage me paraît être une des marques de la civilisation actuelle. Notre effort pour analyser ce qu'il y a de spécifique dans le théâtre de ces dernières années devra en tenir compte. Nous vivons dans un monde où la jeune génération s'exprime de moins en moins par le langage, où l'inarticulé, le musical acquièrent une importance prédominante. Nous vivons sous le règne de l'audio-visuel, qui, grâce à son instantanéité, renonce à une acquisition essentielle de la civilisation écrite. L'importance actuelle du rythme est évidente. Au théâtre, Ionesco présente une dérision du langage; Beckett refuse, dans une certaine mesure, la parole.

Dans la perspective des traditions européennes, caractérisées par une dégénérescence progressive du langage, le personnage du griot me semble apporter un élément intéressant. Celui-ci, contrairement à la civilisation européenne, qui est peut-être en train d'étouffer par excès de rhétorique, ne renonce pas au langage, mais s'en sert comme d'un instrument, subordonné à un but essentiel qui est rythme et poésie, action visuelle.

Ainsi, le théâtre africain paraît s'orienter vers une forme nouvelle d'opéra. La musique, le rythme peuvent servir à illustrer n'importe quoi. Le griot commente par des mots chantés ou parlés, par des rythmes de tam-tam, l'action en train de se faire. Le personnage d'autorité est entouré de chantres semi-indépendants qui parlent pour lui. Le héros de la pièce ne peut faire un geste ou exprimer une pensée sans que les griots autour de lui ne l'amplifient, ne le développent en le déformant, selon la rhétorique qui leur est propre.

Ces formes d'expression sont donc profondément différentes des formes classiques; elles pourraient convenir à un théâtre du vingtième siècle. A l'heure actuelle, le théâtre africain ne compte pas de grandes réalisations. Il serait impossible de citer un seul chef-d'œuvre. Ce théâtre porte le poids d'un passé très lourd. C'est peut-être du théâtre « en miettes », mais, grâce à l'optimisme et à la vitalité de ses créateurs, il semble émerger assez allégrement de son passé colonial et des anciennes structures africaines.

Il recèle des forces nouvelles, susceptibles de se développer et d'exercer une action salutaire en Europe même.

LE THÉÂTRE ESPAGNOL ENGAGÉ :
BUERO VALLEJO ET SASTRE

par Charles-V. AUBRUN
Professeur à la Sorbonne

La notion d'engagement fut forgée par les écrivains français dans la Résistance et définie aussitôt après la guerre. L'engagement en France implique que, écrivain ou pas écrivain, l'homme est dans le bain, qu'il ne peut en sortir et qu'il lui faut assumer cette situation tout en l'exécrant.

Les Espagnols ne firent qu'emprunter telle quelle et toute faite cette notion. On ne s'étonnera donc pas que chez eux la coloration littéraire de l'engagement et ses liens avec l'existentialisme en tant qu'école l'emportent sur sa nature la plus profonde. L'engagement en Espagne concerne seulement l'écrivain, qui choisit arbitrairement et en toute conscience un parti pour sa plume, joue une carte, perd, gagne, acquiert un public et sciemment provoque la colère d'un autre public.

Plus encore que dans le roman c'est dans la littérature dramatique que s'épanouit cet engagement très particulier. De fait, Buero Vallejo et Sastre greffent cette bouture moderne sur une vieille tradition littéraire qui de 1880 se prolongea jusqu'à la guerre civile de 1936 : le drame à thèse de Dicenta, ou de Guimerá, le drame lyrique patriotique de Marquina, le drame nationaliste et clérical de Pemán, le drame républicain du premier García Lorca (*Maria Pineda*).

On n'ira pas chercher bien loin les raisons de la subordination de la littérature espagnole en tant que telle à une cause ou à une autre. Les partis politiques en Espagne se disputent le pouvoir pour demain et ils mobilisent à leur service une intelligenzia qu'ils divisent et se partagent. C'est ainsi que le théâtre espagnol est lié aux diverses idéologies des classes moyennes (seules d'ailleurs les classes moyennes fréquentent les salles de spectacle). Il est libéral ou réactionnaire, il est révolutionnaire et optimiste ou bien conservateur et pessimiste. Le succès vient à la pièce quand elle s'adapte parfaitement à la circonstance et provoque à la fois la ferveur chez les uns et le scandale chez les autres. Bien sûr, sa valeur intrinsèque ne coïncide pas toujours avec le bruit qu'elle soulève,

Les recettes du guichet ne sont pas un critère. Mais rien n'empêche que parfois la pièce polémique vaille aussi par elle-même. Dans ces conditions, la critique doit être prudente; elle évitera l'écueil du parti-pris politique et fuira pourtant la tentation de juger les pièces pour leurs qualités seulement formelles.

*
* *

Antonio Buero Vallejo est né en 1916. Soldat au service de la République pendant la guerre civile, il est envoyé en prison et dans un camp après la débâcle. Puis il s'adonne à la peinture. En août 1947, il écrit sa première comédie, *Histoire d'un escalier.* Elle est représentée en 1949 et obtient aussitôt une sorte de consécration officielle : le prix Lope de Vega. Pour autant, Buero Vallejo ne s'est pas vendu; mais ses lecteurs et ses auditeurs considèrent à juste titre que le désespoir latent dans ce drame désamorce les velléités révolutionnaires du public tout en les idéalisant. L'accord de la droite rassurée et de la gauche flattée se fait donc sur son nom et sur son œuvre.

Buero Vallejo a lu Priestley, Henry Miller et, en remontant aux sources, O'Neill, Unamuno, Ibsen. Il affirme qu'il ne connaissait pas en 1947 quand il écrivit l'*Histoire d'un escalier* la pièce du Suisse Albert Ghéri, intitulée *Sixième étage,* qui traite pourtant, semble-t-il, d'un thème semblable. Ayant à s'expliquer sur son théâtre, Buero déclare sans ambages qu'il se tient pour un homme et un écrivain d'idées. En tant qu'homme et en tant qu'écrivain, il considère la vie totale, la vie véritable, comme une tragédie. Les caractères et la psychologie ne l'intéressent pas en soi mais seulement dans la mesure où, devenus symboles, il peut susciter leur affrontement tragique. Autrement dit, les personnages, telles des marionnettes, servent à son dessein de dramaturge; en aucun cas, ils ne lui échappent pour demeurer fidèles à leur idiosyncrasie, à leur tempérament propre. L'intrigue prend dès lors le caractère d'une démonstration édifiante. Buero Vallejo en a pleinement conscience : il loue la tragédie plus que tout autre genre dramatique « pour ce qu'elle a d'ennoblissant et de moralisateur auprès de l'homme ». Dans cette perspective, faut-il s'étonner que ses dénouements répondent surtout à ses vues sur l'homme et sur la société ? Ils ne reflètent nullement la vie et ses inconséquences amorales. Puisque Dieu se montre vraiment trop capricieux ou incompréhensible, l'auteur prend en mains lui-même la destinée de ses personnages. Mais ce n'est point pour récompenser les bons et punir les méchants selon son propre décalogue. Il les condamne tous à un éternel purgatoire; il les accable d'un mépris plein d'indulgence. C'est ainsi que l'*Histoire d'un escalier,* la pièce la plus caractéristique de Buero Vallejo, apparaît non comme une tragédie mais comme une comédie du désabusement. La « comedia del desengaño » du XVIIᵉ siècle, du moins, débouchait sur une issue métaphysique : l'enfer ou la gloire éternelle.

La comédie de Buero Vallejo provoque notre découragement. Quatre logements donnent sur les deux paliers d'une maison de rapport. La scène représente l'escalier où se feront les rencontres. Dans le premier logement vit un conducteur de tramway en retraite, sa femme, leur fils et leur fille; dans le deuxième, voici un homme d'affaires veuf et sa fille; dans le troisième vivotent un ouvrier idéaliste, sa femme, un fils militant syndicaliste, et trois filles; dans le quatrième une veuve tire le diable par la queue et son gredin de fils, un don Juan, fait battre de façon désordonnée les cœurs de toutes les jeunes locataires. C'est aussi bien un escalier symbolique sans issue vers le haut, et avec l'enfer de son rez-de-chaussée, au niveau de la société. Tel descend l'escalier qui croyait le monter, tel monte l'escalier qui croyait le descendre.

Le premier acte se passe vers 1919. Un receveur des quittances d'électricité « met en lumière » les ressources ou les difficultés financières des uns et des autres. Une jeune fille achète un mari coureur, fainéant et endetté, avec l'argent de son papa. Toute la maisonnée est agitée de potins, de rancœurs, de jalousies sordides et de nobles dévouements. Le vaillant Urbain prêche la solidarité et l'action commune à son ami Ferdinand, si on veut sortir une fois pour toutes de la misère. Ferdinand le calicot ne compte que sur lui-même et sur les vertus d'un égoïsme forcené. Or l'un et l'autre se font des illusions, l'un et l'autre se révèlent inoffensifs; et chacun, à sa manière, est une sorte d'idéaliste ou du moins de rêveur. Il y a aussi une fillette sur le point de glisser au ruisseau; une autre serrée de près par Ferdinand et qui aime Urbain. Beaux couples et amitiés trahies en perspective. Le second acte voit monter une seconde génération. Il se passe en 1928. L'escalier est toujours aussi sale et négligé. Par là passe la bière du conducteur de tramway. La noble famille prolétarienne souffre dans ses affections : car la fille dévergondée défend courageusement son proxénète; il la jettera pourtant à la rue, fanfaron lâche et comique, odieux et tragique. Car les pantins de Buero Vallejo ont souvent deux masques, l'un noble et l'autre immonde, et cachant l'un et l'autre leur triste inanité. L'un d'eux se choisit : « mieux vaut être un triste ouvrier qu'un calicot inutile ». Il épouse la chaste jeune fille victime de ses idéaux tandis que le père de celle-ci sacrifie ses économies pour sauver son autre fille qui le déshonore. Somme toute, l'hypocrisie rend de constants hommages à la vertu.

L'acte III se passe vingt ans après. Hélas, rien n'a changé. On a tout juste repeint l'escalier. Les vieux ont disparu ou sont sur le point de disparaître, leur appartement est l'objet des rêves et des spéculations d'éventuels locataires. Le Don Juan a croqué l'argent du beau-père. Mais son rejeton a pris dans l'escalier ses mêmes attitudes conquérantes. Hélas, rien n'est changé. Un bon prolétaire veut protéger sa fille contre le galopin. La sœur sacrifiée et la sœur aventurière tombent l'une dans les bras de l'autre : « nous sommes toutes les mêmes au fond. Au bout du compte nous échouons tous et toutes de la même manière ». Une querelle de bas étage éclate entre les vieux couples. Les portes claquent sur deux familles désunies. Or, le fils de l'une, la fille de l'autre lèvent le nez sur cette sordidité : nouveaux Roméo et Juliette, ils jurent de s'aimer, de gagner de l'argent, de « s'élever », ils rêvent d'un foyer joyeux et propre, loin, loin de cette misère.

Mais les parents les ont entendus. Ils échangent un long regard plein de mélancolie au-dessus de la cage d'escalier.

La pièce, on le voit, est un croisement assez maladroit de Chekhov et de Osborne, de la mélancolique *Cerisaie* et de quelque sordide « kitchen sink play ». Ce qui ternit sa qualité, ce sont quelques incohérences internes, dues à la volonté de l'auteur de trop démontrer. Ainsi, entre les deux paliers, il a mêlé les rentiers, les ouvriers et les hommes d'affaires, les nouveaux pauvres et les nouveaux riches. Il a mis dans le même sac des aliénations sociales différentes, il a rejeté sur la condition humaine la coulpe de tous les malheurs.

Il nous faudrait plus que l'histoire d'un escalier symbolique pour nous faire admettre une telle vision de l'homme dans le monde. Et le désabusement sur quoi se termine la pièce ressemble bien plus à la déception de l'idéaliste désenchanté qu'à la prise de conscience de notre faiblesse au cœur de notre grandeur, et à la prise en charge des servitudes qui donnent sa valeur à notre liberté.

*
* *

Alfonso Sastre est né en 1926. A vingt ans, il collabore à un théâtre d'essai. Là l'existentialisme chrétien se glisse dans le cadre de scènes de reportage journalistique : curieuse combinaison de Gabriel Marcel et de Thornton Wilder. A vingt-deux ans, en 1948, il lance le « Teatro de agitación social » : ce qui est social, dit-il, relève en notre temps d'une catégorie supérieure de l'art. L'auteur, gardant ses distances, ne s'engage pas lui-même apparemment; mais il fait en sorte que les spectateurs, réfléchissant, prennent conscience qu'il s'agit d'eux-mêmes, « prennent parti ». Plus que d'une littérature engagée, il s'agit d'une littérature engageante, un peu à la manière de Brecht.

Il est bien difficile en Espagne de s'adonner à la propagande politique. Aussi bien, Sastre situe dans une guerre innommée (probablement de Corée) *La patrouille vers la mort* (1953) (*Escuadra hacia la muerte*). Il dramatise le drame de Lurs en Provence où la famille Dominici s'imposa le silence sur le meurtre de la famille anglaise et c'est *Le bâillon* (*La mordaza*, 1954). Il cache ainsi la vraie signification et transpose la réalité la plus actuelle : c'est le bâillon qui empêche l'Espagne de parler du crime qu'elle a commis entre 1936 et 1939.

Dans son *Guillaume Tell*, « quatrième drame de la révolution », des maçons, qui ne sont pas seulement suisses, construisent dans un climat de terreur leur propre prison. L'un d'eux déclare : « C'est une maison, d'aucuns disent une prison. Cela m'est bien égal que ce soit une école, un asile de fous ou une prison. Moi je ne suis qu'un technicien de la maçonnerie ».

En la red (1961), « cinquième drame de la révolution », il s'agit de l'Algérie. Et il n'y a pas qu'en Algérie qu'on torture des combattants clandestins. L'intention est patente : « Cette prise de conscience au-delà du premier effet cathartique est la finalité dernière du théâtre conçu comme forme de lutte et d'investigation de la réalité ».

Nous nous arrêterons sur *Tierra roja* (*Terre rouge* du sang des ouvriers), pièce écrite en 1954. Car c'est la réplique à *Histoire d'un escalier*; à coups fourrés il répond, sur le plan idéologique et sur le plan de la dramaturgie, à Buero Vallejo. Là est appliqué rigoureusement le principe même de la jeune école, tel qu'il fut exposé par José María Quintero, cofondateur avec Sastre du Groupe de Théâtre réaliste : « Le dramaturge se propose d'agir sur la réalité et de la modifier à partir des tréteaux » (« Actuar sobre la realidad y modificarla desde los escenarios »).

D'autre part Sastre fait appel à une technique poussée de la mise en scène. Il recourt à Stanislavski, avec trois scènes simultanées (coron, bistrot, cellule de prison), au découpage cinématographique des tableaux, à des éclairages de petit matin, de nuit, de crépuscule, ayant chacun une valeur symbolique, et à des éléments lyriques (chanson). De cette manière pleine d'artifices, il respecte l'unité de lieu et l'unité de temps. Mais, curieusement, l'action, distribuée en cinq tableaux, se voit prolongée par deux épilogues sur le même thème avec quelques nouveaux personnages et situés à dix ans puis quinze ans de distance. *Grosso modo*, la scène se passe lors des grèves des Asturies en 1917 (et se réfère par-delà à ce qui se passa dans la mine en 1900). Elle prend sa première signification en 1931 à la naissance de la République puis sa deuxième signification en 1955 lors des premiers troubles sociaux du régime franquiste. Cette structure est évidemment plus romanesque que dramatique. Elle implique et permet des effets hybrides relevant de ces deux genres; autrement dit, la pièce verse dans le mélodrame : ainsi lorsque les policiers tirent sur les grévistes, ils tuent non point quelque rebelle, mais un bébé dans les bras d'une mère anonyme. Ces fusils au service du dramaturge visent un peu trop bien, un peu trop bas. La recherche des effets ne va pas sans démagogie. Il est d'autres détails révélateurs. La cruelle compagnie, symbole du capitalisme, est anglaise, bien sûr. Ainsi la lutte des ouvriers pour une vie plus décente se greffe sur une xénophobie et un chauvinisme sous-jacents dans le public. Comme s'il n'y avait pas de patrons en Espagne ! N'accablons pas Sastre : sa précaution est due non à quelque pusillanimité mais à une prudence élémentaire, sans quoi la pièce n'aurait jamais pu être représentée.

Et puis dans le premier épilogue, le meneur, tourmenté par le doute, va demander pardon à Celui dont la miséricorde est plus grande que la colère : il va prier Dieu à l'église. Voilà qui est rassurant pour le bon public. N'oublions pas que Sastre, cet homme en colère obsédé par le sentiment de la justice, avait adhéré à l'existentialisme chrétien dès ses vingt ans et que l'Espagne cherchait en 1954 et cherche encore une issue à ses maux, avec quelques années de retard sur le reste de l'Europe, dans une idéologie et un parti démocrates chrétiens plus ou moins progressistes et ouvriéristes.

Enfin, Sastre calque sa scène la plus révolutionnaire, celle des tortures infligées par les policiers, sur la péripétie la plus connue, la plus prisée « académiquement », de *Font-aux-Cabres* (*Fuenteovejuna*) de Lope de Vega. Sous ce parapluie efficace, il est à l'abri de la censure et des poursuites judiciaires. La toute-puissante Guardia civil, ici diffamée, dut ronger son frein. Elle ne put attaquer en justice le plus glorieux dramaturge du Siècle d'or.

De quoi s'agit-il ?

Dans un climat de désespoir, Pedro, le vieux mineur, s'apprête à partir à l'aventure, chassé de sa maison, propriété de la compagnie, au lendemain même de sa mise à la retraite. En sa jeunesse, champion de la justice, il avait tué un homme qui avait abandonné lâchement son épouse et il avait rêvé de mettre le feu à la résidence des Anglais, les maîtres de la mine. Personne ne l'avait compris, personne ne l'avait suivi. Pablo, un jeune ouvrier, venu la veille de nulle part, reprend à point nommé le flambeau des mains tremblantes du vieillard. Il décide de s'opposer à l'expulsion de la famille et tombe amoureux d'Inés, la fille de la maison. Confusément, tous les ouvriers rejoignent les rangs des opprimés mûs les uns par la peur et l'alcool, les autres par la forfanterie, les troisièmes par une simple générosité ou noblesse de cœur, mais tous dans la tergiversation et l'hésitation. C'est la grève. C'est la répression. Un bébé meurt, frappé d'une balle égarée. La résidence des Anglais est incendiée. Un gros capitaliste est lynché, poignardé, un contremaître aussi. Les renforts de police arrivent. Arrêtés, les meneurs refusent de dénoncer les coupables. « Tous ensemble nous avons mis le feu, tous ensemble nous avons tué nos bourreaux ». Alors le village est mitraillé. Une fois libéré, Pablo, le meneur, sentira des remords chaque fois qu'il rencontrera dans la rue des femmes de mineurs en deuil. Est-ce que cela a vraiment servi à quelque chose ? Tandis que le rideau tombe, la musique s'élève sur ce point d'interrogation. Voilà pour l'action dramatique. Le premier épilogue romanesque montre Pablo et Inés mariés partageant leur temps de bonheur entre l'église et l'enfant : « Quelqu'un là-haut me pardonne », dit le syndicaliste repenti. Vient le deuxième et dernier épilogue, qui raccroche la pièce à l'actualité immédiate. Il reprend exactement la situation du drame lors du lever de rideau, mais avec des personnages différents. Le cercle est ainsi fermé. Inés et Pablo eux aussi sont expulsés du coron le jour de la mise à la retraite du mineur. Comme du temps de Pedro, un jeune garçon survient, venu de nulle part. Il s'oppose lui aussi à ce crime de la société. Il fait appel à la solidarité ouvrière. Il s'éprend aussi de la jeune fille du vieux couple. Bref le flambeau passe d'une génération à l'autre. Mais cette fois c'est différent, grâce à ce qui s'est passé il y a vingt-cinq ans, grâce à Pablo. « Vous avez eu raison, dit le jeune garçon au vieil ouvrier qui doute encore de la légitimité de sa révolte. Ils n'oseront pas vous mettre à la porte; ils n'osent plus. Maintenant nous avons des camarades, maintenant (coup d'œil à la salle où il n'y a certes pas d'ouvriers mineurs, mais des étudiants des Facultés) nous pouvons compter sur la solidarité de la jeunesse studieuse ».

Récapitulons : Buero Vallejo faisait de l'histoire une vis sans fin, un escalier que l'on ne monte que pour le descendre tôt ou tard. Sastre donne au monde un horizon et à l'homme un espoir. Le temps ne tourne plus en rond, il s'élève en spirale.

Ces deux images théâtrales, l'escalier, l'horizon ouvert, c'est le transfert des deux visions dramatiques que prit l'Espagne d'elle-même en 1945 et en 1954, étapes de sa mue. La validité historique de ces deux pièces n'est certes pas une preuve de leur valeur intrinsèque. Elle en est, du moins, une condition indispensable.

*
* *

Nous ne jouerons pas aux prophètes. Mais il est presque assuré que le théâtre demeurera engagé en Espagne aussi longtemps que c'est sur le plan politique que se posera le problème de la communauté nationale et de son avenir. Même un renversement de la conjoncture, sous la pression d'une économie galopante qui amènerait au pouvoir d'autres couches de la bourgeoisie, ne ferait que modifier la substance culturelle de la littérature. Les affrontements dans la société espagnole se traduiront longtemps encore, dans les moments de dépression, par des comédies pessimistes comme l'*Histoire d'un escalier* et, dans les moments d'espérance, par des tragédies optimistes comme *Terre rouge*.

Puis un jour viendra où la politique cessera d'apparaître comme la panacée à tous nos maux. Alors surgira en Espagne et sur des fondements proprement espagnols un théâtre autrement et plus profondément engagé, une tragédie à la Arrabal. Car il apparaîtra que les grands problèmes de l'amour et de la déréliction ne peuvent trouver leur solution dans la résignation de l'homme devant la société perverse en soi, comme le croit Buero Vallejo, ni dans sa quête d'un bonheur socialisé, comme le pense Alfonso Sastre. De nouveaux protagonistes, Prométhées ou Sisyphes, monteront sur la scène. Et le dramaturge, attaquant la société à sa source, c'est-à-dire non plus dans son appareil extérieur et contingent mais dans l'homme lui-même, définira sur scène un nouveau type d'amour capable enfin de vaincre le plus terrible des maux du monde moderne, son impuissance à susciter une vraie communion. Alors le théâtre, revenant à ses origines paniques et rendu à lui-même, se proposera de mettre fin, ne serait-ce que pour quelques heures, à notre tragique esseulement.

LE THÉÂTRE ITALIEN EN MOUVEMENT

par Luciano CODIGNOLA

Depuis quelques générations, le problème essentiel du théâtre occidental consiste à se dégager de la convention naturaliste et à se définir vis-à-vis d'elle. Cet effort a plusieurs raisons. En premier lieu, parce que le naturalisme, en tant que poétique générale, dérive immédiatement de l'esprit de notre civilisation, nourri de science et de technique, inspiré d'une idéologie substantiellement rationaliste. En second lieu parce que l'expression de type naturaliste-illusionniste répond mieux aux exigences des producteurs (sinon des consommateurs) de spectacles cinématographiques et télévisés ainsi qu'aux éditeurs de journaux, revues et livres à grand tirage. On dirait que les *mass-media,* de par leur nature, diffusent et, par conséquent, imposent un style naturaliste. Telles sont les raisons qui nous viennent immédiatement à l'esprit, mais on pourrait en énumérer d'autres. Le naturalisme constitue donc, semble-t-il, la poétique de base, la poétique passe-partout du monde moderne; poids mort en certains cas, il peut devenir stimulus et même structure portante : il n'en reste pas moins toujours une convention.

Si cela est vrai pour tous les pays en général, c'est on ne peut plus vrai pour l'Italie. A l'exception de Pirandello, qui fut un antinaturaliste *sui generis,* la bataille antinaturaliste n'eut pas ici de grands protagonistes comme les Ibsen et Strindberg dernière manière, des *leaders* implacables et meurtriers comme Shaw ou Brecht, des avocats brillants comme Cocteau ou Ionesco. Chez le Pirandello le plus éloigné des origines naturalistes flotte toujours une odeur de petite province sordide et triste, un sentiment des choses très fin de siècle. Contentons-nous pour le moment d'examiner l'un des aspects de l'acclimatation du naturalisme en Italie. Sous notre ciel, le naturalisme directement importé de France, *via* Zola et Antoine, perd une partie de sa charge démocratique, protestataire et moraliste; il devient un mode de vie; il a tendance à se transformer en une nouvelle variante de maniérisme classique, voire d'esthétisme à l'italienne. Tout le monde connaît les superbes, somptueuses et méticuleuses mises en scène de Visconti. Il serait injuste de les liquider avec un sommaire jugement d'esthétisme, car on ne saurait nier l'esprit populiste qui les anime (c'est d'ailleurs le point de rencontre, et peut-être le seul, qui existe entre Visconti et Strehler). Il est vrai aussi, cependant, que le ressort secret des spectacles de Visconti (et de

Strehler) n'est point une nouvelle proposition morale mais une image, tout à fait visuelle, du spectacle.

En citant Visconti et Strehler, les plus grands des metteurs en scène italiens, nous sommes entrés dans la période qui nous intéresse, celle qui commence en 1945. Nous pourrions rappeler qu'au cinéma les metteurs en scène italiens, à commencer par Rossellini, fournirent une lecture du naturalisme nouvelle, plus ouverte et nullement esthétisante à ses débuts. Le néo-réalisme cinématographique italien fut certainement la réussite la plus heureuse de la reprise naturaliste dans notre pays; il se parait en outre du mérite particulier de prendre le contrepied du fascisme qui ne goûtait point l'observation objective des faits et avait favorisé tout genre de rhétorique.

Le naturalisme fut donc la principale convention avec laquelle durent compter les hommes nouveaux du théâtre italien : mais ce ne fut pas la seule. En Italie avait aussi fleuri la plante du théâtre commercial bourgeois sous ses diverses espèces érotico-sentimentale, brillante, de pure évasion.

Convention naturaliste et convention bourgeoise-commerciale, tels sont les deux termes qui marquent le début de notre période. Il apparu néanmoins très vite que le nouveau théâtre italien ne serait point un théâtre d'auteurs mais de metteurs en scène, d'organisateurs et, le cas échéant, d'acteurs. Il fallait rattraper le retard qu'avait pris l'organisation du public et l'affirmation du principe de la fonction publique du théâtre. Il convenait de procéder à une œuvre énergique de rajeunissement, d'organisation des spectacles sur un plan rigoureusement professionnel et moderne. Il fallait tirer tout le profit possible de la faveur dont jouissait la convention naturaliste dans le public en tenant compte du fait que, pour avoir été interdite par le fascisme, elle évoquait automatiquement la bonne cause populaire de la résistance. Enfin il convenait de faire place sur nos scènes à un personnage qui avait déjà des cheveux blancs ailleurs, le metteur en scène.

Tout ceci fut fait, et bien fait. La date de la fondation du Piccolo Teatro de Milan, 1947, marque le point de départ du nouveau théâtre italien.

Que devinrent les auteurs italiens, dans cette situation ? Seuls émergent les porteurs des valeurs les plus sûres. Ces valeurs étant indifféremment : la tradition de la Commedia dell'Arte, un certain genre plus ou moins explicite de discussion éthico-religieuse, une critique de mœurs de tendance non religieuse et non conformiste, ou encore les diverses reprises du vieux filon commercial plus ou moins sentimentaliste, naturellement adapté au goût du jour.

Et le phénomène majeur fut en effet l'affirmation d'un grand acteur, Eduardo de Filippo, et d'un jeune dramaturge catholique, Diego Fabbri. Ils sont les deux noms principaux du théâtre officiel italien d'aujourd'hui.

Le théâtre officiel

Eduardo de Filippo, né à Naples en 1900, est ce qu'on appelle un enfant de la balle, acteur, auteur et metteur en scène. Avec son frère Peppino et sa sœur Titina, il a donné vie à l'une des compagnies les plus populaires du théâtre italien. Son jeu se rattache, à travers Eduardo Scarpetta, à l'école napolitaine de la Commedia dell'Arte. On lui doit des pièces qui amenèrent sa troupe au succès tout d'abord à Naples, puis dans toute l'Italie : *Sik-sik l'artefice magico, Natale in casa Cupiello* et plusieurs autres fort proches de la farce, mais une farce teintée de mélancolie et d'intimisme. La rencontre avec Pirandello eut une grande importance dans l'évolution de l'écrivain. On dit souvent que cette importance a été positive, j'en doute. J'estime même qu'Eduardo a eu beaucoup de mal à se soustraire à l'influence d'un écrivain avec lequel il n'avait pas beaucoup de points communs. Il fallut attendre la guerre, la tragique vision de Naples bombardée et dévastée, pour voir jaillir une seconde fois la fantaisie d'Eduardo qui, en l'espace de quelques années, écrivit quelques comédies vraiment dignes d'intérêt. Je ne pense pas seulement à *Filumena Marturano*, peut-être la plus célèbre de toutes, un peu trop mélodramatique et facile à mon gré, mais aussi et surtout à *Napoli milionaria !*, à *Questi fantasmi*, à *Le voci di dentro* qui restent parmi ses réussites les plus importantes, au sein d'une production riche et heureuse.

A l'origine le style d'Eduardo de Filippo est simple, pour ne pas dire élémentaire; il tient beaucoup de la farce et de l'improvisation, et vit d'expédients comiques très anciens comme les effets rythmiques, les effets de répétition, la mimique et une tendance constante à la stylisation, portée jusqu'au grotesque, à l'abstraction presque surréaliste. Le choc de la guerre amène Eduardo à repenser son monde dialectal en termes sinon politiques, du moins sociologiques ou, en tout cas, moins abstraits, plus humains et plus sentimentaux. En un troisième temps, Eduardo ne s'enfonce plus seulement dans l'analyse de la vie napolitaine mais nationale, et il choisit de préférence un sujet, la classique famille italienne, qu'il illustre de façon aiguë, originale, chagrine, en ne craignant point de s'engager à fond (*Il sindaco di rione Sanita*).

Il ne faut pas passer sous silence le frère d'Eduardo, Peppino de Filippo, acteur sublime, le plus grand peut-être, de tous les acteurs italiens vivants, qui est resté rigoureusement fidèle au modèle archaïque de la Commedia dell'Arte, qu'il continue à représenter avec succès en Italie et à l'étranger. Rappelons, au nombre de ses œuvres, *Le metamorfosi di un venditore ambulante*.

Nous passons sur un tout autre plan avec Diego Fabbri, né en 1911, auteur de plusieurs comédies à succès : *Processo di famiglia, Processo a Gesù, Il seduttore, La bugiarda*. Fabbri est le chef de file incontesté du théâtre d'inspiration catholique en Italie. Les valeurs qu'on peut reconnaître dans ses œuvres sont un certain sentiment tragique de la vie, une façon tourmentée de vivre le catholicisme qui n'est pas sans rappeler le jansénisme théologique qui, chez lui, n'a pas seulement une origine littéraire (Racine, Manzoni, Péguy) mais existentielle. Fabbri a aussi à son actif une longue expérience des théâtres paroissiaux de province. Ennemi des philistins, dépourvu d'optimisme, anti-individualiste et ne reculant pas devant les risques d'hérésie, Fabbri, qui est favorable à un dialogue avec les adversaires et, en l'occurrence, avec les marxistes, s'est peu à peu laissé gagner par des attitudes moins draconiennes. En réalité, la composante de son théâtre est restée spiritualiste. Sans originalité sur le plan du langage et des formes théâtrales, qui évoluent à l'intérieur de la comédie de mœurs naturaliste, la valeur essentielle de Fabbri, qui possède du métier et un excellent sens de la scène, est probablement éthique, elle réside dans la recherche d'une leçon non conformiste au sein du catholicisme. Cette recherche peut aujourd'hui sembler dépassée, mais avant le pape Jean XXIII, elle n'avait vraiment rien de facile.

Sur le plan de l'officialité, il convient aussi d'examiner depuis quelque temps le cas Brancati. Vitaliano Brancati (1907-1954) fut un écrivain engagé, anticonformiste par excellence, ennemi de tout dogme, lié cependant de façon viscérale et émouvante à sa patrie, la Sicile. Sa veine satirique s'exerce, avec une dénonciation grotesque et amère, contre les aspects les plus déplorables des mœurs italiennes, catholiques et siciliennes, et en particulier contre le fascisme. Rapide, intellectualiste, doué d'un humour à l'Aristophane, il a un débit sec mais traditionnel, pas toujours heureux, de saveur pamphlétaire. Sa satire est étonnamment mordante lorsqu'il touche les thèses de l'érotisme et du provincialisme de certaine bourgeoisie italienne à la conduite insensée et atroce. Il arrive alors à une stylisation importante, qui constitue déjà un pas en avant par rapport à la leçon naturaliste. Particulièrement intéressante, *La governante*.

C'est à ce filon de protestation laïque et non conformiste qu'appartiennent Federico Zardi, et Luigi Squarizina, dramaturges néanmoins officiels.

Federico Zardi se signala dans l'immédiat après-guerre par une comédie de mœurs libre et courageuse, *Emma* qui traitait d'une Bovary italienne aux sympathies progressistes. Zardi lui aussi exerce une satire de la corruption et de l'opportunisme, sans craindre les allusions mordantes à la réalité. Le ton glisse malheureusement dans le grotesque et le journalistique avec *I Tromboni*, une pièce où il essaie, sans y parvenir vraiment, de créer des types tragi-comiques de la haute bourgeoisie. Il expérimenta ensuite la grande fresque historico-politique dans *I Giacobini*, où l'influence de Brecht et de Büchner est extrêmement sensible.

Une aventure tout aussi mouvementée, sur le plan expressif, est celle de Luigi Squarzina, metteur en scène, écrivain et actuellement co-directeur du Teatro Stabile de Gênes. *Tre quarti di luna* était une comédie de mœurs inspirée d'un naturalisme influencé par Ibsen et lourd de réminiscences littéraires. L'argument en était la réforme scolaire introduite en Italie pendant le fascisme, selon les indications du philosophe Giovanni Gentile : le choix même du thème indiquait l'ambition et la sensibilité du jeune auteur. A la suite de cette première affirmation, Squarzina continua sur sa lancée avec *La sua parte di storia*.

Après quoi Squarzina change de route. La *Romagnola* est une grande fresque épique sur la résistance en Italie dont la réussite, cependant, n'est que partielle. *Emmeti*, écrit quelques années plus tard, est un texte expérimental.

Zardi et Squarzina appartiennent tous deux à la jeune génération du théâtre italien officiel. Guiseppe Patroni Griffi et Franco Brusati, également de la même génération, sont parmi les principaux représentants du courant néo-boulevardier.

Guiseppe Patroni Griffi est aussi le metteur en scène de théâtre et de cinéma. On lui doit quelques brillantes comédies, bien découpées, d'un riche métier et couronnées de succès. *D'amore si muore* aborde le thème des jeunes gens cyniques et sans scrupules qui essaient de parvenir au succès, un sujet que l'auteur va traiter aussi dans *Anima nera*. Agréables, sans préjugés, ces comédies sont écrites dans un style souple et suggestif, quelquefois cinématographique.

Il en va de même pour Franco Brusati qui possède un métier raffiné ainsi qu'en témoignent *La fastidiosa* et, plus récemment, *La pietà di novembre*. Dans cette pièce, Brusati a essayé d'établir un lien, insolite sur les scènes italiennes, avec l'actualité la plus brûlante.

Dario Fo essaie lui aussi de jeter un pont avec l'actualité dans ses comédies enjouées et fantasques, qui tentent d'utiliser le patrimoine de la mimique à l'italienne. Ses spectacles sont frais et juvéniles, inspirés d'une idéologie vaguement marxiste, influencés dans leur structure formelle par le théâtre de Brecht.

Le théâtre non officiel

Parmi les auteurs du théâtre non officiel, les *outsiders,* on trouve des noms aussi illustres que ceux de Moravia et de Zavattini. Une tradition italienne veut que le théâtre le plus stimulant nous vienne de personnes étrangères au milieu, d'écrivains dont la principale occupation n'est pas le théâtre. Ce fut également le cas de Pirandello.

Alberto Moravia est un grand romancier, auquel on doit au moins une excellente comédie : *La mascherata,* écrite durant les dernières années du fascisme. Il s'agit d'une satire de la dictature, mordante et envenimée, stylisée, désespérée, sans complaisance aucune. Après 1945, il écrivit une *Béatrice Cenci* dont le contenu psychologique, voire psychopathique, passait exclusivement à travers les mots. Mais l'atmosphère de notre théâtre des années 50, attentif à valoriser les côtés spectaculaires et visuels de la mise en scène, ne stimulait point Moravia qui, pendant bien des années, n'écrivit plus rien pour les scènes. A l'heure actuelle, la crise du naturalisme à l'italienne est ouverte, et Moravia écrit une nouvelle pièce. Il soutient que la décadence actuelle du théâtre n'a qu'une origine : la décadence du texte. On ne saurait lui donner tort.

La participation de Cesare Zavattini au théâtre italien se concrétise en une seule comédie, *Come nasce un soggetto cinematografico* (Comment naît un sujet de cinéma). Zavattini, avant de devenir le cinéaste que nous connaissons tous, avait été un brillant romancier, du genre surréaliste, mais d'un surréalisme tendre, comico-sentimental et populiste, vaguement fumiste. Puis il devint l'un des principaux artisans du néo-réalisme cinématographique italien, et l'auteur d'une poétique rigoureusement naturaliste. *Come nasce un soggetto cinematografico* est une comédie à la fois naturaliste et surréaliste.

On pourrait en dire autant de la principale comédie d'Ennio Flaiono, romancier et scénariste des films de Fellini. Irrévérence, causticité, scepticisme, mélancolie, intellectualisme sont les traits essentiels de *Un marziano a Roma* (Un Martien à Rome), divertissement allégorique qui voulait être méchant au départ et se termine en réalité sur une note crépusculaire.

Dino Buzzati est lui aussi un romancier qui a cherché, avec bonheur, à écrire pour le théâtre. *Un caso clinico* est une œuvre hallucinée, ironique et parfaitement réussie; elle se rattache au filon de l'angoisse lucide, inspirée de Kafka, que l'on retrouve dans l'œuvre narrative de Buzzati.

Giuseppe Desi, écrivain de la même génération, n'écrit pas des drames mais des « récits dramatiques » qui ont pour toile de fond le monde fabuleux de la Sardaigne, pays natal de l'auteur, qui lui est resté très attaché. L'écriture est italienne et non point dialectale comme le voudrait la vraisemblance; elle est riche de valeurs lyriques et poétiques, sans sortir toutefois du cadre naturaliste. *La giustizia* et *Qui non c'è guerra* de Dessi ont contribué à la grande opération néo-brechtienne des années 50, à la recherche, à travers un style épico-narratif, d'une issue permettant d'abandonner le naturalisme.

Une génération sépare Testori de Dessi, cependant les deux auteurs ont bien des points communs. Gianni Testori est un conteur lié lui aussi au monde semi-dialectal des paysans, sous-prolétaires, prolétaires, petits bourgeois humiliés et offensés de la Lombardie et du Piémont. Deux époques exercent une fascination particulière sur Testori, la période baroque du xviie lombardo-piémontais, tout imprégnée de Contre-réforme, et la période actuelle. *Arialda* est une œuvre à la fois réaliste et baroque, plongée dans une atmosphère de brutalité, de vulgarité, de sincérité et de désespoir. L'idée de la mort y est constamment présente, avec celles de la corruption et de la putréfaction. Son modèle est, ouvertement, la grande tragédie lyrique.

Gennaro Pistilli, de la même génération, appartient également au théâtre non-officiel. Pistilli vit à l'écart, dans un monde protégé dont il ne sort pas volontiers. Sa fantaisie tend à l'emblème, au symbole, au mysticisme et prend pour objet le monde dialectal même d'Eduardo de Filippo, de Dessi, de Testori et de Brancati. C'est ainsi que *L'arbitro,* sous les apparences d'une esquisse rapide de la pègre napolitaine et de ses aventures, veut être en réalité un drame de haute tenue, âpre, sur le pouvoir et la justification du pouvoir. Le langage en est à la fois naturaliste et « hermétisant ». Pistilli tente une greffe délicate, et il court ses risques lucidement.

Pour en terminer, je tiens à signaler un écrivain qui consacre seulement une partie de son temps au théâtre, J.R. Wilcock. On ne saurait passer sous silence son *Brasile,* brève composition au langage riche et sombre. Wilcock nous permet d'entrevoir une zone théâtrale diverse, neuve, non plus naturaliste, sans tomber toutefois dans le néo-surréalisme ou le néo-expressionnisme.

Je n'ai point cité tous les auteurs mais ceux qui me sont venus tout naturellement à la mémoire; je sais bien qu'il en est d'autres qui pourraient prétendre, eux aussi, au souvenir. Mon propos n'était point de dresser un inventaire, mais de faire un rapide tour d'horizon afin de tâter le terrain et de voir si quelque nouvelle tendance se manifestait dans le déploiement des forces théâtrales modernes.

Un mouvement existe, c'est indéniable. De surcroît, les conditions ont mûri qui devraient permettre aux nouveautés du théâtre italien d'être des nouveautés d'auteurs. L'Italie connaîtrait-elle actuellement le ferment qui annonçait l'explosion anglaise placée sous le signe d'Osborne et du Royal Court Theatre ? Allons-nous assister à une floraison inattendue à l'instar de celle que déclencha en Allemagne le drame-pamphlet de Hochhuth ? Personne ne saurait le dire; il faut nous contenter d'enregistrer une situation d'ouverture. En Italie, à l'heure actuelle, on remet tout en question, la politique des théâtres permanents, la fonction du metteur en scène, le genre de décor somptueux à l'italienne, la poétique naturaliste (ne parlons pas, naturellement, de Brecht, dont personne ne s'occupe plus). La crise est ouverte et, autant qu'on puisse en juger, elle se présente comme une tentative de sortir du naturalisme sans pour autant renier tout ce qu'avait de bon et d'utile le naturalisme italien des années 50 (à ne pas confondre, par exemple, avec le réalisme socialiste russe, essentiellement réactionnaire et académique).

Or il n'est pas du tout facile de sortir du naturalisme. Les tentatives d'imiter Brecht, qui ont toutes échoué, l'ont bien montré. On parle beaucoup actuellement de théâtre de la cruauté, mais il est douteux que cette indication puisse servir dans un milieu qui, par tradition, fuit les examens de conscience profonds, n'aime pas les rapprochements trop étroits avec la réalité et tend encore secrètement à l'esthétisme, au conformisme et à l'évasion.

D'aucuns pensent que ces difficultés traditionnelles du théâtre italien autorisent des prises de position radicales, des choix extrêmes. C'est le cas des avant-gardistes parmi lesquels Alfredo Giuliani, Elio Pagliarani, Germano Lombardi et Nanni Balestrini, et aussi Carmelo Bene, qui au lieu de remettre en question les divers langages théâtraux ayant présidé à la création italienne de 1945 à aujourd'hui contestent la possibilité du langage. Dans une situation ouverte comme la nôtre, n'importe quelle contribution peut être utile et ne doit point, a priori, faire l'objet d'un refus. Il convient néanmoins d'attirer l'attention sur les dangers d'une position trop volontariste. La crise déclarée, la critique a certes un rôle important à jouer mais tout ne s'arrête pas là. La création d'une œuvre artistique ne dépend pas exclusivement de la poétique, et la poétique n'est pas seulement une question de choix : je choisis Artaud, tu choisis Brecht. En théorie, tous les choix sont libres, en pratique tout choix est obligatoire. Se croyant appelés à choisir dans le *supermarket* des poétiques modernes, nombreux sont ceux qui demandent les titres les plus cotés, uniquement parce qu'ils sont ou semblent tels : tout le monde voudrait être avant-gardiste et on ne saurait s'en indigner. Mais n'est pas avant-gardiste qui veut.

Entre cette vocation italienne à l'esthétisme et les périodiques déclarations de guerre avant-gardistes, toujours vélléitaires jusqu'à maintenant, s'étend un *no man's land* où se manifeste, de temps à autre, le miracle du théâtre. La tâche de la nouvelle génération, à mon avis, consiste à rendre au théâtre cette zone qui s'étend entre la pure et simple notation des faits, toujours insignifiante en dépit des couleurs dont on la pare, et le court-circuit ineffable du lyrisme absolu. C'est la zone de la poésie au théâtre.

PRÉSENTATION DE JOHN ARDEN

par Jean JACQUOT

Bien qu'il aborde des thèmes et des genres très divers, Arden fait preuve d'une remarquable continuité dans les desseins. Depuis dix ans il consacre ses efforts à la création d'une dramaturgie profondément enracinée dans la grande tradition populaire anglaise, mais qui répond aux préoccupations de notre temps et qui, comme le dit excellemment Geoffrey Reeves, implique de nouveaux rapports entre l'acteur et le public, et pose aux réalisateurs des problèmes nouveaux. Il en résulte des pièces complexes et denses, parfois touffues, toujours vigoureuses, enrichissantes au premier contact, mais dont les significations ne se laissent pas aisément épuiser. Je n'ai donc pas voulu généraliser d'emblée à propos d'une œuvre qui n'a pas encore été étudiée dans son ensemble. J'ai préféré examiner successivement chaque pièce, en distinguant deux groupes — celles qui se rapportent au monde moderne et celles qui se situent dans l'histoire —, et en laissant progressivement se dégager les constantes de cette création.

★
★ ★

A l'exception d'un essai de jeunesse, *The Waters of Babylon* (*Sur les rives de Babylone*) est la première pièce d'Arden qui ait été portée à la scène. Elle se découpe en une série d'épisodes nécessitant des changements rapides, et une simplification extrême du décor. Il y fait alterner des dialogues réalistes et des passages versifiés, il rompt délibérément l'action par des discours adressés au public et introduit des chansons. On a voulu reconnaître, dans ces techniques qu'il devait reprendre et affiner par la suite, l'influence de Brecht que sans doute il a lu avec attention et profit. Mais, par sa structure, *The Waters of Babylon* fait penser tout autant à la comédie d'intrigue élisabéthaine dont Ben Jonson a fourni des modèles achevés (1). On en reconnaît les mécanismes traditionnels.

---

(1) Au cours d'un entretien récent, John Arden m'a confirmé qu'en effet il s'était inspiré de modèles tels que *L'Alchimiste* de Ben Jonson, et *Le Mendiant aveugle d'Alexandrie*, de George Chapman.

Un meneur de jeu entraîne divers auxiliaires dans une série de fourberies. Mais un antagoniste vient lui mettre des bâtons dans les roues et tente de le soumettre à ses propres desseins. Le premier cherche à se tirer d'affaire par de nouvelles duperies, mais ses complices en compromettent les effets en s'abandonnant à leurs mobiles personnels. Et les quiproquos, les rencontres fâcheuses, les situations embarrassantes se multiplient jusqu'à ce que, les victimes passant à l'attaque, cet édifice d'impostures en équilibre précaire s'effondre comme un château de cartes.

Une telle configuration de base ne suffit pas cependant à rendre compte de cette première œuvre qui est aussi un drame moderne, une sorte de vaudeville qui tourne au tragique, bien qu'il se termine par un éclat de rire grinçant ponctué de cymbales.

Le titre même, qui se réfère au Psaume CXXXVI, introduit le thème de l'exil. Le personnage central est un réfugié polonais, Krank. Propriétaire d'une maison dans un faubourg de Londres, il en loue les chambres à des immigrants antillais ou pakistanais qui y vivent entassés dans des conditions défiant l'hygiène, mais peuvent y trouver, moyennant un supplément, une compagne pour leurs nuits. Il possède d'indéniables dons de séduction, si l'on juge par le dévouement que lui témoignent celles qu'il a détournées du droit chemin. Il ne faut pas s'attendre ici à un tableau misérabiliste. L'Antillaise Bethsabé et l'Irlandaise Teresa que nous présente Arden sont sans complexes. Elles célèbrent la volupté, et les avantages de leur profession, dans une langue imagée digne du génie poétique de leur race. L'auteur fait la part belle au pittoresque, et à la fantaisie verbale, en donnant encore pour complice à Krank un Irlandais et un homme du Nord. Cassidy, proxénète et préposé aux lavabos de la station de métro où notre Polonais opère ses changements de costume et d'identité, jouera les protecteurs de l'honneur familial, dans la meilleure tradition de l'Abbey Theatre, lorsqu'il reconnaîtra sa sœur dans Teresa. Butterthwaite, politicien déchu qui fait aussi figure d'exilé loin de son Yorkshire natal, est un démagogue astucieux que Krank a voulu s'attacher pour le cas où les autorités municipales lui chercheraient noise.

Mais qui est Krank, qu'on voit reparaître, revêtu des signes extérieurs de la respectabilité, comme assistant d'une architecte qu'il a séduite mais dont la jalousie deviendra bientôt l'une des forces qui convergeront vers sa défaite ? Un homme résolu à vivre en marge, à refuser tout engagement. On finira par découvrir que s'il a été à Buchenwald, c'est comme soldat du IIIe Reich et non comme détenu. Démasqué, il précisera alors qu'il a été aussi soldat de l'armée russe, et que dans l'un et l'autre cas il a mis tous ses soins à cirer les bottes des officiers. On croit discerner l'anti-héros genre Schweyk. Mais au fond il est trop vif et trop inquiet pour faire la bête et suivre la ligne de moindre résistance. Voulant échapper aux responsabilités de l' « ici » et du « maintenant », il cherche à s'installer au milieu d'apparences que son ingéniosité a peine à maintenir, et finit par n'être plus qu'un « trou dans le mur du monde » par où s'engouffre le vent.

Tout est allé relativement bien jusqu'au jour où il est devenu un homme traqué. Non par les autorités mais par un compatriote fanatique, Paul, qui ne vise à rien moins qu'à faire sauter deux hommes d'état soviétiques attendus dans la capitale. Mis en demeure de s'acquitter d'une dette de cinq cents livres dont Paul détient la reconnaissance signée, ou de laisser transformer sa maison en atelier de montage d'une machine infernale, Krank cherche à se procurer la somme par une escroquerie. Cette attaque, et cette parade, vont propulser l'action dans diverses sphères de la politique. Butterthwaite, ex-Napoléon du gouvernement local, a l'idée géniale d'une loterie municipale dont une complice de Krank détiendrait le billet gagnant, et à cette fin cherche à mettre dans son jeu le Conseiller noir Caligula, champion de ses frères opprimés. Cependant la visite des deux hommes d'état, et la rumeur d'un complot, vont déclencher les réactions d'Alexander Loap, député de la circonscription, soucieux d'éviter un attentat qui anéantirait les efforts de détente entre l'Est et l'Ouest, et de Henry Ginger, orateur de carrefour prompt à saisir toute occasion de flétrir les menées des étrangers que l'Angleterre a la faiblesse de tolérer sur son sol.

Après les péripéties d'un « suspense » bien construit le tirage de la loterie se termine dans la confusion et, dernier effet de la réaction en chaîne qu'il a déclenchée, Krank est frappé d'une balle que Paul destinait à Ginger. Il expire après avoir tiré pour chacun des personnages la morale pratique de l'histoire, et pris congé des dames. Un rendez-vous inéluctable lui est donné, ici et maintenant, dans le vaste champ des morts.

La pièce, présentée un seul soir au Royal Court Theatre comme spectacle d'essai (20.X.1957), dans une mise en scène de Graham Evans, désorienta le public et la critique. Peut-être parce qu'Arden traitait en farce des sujets aussi sérieux que la question raciale ou la déportation et témoignait trop d'indulgence à l'égard d'un héros peu recommandable. En fait la pièce est « morale » au sens de la comédie classique où d'ordinaire les personnages trouvent ce qu'ils ont cherché, et doivent payer le prix de leurs écarts de conduite. Le plaisir qu'Arden nous invite à prendre réside essentiellement dans la peinture comique des abus et des vices. Et telle est la nature ambiguë de la comédie qu'elle nous libère par le rire de nos penchants anti-sociaux en nous faisant complices des personnages qui s'y abandonnent, puis en nous détachant d'eux pour nous égayer de leur châtiment. Mais Arden empêche le spectateur de se sentir vertueux à bon compte, et il lui refusera toujours le confort d'une position tranchée, admiration ou réprobation. Devant la mort de Krank on peut se demander si celui qui malgré sa corruption et sa lâcheté conserve une certaine chaleur dans les rapports humains n'est pas encore préférable au fanatique possédé par une idée abstraite. C'est seulement si l'on est capable de saisir la vie et de l'aimer dans ce qu'elle a de plus dru et de plus bouffon, avec ses désordres, ses débordements, ses conflits sans gloire, que l'on peut valablement se soucier d'ajuster les mobiles humains de manière à rendre la société supportable sans stériliser les instincts.

Les problèmes de conduite et de gouvernement sont déjà posés ici. On les trouve formulés plus nettement dans *Live Like Pigs*. Il s'agit cette fois de l'essai d'intégration d'une groupe de nomades à une communauté urbaine. *Vous vivez comme des porcs,* c'est le reproche que font aux Sawney leurs voisins et les représentants du pouvoir municipal. On les a contraints d'évacuer le tramway désaffecté où ils s'entassaient, on les a installés dans une maison neuve, dans un quartier résidentiel construit grâce à la prévoyance des édiles. Mais loin de considérer la salle de bain, le loyer modéré, l'école, la sécurité sociale comme des bienfaits, ils y voient autant d'entraves à leurs anciennes franchises, et leur comportement dans ce nouveau milieu est fait de méfiance et d'agressivité. Arden nous présente un cas extrême d'inadaptation et nous allons voir le groupe se désintégrer sous la double pression de ses conflits intérieurs et de l'hostilité de l'entourage. Car les Sawney forment eux-mêmes une petite société, une tribu dont la cohésion n'est maintenue que par l'autorité du vieillard qui lui donne son nom. Sawney, dit le Marin parce qu'il a bourlingué avant de trimarder, a jadis tué son homme, ce qui fonde son pouvoir de chef. A son déclin, il vit du souvenir de sa gloire, et sa mauvaise jambe lui sert d'excuse pour se laisser entretenir par sa seconde femme, Rachel, qui racole des clients autour des bars qu'il fréquente. Rosie, fille de sa première femme a eu deux enfants d'un bohémien, Blackmouth, qui deux fois l'a abandonnée après l'avoir engrossée. Le second retour de Blackmouth coïncide avec l'installation du groupe dans la nouvelle demeure. Comme la première fois il sort de prison, mais cette fois il s'est évadé après avoir blessé grièvement un gardien. Les lois de l'hospitalité nomade exigent qu'on protège l'homme traqué et Sawney accueille Blackmouth avec les deux femmes qu'il a ramassées sur la route, une fille souffreteuse, Daffodil, et sa mère à demi-folle.

Entre temps la voisine, Mrs Jackson, ayant cherché à lier la conversation s'est vue insulter grossièrement. Cependant les Sawney, s'ils sont rapidement voués à la réprobation, exercent aussi une fascination. Mr Jackson succombe très vite au charme vénal de Rachel et le regrette aussitôt, car elle lui fait payer très cher un silence qui ne sera pas gardé : de cette aventure il ne lui restera, avec des égratignures, que les reproches de son épouse, et la crainte d'une maladie. Sa fille Doreen, elle, se sent attirée par le fils de Rachel, Col, mais, après une soirée au Palais de la Danse, elle sort traumatisée de ce que l'entourage prendra pour une tentative de viol. En fait il y a eu malentendu : Doreen ne s'est pas comportée comme les filles que Col connaissait, et il n'a rien compris à ce mélange d'abandon et de pudeur alarmée.

Cependant le conflit interne se développe chez les Sawney. Après avoir introduit une maîtresse au foyer Blackmouth se sent maintenant disposé à faire un troisième enfant à Rosie, et même à l'entraîner avec lui sur les routes. Elle résiste, et défend sa progéniture; le Marin la soutient et chasse Blackmouth. Mais celui-ci ne prend définitivement le large qu'après avoir eu le dessous dans un affrontement au couteau avec Col, qui pour compenser son échec récent à séduit Daffodil. L'autorité du vieux, menacée par le prisonnier évadé qui s'est révélé capable de tuer un homme, l'est maintenant par le jeune homme qui a eu raison du bohémien.

Mais les faits se précipitent. Col échappe tout ensanglanté à la fureur des ménagères du voisinage. La maison changée en taudis subit un assaut général et la police doit protéger les hors-la-loi des honnêtes citoyens déchaînés. Mais elle a vite fait de trouver de quoi incriminer les indésirables. Col s'était embauché dans un chantier mais chapardait les outils que revendait la fillette de Rosie. On découvre des outils volés, Col prend la fuite et le Marin, voulant entraver la poursuite, a la jambe brisée. C'est la fin de sa gloire et Rachel l'abandonne. Quant à Blackmouth, après avoir longtemps hurlé à la lune, il a passé sa hargne sur un autre agent de l'ordre et Daffodil donne son signalement aux policiers.

Arden n'épargne aucun détail sordide. Cependant l'humanité sauvage des Sawney qui s'affirme à travers leur déchéance est à tout prendre plus attachante que la bonne conscience des époux Jackson dont les vertus civiques et domestiques résistent si mal à la poussée des instincts primitifs. L'auteur s'est défendu dans une préface d'avoir voulu faire une critique anarchisante de l'Etat-providence. Les Sawney sont les descendants lointains des vagabonds que la révolution agraire du XVIᵉ siècle avait jetés sur les routes. Leur mode de vie demeurait possible, et valable, aussi longtemps qu'il restait de l'espace, mais le développement de la civilisation urbaine l'a rendu anachronique. Ils sont les dépositaires d'une expérience qui ne leur permet plus de survivre. Au fond de leur regard on lit la crainte autant que le défi. Ils se réfugient dans un passé à demi légendaire, que perpétue le souvenir d'anciennes chansons recueillies sur la route. Berceuses, complaintes de condamnés, charmes magiques, une riche tradition orale confère à leur rude langage une couleur poétique que ne possède plus celui des citadins.

Mais ni son goût de la truculence verbale, ni son habileté à reproduire les tours des ballades populaires, ni sa sympathie pour la liberté traquée, n'empêchent Arden de projeter sur tous ses personnages une lumière impartiale. Les Jackson eux-mêmes sont des transplantés de fraîche date : habitants d'un quartier insalubre et mal famé qu'on a démoli, ils ont été relogés par la municipalité. Les représentants du nouvel ordre social font de leur mieux, mais sans vraiment comprendre les causes profondes du comportement des Sawney. Le nouveau quartier est le résultat d'un plan louable, mais réalisé sans imagination ni compréhension véritable des besoins humains, ce dont témoigne la laideur triste des habitations.

Arden a tiré parti des observations qu'il a pu faire dans la banlieue d'une petite ville du Yorkshire (2). Il ne fait pas le procès de la Cité radieuse, il ne nie pas le progrès au nom d'une métaphysique. Il ne conclut pas mais contraint le spectateur à réfléchir sur les causes d'un échec. Il pose des questions concrètes. Que deviendront Rosie et ses enfants ? Comment Col échappera-t-il au cycle de la délinquence et de la prison ?

---

(2) Voir l'interview publiée dans *Tulane Drama Review*, nᵒ 34, Winter, 1966.

Live Like Pigs, présentée pour la première fois au Royal Court Theatre (30.X.1958), dans une mise en scène de George Devine et d'Anthony Page, se compose de dix-sept épisodes dont chacun est introduit par une chanson qui en définit le thème et l'atmosphère. La pièce se joue dans un seul décor qui montre à la fois l'intérieur et l'extérieur d'une maison, et que l'auteur voudrait simplifié à l'extrême. Son réalisme, qui s'affirme ici, reste fort éloigné de la tranche de vie naturaliste.

C'est à l'Université de Bristol, où il bénéficia d'une bourse d'une année, qu'Arden fit l'expérience de la scène ouverte (3). Et c'est là que sa comédie, *Happy Haven*, fut jouée avant d'être présentée (le 14.IX.1960) au Royal Court à Londres dans une mise en scène de William Gaskill. Elle est conçue pour une scène où sont reproduites les conditions de jeu du théâtre élisabéthain. Pas de décors, lieux spécifiés par le dialogue et quelques accessoires, continuité de l'action assurée par l'emploi de deux portes et de trois places de jeu : en bas, en haut, et dans une arrière-scène peu profonde, aisément découverte. Arden recourt à une autre convention, celle des masques de la *commedia dell'arte*, pour les cinq Vieillards qui sont, avec le Docteur, les personnages principaux. Il s'adresse volontiers à l'auditoire à travers ceux-ci : le Docteur utilise la scène comme une tribune pour présenter les progrès de sa merveilleuse invention, et les hôtes de *L'Asile du Bonheur* qui seront les sujets de ses expériences.

Une fois de plus il aborde un problème grave, et très actuel : celui des vieilles gens dans une société qui se reconnaît le devoir d'assurer leur subsistance et de prolonger la durée de leur vie. Mais il choisit de le traiter sous la forme d'une comédie d'intrigue, qui souvent tourne à la farce. Les Vieillards de *Happy Haven* sont à l'abri de tous soucis et s'accommodent, bien qu'ils les déclarent vexatoires, des règles et du contrôle médical destinés à les protéger d'une usure trop rapide. Ils n'ont ni tâches ni responsabilités et ce qu'ils font à l'apparence d'un jeu gratuit. En fait chacun s'adapte comme il peut à ce rétrécissement de la vie. La plus vieille s'installe dans un égoïsme infantile qui exige tout sans rien donner. L'un verse dans la sentimentalité, l'autre n'est préoccupé que de son chien et de sa forme physique. Des deux plus rusés du groupe, l'une est dominée par la cupidité, l'autre par le plaisir de nuire.

Que tout ceci dissimule les frustrations d'une existence deviendra assez évident lorsque leur sera offerte la possibilité d'un rajeunissement miraculeux. Le Docteur croit en effet avoir découvert un élixir capable de produire de tels effets. Il veut l'essayer sur eux à leur insu, mais ils surprennent son secret, et c'est sur ces données que repose le « suspense » de la comédie, et d'un dénouement riche en péripéties. Après un examen sévère, quatre sont jugés capables de subir l'expérience. Le cinquième est ajourné, mais il réussit à convaincre les

---

(3) Arden m'a dit qu'au moment où il a commencé à écrire pour la scène, le débat sur les avantages de la scène à l'italienne et de la scène ouverte battait son plein, et que ses préférences étaient allées d'emblée à cette dernière.

autres qu'ils n'ont au fond aucune envie de revivre une existence qui s'est révélée si décevante. Après cette minute de vérité, ils décident de se venger du Docteur qui les traite en vulgaires cobayes. La vengeance ne réussit que trop bien puisque celui-ci, au cours d'une réception officielle où il compte présenter les effets de son invention, se voit administrer une dose d'élixir qui le ramène à l'âge des culottes courtes et du costume marin.

Arden, nous aurons encore l'occasion de le constater, ne dédaigne pas les gros effets. Mais il tire aussi son efficacité dramatique de l'habileté toujours plus grande avec laquelle il joue sur divers registres du langage. Sur ces plans nettement différenciés l'invention verbale est continue, avec de savoureux transferts de vocabulaire. Ainsi le parler des Vieillards se réfère volontiers aux jeux et comptines de l'enfance. Les savantes manipulations du Docteur sont commentées dans les termes de l'alchimie, mais durant tout un développement celui-ci décrit l'état des organes de ses patients comme s'il s'agissait de locomotives en réparation. Cependant on ne perd jamais de vue la réalité anglaise moderne. *Happy Haven* se situe dans une aimable campagne proche de Londres. Le Docteur n'est pas un sinistre personnage de science-fiction, il consacre ses week-ends au foot-ball et à des visites chez sa vieille mère dont il redoute les plaintes, autant que les réprimandes du capitaine de son équipe.

Si l'intérêt de la pièce paraît plus limité, c'est peut-être à cause de son côté expérimental. Arden pousse la stylisation un peu plus loin qu'il ne convient à son tempérament (on pense surtout aux masques). Avec **The Workhouse Donkey** il se retrouve en plein dans la veine réaliste qui lui convient. Cependant l'expérience de la scène ouverte a été décisive, c'est celle qu'il recommande désormais, bien que ses pièces puissent se jouer dans le cadre à l'italienne. Et c'est celle qui fut utilisée pour la présentation de *L'Ane de l'Hospice*, au Festival Theatre de Chichester (8.VII.1963) dans une mise en scène de Stuart Burge. La pièce s'intitule « mélodrame vulgaire », en donnant à « mélodrame » le sens originel de drame en musique. La place des chansons n'y est pas plus grande qu'à l'ordinaire, mais la présence d'un petit orchestre dans un coin de la scène est jugée souhaitable. Ses interventions sont destinées à entretenir l'atmosphère de fête dyonisiaque que l'auteur désire créer.

Le thème ? Les mœurs politiques d'une petite ville industrielle du Yorkshire qui pourrait être Barnsley où Arden vit le jour. Il discerne chez les hommes du Nord plus qu'un particularisme de langue ou de comportement, il leur découvre un sens différent des valeurs morales. Mais le problème posé est commun à toute l'Angleterre : celui d'un parti du travail sorti depuis longtemps de la période héroïque, et qui subsiste dans le cadre du bipartisme après avoir fait aboutir ses principales réformes. D'une manière plus générale il s'agit de savoir dans quelle mesure la tolérance est préférable à la rigueur dans l'application des lois, et même si un peu de corruption n'est pas utile comme soupape de sûreté. Question assez semblable, en somme, à celle que pose Shakespeare dans *Mesure pour Mesure*.

Le héros de la pièce, et aussi l'âne chargé des péchés de la communauté qu'on expulsera rituellement, est le Butterhwaite qui, dans *The Waters of Baby-lon*, cherchait fortune à Londres après sa disgrâce (4). Au début de la pièce il est encore au sommet de sa gloire. Revêtu de sa robe rouge *d'alderman*, c'est lui qui pose la première pierre d'une nouvelle maison des gardiens de la paix, dont l'inauguration coïncide avec l'arrivée d'un nouveau chef de la police. Il suffit de l'entendre parler aux maçons, et se renseigner sur la composition de leur mortier, pour comprendre le secret de sa puissance. Malgré les charges et les honneurs (il fut élu maire neuf fois) il appartient toujours au monde ouvrier. Son éloquence célèbre la gloire des luttes passées dont il fut le témoin et l'acteur, sa verve flatte des goûts populaires qui sont aussi les siens. Auprès de lui le maire travailliste actuel fait assez chétive figure. Et c'est lui qui dans les comités élabore la stratégie et la tactique du parti.

Le colonel Feng, nouveau chef de la police, est réputé incorruptible. Il entend appliquer dans toute leur rigueur des règlements que ses subordonnés tendent à laisser en sommeil. Mais la première infraction constatée met en cause des membres du comité travailliste réunis dans un bar après la fermeture. Et Butterthwaite voit dans l'incident une manœuvre des Conservateurs, et la preuve que Feng a partie liée avec la réaction. Un riposte s'impose. Que se passe-t-il au Copacabana, club fréquenté par la jeunesse dorée ? Ne pourrait-on y trouver la matière d'une scandale qui éclabousserait le parti adverse ? La descente de police ordonnée par Feng ne révèle rien. Il est vrai que son second, Wiper, a prévenu ces dames. Cependant Butterthwaite, accompagné de quelques édiles, a tenu à se documenter sur place; il a vu, et non sans plaisir, des danseuses quasi-nues. Il veut donc pousser l'avantage. Mais c'est l'industriel local, chef du parti conservateur, qui finance le Copacabana, et celui-ci se résout à éliminer définitivement Butterthwaite de la vie publique. Arden nous entraîne, avec délectation, dans les méandres de l'intrigue qui doit aboutir à ce résultat, il détaille les pressions, les marchandages dont sont l'objet des personnages particulièrement compromis : Wiper, la tenancière du Copacabana, et le Dr Blomax, qui forment un singulier triangle. C'est le docteur qui sera contraint de jouer auprès du tribun le rôle de Judas. Il a eu le tort de choisir ses amis parmi les travaillistes alors que sa fille pourrait épouser le fils du chef conservateur. Il a le tort aussi de signer des certificats de complaisance. Enfin son rôle dans les milieux turfistes est assez équivoque. Or il a prêté des sommes à Butterthwaite pour des paris que celui-ci a régulièrement perdus. Et il a laissé s'accumuler une dette qui lui assurait le silence du parti sur des agissements douteux. Il se voit maintenant contraint d'exiger un remboursement qui jette Butterthwaite dans un embarras extrême. Et comme le maire et les édiles ne mettent aucun zèle à l'en tirer, il ne trouvera d'autre solution que de puiser dans la caisse munici-

---

(4) C'est dans sa ville natale que l'auteur a trouvé les modèles vivants du personnage. Il y en avait deux, m'a-t-il dit, dont il a combiné les traits; l'un, le « Napoléon » qui dominait la politique locale, était de nature assez sombre, l'autre était un bon vivant, enclin à la blague et à la clownerie.

pale en simulant, avec la complicité de Blomax, une agression qui ne donne malheureusement pas le change à la police.

Finalement l'argent est restitué et tout le monde, sauf un, est blanchi. Et au dernier tableau nous assistons, dans les locaux du Copacabana transformé, à l'inauguration d'une galerie de peinture due à la munificence du chef conservateur. La fête est un moment troublée par le tribun déchu qui a profité de ses derniers instants de liberté pour ameuter la lie de la population contre cette manifestation éclairée des arts. Feng donne sa démission parce qu'il a compris que les habitants n'avaient pas besoin de lui pour laver leur linge sale, et parce qu'il se reproche l'indulgence dont il a fait preuve à l'égard de Blomax, pour éviter que la fille du docteur aît à souffrir du scandale.

Arden avoue avoir eu toutes les peines du monde à contenir sa verve en écrivant cette pièce aristophanesque, et sans doute pourrait-on chicaner, lui reprocher la pléthore de certains développements, la prolifération des épisodes. Il reste que jusqu'ici il n'avait pas encore atteint une telle vigueur comique. L'œuvre, pour caricaturale qu'elle soit, demeure essentiellement réaliste, mais elle est enlevée dans le rythme d'un spectacle de variétés, dernier refuge aujourd'hui d'une tradition dramatique populaire. L'auteur incorpore à son ouvrage les éléments d'un folklore urbain, saisi à l'état naissant avec ses propos de bar, ses mots crus, ses histoires corsées. En fin de compte la pièce fonctionne, à deux niveaux, comme un rite de purification. Spectacle du blanchissage collectif qui s'opère au moyen d'une série de roueries, de lâchetés, de démissions, toutes motivées par les imperfections de la nature humaine, moins néfastes après tout que l'intransigeance ou le fanatisme. Et purgation par le rire devant un tel spectacle. Le théâtre renoue ici, au moyen de la parodie, avec ses origines sacrées. Butterthwaite est le héros trahi, et sacrifié : aujour de sa disgrâce, qui justement tombe un 1er Mai, fête du travail ! fête du renouveau ! il troque sa robe écarlate pour un manteau dérisoire et une couronne de papier, et il maudit Jérusalem qui l'a abandonné. Mais il est aussi la bête qu'on exorcice, celui que sa naissance à l'hospice a marqué d'un signe indélébile, l'âne qui n'a jamais su cacher dans des braies les attributs trop visibles dont la Nature l'a pourvu.

*
* *

On pourrait difficilement imaginer deux œuvres plus fortement contrastées que *The Workhouse Donkey* et *Serjeant Musgrave's Dance*. Elles participent cependant d'une même atmosphère, celle de l'Angleterre du Nord. La seconde en saisit le visage le plus âpre, mais soldats et mineurs du temps de la reine Victoria y parlent le langage, et possèdent le rude humour, des personnages de la comédie. Présentée au Royal Court, entre *Live Like Pigs* et *The Happy Haven*, dans une mise en scène de Lindsay Anderson (22.X.1959), elle fut la première jouée hors d'Angleterre et on la connaît en France par la réalisation de Peter Brook.

Le sergent et les trois soldats qui arrivent un soir d'hiver, avec un mystérieux chargement, dans une ville du pays noir, doublement paralysée par le froid et par la grève des mineurs, se donnent pour des recruteurs. Les représentants de l'autorité temporelle et spirituelle, le maire, qui est aussi propriétaire des mines, et le pasteur, voient très vite le parti qu'ils pourraient tirer de leur présence, soit pour suppléer à la fâcheuse insuffisance de la police, soit pour enrôler dans l'armée un surplus de main-d'œuvre. L'argent dont disposent les soldats sert à payer des tournées qui réduisent progressivement l'hostilité des mineurs. Et dans l'auberge où ils ont élu garnison, s'établit le climat d'une fête factice qui est censée préparer la séance de recrutement du lendemain. En fait Musgrave et ses hommes, qui reviennent d'un coin de l'Empire où l'on se bat, ont déserté après avoir pris part à une expédition punitive, et se sont donnés pour mission de révéler à leurs compatriotes l'horreur de la guerre. Mais la nuit qui précède l'accomplissement de cette tâche leur est fatale. Musgrave, âme puritaine, médite sur la justice de Dieu, mais dans son sommeil de terribles cauchemars l'assaillent. La servante de l'auberge va retrouver les soldats dans l'écurie où ils reposent. Les deux premiers, dans l'attente des événements graves du lendemain, refusent la chaleur de son corps. Le troisième lui propose de fuir avec elle, pour se dérober au redoutable devoir que lui impose l'homme de Dieu. Mais l'un de ses compagnons s'interpose, et l'autre, voulant éviter une rixe, provoque un accident mortel : celui qui se préparait à fuir s'enferre sur sa propre baïonnette.

On cache le cadavre et le lendemain la séance de recrutement débute selon le plan établi par le Sergent. Après des harangues patriotiques, il explique le maniement des armes, puis il hisse, au lieu du drapeau, un squelette revêtu de la tunique rouge. C'est ce qui reste d'un gars du pays qui avait quitté la mine pour prendre du service. Il a été tué par un franc-tireur et sa mort est à l'origine des représailles dont le sergent narre les détails horribles. Il se pose en instrument de la vengeance divine et demande aux mineurs que les armes soient tournées contre les véritables coupables, à commencer par les officiels qui figurent à la tribune. Mais les mineurs, dont les plus audacieux avaient pourtant tenté pendant la nuit de dérober des armes, refusent de considérer ceci comme leur combat. Des deux soldats qui restent, le plus vieux refuse d'aller plus loin, le plus jeune suit encore le chef, mais par rage aveugle alors que Musgrave est mû par une logique implacable. De toute façon l'affaire est perdue. L'homicide de la nuit est révélé. Les Dragons arrivent, l'ordre est rétabli : des trois rebelles, l'un est tué et les deux autres seront pendus.

L'œuvre tire une partie de sa force d'effets qui confinent au mélodrame. Et je ne pense pas seulement au coup de théâtre du squelette, ni au combat qui se déroule autour de la mitrailleuse braquée tantôt sur le public, tantôt sur un groupe d'acteurs. La servante qui cause involontairement la mort d'un des trois soldats a eu du garçon dont on rapporte la dépouille un enfant mal formé et qui n'a pas vécu, et nous la voyons au dénouement portant les ossements de son amant dans l'attitude de la Pieta. On peut reprocher à Arden, outre ce *pathos*, d'avoir choisi des données qui exigent du spectateur un certain effort pour en admettre la plausibilité. Mais à cela il peut répondre qu'il appelle sa pièce « une parabole non-historique ». Parabole parce que l'élément symbolique y est plus

7. JOHN ARDEN : La Danse du Sergent Musgrave.

grand que dans les autres œuvres. Non-historique parce que la conjonction de la grève et de l'insubordination armée y est amenée d'une manière fictive. Pourtant elle reste fortement enracinée dans la réalité d'un terroir et d'une époque. Les soldats et les mineurs, bien que ces derniers soient plus sommairement campés, sont caractérisés d'une manière ferme, comme groupes et comme individus, avec leurs différences de tempérament, leurs degrés variables de lucidité. Musgrave se montre inébranlable dans l'exécution de ses desseins, et se conduit au besoin, envers ses subordonnés, en chef sévère doublé d'un illuminé tyrannique. Mais cette dureté recouvre un trouble profond de conscience. D'autre part il possède maturité et expérience. S'il tend à s'isoler, il sait manier aussi une éloquence concrète et drue qui retient l'attention de son auditoire populaire.

Arden recommande un réalisme sans compromis dans la présentation des détails de la vie quotidienne indispensables à l'action, mais ceci dans le cadre d'une stylisation générale tendant à l'allègement, à l'enchaînement rapide des épisodes. Un semblable dépassement du réalisme s'effectue à deux reprises, avec l'introduction de la danse. Celle de Musgrave est annoncée, outre le titre, par la méditation terminée en prière qui clôt le premier acte. Il s'y abandonne, au troisième, avec une fureur démoniaque qu'il croit d'inspiration divine, après avoir hissé le squelette revêtu de l'uniforme. A la suite de son arrestation, la bière coule à flots pour célébrer l'ordre rétabli et, signe d'une précaire réconciliation sociale, se noue une autre danse à laquelle se joignent les mineurs, le plus militant d'entre eux avec un geste rageur, tandis que des cintres descend le mur d'une prison qui va séparer les deux rebelles du reste du monde.

Enfin il faut bien donner une signification allégorique au personnage du Batelier qui a transporté les soldats, et qui reste mêlé jusqu'à la fin à leur aventure. Sa légère difformité, ses sarcasmes, son rire inquiétant suggèrent que, sous des apparences bonhommes, il incarne l'esprit du mal. Ses grimaces parodiques, à l'arrière-plan, tandis que Musgrave demande au Seigneur de l'inspirer, sont significatives, et si l'on y regarde d'un peu près on s'aperçoit qu'il pousse constamment au parti le plus néfaste. C'est lui qui conduit les soldats à l'auberge fatale et qui fait boire chacun à l'excès, c'est lui qui incite les mineurs à dérober la mitrailleuse, puis les dénonce au Sergent. C'est lui enfin qui anime la grande scène du recrutement, suscitant et interprétant les réactions de la foule. Vers le dénouement il apparaît comme un auxiliaire des desseins subversifs de Musgrave mais finalement, lorsque celui-ci tourne vers les Dragons sa mitrailleuse, il lui plante un fusil dans le dos et lui fait lever les bras.

Arden a construit sa pièce en vue d'effets scéniques saisissants, mais ce qui paraît outré, notamment dans le macabre, se justifie si l'on tient compte du parti esthétique de mêler le grotesque au tragique, et de la tonalité générale, faite d'un accord de couleurs sombres et violentes. Brochant sur le fond d'une nature hostile, d'une société divisée, la poétique de l'œuvre s'ordonne par rapport au grand thème de l'amour et des armes. Chaque image, chaque bribe de chanson dont s'émaille le dialogue a sa fonction immédiate, mais elle suscite des échos qui se répercutent tout au long de la pièce. La complainte du vieux soldat, qui attend la mort en compagnie de Musgrave, fait écho à la chanson que chante la servante à l'arrivée des soldats. Cette chanson amère dit la brutalité de leur désir, mais aussi leur immense besoin d'emporter un souvenir de chaleur humaine lorsqu'ils partent au-delà des mers pour y affronter la mort. C'est cette compassion instinctive que l'auteur désigne comme une réponse possible aux questions que pose sa pièce. Et aussi l'effort du vieux troupier pour dissuader Musgrave de poursuivre son dessein après qu'ils se sont souillés de la mort d'un camarade. L'échec du Sergent résulte de sa passion abstraite de la justice, considérée uniquement comme rétribution, qui conduit à une progression géométrique de la violence.

Arden a déconcerté certains parce qu'il a montré la perversion d'une cause juste. Mais il est dans sa manière de faire voir la complexité des affaires humaines au lieu d'opposer le blanc et le noir. Et il s'est défendu d'avoir écrit une pièce pessimiste. On peut se demander toutefois si le fanatisme religieux du protagoniste n'en limite pas la portée, et si elle ne laisse pas entier le problème d'une liaison entre l'action du travail organisé et la lutte contre la guerre. Il est significatif que Musgrave cherche à susciter chez le plus lucide des mineurs l'idée d'une fraternité de ceux-ci avec les rebelles, mais que le mineur reste réticent. Sans doute parce que l'idée d'un rapport entre les deux combats n'a pas assez mûri dans son esprit. Mais aussi que la vision apocalyptique du Sergent est sans commune mesure avec la lutte patiente et obstinée pour le pain et la dignité du travail (5).

La petite Nativité qui fut jouée pour la Noël, en 1960, dans l'église d'un village du Somerset, Brent Knoll, forme à première vue un contraste frappant avec le sombre drame du Sergent Musgrave. Mais à bien regarder il s'agit du même commandement divin, auquel il est si difficile d'obéir : « Paix sur la terre aux hommes de bonne volonté ». *The Business of Good Government* fut composée pour les membres d'une communauté rurale, et Arden révéla en cette occasion sa compréhension profonde des besoins de ses comédiens amateurs, à qui l'on ne pouvait demander de construire un personnage mais seulement d'en dire les paroles avec intelligence et naturel. Il remania son texte en cours de répétition afin d'éliminer toute sophistication et de se conformer à leur diction. Le chœur de cette église du XVe siècle fut utilisé comme une scène ouverte. En principe chaque acteur restait assis, lorsqu'il ne jouait pas, à la place qui lui était assignée. Cependant des entrées et sorties en procession étaient prévues, au début et à la fin du spectacle, et pour les allées et venues des Rois Mages. Ces conditions de jeu peuvent être transposées pour une représentation en salle.

Arden incorpore à son texte des éléments traditionnels : citations bibliques, « carols » médiévaux, chansons populaires. Il établit un délicat équilibre entre réalisme et merveilleux et, dans l'esprit de l'ancien théâtre religieux, il situe la

---

(5) Arden se déclare aujourd'hui peu satisfait de la manière dont il a traité les rapports des mineurs et des soldats. Il aurait dû développer davantage le rôle des mineurs, préciser leur attitude. Mais la pièce, une fois créée, ne s'est pas prêtée à un remaniement satisfaisant.

naissance de l'Enfant non dans l'histoire, mais dans un temps légendaire que la commémoration de l'événement restitue au présent. Cependant les allusions contemporaines n'ont pas seulement pour effet de conférer à celui-ci une actualité permanente. Elles reflètent aussi des préoccupations modernes et sont formulées parfois dans un langage qui tranche avec l'expression naïve de la croyance. Et du même coup elles font reculer momentanément à une distance de vingt siècles les affaires de Judée et la naissance d'une religion nouvelle. Tout ceci est fait avec beaucoup de tact, et Arden conserve au récit évangélique sa poétique fraîcheur. Mais il ne peut faire entièrement abstraction de son intérêt pour l'histoire et les problèmes de gouvernement, et le titre même de la pièce fait penser davantage à une moralité politique qu'à un mystère de Noël. C'est pourquoi il se penche sur le personnage d'Hérode, dont il refuse de faire un simple tyran. Le roi de la Judée, inconfortablement placée entre deux grandes puissances, Rome et la Perse, croit agir avec sagesse en évitant qu'un descendant de David ne revendique un jour le trône d'Israël. Résultat : le Massacre des Innocents. Celui-ci est d'autant plus horrible que le raisonnement d'Hérode est étayé sur un examen minutieux de la situation et des documents, et qu'il croit sacrifier sa réputation au bien public.

D'autre part la « bonne volonté » ne manque pas au commun des hommes. Mais pour être suivie d'effets elle exige souvent un courage surhumain. Ainsi la peur d'Hérode et de ses soldats contraint une jeune paysanne à révéler le chemin qu'a pris la Sainte Famille fugitive. Mais le miracle du blé soudain levé donne le change aux poursuivants. Et ce dernier épisode montre combien est difficile la loi de charité en même temps qu'il suggère le pouvoir surnaturel du pain de la Communion.

L'adaptation par John Arden de *Gœtz von Berlichingen* se termine aussi par une méditation sur le devoir difficile de l'homme en société, sur les faibles lumières dont il dispose, et sur l'obligation où il se trouve pourtant d'accomplir la loi morale. Cette adaptation, publiée sous le titre de **Iron hand,** par allusion à la main de fer du héros gœthéen, mérite un examen attentif pour elle-même, et pour la lumière qu'elle jette sur les drames historiques d'Arden qui sont entièrement originaux. Il s'agit d'une véritable recréation, dont l'auteur décrit clairement les raisons dans une notice introductive. *Gœtz* est une œuvre de jeunesse, imparfaite sans doute, mais qui est écrite dans une prose vigoureuse et variée, et qui embrasse un vaste panorama de la société allemande à une période critique de son histoire. Gœthe a trouvé son inspiration dans Shakespeare et ce n'est pas la structure en épisodes, si efficace dans les drames historiques du poète anglais, qui est en cause, mais une relative inexpérience à laquelle Arden s'efforce de remédier en regroupant certaines scènes, en préparant certaines autres, bref en assurant une continuité qui n'est pas toujours présente dans l'original.

Mais c'est surtout la présentation des personnages et des événements qui se trouve modifiée, par souci de cohérence dramatique et de vérité historique. On sait que Gœthe s'est inspiré des mémoires de Gœtz et qu'il montre ce chevalier d'Empire tel que celui-ci croyait être : un défenseur des opprimés, sacrifiant ses intérêts à de justes causes, victime de la calomnie et de la trahison. Il en fait un champion de la liberté, fondée sur le vieux droit germanique et la simplicité des mœurs patriarcales, que menacent de détruire les princes, les prélats et les bourgeois des villes. Cet enthousiasme déjà romantique pour le brigand redresseur de torts répondait sans doute aux aspirations profondes des poètes allemands de la fin du XVIIIe siècle, mais il nous est bien difficile aujourd'hui de l'éprouver. De plus, cette exaltation sans contrepartie est une cause de déséquilibre. L'ancien compagnon de Gœtz, Weislingen, qui passe au service des princes, est un personnage falot et inconsistant. Arden le reconstruit de l'intérieur, en lui donnant des raisons d'agir, en premier lieu la passion de l'ordre. Mais l'adaptateur fait beaucoup plus, il complète, ou change, l'interprétation que les personnages de Gœthe donnent de leurs mobiles ou des événements. Souvent même, il leur fait commenter ce que Gœthe laisse inexpliqué. Sa version est incontestablement mieux située historiquement que l'original. Les jugements s'opposent, comme les personnages, la réalité est vue de points de vues différents, donc dramatiquement.

Il faudrait reproduire une analyse scène par scène pour préciser l'apport d'Arden. On en donnera une idée en montrant quelle est, dans sa version, l'attitude du héros et de son antagoniste à l'égard des groupes d'une société qui subit de profondes transformations. Le pillage est incontestablement la principale ressource de Gœtz et des siens. Mais ce mode d'existence est justifié, voire sanctifié au sein de sa famille. Ainsi sa femme donne un sens nouveau à l'histoire édifiante apprise à son fils. Le petit garçon qui reçoit en échange d'un acte de charité le don miraculeux de guérir les malades devient riche et se faits construire un palais. Son exemple est rattaché à celui de Gœtz, qui risque sa vie dans ses expéditions d'où il revient chargé de biens qui procurent l'aisance aux siens et dont il se sert aussi pour redresser les injustices. Attaquer le convoi des marchands de Nuremberg, c'est une manière de protéger les paysans qui ont à se plaindre de la rapacité des bourgeois, et notamment des hommes de loi. Mais déjà, au cours de la noce villageoise que préside Gœtz en attendant l'heure du pillage, une note discordante se fait entendre. Des cris de mort contre les princes et les citadins retentissent. L'un des futurs chefs de l'insurrection, Metzler, incite les paysans à faire eux-mêmes ce que font les chevaliers, et Gœtz se trouve un moment débordé dans son rôle de protecteur.

L'empereur Maximilien se résout à contre-cœur à mettre fin aux brigandages de ses chevaliers, qui seraient ses meilleurs combattants dans la Croisade dont il rêve toujours. Gœtz, mis au ban de l'Empire, assiégé dans son château de Jaxthausen, rêve lui aussi de l'ordre idyllique qui régnait au temps où les princes n'étaient pas encore corrompus. Et il faut reconnaître que cette simplicité patriarcale subsiste au foyer menacé du chevalier qui partage avec ses hommes ses dernières vivres, et les dangers. Lorsqu'il est capturé par traîtrise après avoir reçu promesse de liberté contre une capitulation honorable, c'est surtout le sort de ses soldats qui le tourmente.

Délivré par Sickingen, il vivra pauvrement, s'abstenant de rapines, jusqu'au

moment où les paysans soulevés feront appel à lui. Gœtz s'était sincèrement
étonné, lors du siège de Jaxthausen, de voir que ses paysans ne s'étaient pas
montrés reconnaissants de sa protection et, loin de le secourir, s'étaient tenus
soigneusement à l'écart. Maintenant les chefs insurgés, qui l'ont capturé et qui
encerclent le château où sa femme est enfermée, exigent, en échange de la liberté,
qu'il devienne leur général, et leur porte-parole auprès de l'Empereur quand ils
auront remporté la victoire. Ils lui exposent les raisons profondes de leur révolte. La terre dont ils disposaient librement ne leur appartient plus, ses véritables possesseurs ne sont même plus des gentilshommes ou des seigneurs, mais
des spéculateurs de Nuremberg. En attaquant les villes, les paysans continuent
le combat que Gœtz menait jadis contre les marchands. Mais Berlichingen ne
saisit pas le rapport, et ne comprend pas qu'on tue, brûle et pille au nom de la
justice du Christ. La différence, lui expliquent les insurgés, c'est que les chevaliers combattent avec une armure, selon les règles, et que les paysans se battent
sans armure, et comme ils peuvent. Gœtz accepte contre la promesse qu'il sera
mis fin aux excès, mais il a peine à s'adapter aux nouvelles conditions du combat. Le désarroi du mercenaire Lerse, qui l'a suivi dans cette aventure, est encore
plus grand. C'est la première fois qu'il se trouve dans une armée qui sait pourquoi elle se bat, et qui de ce fait lutte avec une férocité inégalée, chantant des
hymnes au milieu de la mêlée.

Les chefs extrémistes rejettent d'ailleurs les consignes de modération que
Gœtz a voulu imposer, et parlent de le tuer. Après l'incendie de Miltenberg,
celui-ci se désolidarise du mouvement, tue Metzler pris en flagrant délit de
pillage et de meurtre, et déchire la bannière des insurgés portant l'image du
Christ crucifié. Il n'en sera pas moins capturé par les troupes impériales et ne
devra la vie qu'à Weislingen qui annule l'ordre de son exécution, à la prière de
Maria. Ce geste est l'unique bonne action de Weislingen dans la pièce de Gœthe,
et le témoignage de son repentir final. Mais c'est à regret que le personnage
d'Arden l'accomplit alors qu'il le considère comme une dérogation à la justice
qui devrait être la même pour tous les insurgés.

Le Weislingen d'Arden séduit aussi dans sa jeunesse la sœur de Gœtz, et
lui préfère Adelaïde de Waldorff, revirement causé sans doute par un appel des
sens, mais aussi par les besoins d'une carrière. Cependant il n'éprouve jamais de
remords de conscience à l'égard de Gœtz. Il repousse le reproche que lui fait
celui-ci de s'être vendu aux princes, car il épouse leur cause. Ce que veut son
maître, l'évêque de Bamberg, c'est la paix et la prospérité, la liberté des échanges commerciaux, la réforme de la justice et des finances, la répression des
exactions des chevaliers. Lorsqu'on se préoccupe à Bamberg des moyens de le
détacher définitivement de Berlichingen, on mise sur sa passion dominante, qui
est d'organiser la vie des autres, de prendre sur soi les responsabilités d'une
administration. Dans une société où la puissance se concentre entre les mains
des princes et des bourgeois des villes, où le passage de l'ordre ancien à un ordre
nouveau implique un risque d'anarchie, un esprit comme le sien doit trouver
l'occasion d'accomplir de grandes choses. L'Evêque est tout disposé à le délivrer

de ses scrupules : se sentir lié par la foi jurée à un bandit, n'est-ce pas un préjugé archaïque ? Weislingen se sentira définitivement délié après l'affaire du
convoi de Nuremberg et conseillera à l'Empereur de sévir. S'il ne prend pas personnellement part à l'expédition contre Gœtz c'est qu'il se propose d'attaquer
le landgrave de Hesse, qui a saisi une partie de l'héritage d'Adélaïde. Et il est
assez ingénieux pour prouver à Maximilien, et se prouver à lui-même, que cette
entreprise n'a rien de commun avec les guerres privées des chevaliers : le landgrave s'est mis hors la loi pour avoir anticipé le jugement de la cour impériale.

Son zèle à défendre les biens de sa femme et à accroître sa forture n'empêchera pas un abîme de se creuser entre elle et lui. Et sans doute la malédiction
qu'il attire sur lui en l'épousant résulte-t-elle de son mauvais choix. Le contraste
entre le foyer de Gœtz et celui de Weislingen (si on ose lui donner ce nom), entre
l'amour de Maria et la luxure vénale d'Adélaïde, montre de quelle destruction
de valeurs s'accompagne son ralliement à la cause des princes. Mais autant que
le calcul, c'est la chaleur de la passion qui entraîne son épouse au crime. Weislingen, lui, se vante de maintenir séparées, à la différence de Gœtz, la politique
et les sentiments personnels. Adélaïde lui reproche, plus crûment, de dissocier
sa tête de ses reins. Bien qu'elle n'ait aucun souci de justice elle se révèle capable
de comprendre, mieux que son mari, les mobiles profonds de la révolte des paysans. « Es-tu né d'une mère ? », lui demande-t-elle. « Et qui a abattu le bétail
dont la viande a fortifié ton corps ? qui a trait les vaches dont le lait a rempli
le sein qui t'a nourri ? ». Ce que Weislingen comprend du moins, c'est que les
insurgés combattent pour la victoire ou la mort, avec une obstination dont la
noblesse allemande n'a pas la moindre idée. Leurs chefs sont inflexibles, étant
possédés par une vision de Dieu.

Et il se dit possédé lui-même par une vision de l'Ordre. C'est cette passion
abstraite qui lui permet d'appliquer dans la répression une tactique qui implique
de lourds sacrifices de la part des populations urbaines, puisqu'il s'agit d'éviter
un combat général pour tomber sur des groupes au moment du pillage, jusqu'au
moment où, Charles Quint succédant à Maximilien, il peut disposer enfin d'effec-
tifs suffisants. Son pouvoir est alors plus grand que celui d'aucun officier impé-
rial depuis Charlemagne. A l'heure des exécutions massives, il lui arrive de se
poser des questions; quel sera l'effet de ces exécutions sur les jeunes hommes
qui en sont chargés ? qu'arrivera-t-il s'ils finissent par y prendre plaisir ? Pourtant il veille à ce que le mécanisme de la terreur fonctionne sans défaillance.
Mais son épuisement paraît résulter, autant que du poison, de la lassitude d'exercer ce qu'il a défini comme la Justice. Il est l'instrument de la loi et ne peut se
sentir coupable. Il devrait se sentir coupable à l'égard de Maria, mais il a été si
occupé par les affaires publiques que depuis longtemps il a cessé de penser à
elle. En fin de compte c'est bien le divorce de l'intelligence et du cœur qui est
la cause de cette déshumanisation du personnage.

Le Gœtz de Gœthe mourait avec une bonne conscience, le mot de liberté aux
lèvres, et convaincu d'avoir été victime de la perfidie. Celui d'Arden est beaucoup moins sûr de son bon droit. Sa liberté a souvent entravé la liberté d'autrui,

a souvent été contraire à l'ordre. Ce qu'il nommait liberté, ce que Weislingen appelait ordre, ne sont que les fragments brisés d'un monde dont il faudrait refaire l'unité. Cette méditation est reprise par Maria. Comment pouvons-nous sans nous accuser parler de liberté et de justice alors que tant de cadavres jonchent les terres de Franconie et de Souabe ? Nous sommes tous responsables. Cette tâche dont parlait son frère paraît surhumaine, elle devrait pourtant être possible puisque Dieu a fait l'homme à son image. Il faut donc apprendre, apprendre chaque jour.

On voit aisément comment la transposition de la pièce de Gœthe a pu conduire Arden à la composition de *Armstrong's Last Goodnight* qui se situe en Ecosse, sensiblement à la même date, et qui traite des démêlés d'un petit seigneur pillard avec le pouvoir central. Mais les différences entre John Armstrong de Gilnockie et Gœtz à la Main de Fer ne sont pas moins frappantes que les ressemblances. Cette fois l'imagination d'Arden a pu être stimulée par la lecture du livre de Conor Cruise O'Brien sur les récents événements du Congo, *To Katanga and Back* (6). Mais la pièce tire sa substance des chroniques et de la littérature écossaise du XVIe siècle. Bien plus c'est à travers la langue que l'auteur cherche à retrouver la manière de penser et de sentir de ses personnages. Il emprunte au dialecte écossais du XVIe beaucoup de tournures et de vocables, et sans prétendre en faire une reconstitution il en communique la saveur. D'autre part il suppose, sans justification historique, que c'est le poète et diplomate Sir David Lindsay, précepteur du jeune roi Jacques V, d'Ecosse, que celui-ci charge d'une mission auprès de Gilnockie. Ce choix lui assure sans doute, pour la composition du personnage, un point d'appui dans l'œuvre du poète qu'il montre en sa vigoureuse cinquantaine, mûri par l'expérience des mobiles humains et des détours de la politique, animé par un souci du bien de l'état tempéré de scepticisme, et toujours sensible au plaisir des sens.

Pourquoi Armstrong et quelques autres hobereaux de son espèce donnent-ils tant de souci à la couronne ? Parce que leurs repaires se situent aux frontières et qu'ils exercent volontiers leurs déprédations en terre anglaise. Or l'Ecosse est encore mal remise de la défaite de Flodden. Ce serait perdre la face que de les soumettre parce que Henri VIII d'Angleterre l'exige, d'autre part ils trouvent protection auprès de puissants seigneurs écossais qu'il faut ménager.

Lindsay croit agir habilement en conseillant au roi de faire d'Armstrong l'un de ses lieutenants. Et il se rend lui-même au château de Gilnockie, accompagné de son seul secrétaire, pour savoir comment l'autre accueillera cette offre honorable, qui implique naturellement qu'il renonce à toute incursion en territoire

---

(6) Arden insiste encore aujourd'hui pour que la pièce ne soit pas comprise comme une transposition d'événements récents du Tiers-Monde. Il a vécu en Ecosse et éprouve de l'attachement pour ce pays. Il a donc voulu écrire une pièce sur l'histoire d'Ecosse, susceptible naturellement, par les problèmes qu'elle pose, d'intéresser les hommes d'aujourd'hui. Le contraste entre la personnalité du brillant écrivain qu'est O'Brien, et la matière de son livre sur le Katanga, lui a suggéré l'idée de faire du poète de cour, Sir David Lindsay, l'instrument de la négociation avec le chef de clan Gilnockie.

anglais. La confrontation des deux hommes est une excellente scène de comédie. Gilnockie est une force de la nature : un mélange de noblesse instinctive, de rudesse, de bonhomie patriarcale, et d'orgueil naïf. Un défaut d'élocution, dont il ne se libère que sous le coup d'une vive émotion pour s'élever jusqu'au lyrisme, ajoute plaisamment à sa majesté de chef de clan, car son épouse et ses frères doivent se faire les interprètes de ses paroles inspirées, mais peu cohérentes. Sir David donne la mesure de sa force persuasive car, proprement ligoté à son arrivée comme émissaire du roi en un lieu où l'autorité de Gilnockie est seule reconnue, il finit par rompre avec celui-ci le pain de l'amitié. Ce qu'il ne sait pas, mais que le spectateur a vu, c'est que John Armstrong vient de feindre une scène de réconciliation avec un chef rival, Wamphray, pour le livrer sans défense à la vengeance d'un allié, Eliot of Stoles. La justification, sinon le prétexte, c'est que Gilnockie a épousé une fille de Stoles, et que Wamphray en a séduit une autre. Mais la véritable raison c'est que Wamphray avait été soudoyé pour tuer Armstrong.

De retour, Lindsay apprend le meurtre sans émotion. Armstrong a pris les devants, et cette solution a ses avantages. Mais il n'ignore pas qu'au-dessus de ces querelles de vassaux se situent les antagonismes de leurs suzerains. Lord Johnstone voudra venger Wamphray. Lord Maxwell (qu'il soupçonne fort d'être payé par l'Angleterre) encouragera Gilnockie à rompre sa promesse. Il croit politique de jouer la carte de Maxwell et de faire emprisonner Johnstone. Mais cette manœuvre aboutit à une réconciliation des deux seigneurs. Maxwell s'offense de voir son vassal promu au rang d'officier, Lindsay (dont la faveur auprès du roi décline) le juge trop puissant pour oser l'affronter. Armstrong attend donc avec impatience la confirmation de son office.

Deux événements imprévus achèveront de miner les projets de Sir David. Sa maîtresse se laisse séduire par Armstrong, en pleine nature. Ceci ne tirerait pas à conséquence si Armstrong n'était surpris par les ombrageux parents de sa femme. Ceux-ci veulent bien fermer les yeux, à condition qu'il prenne part à une expédition de rapine au-delà des frontières. La conversion d'Armstrong et des siens au protestantisme achèvera de le rendre indésirable. Lindsay en est la cause involontaire. Lors de sa première visite à Gilnockie il a plaidé en faveur d'un évangéliste qui risquait fort d'être livré à l'Inquisition. Et par la suite Armstrong a pris plaisir à écouter cet illuminé prêcher la rebellion contre les princes de ce monde et la saisie des monastères. Il se croit lavé dans le sang de l'Agneau et combattra désormais les ennemis de Dieu.

Mais lavé ou non Armstrong doit disparaître. Il faut que Sir David tranche le nœud qu'il s'était patiemment efforcé de dénouer. Celui-ci reprendra donc le chemin de Gilnockie, il apportera le salut fraternel du roi à son lieutenant. Et John Armstrong le croira, de même qu'il croira sincère l'invitation du souverain à une partie de chasse. Il ne se souviendra même pas que c'est aussi à la chasse qu'il avait naguère invité Wamphray. Lorsque ses hommes sont désarmés, et que le roi ordonne qu'il soit pendu, il chante tout en se débattant la chanson grâce à laquelle il entrera dans la légende, avec l'arbre de son supplice, qui jamais ne voudra plus refleurir. Mais l'auteur ne nous fait pas grâce d'une question : vous avez vu ici diverses variétés de déshonneur, à vous de décider celle que vous préféreriez éviter, et en quelles circonstances.

Arden avance quelque peu la date où les idées issues de la Réforme se sont répandues en Ecosse, mais la conversion d'Armstrong reste dramatiquement plausible. Elle permet aussi de relier à l'ensemble le destin de Meg, séduite par Wamphray et repoussée par les siens, et celui du jeune secrétaire de Lindsay. Meg est demeurée égarée et meurtrie après la mort de son amant. L'évangéliste a voulu lui montrer le chemin de la pénitence, mais c'est une passion trouble qui l'attire vers elle. Et bien qu'elle appelle la vengeance divine sur les meurtriers il préfère faire cause commune avec ceux-ci qui se déclarent sanctifiés et qui l'accusent, elle, de sorcellerie. Il compte en effet sur le pouvoir conjugué de sa parole et de leur glaive pour fonder le royaume de Dieu. C'est cette hypocrisie, cette tolérance à l'égard du coupable et ce manque de charité à l'égard de la victime que le jeune homme lui reproche avec une véhémence à laquelle le prédicateur exaspéré répond par un coup de poignard.

Une fois de plus le divorce de l'idée et de la chaleur humaine est représenté comme une outrance susceptible de corrompre la plus juste des causes. Des êtres qui se sont passablement éloignés du sentier de la vertu, comme la maîtresse de Lindsay, sont capables, eux aussi, de donner une leçon de charité à l'évangéliste, parce que l'amour charnel, lorsqu'il est vraiment partagé, est une forme du don de soi, dont la passion abstraite est incapable. C'est aussi son hédonisme qui rend Lindsay attachant. C'est son goût du plaisir qui le rend indulgent à l'égard de l'hérétique menacé du bûcher, et qui lui inspire le désir d'épargner la vie humaine, autant qu'il est possible en politique. Ce qui l'égare c'est son absence de scrupules en ce qui concerne les moyens, qui suppose à son tour un certain mépris de l'homme. Finalement son erreur se ramène à un divorce de la tête et du cœur. Il prend un plaisir tout cérébral à des calculs, des ruses que justifie, pense-t-il, l'intérêt de l'Etat. Mais son expérience ne le met pas à l'abri des surprises, il est des hasards qu'on ne peut prévoir, mais sa connaissance des hommes est prise en défaut parce qu'il tend trop à les considérer comme les pions d'un échiquier, et que leurs réactions échappent à son contrôle. Pourquoi la perfidie qui reste son ultime ressource nous choque-t-elle encore davantage que celle d'Armstrong ? Sans doute parce que celui-ci est un être instinctif, qui ne cherche pas à mettre de la logique dans sa vie, et se jette tout entier dans l'impulsion du moment. Au contraire Lindsay est le produit raffiné d'une civilisation, qui choisit les moyens du mal en toute lucidité. Mais ces considérations n'épuisent pas la problématique de la fin et des moyens qui est à la base de l'œuvre.

Sur le plan scénique, la pièce utilise la convention des mansions multiples du théâtre médiéval. Trois lieux éloignés dans la réalité sont représentés sur la scène. D'une part le palais du roi, de l'autre le château de Gilnockie, praticables réduits à une entrée et à une plateforme supérieure. Au milieu et au fond, la forêt, réduite à un seul arbre praticable et à une peinture sur un cyclorama qui confère son unité au dispositif. Une partie des scènes se joue dans l'espace neutre central. Les voyages sont indiqués par une déambulation sur la scène. La stylisation est poussée si loin que l'on voit, par exemple, le secrétaire blessé à mort marcher de Gilnockie au palais, soutenu par Lindsay, avec un poignard dans le flanc. Ce drame fut d'abord représenté au Citizen's Theatre de Glasgow, dans une mise en scène de Denis Carey (5-IV-1964). Il fut repris par le National Theatre en 1965, dans une mise en scène de John Dexter et William Gaskill, à Chichester puis au Old Vic. Albert Finney se chargea d'adapter cette mise en scène, conçue pour la scène ouverte de Chichester, à la scène « à l'italienne » du Old Vic.

Left-handed Liberty, pièce commandée par la Cité de Londres pour commémorer le 750ᵉ anniversaire de la Grande Charte, est également très sobre dans sa présentation. Il faut d'un côté une chaire avec pupitre pour le Légat du pape, de l'autre un chevalet supportant les emblèmes se rapportant à chaque scène. A l'arrière de l'aire de jeu, on ménage un espace entouré de rideaux pour les découvertes, avec au-dessus un écran pour des projections. Ce dispositif était installé sur la scène ouverte du Mermaid Theatre (14-VI-1965).

Le *Roi Jean* est sans doute, des pièces historiques de Shakespeare, celle dont l'unité est la moins satisfaisante. La signature de la Grande Charte n'y tient aucune place et c'est quelque temps après que Shakespeare l'eut composée, lors de la lutte des Parlementaires contre l'absolutisme des Stuart, que l'événement acquit l'importance qu'on lui attribue encore aujourd'hui. La signature fut introduite sous forme de tableau vivant, à la fin du siècle dernier, dans la mise en scène à grand spectacle du *Roi Jean* par Beerbohm Tree. Mais les tractations dont la Charte fut l'objet se prêtaient-elles à un traitement dramatique ? Arden a pris le parti, comme Shakespeare, de relier entre eux divers épisodes du règne, mais en les ordonnant par rapport à l'événement commémoré. Entre les deux pièces il y a peu de recoupements, bien que plusieurs personnages leur soient communs. Mais Arden a su reprendre à son compte ce que le *Roi Jean* offre de meilleur, l'étude lucide et souvent ironique des rapports entre le Roi, les Barons, l'Eglise et la Monarchie française, et la manière dont chacune des forces en présence accomode ses principes aux intérêts du moment.

Il oppose Pandolphe, légat du pape, à l'archevêque Langton, principal artisan de la Charte. Le premier est convaincu que nul progrès n'est possible dans un univers où tout est ordonné selon la sagesse divine, mais où l'homme a introduit le péché et la mort. C'est l'Eglise qui décide en dernier ressort de la légitimité du souverain. Elle a contraint Jean à l'obéissance après l'avoir excommunié et jeté l'interdit sur le royaume. Elle est maintenant disposée à le soutenir de son autorité. Elle considère un contrat entre souverain et sujets, dû à l'incertaine sagesse des hommes, comme une dangereuse nouveauté. L'archevêque, au contraire, croit pouvoir assurer un certain équilibre entre les forces en présence au moyen de cette déclaration des droits les mieux étayés par l'usage. Il espère que la Charte, s'élevant au-dessus des intérêts particuliers, conservera une valeur dépassant son utilité immédiate, née des circonstances du moment.

Mais il est seul, avec le vieux comte de Pembroke, qui s'efforce d'agir selon la vérité et la justice. Le roi et les barons, au moment même où l'accord est scellé, sont préoccupés surtout de s'assurer des positions de force. Les barons occupent Londres, et refusent de licencier leur armée car ils soupçonnent le souverain de vouloir faire venir des mercenaires de Flandres. Celui-ci a de bonnes raisons de se méfier du nouveau conseil, chargé de veiller à la bonne exécution de la Charte, où siègent les féodaux les plus obstinés. Il redoute aussi que ses adversaires ne fassent appel au roi de France. Il donne donc le change en rétablissant des droits particuliers, garantis par la Charte, dont il avait privé les intéressés. Il donne publicité à des lettres annulant ses négociations avec des recruteurs de mercenaires. Mais une lettre secrète annule l'effet des précédentes et Arden imagine (s'écartant sur ce point de l'histoire) qu'il l'envoie par l'intermédiaire du légat d'Innocent III. Jean a pris aussi la précaution de faire tenir un exemplaire de la Charte au Souverain pontife, qui la condamne sous menace d'excommunication. Ceci lui permet de la déchirer mais non d'éviter le pire. Le pays est ravagé par les armées de Jean et de ses barons, envahi par les troupes du dauphin Louis, qui revendique les droits de son épouse au trône d'Angleterre. Au milieu de cette confusion le roi meurt sans gloire, d'indigestion. La pièce ne se termine pas sur une exaltation du sentiment national, comme dans Shakespeare, mais les barons ont déjà compris que les Français vont exiger un lourd tribut d'un pays dévasté. Les marchands et le peuple de Londres, dont la Charte garantit les libertés, supportent de plus en plus difficilement les troupes des barons, puis celles du Dauphin, qui sont censées les protéger. Et le Lord Maire de Londres parvient, par un ralliement tardif, à éviter la dévastation de la cité par l'armée du roi Jean.

Jean sans Terre, tel qu'Arden le fait revivre, est loin de posséder la passion du droit qui anime Langton, ou la rectitude morale de Pembroke. Il n'est pas non plus le « mauvais roi » des livres d'histoire. S'il fait de la duplicité le principal ressort de sa politique, il faut reconnaître qu'il a affaire à des adversaires particulièrement déloyaux. Mais sa nature est impulsive, et ses sautes d'humeur vont de la colère noire à la jovialité, sa générosité n'est pas nécessairement calculée. Il possède une intelligence vive, une ironie mordante qui lui permettent de dominer dans le débat ses adversaires, ou de faire face à des situations déplaisantes. C'est pourquoi, dans la pièce, il joue le rôle de meneur de jeu, même quand il perd. Arden nous rappelle que sa cupidité ne l'empêcha pas d'être un administrateur zélé, et nous le montre rendant une justice bonhomme, avantageuse pour son trésor, mais satisfaisante pour les parties en litige. Il va plus loin et lui attribue (sans preuve historique) la paternité des articles de la Charte qui garantissent une justice égale pour tous, et protègent un homme libre de toute entrave à sa liberté, celui-ci devant être jugé par ses pairs et selon les lois du pays.

Les femmes paraissaient appelées à jouer des rôles effacés dans cette pièce politique. Celui de la dame De Vesci prend un relief inattendu. Arden fait de cette épouse d'un chef des barons la maîtresse du roi et lui donne en outre un soupirant selon la mode des troubadours. Ceci nous vaut un contraste divertissant entre les mœurs bourrues des barons du Nord et les raffinements de l'amour courtois. Mais ce sont les droits de la femme, et une protection contre la violence de son mari, que la dame De Vesci découvre dans la Charte.

Le roi Jean, avons-nous dit, apparaît comme un meneur de jeu. Pandolphe et lui se partagent les rôles de présentateurs. Le légat sans doute en tant que porte-parole d'un système théologique qui se veut immuable et se situe en dehors du temps, le roi parce que son destin s'est déjà accompli, qu'il peut seulement rejouer son rôle, d'où son détachement vis-à-vis de l'action, et la liberté de ses commentaires. Ceci donne à Arden la désinvolture nécessaire pour mettre l'événement et sa commémoration dans une perspective de trois quarts de millénaire, et pour confronter les intentions des auteurs de la Charte et les significations qui ont pu y être découvertes aux siècles suivants. Il arrive même un moment où Arden fait éclater toute convention narrative ou scénique. Jean s'adresse alors directement au public de 1965 pour lui dire ce qu'apportaient de neuf et de précieux ces articles, rédigés dans des termes généraux, valables pour d'autres siècles, et destinés à protéger la liberté de l'homme — et de la femme. Leur fonction est de fournir un contrepoids nécessaire à l'autorité, de protéger l'individu contre ses abus. Car l'autorité ne peut que limiter et retrancher, mais la liberté permet l'épanouissement de ce qui est unique, imprévisible en chaque être humain. C'est pourquoi Jean oppose au système rigide, théocentrique de Pandolphe un système plus souple au centre duquel se trouve la créature. Et ce n'est pas un hasard si le fils d'Eléonore d'Aquitaine prend pour illustration de son propos une fille d'Eve, la gracieuse dame De Vesci. Après quoi il rentre dans le jeu pour la scène finale, où il doit mourir après avoir ressenti, plus vivement que le désastre de son armée surprise par la marée dans les sables du Wash, la perte de ses joyaux bienaimés. Mais s'il est recouvert par les vagues de l'histoire, la Charte subsiste. Et le vieux Pembroke, dont la vision ne s'étend pas aux siècles futurs, mais qui voit l'intérêt de la génération qui le suivra, espère qu'elle pourra rendre son unité au royaume divisé si l'on fait prêter à l'enfant qui succède à Jean le serment de la respecter.

Arden travaille actuellement au canevas et au dialogue d'une pièce musicale sur l'amiral Nelson. Le choix d'un personnage qui est devenu le symbole de la suprématie britannique sur les mers peut surprendre au premier abord. (Madame Tussaud's, l'équivalent londonien du Musée Grévin, donne en ce moment une reconstitution à grand spectacle de la bataille de Trafalgar !). Mais on devine que l'auteur obligera les spectateurs à considérer cette figure nationale avec des yeux neufs, délogeant de leur position confortable ceux qui sont « pour » ce héros militaire, et ceux qui sont « contre » ce champion de la monarchie et de l'empire qui, parmi d'autres exploits, réprima un soulèvement révolutionnaire napolitain. L'entrecroisement des motifs de sa carrière militaire et de sa vie sentimentale achèvent de rendre dramatiquement fascinante la personnalité de Nelson. Mais si le « musical » correspond, en Angleterre comme aux Etats-Unis, à une tradition théâtrale populaire, les possibilités du genre sont limitées. Elles le sont d'autant plus, dans ce cas, qu'un autre auteur se charge des « lyrics » alors que toute pièce d'Arden joue sur les changements de registre, le passage de la prose au vers, au chant. Son souci de la poésie, à la fois comme libération et comme discipline du langage dramatique, se révèle dans son projet actuel d'une version métrique de *La Vie est un songe*.

A plusieurs reprises, Arden a collaboré avec sa femme, Margaretta d'Arcy. Ce fut le cas pour *Happy Haven*, et pour *Ars longa vita brevis*, pièce courte montée par Peter Brook au Lambda Theatre (1964) et jouée l'année suivante par des enfants à Shrewsbury, sous la direction d'Albert Hunt. Arden, on l'a vu à propos de *The Business of Good Government*, s'intéresse vivement au théâtre d'amateurs et aux spectacles conçus pour les besoins d'une communauté bien définie. L'expérience la plus récente d'Arden et de Margaretta d'Arcy remonte à l'été 1966, durant lequel ils montèrent avec des étudiants une pièce encore inédite (7), *The Royal Pardon, or The Soldier who became an Actor*, qui n'eut que trois représentations, chaque fois devant un public d'environ quatre-vingt-dix personnes, dans une localité du Devonshire. Arden aime à écrire ses pièces pour un public dont il connaît les goûts et les réactions. *Armstrong*, dit-il, n'a pas trouvé la même résonance, à Chichester ou à Londres, que devant son auditoire de Glasgow. C'est là un exemple extrême, mais qui pose le problème délicat de la représentation de ses œuvres en d'autres langues, d'autres pays, sans que la perte soit trop grande. Certes le traducteur, le metteur en scène étranger, doit trouver des équivalents que son public comprenne. Mais il évitera le contresens s'il est conscient de cet enracinement des pièces d'Arden dans la vie régionale. Et aussi de son sens de l'histoire car si les exemples qu'il tire du passé comportent des applications pour notre temps, ils se rapportent à des situations concrètes qui ne sont pas mécaniquement transposables.

En somme, à travers une dizaine de pièces, l'art de John Arden offre l'exemple d'un développement libre mais cohérent. Il se réfère à une riche tradition anglaise, antérieure au naturalisme : comédie et drame élisabéthains sans doute, mais aussi ancien théâtre religieux, moralité, et — plus près de nous — le music-hall. Cependant il ne s'agit point pour lui de retourner au passé, mais de trouver des moyens d'expression appropriés au drame moderne. En ce sens ses préoccupations recoupent celles de Brecht, dont il n'est en aucune façon l'épigone. Sa pratique théâtrale se fonde sur d'autres principes que l'illusion. Sur le plan scénique il fait coïncider un vigoureux réalisme et une stylisation très poussée. Le langage dramatique s'organise à plusieurs niveaux : dialogues réalistes, passages versifiés, discours, chansons, mais l'ensemble est unifié par l'invention verbale et on peut parler au sens profond d'un théâtre poétique. La structure de l'œuvre, quelle que soit la manière dont s'agence l'intrigue, consiste en une polarité d'où résultent une série de tensions. Il n'y a pas de point de vue privilégié, chaque personnage ou groupe a droit à l'exposé impartial de ses raisons de vivre et de lutter. Arden empêche le spectateur de fixer ses sympathies, et l'oblige à faire le tour de la situation. Ses thèmes, nous l'avons vu, concernent le gouvernement des hommes, et leurs rapports en société. Mais il ne perd jamais de vue l'homme

---

(7) Elle vient de paraître sous le titre *Soldier, soldier* (nov. 1967).

concret, ses personnages sont des types sociaux mais aussi des individus. Son plus grand souci est sans doute le libre épanouissement de chacun dans un ordre qui ne soit pas déshumanisé. Le théâtre de John Arden ne propose pas de solutions, il pose des questions. Il illustre la résistance qu'oppose la nature humaine à qui veut la réformer sans l'aimer, avec ses imperfections et ses erreurs, autrement dit à qui ignore la vertu du rire ou de la compassion.

ÉDITIONS UTILISÉES :

John ARDEN : *Three Plays* (*The Waters of Babylon, Live Like Pigs, The Happy Haven*) dans la série des Penguin Plays.

Sergeant Musgrave's Dance, The Business of Good Government, Armstrong Last Goodnight, Left-Handed Liberty, ont paru séparément chez Methuen, ainsi que *Ironhand.* adapted by John Arden from Gœthe's Gœtz von Berlichingen.

Ars Longa Vita Brevis, par J. ARDEN et Margaretta d'ARCY, fait partie de *Eight Plays,* edited by Malcolm Stuart Fellows, publiées chez Cassell, Book I.

La revue *Encore* a consacré son n° 56, September-October 1965, à John Arden.

En traduction, *La Danse du Sergent Musgrave* et *L'Asile du Bonheur* ont paru séparément aux éditions de l'Arche. *L'Ane de l'Hospice, Vous vivrez comme des porcs* et *Le dernier adieu d'Armstrong* ont paru en un volume aux mêmes éditions.

JOHN ARDEN
ET LE THÉÂTRE POPULAIRE EN ANGLETERRE

par Geoffrey REEVES

Je parlerai en professionnel de la mise en scène. L'exposé de ce matin et la discussion qui l'a suivi (1) n'ont, pour moi, rien à voir avec le théâtre tel que je le connais. Pour moi l'œuvre de Beckett n'est pas un terrain vague où se promènent Dieu, Pascal et autres personnages de ce genre. Beckett écrit dans la tradition du music-hall et tire un excellent parti des gags irlandais. Il doit être abordé d'une manière concrète, comme un auteur qui se place dans le courant du théâtre populaire. De même on ne peut parler d'Arden dans l'abstrait. Je vous dirai donc pourquoi j'aime monter des pièces d'Arden et pourquoi cela est difficile sur la scène anglaise.

La première chose qui nous frappe, chez John Arden, c'est l'ampleur brechtienne des dix pièces qu'il a écrites jusqu'à présent. Son œuvre se divise en deux parties : les pièces dont l'action se situe dans le présent, et celles où elle se situe dans le passé. L'attitude d'Arden vis-à-vis des problèmes sociaux et politiques actuels est analogue à celle de Brecht et de Shakespeare, c'est-à-dire qu'il les déplace dans l'espace ou le temps. Aucune pièce de Shakespeare ne se situe dans l'Angleterre de 1590 à 1610, et pourtant toute son œuvre historique concerne l'Angleterre d'Elisabeth Iʳᵉ. Une seule pièce de Brecht, *Grand'peur et misère du IIIᵉ Reich*, se déroule dans l'Allemagne des années 30; cependant tout ce qu'il a écrit traite des problèmes particuliers à l'auteur et à la société dans laquelle il a vécu. Or, Arden est le seul des dramaturges, dont le talent s'est manifesté depuis une dizaine d'années, à employer constamment cette méthode de « distanciation » pour traiter des innombrables tensions qui existent dans une société donnée. C'est en ce sens que son œuvre possède une portée sociale.

Dans *Le dernier adieu d'Armstrong*, nous nous trouvons dans l'Ecosse du XVIᵉ siècle, mais l'auteur se préoccupe de la politique moderne de compromis telle qu'elle se pratique au Congo. Au début de la pièce nous avons affaire à un hobe-

---

(1) L'exposé de M. Guy Borréli, p. 45 sqq.

reau vivant de rapine, Armstrong, qui en tue un autre près des « borders », c'est-à-dire de cette région frontière inculte qui, au xvi⁰ siècle, séparait l'Angleterre de l'Ecosse, et où le plus fort avait toujours raison. Le roi d'Ecosse essaie de négocier la paix avec l'Angleterre pour mettre fin aux conflits frontaliers, et pour y arriver il doit soumettre Armstrong ou s'en débarrasser. La pièce, très complexe, comporte deux héros : le bandit qui ne cherche que son propre intérêt, et David Lindsay, l'ambassadeur envoyé par le roi pour essayer de contenir Armstrong. Celui-ci a recours, à tout moment, à la ruse, de la même façon que Hammerskjold et Conor Cruise O'Brien au Congo. Le thème est donc l'astuce politique : celle-ci s'avère inefficace et en fin de compte Armstrong est pendu. Cependant on chercherait en vain dans la pièce un rigoureux parallèle entre les actions des personnages et celles d'un Lumumba, d'un Tschombé ou de l'Union Minière du Congo. Les événements du monde d'aujourd'hui servent simplement à Arden de point de départ pour sa pièce.

Il en va de même pour *Iron Hand,* son adaptation de la première pièce de Gœthe, *Gœtz von Berlichingen.* Ici le personnage de Weislingen, qui représente une certaine conception de l'ordre, est renforcé, de sorte que Gœtz, au lieu de rester le grand héros gothique et romantique du poète allemand, devient quelqu'un d'éminemment sympathique, certes, mais constamment défini par contraste avec Weislingen. Il en résulte un conflit entre les deux personnages. Tout comme Armstrong, Gœtz meurt à la fin, mais ceci n'implique en aucune façon qu'on doive tirer un message de la pièce. Dans l'un ni l'autre cas l'auteur ne propose de solution, puisque nulle n'est possible. La valeur de ces œuvres ne réside pas dans la reconstitution de faits historiques, mais plutôt dans l'effet théâtral produit. Nous y trouvons beaucoup de scènes qui se succèdent sur un rythme rapide. Pour *Le dernier adieu d'Armstrong* Arden a recours à une technique scénique, abandonnée en Angleterre depuis les Interludes du xvi⁰ siècle, qui consiste à représenter en même temps sur la scène deux lieux distants l'un de l'autre. Ici il s'agit du palais royal et de la demeure d'Armstrong qui occupent chacun un côté de la scène, l'espace entre les deux représentant une forêt; ce qui permet à l'action de se dérouler sans interruption. Il y a plus de changements de scènes dans *Iron Hand* que dans *Antoine et Cléopâtre.* Ce n'est plus la pièce où Gœthe s'efforce gravement d'exalter une attitude morale donnée, mais plutôt une sorte de « western » médiéval. En fait, ce n'est pas une coïncidence si l'on éprouve la même impression en voyant jouer *Iron Hand* qu'en regardant un film d'Anthony Mann, *El Cid,* par exemple. Arden l'a voulu ainsi. Mais il ne faut pas pour autant perdre de vue l'extraordinaire complexité des problèmes traités dans son théâtre.

Bien que l'action de ses pièces modernes se situe dans une Angleterre contemporaine facilement reconnaissable, il s'agit généralement d'une société fermée. Dans *Vous vivrez comme des porcs,* c'est une famille de vagabonds qui est obligée par les autorités de quitter son habitat de fortune et d'occuper un pavillon convenable dans une cité récemment construite. La pièce raconte leur totale incapacité de mener une vie conforme à celle de leurs voisins et leur expulsion finale. Ceci se passe dans le Nord de l'Angleterre, et il subsiste, aujourd'hui encore, suffisamment de différences régionales pour qu'une pièce dont l'action se situe dans une partie de ce pays paraisse étrange aux spectateurs d'une autre région même peu éloignée.

Le sujet de *L'Ane de l'Hospice* est la corruption dans la politique locale. Une fois encore on se trouve dans le West Riding du Yorkshire, pays bien connu d'Arden. Le fait qu'il s'agit d'une société fermée permet à l'auteur de présenter non un ou deux héros, mais huit ou neuf. Néanmoins le conflit principal se déroule entre deux de ces personnages : l'ancien maire, travailliste, et le chef de la police, autrefois colonel dans l'armée de l'Inde; donc deux représentants bien distincts d'une société. Et il est caractéristique d'Arden qu'il traite ce sujet dans un style qui fait penser à *La Foire de la St. Barthelemy* de Ben Jonson, c'est-à-dire en comédie ribaude où durant dix-sept scènes plusieurs intrigues s'entremêlent. Ce qui intéresse avant tout Arden c'est cette même richesse de vie débordante que l'on trouve chez Armstrong. Bien sûr, Armstrong a tort, il se conduit mal, il tue, mais il y a chez lui un besoin irrésistible de vivre pleinement. De même, Charlie Butterthwaite, le politicien corrompu de *L'Ane de l'Hospice,* agit mal, il détourne les fonds publics et à la fin il est expulsé comme bouc émissaire, mais on est obligé d'admirer son extraordinaire vitalité. Le bandit Gœtz von Berlichingen tue et pille d'un bout à l'autre de la pièce, et pourtant lorsqu'il meurt on a le sentiment que sa disparition laisse le monde plus pauvre; c'est la même impression que nous laisse la mort d'Antoine et de Cléopâtre. On ne peut guère approuver de telles gens, mais leur envergure est si grande qu'il est impossible de les contenir dans les limites étroites d'une société ordonnée.

La méthode employée par Arden pour présenter sa vision du monde dérive directement d'une tradition encore vivace chez les Elisabéthains : celle du décor multiple où l'action se déroule sans interruption, avec la succession rapide d'un grand nombre de scènes. Et Arden utilise tout ce qui peut lui servir. Il parodie fréquemment le mélodrame victorien, comme par exemple dans *L'Ane de l'Hospice.* Souvent il emploie le vers. Comme Beckett il a recours aux gags de music-hall. Mais il introduit toujours des chansons. Son œuvre est écrite pour un public composé de toutes les couches d'une communauté et non pas d'une seule. En ceci aussi il ressemble aux dramaturges élisabéthains qui au théâtre du Globe, à la fin du XVIᵉ siècle, devaient satisfaire des spectateurs de toutes conditions : gentilshommes, lettrés, marchands et artisans. Shakespeare y parvenait. Et l'on pourrait représenter *Hamlet* non pas comme une pièce profonde où l'auteur cherche une vérité à travers les problèmes psychologiques d'un personnage introspectif, mais comme une histoire policière, progressant sur un rythme rapide. On devrait pouvoir le jouer de sorte que chaque type de spectateur y trouve son compte. Depuis trois cents ans ce théâtre n'existe plus. D'où la difficulté d'un Arden qui écrit pour un tel public. Non seulement celui-ci a disparu, mais il n'y a pas de scène assez flexible pour bien monter ses pièces, ni d'acteurs capables de les jouer. Son théâtre exige des acteurs extravertis, à la fois acrobates, chanteurs et danseurs à la manière de ceux de l'opéra classique chinois. Leur fonction

n'est pas de révéler sur la scène leur âme, de sonder les profondeurs de leur
cœur, ni de se comporter avec élégance. Il n'y a pas de place, dans son œuvre,
pour des acteurs comme Redgrave ou Guilgud qui fascinent un public qui voit
en eux des gens d'un autre monde qu'il aimerait bien pouvoir imiter. Cela n'est
pas le théâtre d'Arden.

Les pièces de cet auteur posent au metteur en scène les mêmes problèmes
que celles de Brecht lorsqu'on veut les jouer en Angleterre. Au début on a monté
ce dernier à la manière du théâtre de Terence Rattigan, et ce fut désastreux.
Même en nous efforçant de le jouer comme Brecht l'entendait nous avons échoué.
Actuellement, on donne au National Theatre, à Londres, une *Mère Courage* où
chaque geste, chaque inflexion de voix, est calqué sur la mise en scène du
Berliner Ensemble. Il en résulte quelque chose de mort, parfaitement à côté de la
vérité. Il est impossible de prendre une pièce dont le sujet a une signification
précise dans son pays d'origine et de la transporter telle quelle dans un autre
pays. Peut-être avec le temps trouverons-nous la vraie manière — celle du Brecht
des années 30. Mais il nous faudra longtemps pour arriver au point où en est
Planchon, qui à mon avis le monte comme le ferait Brecht s'il était encore en vie.

Voilà pourquoi il est difficile de présenter Arden, et pourquoi nous éprouvons les mêmes difficultés avec lui qu'avec Shakespeare. Jusqu'à ces dernières
années la coutume voulait que quelques vedettes entourées d'acteurs moins célèbres jouent devant des décors peints. On commence seulement à considérer une
pièce de Shakespeare comme un poème dramatique possédant une signification
globale, constituant un tout du premier au dernier vers. La Royal Shakespeare
Company s'efforce, non sans mal, de former un groupe d'acteurs capables de
débiter ses vers assez rapidement, avec assez de vivacité et de sérieux à la fois
pour rendre son œuvre accessible. Peut-être a-t-on réussi à en former une dou-
zaine. On joue maintenant Shakespeare, à Stratford-upon-Avon, beaucoup plus
intelligemment. Une représentation d'*Hamlet* dure malgré tout quatre heures et
demi. On devrait arriver à le jouer en trois heures (2), sinon il faudrait y renoncer, car le théâtre ne serait plus alors qu'un lieu de pèlerinage où certains vont
chercher des émotions profondes.

Ce dont Arden a besoin c'est d'un théâtre subventionné, car il serait mieux
servi par une compagnie d'acteurs habitués à jouer ensemble que par un groupe
réuni pour une seule pièce. Toutes ses œuvres, telles qu'elles ont été publiées,
ont souffert à leur première représentation d'une préparation insuffisante, car

---

(2) Il est apparu au cours de la discussion qu'aujourd'hui on ne peut guère réduire la
durée d'une représentation d'*Hamlet* en accélérant le débit, et qu'il faut donc réduire propor-
tionnellement le texte. Ceci peut s'effectuer de deux manières. En utilisant le premier in-quarto,
version abrégée, dépouillée de ses développements poétiques et de la substance des monologues
qui donnent au personnage principal son caractère introspectif, à la pièce sa dimension philosophique. Ou en opérant des amputations analogues sur le second in-quarto, qui nous a conservé ces passages. Si on les supprime on peut en effet jouer la pièce en trois heures. On
pourrait même la jouer en une heure et demie dans l'adaptation allemande, *Der Bestrafte
Brudermord,* qui nous est connue par un manuscrit du début du xviiie s. (N.d.l.r.).

il faudrait y travailler dix, ou si nécessaire douze semaines. Ce n'est pas une critique à l'égard d'Arden de dire qu'il est incapable, installé dans sa tour d'ivoire,
de concevoir un chef-d'œuvre qu'il suffirait de remettre au metteur en scène et
aux acteurs pour qu'il soit présenté, d'une façon parfaite, après quatre semaines
de répétitions. Des auteurs comme Pinter en sont capables, mais je ne pense pas
que ce genre de travail soit très utile. Si l'on veut un théâtre qui traite des problèmes touchant de près toute la communauté, il faut que le spectacle ait un
caractère collectif, qu'il constitue la réponse du metteur en scène, du décorateur,
des acteurs — aussi bien que de l'auteur — à un problème donné. Et ceci suppose
un travail préparatoire de longue durée où l'auteur lui-même effectue des modifications en cours de route. En Angleterre on commence seulement à avoir
dans les provinces des théâtres subventionnés, des théâtres municipaux, et c'est
peut-être là que des écrivains comme Arden auront le plus de chance d'être bien
joués, c'est-à-dire devant un public qui reste en contact permanent avec la compagnie. Les spectateurs d'un théâtre de Londres viennent le plus souvent, non
seulement de tous les quartiers de cette immense ville et de sa banlieue, mais
aussi de divers points de l'Angleterre. Une pièce jouée devant un tel public doit
posséder un intérêt si général qu'elle perd toute signification. Le seul moyen
d'obtenir une relation étroite entre acteurs et spectateurs est la décentralisation
des théâtres de Londres, qui sont à présent concentrés dans un périmètre très
limité : le West End. La Royal Shakespeare Company aura bientôt un théâtre
dans la cité de Londres, distante il est vrai d'un peu moins de cinq kilomètres du
West End, mais possédant tout de même sa propre identité. Ce sera peut-être un
nouveau départ car depuis que Joan Littlewood a quitté le théâtre de Stratford
dans l'East End, il n'en existe plus où cette relation saine, cette permanence des
rapports des acteurs avec le public soit devenue une réalité (3). Tel est notre
problème.

Traduit de l'anglais par Freda Jacquot.

(3) Depuis cet exposé, Joan Littlewood a repris son activité à Stratford.

ORPHÉE SOUS LES TROPIQUES
OU LES THÈMES DANS LE THÉÂTRE
DE TENNESSEE WILLIAMS *

par Michel GRESSET

Faculté des Lettres, Paris-Sorbonne

En intitulant ainsi cette communication, je désire simplement mettre l'accent sur ce qui me paraît être le climat privilégié de l'œuvre de Tennessee Williams, et sur son mythe essentiel. Il y a dans son théâtre une sorte de matrice thématique : c'est une solitude itinérante en quête passionnée d'une communication par l'amour dans un univers plongé dans les extrêmes et la violence, et motif d'une vision profondément marquée par les sens, et même par la sensualité.

Si les déclarations du maître ne sont pas toujours dénuées de cabotinage, ses préfaces, elles, sont sérieuses et fort utiles. L'humour y est rare. Dans celle qu'il a donnée à *Camino Real* (1), qui est de loin son échec le plus ambitieux — remarqué d'ailleurs par Faulkner — Tennessee Williams écrivait :

> J'ai lu les œuvres des dramaturges-penseurs par opposition à ceux qui ne sont autorisés qu'à sentir... Mais l'éclat incontinent d'un théâtre vivant, d'un théâtre fait pour le spectacle et la sensation, n'a jamais été, ni ne sera jamais, éteint par une brigade de critiques armés de seaux.

---

* Chronologie des pièces de Tennessee Williams :

1945	*The Glass Menagerie*	1958	*Suddenly Last Summer*
1947	*A Streetcar Named Desire*	1959	*Sweet Bird of Youth*
1948	*Summer and Smoke*	1960	*Period of Adjustment*
1951	*The Rose Tattoo*	1961	*The Night of the Iguana*
1953	*Camino Real*	1963	*The Milk Train Doesn't Stop Here Anymore*
1955	*Cat on a Hot Tin Roof*		
1956	*Baby Doll*	1965	*The Eccentricities of a Nightingale*
1957	*Orpheus Descending*	1965	*Slapstick Tragedy*

(1) Je cite en français le titre des pièces qui ont été traduites, en anglais celui des autres. Dans la traduction française, *Camino Real* garde son titre original.

Dans cette profession de foi anti-intellectuelle, placée volontairement sous un signe prométhéen, faut-il voir la ligne de clivage de Williams avec la nouvelle génération de dramaturges américains ? C'est, certainement, une des questions auxquelles j'aurai à répondre.

Il convient, je crois, en trois coups de crayon biographiques, de rappeler brièvement les circonstances de la vie de Tennessee Williams, car nul auteur dramatique n'a davantage puisé dans sa vie pour alimenter son théâtre. Il est né en mars 1911, et non en 1914, comme il en a complaisamment répandu l'erreur. Ai-je besoin d'ajouter qu'il connut aussitôt le Sud le plus torride, le plus « profond » ? Son enfance est caractérisée par l'absence du père, dont la profession évoque le chef-d'œuvre du rival de notre auteur, Arthur Miller; par la présence, autour de l'enfant couvé, d'une grand-mère, d'une mère et d'une sœur; enfin, par une santé déficiente, qui favorisa en lui une hypersensibilité au réel. Il suffirait ensuite de rappeler l'expérience désastreuse de la misère urbaine à Saint-Louis, l'adolescence très américainement meublée d'occupations diverses, et un succès relativement précoce, avec *La Ménagerie de verre,* en 1945.

C'est alors, en vingt ans, une quinzaine de pièces dont l'une au moins — *Un Tramway nommé désir* — mérite qu'on ne lui conteste pas sa place parmi le très petit nombre des grandes œuvres dramatiques américaines.

Si la carrière de Tennessee Williams est une réussite certaine, il ne faut pas oublier qu'elle fut puissamment aidée par un certain nombre de rencontres qui, quoi qu'on puisse en penser sur le plan de l'art, furent hautement favorables au succès des pièces au cinéma : Elia Kazan, surtout, mais aussi Manckiewicz, Marlon Brando et l'Actors' Studio.

L'homme est d'abords difficiles et ses déclarations sont contradictoires et volontiers fabulées. On ne saurait passer sous silence un certain élément de gâterie et même de pose fin de siècle dans les attitudes de Tennessee Williams, qu'on a raison d'envisager parfois dans la lignée d'Oscar Wilde; on pense, en tout cas, à Jean Cocteau, à Truman Capote. Mais il importe de savoir qu'il se réclame au contraire des poètes tragiques et maudits : Melville, Rimbaud, Hart Crane, D. H. Lawrence. Il est vrai qu'Oscar Wilde fut aussi un poète maudit.

Ce n'est pas ici le lieu d'insister sur le caractère d'autobiographie affective et sensuelle qu'ont certains des écrits de Tennessee Williams : ses nouvelles peut-être plus encore que ses pièces. Mais il faut quand même insister sur le fait qu'il est rare, même si l'on pense à Ibsen ou à Tchekov, de voir un dramaturge exploiter si constamment, de façon souvent si anecdotique, et avec tant de succès, un assez petit nombre de données dont on peut dire qu'elles étaient acquises une fois pour toutes à l'entrée dans la maturité. Il a lui-même comparé l'éclosion de sa passion pour le théâtre à celle de la puberté. D'autre part, il écrit dans sa préface à *Doux Oiseau de la jeunesse* :

> Je ne saurais dévoiler une faiblesse humaine sur la scène sans la connaître pour l'avoir eue moi-même. J'ai dévoilé un bon nombre des faiblesses et des brutalités de l'homme et en conséquence j'en ai fait l'expérience.

Malgré le vocabulaire quasi classique, il suffit de penser au couple Stanley-Blanche d'*Un Tramway* pour s'apercevoir que cette déclaration ne doit pas être comprise littéralement, mais dans la perspective des projections. Ces personnages sont évidemment représentatifs par procuration, Stanley dans sa brutalité comme Blanche dans sa douceur malade. Mais, ce qui est plus original, c'est que ces représentations sont très directes et très immédiates : d'où, sans doute, l'étrange pouvoir de charme et de fascination qu'exercent ses pièces sur le public, même si celui-ci, comme c'est souvent le cas, se révolte intellectuellement contre l'artifice, l'outrance et même l'absurdité de certaines de ses situations favorites. En corollaire, on pourrait avancer que le défaut de Williams en tant que dramaturge est un certain manque de distanciation — sans, bien sûr, que ce mot soit pris nécessairement dans un sens brechtien.

On peut dire que la thématique du théâtre de Tennessee Williams est élaborée, ramifiée, complexifiée, mais qu'elle n'est pas dialectique : d'où une impression, apparemment superficielle, mais probablement juste et fondamentale, de répétition, de statisme, qui oblige à chercher le progrès au niveau le plus profond — peut-être le plus opaque — en tout cas le plus intime, de la création. Et de cette constatation il faut bien passer au jugement de valeur : de *Battle of Angels,* sa première tentative, plus tard exploitée sans vergogne, aux *Eccentricities of a Nightingale,* sa dernière, qui ne fut pas très bien accueillie, Tennessee Williams a-t-il su approndir ses thèmes au point qu'on puisse parler d'un renouvellement ?

Il faut, ensuite, répéter que le constant glissement des thèmes vers les obsessions et des sujets vers les atmosphères est dû à ce fait, assez rare et signifiant en soi, que je signalais plus haut : la mise à profit artistique d'un nombre limité de données d'ordre soit anecdotique (historique, mais surtout géographique), soit personnel (on peut ici parler d'une configuration psychique portée à la scène, comme un paysage intérieur extériorisé dans un décor objectif). Si ce capital originel a bien des aspects limitatifs, il ne faut pas non plus méconnaître le virtuose qui a su en tirer force dramatique et poétique.

On peut donc toujours rattacher le climat des pièces de Williams à un climat intérieur; mais on notera aussi l'éventail des moyens destinés à provoquer l'illumination tragique et à la concentrer sur les divers aspects de l'ultime vérité que découvrent ses personnages : la solitude. Ces moyens, dans son théâtre récent, sont la violence, latente ou explosive; l'exotisme, brûlant ou languide; enfin le déchaînement des instincts, sexuels ou plus primitifs encore.

La solitude, qui est le plus petit commun dénominateur thématique des pièces de Tennessee Williams, est aussi le grand motif autour duquel il a brodé les variations de son message. Solitude, ou plutôt isolement, si l'on veut envisager le problème dans une perspective sociale. Mais il y a plus: une véritable et authentique réflexion sur la solitude, à tel point qu'on en vient vite à considérer ce thème comme la clé de l'œuvre. D'ailleurs, cela est aussi vrai de bien des œuvres littéraires sudistes et post-faulknériennes, à l'exception, peut-être, de celle de Styron. Dans *Camino Real,* par exemple, lors d'une pause, trois personnages répètent, comme en leitmotiv, le mot *lonely.*

Ces personnages, qu'on les classe, comme je le faisais il y a neuf ans dans une première étude, d'un point de vue dramatique (les protagonistes, les visiteurs, les antagonistes), ou qu'on adopte, comme on l'a fait récemment, une perspective psychologique (on aurait alors, de façon d'ailleurs discutable, l'artiste, le « fou » ou plutôt l'hystérique, l'infirme, le « spécialiste sexuel » et l'étranger), ont tous un caractère commun : ils sont menacés. Soit par les autres, soit par eux-mêmes, soit par l'univers — ce qui ne signifie pas nécessairement une menace sociale, ou même cosmique, mais au contraire un danger naturel : plantes (*Soudain l'été dernier*), animaux (*La Nuit de l'iguane*).

*
* *

L'élément de critique sociale dans le théâtre de Tennessee Williams n'est pas négligeable, encore qu'il n'atteigne jamais l'importance que lui a donnée Arthur Miller. On n'en lira pas moins avec intérêt son propre commentaire sur *Un Tramway nommé désir* :

> Le viol de Blanche par Stanley est une vérité intégrale qui joue le rôle d'un pivot dans la pièce; sans lui celle-ci perdrait sa signification, qui est le rapt des tendres, des sensibles, des délicats par les forces cruelles et brutales de la société moderne.

Mais ailleurs il déclare : « Je n'ai aucune connaissance de la dialectique politique et sociale ». Tennessee Williams n'est donc pas un critique social : il l'est même de moins en moins. La réalité sociale de ses personnages récents est rarement positive du point de vue dramatique. Dans *Soudain l'été dernier* — comme dans *La Chatte sur un toit brûlant* — l'argent joue bien un rôle dans l'intrigue, mais il reste secondaire. En général Tennessee Williams se soucie peu de justifier la fortune dont disposent ses riches oisifs. Quant aux « petits blancs » de *La Poupée de chair,* ils constituent plus un tableau de mœurs qu'une étude de collectivité ou même de groupe.

Chez Williams, comme chez Ibsen et même chez Shaw, les éléments de critique sociale sont utilisés à des fins désormais évidentes de substitution tragique. L'impitoyable divinité d'autrefois est devenue ce qui est « cruel et brutal dans la société moderne ». En ce sens, évidemment, c'est plutôt *La Mort d'un commis voyageur* qui est la tragédie américaine par excellence. Mais il est bon de citer ici ce qu'a dit Kazan à ce sujet :

> On ignore tout ce qu'a fait *Un Tramway nommé Désir* pour ouvrir la voie d'une conception moins littérale du théâtre. C'est au *Tramway* que nous devons d'avoir eu *La Mort d'un commis voyageur.*

Ses attaques les plus précises contre l'ordre social datent de ce qu'on pourra appeler sa période centrale : de *La Chatte sur un toit brûlant* à *Doux Oiseau de la jeunesse.* Le plus souvent, elles prennent le tour de la caricature et tendent plus à la satire pointilliste qu'à la mise en question de la société entière à partir d'un réseau cohérent d'observations. Pourtant, dans ces trois pièces, le contexte et le climat sudistes sont évoqués de façon assez complète : l'esprit étroit et borné, l'instinct de défense réactionnaire du genre « Citizens' Councils », le racisme, mais aussi la xénophobie, le réflexe anti-coopératives, l'instinct de vengeance par l'incendie, etc. Citons par exemple cette indication scénique de *La Poupée de chair* :

> Il règne une atmosphère de fête, comme si l'incendie avait satisfait un appétit fondamental et avait rempli de joie les gens du pays.

Avec le personnage générique de Boss Finley (*Doux Oiseau de la jeunesse*), Tennessee Williams a fait une tentative de représentation de la corruption politique. Mais, trop extérieure, elle reste mal intégrée; et l'auteur, avec beaucoup de lucidité d'ailleurs, l'a fait disparaître de sa seconde version de la pièce.

Au fond, pas plus que Faulkner, Tennessee Williams ne s'intéresse à l'aspect sociologique, ou même social, de la vie dans le Sud : pour lui, comme pour le romancier, le Sud est un univers géographique privilégié — et ceci inclut les violences naturelles, car elles sont utilisées comme stimulants dramatiques ou comme révélateurs psychologiques — mué en enfer par l'histoire moderne. L'accuser de réaction serait le provoquer en duel avec des armes qu'il refuse : comme dans le cas de Faulkner — mais plus superficiellement — sa politique est une poétique.

Il n'en reste pas moins vrai, de ce point de vue, que le théâtre de Tennessee Williams manifeste une lacune : c'est l'esclavage, ses origines, ses conséquences. Williams est plus attiré par les minorités en général que par les Noirs en particulier. Le meilleur usage qu'il ait fait de ces derniers est *Baby Doll* (*La Poupée de chair*), où ils figurent collectivement le chœur muet, témoin silencieux et sarcastique de la décadence des Blancs. Mais Stanley est un « Polack », *La Rose tatouée* se passe en milieu italien, et dans *La Poupée de chair*, encore, un des personnages principaux est sicilien. En général, ces minorités apportent au milieu où elles sont transplantées, et dans lequel Williams dénonce l'obsession de l'impuissance, une vigueur et une vitalité toujours chargées de connotations sexuelles.

S'il y a conscience sociale chez Tennessee Williams, c'est aussi au niveau d'une interrogation sur l'américanité. Ceci est sensible dans *La Ménagerie de verre*, où Amanda est fière d'avoir des enfants « pleins de dons naturels ». Ce l'est aussi, et surtout, dans *Camino Real*, où Kilroy figure le G.I. plein de ressources et de naïveté idéaliste. En général, Tennessee Williams fait endosser à ses personnages le mythe du succès américain, comme le fera d'ailleurs Arthur Miller pour son Willy Loman dans *La Mort d'un commis voyageur*.

Dans l'ensemble, le monde contemporain selon Tennessee Williams est quand même un monde malade. Il reflète assez fidèlement la stérile surenchère production-consommation, ainsi que la perpétuelle création de besoins de plus en plus artificiels, marques et symptômes du capitalisme. Les conséquences sur l'individu sont aisément prévisibles : il est significatif qu'il n'existe pas de théâtre plus plein de médecins, d'infirmières, de drogues, de médicaments (tranquillisants, anti-dépresseurs, euphorisants) que le sien. Sans parler de l'alcool !

C'est pourquoi l'on peut dire que l'élément de critique sociale n'est là que pour déboucher sur une représentation, sinon une dénonciation, du mal à un autre niveau. Témoin ce dialogue de *La Poupée de chair* :

> *Silva* : ... l'esprit de la violence — de la ruse — de la malveillance — de la cruauté — de la traîtrise — de la destruction ...
>
> *Baby Doll* : Ah, oui ! ces caractéristiques humaines !

Ainsi le problème social se trouve désamorcé au profit d'une pirouette à tournure pessimiste. La vision de la société chez Tennessee Williams n'est pas très différente de celle d'une jungle, où survivent les plus sauvages, les plus farouches : le lieu de son théâtre récent tourne le dos aux villes pour s'installer en paysage rural ou même « naturel » ; le choix se porte de plus en plus souvent vers le Sud, et même vers les tropiques : *Soudain l'été dernier, La nuit de l'Iguane*.

L'incidence de cette tendance sur le thème-clé de l'œuvre apparaîtra clairement si l'on réfléchit que, dans *La Chatte* par exemple, la plantation est *isolée* dans un Sud qui est lui-même *isolé* dans la nation. La décadence des familles et la corruption des mœurs impliquent évidemment, comme chez Faulkner, un contexte social privé de dynamisme autant que de valeurs où fonder un ordre nouveau :

> *Doux Oiseau :* Ce pays flétri, en pleine flétrissure.
>
> *La Descente d'Orphée :* Autrefois, ce pays était sauvage, les hommes et les femmes étaient sauvages et ils éprouvaient au fond de leur cœur une sorte de tendresse sauvage les uns pour les autres... mais maintenant le pays a la maladie du néon, il est ravagé par la maladie du néon...

Voilà pour la toile de fond. Mais ce qui frappe dans les dernières pièces de Tennessee Williams, c'est l'expression de plus en plus claire d'une nouvelle vision des rapports sociaux :

> *Soudain l'été dernier :* Oui, nous nous utilisons tous les uns les autres — et c'est ce que nous appelons l'amour — et quand nous ne pouvons plus nous utiliser, c'est... ce que nous appelons la haine.

Ce jugement, bien sûr, est très subjectif, puisqu'il est exprimé par la jeune héroïne taxée de folie pour avoir été victime de la perversion du jeune esthète Sébastien; il n'en a pas moins la valeur d'un credo désenchanté.

Dans *Doux Oiseau*, où sont étudiées les relations de deux monstres à la Cocteau, Tennessee Williams met dans la bouche de Chance, le vulgaire gigolo, cette profession de foi à la fois démystifiante et romantique où cependant pointe la critique sociale, puisque l'auteur a montré, dans *La Poupée de chair* notamment, qu'il avait compris la véritable signification sociale que prend pour l'Amérique le vice du voyeur :

> La grande différence entre les gens de ce monde n'est pas entre les riches et les pauvres ou les bons et les méchants; la grande différence est entre ceux qui ont eu ou ont encore du plaisir dans l'amour et ceux qui n'en ont pas, n'en ont jamais eu, et se sont contentés de regarder avec envie, avec une envie maladive...

Pour Tennessee Williams, la société est donc une espèce de monstre contre lequel doivent se définir et tenter d'exister ses héros et surtout ses héroïnes. Il n'entre guère dans les mécanismes sociaux, sauf s'il les connaît bien pour les avoir vécus : ceux du Sud lui sont le plus familiers. Cependant, Williams n'a rien d'un documentaliste. Pour lui, comme pour les romanciers symbolistes anglo-saxons, un contexte social est avant tout un climat.

Son théâtre est une longue plainte de l'individu écrasé par la société. Pour les solitaires, entrer dans la société ce n'est jamais que déboucher sur une autre solitude, pire encore, puisqu'elle est chargée d'échec, d'étiolement, de frustration. Alors le rêve chasse peu à peu la réalité. Mais ce processus est en général un cheminement vers le pire, toujours sur la voie de la solitude : celle-ci, selon une loi qui, chez Williams, a des origines psychiques, provoque la satellisation de deux ou trois thèmes connexes, comme l'exprime clairement Catherine dans *Soudain l'été dernier* :

> Je suis si seule. C'est une solitude pire que la mort; si je suis folle, c'est une solitude pire que la mort.

Si la solitude est cette ultime réalité, même du point de vue social, c'est justement parce qu'elle apparaît toujours, sous quelque angle qu'on considère le problème de l'existence, comme le lieu et le milieu mêmes de la vie. Son aspect psychologique est capital dans ce théâtre, car la solitude est intimement liée à l'« histoire » de chacun des personnages. Ainsi, cette réflexion de Maxine à Shannon dans *La Nuit de l'Iguane* :

> Oh, je connais ton histoire psychologique.

Par bien des aspects, le théâtre de Williams représente le passage d'une dramaturgie fondée sur la psychologie traditionnelle à une dramaturgie aux moyens directement inspirés de la psychanalyse.

*
★ ★

La solitude des protagonistes de Tennessee Williams est toujours liée à des facteurs de nature privative, dont les effets sont traumatisants ou même paralysants. On peut considérer la faute, et surtout la peur.

L'auteur a lui-même parlé de son héritage « Cavalier et Puritain ». Si le sentiment de la faute n'est pas dans son œuvre cette véritable éclipse de la lumière qu'il est dans une partie de celle de Faulkner, il n'en pèse pas moins sur certains de ses personnages et, partant, sur certaines de ses situations. Dans les dernières pièces, son origine tend d'ailleurs à devenir ambiguë, voire symbolique, comme si elle impliquait la faute du monde et la chute universelle. Dans la *Ménagerie,* Tom se sentait coupable de l'abandon de Laura ; dans *Un Tramway,* Blanche ruminait le suicide d'Allan ; mais dans la *Chatte,* Brick n'est qu'obscurément responsable de la mort de Skipper. Il est ce sombre héros romantique accablé par son échec perpétué, une sorte de James Dean alcoolique et homosexuel. Si l'on analyse son passif, on peut, je crois, constater que la raison de son désespoir est dans une double impasse : exister par autrui est une faute, parce qu'on ne laisse jamais l'autre innocent du commerce qu'on entretient avec lui — surtout quand coexiste au commerce sexuel un vague idéalisme platonique ; mais d'autre part la solitude est intolérable. D'où, comme chez Blanche, l'alcoolisme, la nymphomanie, et le désespoir.

La peur est plus importante, en raison notamment de sa relation avec la violence. Remarquons tout de suite qu'il ne s'agit jamais d'angoisse chez Williams :

> C'est la nécessité de lutter contre la peur — qui était quelquefois de la terreur — qui m'a incité à plonger mes pièces dans une atmosphère d'hystérie et de violence.

Ainsi apparaît sous un jour nettement organique, viscéral même, cette satellisation des thèmes autour de celui de la solitude que je mentionnais plus haut. Tout le théâtre de Williams, qui déclare, de façon à la fois juste et rusée, « je ne crois pas avoir jamais eu conscience d'écrire avec un thème en tête », est un exorcisme. Savoir s'il y a eu catharsis intime est une autre question. On serait tenté de répondre non à voir la façon dont l'auteur, après une tentative d'analyse qu'on a dit avortée, s'est récemment enferré dans ses obsessions.

De la peur, Laura est infirme dans *La Ménagerie,* Mathilda est paralysée dans *You Touched Me,* et George tremble dans *Period of Adjustment.* De quoi ses personnages ont-ils peur ? Pour Hannah, dans *Iguane,* c'est du contact physique ; pour la princesse de *L'Oiseau,* c'est de la vieillesse ; pour Mrs Goforth de *The Milk Train,* c'est de la mort ; et on peut dire que Shannon (*Iguane*) a peur de la peur :

> Il faut que je lutte contre cette panique.

C'est alors qu'on assiste au passage de l'inhibition à l'hystérie — ici encore, le théâtre de Williams trouve une correspondance dans certaines nouvelles de Faulkner, après celles de Sherwood Anderson :

> L'hystérie est un phénomène naturel, le dénominateur commun de la nature féminine.

Il est bien vrai, en effet, qu'entre l'inhibition et l'hystérie se situe la quasi totalité de l'univers féminin de Tennessee Williams. Pour ses femmes, ces états sont encore des étapes sur la voie de la solitude qui mène, par la folie, jusqu'à la mort.

Dans ce cheminement, qui est en quelque sorte un chemin de croix, les héroïnes de Williams passent souvent par deux sortes d'épreuves en forme de déchaînements : c'est la brutalité de la société, ou l'explosion de phénomènes naturels. *Un Tramway* illustre le premier cas, tandis qu'on assiste dans *La Chatte* à une assez remarquable orchestration de la solitude individuelle sur un fond de forces implacables, indifférentes, inhumaines. *Brooding* est un mot favori de l'auteur dans ses indications scéniques. Au fond, le choix désormais renouvelé de ses décors à la fois sourds et violents a des raisons thématiques, et il s'y mêle un indéniable élément de morbidité.

> Shannon, dans *Iguane* : C'est toujours sous les Tropiques que j'emmène les dames. Est-ce que... Est-ce que cela signifie quelque chose, je me le demande. Peut-être. Le déclin rapide est caractéristique de climats chauds, moites, chauds et humides, et j'y retourne comme... (il laisse sa phrase inachevée).

Si les héroïnes de Tennessee Williams suivent presque toutes une pente sans retour, ses héros sont souvent du type itinérant. « Après l'échec vient la fuite » (*Oiseau*). Il se fuient d'abord eux-mêmes ainsi que leur échec à s'insérer dans un ordre social ou même communautaire; leur fuite est littérale (c'est le cas de Carol dans *Orphée*) ou métaphorique (dans le rêve) : c'est ici que nous atteignons le seul niveau dialectique de la thématique de Tennessee Williams, qui a d'ailleurs fait son succès comme poète du théâtre. C'est de l'opposition dramatique entre le rêve et la réalité que naît la poésie dans le théâtre de Williams et dans l'âme de ses personnages élus. C'est Blanche, bien sûr, avec ses abat-jour, ses tulles et ses voiles, qui incarne le plus magnifiquement cette évasion douce et meurtrière dans le monde du rêve poétique.

Dans *Oiseau*, Tante Nonnie demande à Chance : « Pourquoi ne vis-tu plus maintenant que de rêves farouches ? », et Chance répond : « De rêves farouches ? Oui. Est-ce que la vie n'est pas un rêve farouche ? C'est la meilleure définition que j'en connaisse ».

Mais cette définition n'est qu'une adéquation facile, qui ne gomme pas la complexité, ni surtout l'admirable pénétration et la tendre compréhension des portraits psychologiques de Williams; car l'auteur sait toujours atténuer, comme en sourdine, l'éclat déchirant de ses études cliniques. Derrière le comportement de ses personnages, il y a toute une épaisseur de sympathie inexprimée d'où naît une musique tendre et douce. Williams est bien le père de ce type d'âme fragile et rêveuse dont le destin ne peut être que de martyre et d'écrasement. Car si même la vie, dans la meilleure hypothèse romantique, peut être considérée comme un rêve farouche, la réalité, elle, n'a rien de tel, dont le titre *Camino Real* (Chemin Royal / Chemin réel) symbolise l'ambiguité. Le réel est somptueux et meurtrier, comme les plantes tropicales, comme les fleurs vénéneuses, comme les belles cruelles et les langoureux pervertis. Dans cette pièce, l'espoir ouvert est mince :

> Les violettes feront éclater les rochers.

Le réel est ce roc, ou pis : un monceau d'immondices, comme dans *Iguane,* pour lequel on n'ose même plus utiliser les mots de cinq lettres. (A ce propos, on évoquera cet article où, au début de sa carrière, Williams était stigmatisé comme le grand prêtre d'une « mystique de la merde ».) Pas plus que la société, la nature n'est idyllique :

> L'amour obscène et corrompu de la nature.

Même la solution mélancoliquement proposée par le vieux poète Nonno dans *La Nuit de l'Iguane* est impossible aux sensitives; voir seulement dans la vie :

> Une chronique désormais privée d'or,
> Un pacte conclu avec l'humus et la brume.

Car les héroïnes de Tennessee Williams, ou ses artistes hypersensibles, inhibés par leur « histoire » psychologique, blessés, peu à peu écrasés par la réalité, ne voient plus s'ouvrir devant eux que la voie solitaire de la fuite intérieure vers des extrêmes symbolisés par les tropiques; ils s'enferment dans un monde de rêve (il est des pièces presque entièrement oniriques : *Soudain l'été dernier,* par exemple) qui, naturellement, puisqu'ils ne sont pas fous, se double aussitôt d'un aspect mensonger. Ils mentent et se mentent, puis s'enferment doucement dans la folie qui annihile le mensonge, ou se livrent brutalement à la mort libératrice.

A cet égard Blanche est digne d'Ophélie. Et l'on peut voir dans les nombreuses gardiennes d'asile, infirmières ou nurses du théâtre de Williams la même signification que Cocteau donnait à ses motards : sinistres huissiers, ou féroces douaniers du pays d'où l'on ne revient pas.

Il faut donc en venir aux aspects philosophiques, ou même métaphysiques, de l'œuvre de Williams; celle-ci, en effet, est hantée par trois problèmes : le temps, la mort, et Dieu.

*
* *

Presque toujours, l'action des pièces de Tennessee Williams se déroule selon les strictes unités du temps, du lieu et de l'action. C'est d'ailleurs un phénomène assez rare sur la scène anglo-saxonne et contemporaine.

Dans *Camino Real,* cependant, il a essayé de situer sa fable romantique et quasi allégorique dans une sorte d'atemporalité : c'est peut-être ce qui ôte à la pièce le pouvoir immédiatement captivant qu'ont les autres. Son intention philosophique est trop manifeste, sans que le message soit très profond ni très original.

Mais en général, c'est tout simplement le thème de la fuite du temps qui le préoccupe. C'est un lieu commun, certes, mais qui prend des résonances pathétiques, sinon tragiques, lorsqu'on sait la solitude à laquelle sont voués ses protagonistes. Ainsi, dans *Doux Oiseau,* l'Ennemi explicite est le temps.

Dans sa préface à *La Ménagerie,* Williams écrit :

> L'horloge n'égrène qu'un mot : Fuite, Fuite, Fuite, à moins qu'on ne voue son cœur à tenter de s'y opposer.

D'où, comme il l'a dit lui-même, la valeur thérapeutique et même spirituelle de l'art.

L'obsession des héroïnes de Tennessee Williams est celle de la jeunesse enfuie. Pour Blanche, pour Marguerite (*Camino Real*), pour Alexandra (*Doux Oiseau*), le temps est une perte continue. Le sentiment qu'elles en ont, et qui les mène à la folie douce, engendre la pitié.

Le sentiment de la mort est aussi obsessionnel. Au Tramway nommé Désir faisait pendant, à la Nouvelle Orléans, le Tramway nommé Cimetière. Il y a au moins trois mourants dans son théâtre : Big Daddy (*La Chatte*), Jabe (*Orphée*), Mrs Goforth (*The Milk Train*).

Dans *Doux Oiseau de la jeunesse,* Alexandra-Princesse supplie Chance Wayne (dont le nom signifie peut-être la Chance qui décroît) en ces termes :

> Pas d'allusion à la mort, jamais, jamais un mot de cet odieux sujet.

Aussi bien la mort n'est-elle un sujet explicite chez Williams que lorsqu'elle est associée à la corruption et au déclin. Mais elle plane comme une menace dans plusieurs de ses pièces, et il est remarquable que ses mourants, en un acte ultime d'évasion, se réfugient dans l'auto-mensonge.

Quant aux morts violentes, elles sont rares elles aussi, du moins dans le temps de l'action; je n'en trouve d'exemple que dans *Orphée* et dans une petite tragédie en vers intitulée *La Purification* (dans *27 charretées de coton,* recueil de pièces en un acte du début de la carrière de Williams). La tragédie chez Williams, ou plutôt, comme il le dit justement lui-même, « la pièce à intention tragique », évolue le plus souvent vers une sorte de mort dans la vie, une *dérive* à la Tchekhov (qui est d'ailleurs, avec Lorca, un des maîtres de Williams).

Quand à Dieu, voici ce que dit Hannah à Shannon dans *La Nuit de l'Iguane* :

> *Hannah* : L'alcool n'est pas votre problème, M. Shannon.
> *Shannon* : Quel est donc mon problème, Miss Jolkes ?
> *Hannah* : Le plus vieux du monde — le besoin de croire à quelque chose ou à quelqu'un — presque à n'importe qui — presque à n'importe quoi... n'importe quoi.
> *Shannon* : Mais dans votre voix sonne le désespoir.
> *Hannah* : Non, pas le désespoir. A la vérité, j'ai trouvé quelque chose en quoi croire.
> *Shannon* : Quelque chose comme... Dieu ?

Hannah : Non.
Shannon : Quoi ?
Hannah : Les portes brisées entre les êtres, afin qu'ils puissent s'atteindre, ne serait-ce qu'une nuit.

Romantisme encore, désabusé certes, et bien mince (côté *Brève Rencontre*). Mais dans les décors de Tennessee Williams, le ciel est toujours explicitement vide. Il y a donc quelque chose de positif, pour les solitaires de Williams, dans cette métaphysique de la rencontre — qu'elle soit idyllique ou sordide. Mais en face de cette solution timidement optimiste, qui est celle de *Camino Real* où le fugitif est aussi l'élu, il faut placer l'autre réponse, l'horrible réponse de *Soudain l'été dernier*. Qu'a été chercher Sébastien aux Galapagos ? Dieu. Qu'y a-t-il trouvé ? La ruée des oiseaux de proie sur les tortues à peine écloses : Dieu est, mais Dieu est de cruauté, de jungle, de martyre inutile.

Dans *Iguane*, Hannah dit du vieux prophète-poète qui va mourir : « Il est comme un aveugle qui monte un escalier débouchant sur le vide ». L'image du calvaire inutile (Nonno le poète) ou amèrement ironique (Sébastien le pervers) hante notre auteur. Son nihilisme n'est guère mitigé que par une vision de la vie dont les deux faces complémentaires sont le sensualisme et le dolorisme : ainsi en va-t-il de l'iguane réputé pour sa chair blanche et tirant vainement sur sa corde.

Du point de vue métaphysique, il semble que l'attitude de Tennessee Williams oscille entre un vague mysticisme romantique et un nihilisme naturaliste. Tantôt son théâtre donne l'impression d'être sans Dieu, tantôt sa scène paraît présidée par un Dieu cruel qui rend dérisoires toutes les tentatives humanitaires. Dans *Madame de Marie-Rose* (*Lady of Larkspur Lotion*, du recueil *27 charretées de coton*), il écrivait :

> N'y a-t-il plus de miséricorde en ce monde ? Que sont devenues la compassion et la compréhension ? Où tout cela est-il parti ? Où est Dieu ? Où est le Christ ?

Et l'autre pôle, plus vrai me semble-t-il, serait dans *Camino Real* :

> Nous sommes tous des cochons d'Inde dans le laboratoire de Dieu. L'humanité n'est qu'une œuvre en cours.

Entre ces deux pôles, il n'y a guère de place dans le théâtre de Tennessee Williams pour un humanisme athée. C'est surtout en ce sens que son œuvre est différente de celle des dramaturges européens dont il se réclame — notamment de Tchekhov — et qu'elle a nettement divergé de celle de son grand contemporain américain, Arthur Miller.

Il semble au contraire que Tennessee Williams, suivant en cela un autre mouvement, plus récent, de la littérature et même de la science (notamment l'anthropologie) contemporaines, s'enfonce comme à plaisir dans un certain inhumanisme, ou dans une préhistoire dont les symboles de ses dernières pièces sont bien les signes. On mesurera notamment le chemin parcouru en comparant les thèmes et les symboles dans *La Ménagerie de verre* d'une part, dans *Soudain l'été dernier* et *La Nuit de l'Iguane* de l'autre.

De sa première pièce, *You Touched Me,* d'ailleurs inspirée par la lecture de D. H. Lawrence, il a écrit : « C'est un échec parce que j'y mélangeais la religion et le sexe ». Il serait plus juste d'ajouter « maladroitement » à cette citation. Quoi qu'il en soit, ce compte rendu serait incomplet si je ne mentionnais le rôle de la sexualité dans les thèmes du théâtre récent de Tennessee Williams. Elle a bien sa place ici, car elle baigne les trois aspects de la solitude successivement examinés : social, psychologique et métaphysique. Non seulement l'œuvre entière de Tennessee Williams est un péan à l'adresse de l'instinct sexuel, véritable force dionysiaque face à toutes les aspirations vers la mort (cf., notamment, *La Rose tatouée*), mais il se constitue, au fil des pièces, une sorte d'érotique dont je me contenterai de donner deux des dimensions principales : le sadisme et le rituel, qui sont venues récemment converger dans le sacrifice par excellence, l'anthropophagie.

Cette tendance a, bien sûr, un double réseau de résonances : elles sont chrétiennes, si l'on pense que le personnage du martyr appelle l'image du Christ et le thème de la communion universelle, qui n'est, après tout, qu'un rite anthropophagique. Mais c'est aussi chez Williams un carnage universel, une curieuse fascination pour le rite païen de l'expiation solitaire sous les griffes et les dents de la communauté.

Dans l'opposition dramatique simple : protagoniste-antagoniste, qui est souvent le rapport social renversé : exploitant-exploité, le plan social est dépassé au profit d'une perspective presque existentielle, qui évoquerait, à la limite, la chaîne des bourreaux et des victimes du Beckett de *Comment C'est*; et Tennessee Williams y introduit souvent un élément de sadisme. Parmi ses dernières pièces *La Poupée* est particulièrement significative, qui tire sa dynamique dramatique des rapports sadiques successifs de Baby Doll et d'Archie, puis de Silva et Baby Doll, enfin de Silva et d'Archie. Ce sadisme à composante érotique implique une métaphysique des rapports de moi à autrui, puisqu'il est, pour le moins, un contrepoint très sombre aux pieuses velléités de communication examinées plus haut. Dans ce sens, c'est un aspect de *Zoo Story,* d'Edward Albee, qu'annonçait Tennessee Williams — qui n'en est pas resté là.

En effet, si on les considère dans cette perspective, les rapports humains mènent tout droit à une alternative brutale, grossière et primitive : Qui va manger ? Qui va être mangé ? L'auteur peut alors utiliser à neuf toutes les métaphores quotidiennes qui utilisent la nutrition comme référence et, si l'on peut dire, incarner son langage dramatique.

Il va de soi que c'est le Poète ou le Fou qui sera dévoré : lui qui tendait à incarner le verbe, ou la poésie, est ainsi offert en holocauste aux puissances de l'acte. On sentait cette tendance dans une belle nouvelle de l'auteur, *Desire and the Black Masseur,* et Blanche était presque littéralement déchirée par Stanley. Mais elle culmine dans *Orphée,* où Val, l'Étranger à la guitare, est dévoré par les chiens du bagne, et surtout dans *Soudain l'été dernier,* où Sébastien, au sommet de son Golgotha, est déchiré par une horde de mendiants affamés.

Dans les deux cas le héros fuit : devant la horde qu'est la société, devant la ruine et la corruption dont a été marqué son bref passage sur terre, devant son propre échec et vers cette ultime consommation de la solitude qu'est la mort. En mourant ainsi lacéré, littéralement ou métaphoriquement, sous un soleil qui exclut tout refuge, offert en sacrifice inutile au Dieu qui n'existe pas mais qu'en sacrilège il tente de faire exister par l'acceptation de « sa » cruauté, le héros des dernières pièces de Tennessee Williams accède à une sorte de transfiguration qu'on ne peut guère envisager que comme la dernière étape, impie mais rituelle (donc sacrée), d'un cheminement sotériologique.

⋆
⋆ ⋆

Même si ses toutes dernières pièces le montrent en véritable difficulté de renouvellement, on peut affirmer qu'avec *La Descente d'Orphée, Soudain l'été dernier* et *Doux Oiseau de la jeunesse,* Tennessee Williams a su dépasser sa double affinité (Tchekhov et Cocteau) pour se placer, face à la postérité et en attendant la confirmation d'Edward Albee, comme le seul vrai successeur d'O'Neill.

LE NOUVEAU THÉATRE AMÉRICAIN
ENTRE DEUX ALIÉNATIONS

par Pierre DOMMERGUES
Faculté des Lettres, Paris-Sorbonne

Que les Etats-Unis soient — aujourd'hui — le lieu privilégié de *l'aliénation*, peu d'Américains songeraient à le contester. C'est d'ailleurs un remarquable signe de santé que tant d'écrivains — romanciers ou poètes, dramaturges ou essayistes, sociologues ou économistes — aient choisi depuis quelques années d'être les témoins lucides d'une folie individuelle ou collective souvent proche de l'hystérie. Significatif à cet égard l'actuel succès aux Etats-Unis des romanciers dits de *l'humour noir* (Black Humorists) qui offrent du monde une vision aussi cocasse que cauchemardesque : certains insistent sur l'absurdité comique du monde extérieur (Joseph Heller, par exemple); d'autres comme William Burroughs, l'auteur du *Festin Nu*, sur les conséquences psychiques d'un univers dont la puissance traumatisante vous fait éclater de rire; mais tous mettent en évidence la rupture des liens habituels entre l'homme et son entourage, l'écrasement du personnage, son retrait dans l'imaginaire ou son refuge dans la folie.

L'Américain de l'après-guerre se sent coupé des choses — non qu'il ressente une aliénation économique au sens marxiste du terme : il n'est pas frustré de ne pas posséder « les moyens de production » et, malgré la pauvreté récemment découverte aux Etats-Unis (c'est J. F. Kennedy qui l'a révélé au cours de sa campagne électorale de 1960), il ne se sent pas privé des « produits de son travail ». Aujourd'hui c'est l'opulence et non la pauvreté, la sur-consommation et non la sous-consommation qui est source d'aliénation. L'Américain est étranger dans un univers d'objets de plus en plus « inhumains » (d'où ses accès de primitivisme littéraire ou non); en même temps il dépend plus que jamais de la possession de ces objets pour affirmer son identité. On a souvent remarqué que l'habitant de la « suburbia » n'est que la somme des gadgets qu'il possède et dont son voisin peut à tout moment constater l'existence.

Dans ses rapports avec la société, l'Américain entretient des rapports également ambigus; l'autre est celui dont je dépends dans la mesure où il me voit et de ce fait m'assure de mon existence; mais c'est aussi celui qui ne voit de moi que les apparences et qui par suite m'est étranger. Mêmes rapports de dépendance et d'indépendance aliénantes avec la partenaire privilégiée : *Qui a peur de Virginia Woolf ?* a été décrit en France comme une immense scène de ménage entre époux, en Amérique comme l'affrontement d'un couple d'homosexuels. Une explication n'exclut pas l'autre; chacune révèle chez ses interprètes des névroses individuelles ou nationales; un point reste acquis : les rapports entre George et Martha sont un perpétuel và et vient d'amour et de haine, de tendresse et d'agressivité, qui les attachent et les séparent avant de les conduire à la folie.

De l'aliénation de l'opulence à l'aliénation de l'esprit la distance est courte. La première nourrit la seconde à moins que ce ne soit le contraire. Il est souvent difficile de séparer l'une de l'autre. Dans un cas limite et aujourd'hui capital aux Etats-Unis — celui de la drogue (1) — il est impossible d'isoler les causes des conséquences. Est-ce la folie qui mène à la drogue ? La drogue au vol ? Le vol à la drogue ? ou la drogue à la folie ? Toujours est-il que ce mouvement dialectique (qu'un écrivain appelle « l'inextricable arithmétique du besoin ») isole l'homme tout en créant des liens de dépendance.

Il ne faudrait pas croire que cette aliénation — dans son sens sociologique et psychologique — caractérise la seule Amérique (s'il en était besoin, les films d'un Jean-Luc Godard montreraient qu'en France elle existe au moins en puissance) ou que cette aliénation est le fait de l'Amérique d'après-guerre (2). L'Amérique a toujours été le pays des inadaptés — des « misfits ». Sa littérature est riche en hallucinés de toutes sortes : le capitaine de Melville poursuit sa baleine avec une volonté obsessionnelle; tel personnage de Hawthorne a besoin de ressentir la douleur provoquée par la piqûre de l'épine d'une rose pour retrouver un instant contact avec le monde extérieur; l'idiot de village est un personnage clef du roman américain. Depuis quelques années il semble faire place à une version plus sophistiquée : celle de l'intellectuel schizophrène ou paranoïaque qui, tel Herzog — le héros du dernier roman de Saul Bellow — n'est plus capable de distinguer le réel de l'irréel, le visible de l'invisible, le vivant du mort : il écrit indifféremment des lettres — véritables — à son ex-épouse, à Eisenhower, à Nietzsche et à Shakespeare. On ne saurait trop dire qu'Edgar Poe est aussi américain que Walt Whitman...

---

(1) La drogue est l'occasion de plusieurs pièces récentes dont *The Connection* de Jack Gelber.

(2) Nés d'une aliénation, d'une coupure d'avec l'Europe, les Etats-Unis se sont nourris d'étrangers; ils sont à la recherche des racines géographiques, historiques, linguistiques; d'où cette sensation de « rootlessness » et le thème de l'errance dans la littérature américaine d'hier et d'aujourd'hui. Cette sensation de solitude se charge de culpabilité dans la mesure où — un instant libéré de sa propre aliénation — l'Américain l'impose à son entourage : à l'Indien qu'il parque dans des réserves; au noir qu'il condamne, dans la meilleure des perspectives, à une intégration « d'occasion », au Porto-Ricain qu'il isole dans des ghettos (*West-Side Story*) et d'une façon générale au « foreigner » qui — ironiquement — constitue la base même de sa société.

Ce qui a changé, au cours des siècles, c'est moins la réalité de l'aliénation que son origine (elle repose sur l'opulence), sa nature (démocratisée, elle n'est plus le privilège du héros ou de l'idiot) et les attitudes qu'elle suscite : choisie à l'époque des Pères Pèlerins (ce qui n'exclut pas l'hystérie : voir *Les Sorcières de Salem*), elle est assumée par les pionniers au XIXᵉ, refusée par les naturalistes du début du siècle et les marxistes des années trente, puis ignorée par les néo-romantiques de l'avant-guerre qui, à l'image de Hemingway, s'en vont chasser le lion en Afrique. Aujourd'hui elle est subie — tragiquement dans les années 50, de façon comique dans les années 60. Parfois elle devient l'objet d'un désir : elle est moyen de connaissance : dans un univers aliéné et aliénant — mieux vaut se (re)connaître comme « aliéné » que de ne pas avoir droit à l'existence.

C'est dans les années 30 que cette aliénation se cristallise dans le théâtre américain — certains dramaturges mettant l'accent sur l'aliénation sociale dont la grande crise fait prendre conscience; d'autres sur l'aliénation mentale dont la reconnaissance coïncide avec l'introduction de la psychanalyse. Clifford Odets représente le premier pôle; son théâtre est social, naturaliste et traditionnel dans sa technique; O'Neill le second : avec la psychanalyse il introduit des techniques expressionnistes.

On peut dire que dans les années 50, Arthur Miller reprend la première tradition, Williams la seconde, bien que le naturalisme de Miller soit tempéré par la reconnaissance de l'irréel et le lyrisme sexuel de Williams par la conscience voilée mais pesante de l'environnement social.

Dans les années 60 — et pour prendre des exemples connus du public parisien — c'est LeRoi Jones qui prête une vie nouvelle au théâtre « politique » et Schisgal au théâtre « dégagé ».

Rien n'est plus éloigné du théâtre parodique de Schisgal que le théâtre révolutionnaire de Jones. Pourtant — et c'est l'essentielle différence entre le théâtre des années 30 et celui des années 60 — l'un et l'autre partagent une esthétique nouvelle : l'intrigue, le personnage, la structure traditionnelle (tout au moins dans les meilleures pièces) ont disparu; Edward Albee est passé par là; et avec lui, Beckett, Ionesco, Brecht et Artaud, Jones et Schisgal (dans cette mesure ils sont représentatifs de leur génération) se sont libérés des deux dangers qui pesaient sur le théâtre américain depuis plus de vingt ans : l'explication marxiste ou para-marxiste pour les uns, l'explication psychanalytique ou pseudo-psychanalytique pour les autres. Parfois certains d'entre eux — Albee, par exemple — tentent de relier l'aliénation « psychologique » et l'aliénation « sociale ». Les pôles subsistent — mais un langage théâtral nouveau et une sensibilité nouvelle mettent fin à la classique impasse du théâtre américain : théâtre engagé et traditionnel — contre un théâtre dégagé et expérimental. Il arrive aujourd'hui que les expériences les plus intéressantes soient tentées non pas, comme en 1940, par le plus réactionnaire des dramaturges (Thornton Wilder) mais par le plus révolutionnaire d'entre eux : Jack Gelber dont la première pièce *The Connection* (1959) marque au même titre que le *Zoo Story* de Albee (également monté en 1959), le démarrage du nouveau théâtre américain, prépare actuellement sur *La*

Révolution Cubaine une pièce dont les techniques — pourrait-on dire « surnaturalistes » — sont plus proches de O'Neill ou de Williams que de Odets ou de Miller.

Pour un théâtre révolutionnaire.

Parmi les jeunes dramaturges, LeRoi Jones est sans doute le plus conscient des réalités extérieures : chacune de ses pièces est centrée sur un aspect du conflit racial qui traumatise l'Amérique moderne. Ce noir de trente ans a récemment fondé à Harlem le Black Arts Repertory Theater, la première maison de la culture noire, qui propose à un public exclusivement noir des spectacles de jazz, de danse ou de théâtre, ainsi que des cours du soir permettant aux jeunes du quartier d'apprendre un métier manuel ou intellectuel.

Son théâtre se veut révolutionnaire. Le théâtre doit attaquer et accuser tout ce qui peut être attaqué et accusé. La première cible de Jones est le Blanc — non pas l'extrêmiste de droite, le membre du Klu-klux-klan, qui refuse aux noirs les avantages mais aussi les inconvénients de la civilisation blanche, mais le blanc « libéral » au sens américain du mot — c'est-à-dire l'humanitariste de gauche (souvent juif aux Etats-Unis) dont le rêve est l'intégration totale du Noir dans l'actuelle société américaine. Jones s'inscrit contre l'intégration au sens où l'entendent ces libéraux et le pasteur Martin Luther King; contre les valeurs modernes, américaines, occidentales ou blanches — il n'y a pas de différence à ses yeux. « Pourquoi vouloir l'intégration ?, dit-il, c'est comme si on vous proposait d'entrer dans un asile d'aliénés. Même s'il fait froid dehors, il vaut mieux rester dehors dans le froid plutôt que d'avoir affaire à des cinglés. C'est vrai qu'on peut être admis dans un asile de fous. Alors, on devient fou comme eux... ».

Le second ennemi de Jones est le Noir au comportement de Blanc; le noir qui renonce à son identité de nègre pour « singer » le blanc; il se décrèpe les cheveux, se décolore la peau, imite la démarche et la langue du blanc, rêve de posséder la télévision, bref d'être un Américain à part entière. Il ne faut plus avoir honte de sa négritude : Jones l'associe à un certain sens de l'amitié, la possibilité d'embrasser les contraires, un rapport authentique (non « aliénant ») avec le monde, une harmonie avec les êtres et les choses — c'est là peut-être qu'apparaît son romantisme et une forme renouvelée du traditionnel stéréotype : le Christ Noir ou la Brute.

A ce noir complaisant, Jones oppose un noir lucide et cruel. L'intégration n'est souhaitable que dans une Amérique aux structures sociales modifiées. Voilà ce qui explique la tolérance de l'auteur pour des mouvements intégrationistes révolutionnaires tel que le *Snick* qui propose l'intégration non pas dans l'actuelle société américaine, mais dans une société construite sur des bases à la fois plus démocratiques et plus spirituelles. Car ce que Jones reproche aux valeurs de l'Amérique moderne c'est qu'elles aient perdu leur spiritualité. Il ne s'agit ni de retourner à une Amérique primitive, ni de fonder à l'intérieur des Etats-Unis une société noire à l'image de la société blanche, ni de tenter comme à l'époque de Marcus Garvey un retour en Afrique — mais de créer une Amérique unique sur de nouvelles bases socio-économiques.

Qu'entre temps il soit nécessaire d'être violent pour préserver ce qui subsiste d'humanité — à qui la faute ? Jones prêche la violence — presque malgré lui : « Je suis pour un conflit racial à l'échelle du monde », déclare-t-il, « un conflit total dans tous les sens du mot. Pour la destruction de tous les chefs politiques de race blanche. Pour la domination du monde par la majorité — c'est-à-dire par les gens de couleur ! »... Mais, précise un de ses personnages, « j'ai déclenché cette guerre sanglante en dépit du fait que je sais qu'elle ne changera, dans le meilleur des cas, que la couleur de la peau de la tyrannie »...

Pour Jones, le théâtre est violence : constat de violence; incitation à la violence; rêve de violence (le théâtre révolutionnaire doit s'emparer des rêves et les transformer en réalité); mais il est aussi acte de violence; non pas exorcisme mais magie. Si Bessie Smith avait pu poignarder quelques blancs, dit le Noir du *Métro fantôme*, elle n'aurait jamais éprouvé le besoin de chanter ses blues. A la limite, les Noirs de Jones devraient descendre de scène, se mêler au public et égorger les blancs. Avec Artaud, déclare Jones, il faut partir à la Conquête non pas de Mexico mais de l'Œil Blanc; montrer des libéraux et des missionnaires se tordre de douleur sous les décombres d'une ville écrasée. Le plus beau spectacle serait la *Destruction de l'Amérique*.

Kenneth Brown ou le constat du totalitarisme.

Jones s'inscrit dans une perspective non marxiste mais *révolutionnaire* : il faut changer le monde — maintenant; Brown dans une perspective également dégagée du marxisme — mais anarchiste : c'est un *révolté* qui, en s'opposant se pose mais ne propose rien. Son radicalisme est affectif : il rappelle l'allergie au mode de vie américain si caractéristique du mouvement beat-nik en poésie; il rappelle aussi l'intensité vibrante de ces nombreuses organisations politiques, non-idéologiques, qui depuis quelques années mobilisent d'imposantes masses d'étudiants contre l'agression blanche dans le Sud, la persistance de poches de pauvreté dans une Amérique opulente, l'intervention des forces armées au Vietnam, la bureaucratisation aliénante de l'étudiant, de l'employé et de l'homme de l'Organisation. A la suite notamment de Norman Mailer dans *Les Nus et les Morts*, Kenneth Brown constate le totalitarisme de l'Amérique moderne.

L'Amérique lui apparaît comme la prison d'un camp de fusiliers marins dans une île du Pacifique : pas de rideau rouge, à la place un écran de barbelés; pas d'intrigue — mais une série de gestes-réflexes mécanisés jusqu'à la folie; pas de dialogues — mais une série d'ordres, toujours les mêmes, beuglés par des officiers sadiques. L'essentiel tient dans le règlement dont voici quelques extraits :

I. — Le prisonnier n'a le droit de parler à personne sauf à ses gardes.

    A) Tout prisonnier doit, pour toute chose, demander une autorisation dans les termes suivants : Capitaine, le prisonnier immatriculé... demande l'autorisation de parler.

B) A l'intérieur de la prison, il y a une ligne blanche à l'entrée et à la sortie de chaque pièce. Le prisonnier ne peut franchir cette ligne sans en demander l'autorisation dans les termes prévus au paragraphe I. A) du règlement (...).

V. — Sous aucun prétexte le prisonnier ne peut être autorisé à marcher, il doit toujours courir. En cas d'impossibilité absolue il doit faire semblant de courir.

Kenneth Brown est loin d'avoir concrétisé le rêve qu'il partage avec plusieurs dramaturges de sa génération : combiner Brecht et Artaud; mais grâce au décor surnaturaliste de Julian Beck qui stylise les objets d'une véritable prison, grâce aussi à l'exagération fantastique que Judith Malina impose à un rythme de vie vraisemblable, *The Brig* (La Taule) présente un univers totalitaire dans une perspective proche du « théâtre total » auquel pensait Artaud. La cruauté est de rigueur; le public assailli par des bruits, des gestes, des mouvements indissociablement liés; le texte est inséparable de sa mise en scène, seule capable de l'animer. Le spectacle fait appel à l'intelligence, la sensibilité, l'émotivité — la totalité du spectateur. D'autres dramaturges ont présenté des univers concentrationnaires. Miller, par exemple; mais ce dernier constate le totalitarisme à travers l'histoire mélodramatique d'un père irresponsable à l'égard de l'ensemble de ses compatriotes et préoccupé par la recherche du bien-être de sa seule famille. Le spectateur est ému par Miller, traumatisé par Brown qui se contente d'accélérer le rythme d'événements quotidiens et de les « monter » comme on monte un film. On songe parfois au court métrage de Reichenbach sur *Les Marines*. Pourtant cette pièce n'est pas un documentaire sur l'armée américaine. L'atmosphère est celle de la société américaine toute entière. Sans doute aussi celle de l'Europe.

Rien d'étonnant à ce que le *Living Theater* ait été tenté par cette pièce dont l'esprit pacifiquement subversif correspond à la personnalité même des Beck. Dans l'Amérique des années 60, encore étouffée par les séquelles du maccarthisme, l'anti-conformisme des directeurs du *Living Theater* (3) est courageux et sympathique, mais parfois frôle l'irresponsabilité : on refuse de payer les impôts, on oublie de demander des subventions, on ne paie pas les acteurs régulièrement, on se barricade dans un théâtre investi par la police, on fait une conférence de presse juché sur une fenêtre. On a parfois l'impression que le chaos (matériel) est la condition même de la création (artistique).

Jack Gelber : libérer le public.

Ce qui frappe dans *The Connection* — la première pièce de Gelber « réglée » par les Beck — c'est un respect absolu pour le spectateur auquel rien n'est imposé, ni même proposé : surtout pas de message, ni d'histoire, ni de sentiment, mais le matériau brut que constitue, ici, l'attente par quelques hommes (blancs,

---

(3) Première troupe de répertoire qui a présenté entre autres des pièces de Brecht, Büchner, Beckett, Picasso — ainsi que les deux premières pièces de Gelber.

8. JACK GELBER : The Connection.

noirs — peu importe) du fournisseur de drogue. C'est à chaque spectateur qu'il appartient d'apporter ses conclusions avec ses sensations et ses préjugés. Gelber refuse toute béquille à un public condamné à être actif — presque créateur : d'où son angoisse et son agressivité. Jamais encore en Amérique, un dramaturge ne s'était permis de présenter une situation concrète (celle d'un drogué) sans immédiatement l'investir d'une charge affective ou morale — sans non plus dépasser les conventions d'un naturalisme élémentaire.

A propos de cette pièce on a parlé de *happening*. Il est vrai que Gelber n'hésite pas à recourir à toutes les techniques susceptibles de l'aider à établir des relations avec son public : suppression de la scène, projection de films, interpellation directe du spectateur, personnalisation des rôles (les acteurs s'appellent par leur véritable nom), introduction d'une formation de jazz que l'on écoute pour elle-même, etc. Les acteurs servent le café, discutent avec le public, mettent aux enchères des toiles qu'ils viennent de peindre.

Autre rencontre avec le « happening » cette tendance à chosifier les êtres humains que l'on déplace comme des chaises et qui, dans les arrangements de Kaprow par exemple, se mettent à ressembler visuellement aux objets qui les entourent, mais là s'arrête toute ressemblance : le véritable « happening » est plus proche de la *peinture animée* — comme on dit « dessin animé » — que du théâtre. Ce n'est pas un hasard si la plupart de ses représentants dans les années 50 sont des peintres associés de près ou de loin au mouvement de *l'action painting* (vision + animation). D'autre part, tout préparé qu'il soit, le « happening » dépend de l'inspiration du moment : son canevas dépasse rarement une page pour un « spectacle » de trente minutes environ.

Chez Gelber, le texte est scrupuleusement établi — mot pour mot; c'est à peine si quelques répliques sont modifiées au cours des répétitions. Par contre, en plus de la liberté laissée au public, apparaît une autre liberté — plus étroite cette fois — partagée par le public et les comédiens : chaque soir, par exemple, dans la version originale du *Living Theater, The Connection* commençait par l'audition des nouvelles de huit heures dont la teneur colorait inévitablement le jeu des acteurs — aussi bien que la réponse des spectateurs.

Dans le choix des thèmes se retrouve le même désir de s'ouvrir vers le monde — dans sa réalité sociale. A un moment où le théâtre américain se complait dans le domestique, le familial, ou le privé, Gelber propose une conception publique tout en évitant le danger du didactisme et du naturalisme, jusqu'alors associés à la notion de théâtre « engagé ». Il montre l'univers morne des drogués (drogués à l'héroïne ? à l'alcool ? à l'aspirine ?) ou l'éclatement de la personne capable de ne rencontrer l'autre qu'au cours de jeux frénétiques et destructeurs pour le partenaire et pour elle-même.

A Paris l'on a parlé de psycho-drame; à New-York, d'anarchisme. En fait Gelber est particulièrement sensible au contexte social dont il montre les incidences psychiques. Son radicalisme (comme celui des Beck, de Kenneth Brown et même LeRoi Jones) est émotif — ce qui ne veut pas dire irrationnel; vécu — ce qui n'implique pas un engagement idéologique; ouvert — ce qui limite parfois son efficacité mais élargit son audience. Son esthétique, aussi peu rigide que sa pensée, est dégagée des conventions théâtrales — accueillante et expérimentale. N'est-il pas révélateur que dans une pièce « révolutionnaire » comme le *Métro fantôme* de LeRoi Jones, le conflit racial s'exprime en termes aussi sexuels que politiques : c'est la *femme* (blanche, certes) qui initie l'homme noir à sa *négritude*. En se libérant de la sexualité dévorante de la femme, Clay découvre un instant son identité de noir. Une aliénation reflète l'autre.

Kopit ou la satire de la psychanalyse.

En face de Brown, Gelber et Jones dont les œuvres montées « off-Broadway » soulignent la nature aliénante de la société américaine, apparaissent quelques jeunes dramaturges comme Kopit, Richardson et Schisgal — fascinés par Broadway, moins sensibles à l'aliénation « sociale » qu'à l'aliénation « mentale », tentés par l'explication psychanalytique plutôt que par le marxisme. Hostiles à un théâtre « public », ils sont constamment menacés par le rétrécissement d'un théâtre « privé ». Ils sont attirés par les rapports sado-masochistes du couple : hétéro-sexuel, homosexuel, parent-enfant. La psychanalyse est leur plus redoutable ennemi — dans la mesure où elle offre une explication aux situations qu'ils présentent. C'est sans doute pourquoi, dans ces pièces, la psychanalyse est l'objet d'une constante satire.

Papa, pauvre papa, maman t'a mis dans un placard et je me sens si triste... le titre de la première pièce de Arthur Kopit, est à lui seul tout un programme. Les personnages centraux : le père, la mère, le fils et la jeune fille. Les caractéristiques très « psychanalytiques » : la femme est possessive : épouse, elle tue son mari pour le mieux posséder, puis l'empaille, l'emmène dans ses bagages et l'accroche dans une penderie d'hôtel; amante, elle se rue sur un commodore asthmatique — et argenté — qui, de terreur, s'effondre à ses pieds; mère, elle inhibe son fils incapable de prononcer un mot commençant par M sans dire Mamamyself ou par P sans balbutier Papaplease. Bien que mort, le père est omniprésent : c'est un prénom que l'épouse projette sur un fils récalcitrant, un mannequin qui s'abat sans prévenir sur le lit où s'effeuille l'inéluctable Dalila des temps modernes. Tenté par la jeune fille qui, précise l'auteur, porte la robe de l'innocence, le fils se révolte contre la mère; il va jusqu'à saccager les plantes que cette dernière lui a confiées; mais bien vite, l'enfant est ramené à l'ordre prénatal.

Les thèmes psychanalytiques du théâtre américain d'après-guerre sont tous présents. Mais le ton n'est plus solennel. C'est celui de la farce. L'auteur a lui-même qualifié cette pièce de « fantaisie freudienne ». Ici, l'invraisemblable est la seule logique. La parodie est de rigueur. La psychanalyse tournée en dérision. L'intérêt de cette « farce tragique » — trop souvent mécanique — est dans un symbole : elle marque la volonté d'un jeune dramaturge de ne plus prendre au sérieux des thèmes et des situations qui, tout récemment encore, formaient la trame du théâtre américain.

Le cannibalisme de Jack Richardson.

Avec Richardson, on retrouve l'image — devenue presque classique dans le théâtre américain des six dernières années — de la femme dominatrice qui mutile son partenaire, de la cannibale qui s'attaque à l'homme jusqu'à ce que folie s'en suive.

Dans *L'humour de Pendu,* la femme est une prostituée qui oblige un homme, au calme dans une prison, à accepter le désordre : à la suite d'un corps à corps épique et cocasse, le prisonnier finit par céder aux instances de la femme que le Gouvernement impose à chaque condamné avant de le pendre. Que le désordre soit ici l'amour physique, incarné par une prostituée, et imposé de l'extérieur — voilà ce qui ne saurait surprendre dans un contexte américain.

C'est encore la femme qui mène la seconde moitié du spectacle. Maintenant elle incarne l'ordre : c'est la traditionnelle « mom » américaine, héroïne des bandes dessinées, muse des gadgets, reine du foyer — à qui on a appris l'art de dévorer l'homme avant de le digérer ou de le vomir. Elle empêche « l'homme révolté » de la routine, d'abandonner la vaisselle, l'invitation à dîner et le rendez-vous chez le dentiste. Ce sont alors les scènes d'humiliations — si fréquentes dans le jeune théâtre américain — entre les partenaires du couple : incapable de concrétiser le moindre projet, transformé en petit garçon, grondé par une maman mécontente, le mari finit par reprendre le droit chemin que l'épouse lui indique, d'un geste autoritaire.

La chosification de l'homme, le refus des clichés, l'impossibilité de l'acte (en présence de sa femme, le mari ne peut pas ouvrir une porte de cuisine) sont en quelque sorte « sexualisés » — non pas parce qu'ils sont expliqués par un comportement sexuel, mais parce qu'ils sont régis par la domination d'une personne qui est toujours du sexe féminin. Dans le théâtre de Beckett, les poubelles contiennent indifféremment des hommes ou des femmes : les personnages sont asexués. Ceux de Richardson — pourtant réduits à une condition aussi dérisoire — sont au contraire dotés d'un sexe parfaitement différencié. La femme pétrifie l'homme, les rapports sont humiliants et, malgré la cocasserie des situations et des dialogues, le ton demeure grinçant. C'est « un humour de pendu ». Le comique est toujours au bord du tragique avec lequel il se heurte constamment et se confond parfois. L'auteur qualifie cette pièce de « tragicomédie » — sans trait d'union, précise-t-il dans une préface où il expose son intention d'émouvoir jusqu'au rire ou de faire rire jusqu'aux larmes. C'est de ce choc continuel entre le rire et l'émotion que surgit ce surcroît de vérité qui paraît être l'une des caractéristiques du nouveau théâtre aussi bien aux Etats-Unis qu'en Europe.

Pour un théâtre parodique : Murray Schisgal.

Outre son respect pour Broadway et ses Jean-Jacques Gautier, ce qui rapproche Schisgal de Richardson et de Kopit c'est un refus du monde social, une allergie au politique (on ne l'imagine pas déposant un bulletin de vote dans l'urne), une volonté d'ignorer les différences : rien ne change — ni l'époque du dramaturge, ni son âge, ni son appartenance nationale. Il n'y a pas de différence entre l'Europe et l'Amérique : chaque voyage lui permet de confirmer cette impression d'identité entre l'ancien et le nouveau monde.

A propos de Brecht, Schisgal précise que rien ne l'ennuie plus qu'une pièce qui s'annonce chargée d'un message. « Je déteste les gens qui veulent me faire la leçon et qui me disent : voilà ce qui est vrai et voilà ce qui ne l'est pas. J'ai une intelligence et je veux m'en servir pour juger ». Ce qui l'intéresse c'est la vitalité des personnages tels qu'ils se présentent à son imagination et les situations où ils se trouvent. Pour Schisgal, le théâtre est une aventure vécue par le spectateur. « Vivre cette aventure c'est participer à l'acte théâtral. Je ne vois pas pourquoi elle serait la réponse à une question ou un compte-rendu de la réalité. Pourquoi les gens veulent-ils que tout leur soit présenté dans un petit paquet bien ficelé. Pourquoi se croient-ils obligés de tout expliquer : bla-bla-bla-bla... Cette attitude a de graves conséquences car elle bannit du théâtre une vitalité et un sens du merveilleux qui sont fatalement ambigus et qui échappent à toute définition ».

En fait, il y a une vigueur incontestable dans le théâtre de Schisgal — un dynamisme de cabaret, ne serait-ce que sur le plan de la structure : chaque situation est reprise une, deux ou trois fois sous une forme parallèle ou inversée : au début de *Love,* c'est Harry qu'attire l'idée du suicide, Milt celle du divorce et Ellen celle de la femme mystifiée; mais après des échanges verbaux ou gestuels qui rappellent le Charlie Chaplin de l'époque du muet, c'est Milt qui joue involontairement l'acte du suicide, Harry qui s'accroche à la vie, et Ellen qui se rêve femme soumise.

On le voit, le thème principal de Schisgal est le décalage constant et comique entre l'être et le paraître. La mauvaise foi est omniprésente. L'homme joue les tigres, mais il n'est en fait qu'un tigre en papier — et c'est la femme qui lui en fait prendre conscience dans *Le Tigre.*

L'homme joue les romantiques, mais il n'est qu'un médiocre tout juste bon à singer l'aventure d'un pionnier : dans la journée, il se mesure à quelques dossiers de comptabilité, le soir il explore les poubelles de la ville. L'homme joue les désespérés — mais il ne se suicide pas; il joue les génies — mais n'écrit pas une ligne; il joue les primitifs mais il n'est même pas bon à faire l'amour avec une femme; il joue — et il n'est plus que la somme de ses jeux dérisoires et prétendus. Le théâtre de Schisgal apparaît comme une longue et cocasse parodie : dans *Le Tigre* c'est la parodie du pseudo-rebelle, dans *Love* celle du pseudo-existentiel qui se complait dans le désespoir et celle du psycho-somatique qui, à la moindre contrariété, se réfugie dans une paralysie feinte, la surdité ou le mutisme également prétendus : il y a là une inépuisable source de gags. Mais c'est l'amour qui, aux yeux de Schisgal, est aujourd'hui la notion la plus pervertie : l'amour n'est plus une émotion, c'est une marchandise que l'on achète et l'on vend; c'est le réceptacle de toutes nos insincérités; il est téléguidé dans ses manifestations par les conceptions livresques ou mythiques qu'imposent notamment les journaux de mode, les manuels de sexologie et les films de Hollywood. L'amour authentique n'existe pas : pourquoi appeler ce sentiment amour, plutôt que humour ou zamour ou namour ? Voilà pourquoi le titre anglais de la pièce n'est pas LOVE mais la perversion de ce mot — Luv.

L'énorme succès de cette pièce à Broadway et son incontestable acceptation par le public parisien montre qu'il y a, de part et d'autre de l'Atlantique, une clientèle prête à accueillir un théâtre gentiment parodique et simplement drôle. L'avant-garde fait place au boulevard, Feydeau redevient à la mode...

La conscience magique de Edward Albee.

Les sympathies littéraires des jeunes dramaturges ici présentés sont révélatrices : Jones, Brown et Gelber admirent Brecht et Artaud; Kopit, Richardson et Schisgal se sentent plus proches de Ionesco et de Beckett; quant à Albee c'est à la fois Beckett et Artaud qui l'attirent. Pour les premiers, le théâtre est un acte qui les engage dans tout leur être; pour les seconds, c'est une expérience parfois parodique, souvent esthétique, toujours burlesque — qui débouche sur une négation de la personne; pour Albee c'est le lieu privilégié de la conscience magique.

A ses yeux, le dramaturge idéal est celui qui allie la conscience du monde extérieur à la magie de l'autre monde. C'est un « critique social doué d'une intuition démoniaque » — ce que Albee appelle « a demonic social critic ». Le théâtre n'est pas un lieu d'évasion où le public se perd, mais l'occasion de s'impliquer et de se découvrir au monde. Miller apparaît comme l'épitomé grotesque d'une conscience étroitement sociale. Williams comme le représentant décollé — décollé du réel — d'une pensée trop exclusivement magique. Toute œuvre, déclare Albee, est agression — acte d'agression contre le *statu-quo*; toute pièce un effort pour changer le monde. Mais l'agression ne suffit pas, il faut la dépasser dans l'art, et ne jamais apporter de réponse.

Il est difficile de rester insensible à l'image qu'Albee donne de l'Amérique : une Amérique cruelle comme celle de Jones, destructrice comme celle de Richardson, artificielle comme celle de Schisgal. Avec une lucidité comparable à celle des sociologues de l'après-guerre et un sens du cocasse qui rappelle les caricatures de *Mad* — le magazine qui a sauvé tant d'Américains de la folie — Albee crève, l'un après l'autre, tous les mythes de l'Amérique : mythe de la Frontière (l'ancienne et la nouvelle), mythe de l'Action dans un monde bureaucratique, mythe du Bonheur dont le droit est reconnu par la Constitution... et surtout mythe du *Rêve de l'Amérique*. Ce dernier est devenu l'objet d'un tel culte que l'on a pu croire que le théâtre dit de l'absurde — théâtre de démystification — ne pourrait pas se développer aux Etats-Unis. N'est-il pas ironique que la première pièce significative du nouveau théâtre porte précisément le titre de *The American Dream* ? Albee choisit de s'attaquer au « Rêve américain » des terres vierges de l'Ouest et des possibilités illimitées de l'individu. Et ce rêve est chargé d'illusions; ces illusions lourdes de mauvaise foi.

La mise en accusation de la société américaine — et d'une façon plus géné-rale de la société moderne — est aussi sauvage chez Albee que chez Gelber; et l'aliénation sociale aussi vivement ressentie que chez Brown. Mais — et c'est ce qui distingue Albee — cette aliénation sociale se double d'une aliénation mentale avec laquelle elle se confond parfois.

Il est à peine besoin d'évoquer le caractère pathologique des rapports de George et de Martha dans *Virginia Woolf*. La critique française a suffisamment mis l'accent sur l'aspect sado-masochiste du couple d'Albee — en donnant d'ail-leurs une interprétation souvent trop littérale : s'ils avaient été capables d'avoir un enfant réel, George et Martha n'auraient pas eu besoin de l'inventer... Il va sans dire que l'enfant rêvé est le fruit d'une imagination délirante — la carica-ture tragique du Rêve de l'Amérique, le symbole d'une incapacité à réconcilier le réel et l'irréel, le visible et l'invisible, l'illusion et la réalité. Il faudrait ajouter que le sadisme des deux personnages n'exclut pas une certaine tendresse : épuisée et lucide, Martha éprouve à la fin de la pièce le besoin de se réfugier dans les bras de l'homme qu'elle a humilié pendant près de trois heures et qui l'a littéralement labourée en retour.

Comme chez Miller, la famille est au centre de l'œuvre de Albee : le couple, les rapports entre parents et enfants, les relations entre frères (souvent jumeaux). Mais à la différence de Miller, Albee réussit à passer d'un plan domestique sou-vent proche du mélodrame à un plan mythique, presque désincarné, sans pour-tant devenir abstrait. Et le lien que Albee suggère entre la famille et le monde, l'aliénation mentale et celle de la société, cesse d'être épisodique ou explicatif pour devenir essentiel, presque sacré. Petit à petit un schéma se dessine; d'abord les *grands parents* dont la réconfortante présence est l'un des rares repères stables dans l'univers d'Albee; la grand mère est le seul personnage positif; son effica-cité parfois malhonnête (celle des pionniers ?) est émoussée par l'âge si bien qu'il ne lui reste plus qu'une apparence d'extravagance sympathique. La géné-ration des *parents* (celle de l'Organisation ?) est aussi inefficace qu'honnête : ils n'ont plus de nom personnel; ils s'appellent « pop » et « mom »; ils reflètent les inhibitions de l'âge de la psychanalyse; hommes, ils sont passifs — femmes, dévorants; ils mûrissent dans une société de consommation de masse. Nés de la civilisation de l'opulence, les *enfants* sont aussi malhonnêtes qu'inefficaces; incapables d'être complets, ils se dédoublent constamment : l'un tendre et sen-sible est mutilé de chacun de ses membres, l'autre, brutal et avide, ressemble à ces athlètes sans âme que fabriquent les universités (américaines). Celui qui pourrait aimer est impuissant, son double viril incapable du moindre geste de tendresse. L'amour, la tentative de l'amour, accroît encore le sentiment d'incom-plétude et la sensation de dédoublement qui mènent à la folie.

Dans *Le Rêve de l'Amérique* et dans *Virginia Woolf*, la confusion entre l'une et l'autre aliénation est presque totale. La folie est la seule constante. Elle nourrit et se nourrit de l'opposition, centrale chez Albee, entre le rêve et la réalité — donnant à la seconde pièce une richesse et une immédiateté exceptionnelles. Dans *Tiny Alice* (1965), le monde extérieur tend à disparaître, expulsé par l'imaginaire. George avait déjà choisi le rêve — mais contre une réalité dure qui lui résistait. Julian cesse de voir le monde des autres. Il est enfermé dans un univers de fantasmes à moitié sexuelles à moitié religieuses. A la lecture, la pièce semble dépourvue d'épaisseur. Il manque le bruit et la fureur.

Une nouvelle forme d'esthétisme est en train de naître aux Etats-Unis. Le « camp », pour l'appeler par son nom est d'autant plus puissant qu'il actualise une vieille nostalgie — tout en intégrant deux tendances récentes en Amérique : l'homosexualité et le sordide. Le modèle est Oscar Wilde — mais un Wilde démocratisé, un Wilde à la portée de tous, un Wilde déformé par l'obsession sexuelle, un Wilde transformé par le « pop-art ». Le politique est toujours refusé — mais on accueille maintenant la laideur, l'horreur et l'hystérie. Narcisse se regarde dans une vieille boîte de conserve à moitié rouillée. L'apitoiement sur soi-même et le retrait dans l'imaginaire est habituel. La plupart des jeunes dramaturges du *Playwright Unit*, l'équipe que protège Edward Albee, semblent atteints par cette maladie nouvelle. Il est encore trop tôt pour savoir si Albee est totalement immunisé : cèdera-t-il à cet esthétisme douteux ou, au contraire, fidèle aux écrivains qu'il admire, continuera-t-il à être ce critique social doué d'une intuition démoniaque — reliant ainsi la conscience à la magie ?

La maison de fou.

Un des mérites de la nouvelle génération des dramaturges américains est d'avoir dépassé le marxisme et la psychanalyse qui, chacun à sa façon, figeait le théâtre américain depuis les années 30. Du même coup est réduite l'opposition traditionnelle entre un théâtre politique et un théâtre engagé; et oubliée la confusion qui avait associé la première perspective à des techniques réactionnaires, la seconde à des innovations de mises en scène. Pour la première fois peut-être apparaissent à Broadway et Off-Broadway (la distinction tend à s'estomper) des dramaturges intensément conscients de l'une et l'autre aliénation.

Pour la première fois aussi, la folie — qui en est le point d'aboutissement naturel — a droit de cité. Il y a moins de dix ans le poète Allen Ginsberg devait se défendre contre les magistrats de Californie pour avoir affirmé que l'Amérique était « une maison de fou ». Récemment encore, les romans de William Burroughs étaient interdits aux Etats-Unis : n'évoquent-ils pas l'hallucination d'une société réglée par des médecins officiels chargés de distribuer la drogue ? Il est ironique de constater qu'au moment où l'Amérique devient plus tolérante, la France prend le relai des interdits : l'*Olympia Press,* qui a fait connaître entre autres Henry Miller, Nabokov et Burroughs, contrainte par la censure de quitter Paris, vient s'installer à New-York...

Ce qui caractérise la sensibilité américaine des cinq dernières années — et cette période correspond au démarrage du jeune théâtre — c'est la conscience lucide d'une hystérie latente — où l'angoisse de l'opulence se mêle à la mauvaise conscience — surtout en ce qui concerne les noirs. Trois thèmes émergent au théâtre aussi bien que dans le roman : celui de la sexualité (homo et hétéro —

A.C./D.C. comme on dit aux Etats-Unis... Alternatif/Continu); celui de l'affron-tement coupable des Blancs avec les Noirs; celui de la folie — individuelle ou collective, dont un film comme *Le Docteur Fol Amour* permet de mesurer l'é-trange qualité d'horreur comique. L'image de l'Amérique d'aujourd'hui est celle d'une Cassandre qui éclate de rire.

En ce qui concerne plus particulièrement le théâtre, il n'est pas impossible qu'au-delà des acquisitions récentes qui ont estompé les catégories traditionnelles apparaissent deux nouvelles formes de tentation et par suite de danger : d'un côté une certaine *démagogie* (politique) étouffant l'expression artistique (ce défaut est déjà sensible dans *L'Esclave,* la seconde pièce de LeRoi Jones; de l'autre un esthétisme, ouvert à la laideur, cocasse et cynique, extravagant et obscène — que l'on commence à associer à la notion de « camp ». Au lyrisme allergique des beatniks va sans doute succéder la lucidité hystérique d'une nou-velle génération : la Camp-Génération.

BILAN DE LA COMÉDIE MUSICALE AMÉRICAINE

par Richard PINI

Faculté des Lettres, Paris-Sorbonne

Avant d'aborder le problème de ce que la comédie musicale a apporté au théâtre américain, entre 1945 et 1965, il faut faire quelques remarques préliminaires sur ce qu'elle représente aux Etats-Unis et donner quelques indications sommaires sur son évolution pendant ces vingt dernières années.

La première constatation est que les comédies musicales les plus importantes ont atteint un public exceptionnellement vaste. *Oklahoma* a tenu pendant 2 248 soirées à New York, et a été vu par huit à neuf millions de spectateurs dans tous les Etats-Unis au cours d'une carrière qui a duré quinze ans. *South Pacific* a eu presque deux mille représentations à New York. Plus de quatre millions de spectateurs ont assisté à des représentations de *My Fair Lady*. Dans certains cas ces spectacles ont pu être présentés dans le monde entier et *West Side Story* a été bien accueilli à Moscou. Deuxième point : la comédie musicale occupe une place importante dans le théâtre américain, et on aurait tendance à dire une place croissante. En 1962 sur 58 pièces présentées à New York, 11 étaient des comédies musicales; en 1964, sur 57 pièces présentées, 15 étaient des comédies musicales. Et aujourd'hui, si on ne regarde que Broadway, on dirait que la comédie musicale domine la scène américaine, puisque sur 19 pièces qui y sont représentées, 9 sont des comédies musicales. Si donc la comédie musicale n'est pas populaire, au sens d'être dirigée vers le peuple, elle est sûrement populaire au sens d'être un spectacle très suivi, qui fait se déranger de nombreux spectateurs.

Pour ce qui est de l'évolution de la comédie musicale entre nos deux dates limites, disons tout d'abord qu'en 1945 une comédie musicale est — à quelques exceptions près — une suite de chansons, de sketches comiques, de numéros d'acteur, d'évolutions plus ou moins spectaculaires de « chorus-girls », reliés par une très vague histoire, qui sert à mettre ces divers éléments en valeur. C'est à peu près ce qui se présente encore sur la scène du Châtelet. A partir de *Oklahoma* (1943), on assiste à un renversement assez brusque qui va mettre l'intérêt dramatique au centre et qui va fusionner les autres éléments à son service. Il y aura moins de barrières rigides entre les chants, la danse, le comique.

On verra des ballets chantés, des parodies dansées, le comique s'exprimer dans la musique, le décor mis en valeur par ce qui se passe sur scène et un assouplissement général du spectacle. L'action aura de moins en moins tendance à s'arrêter et même les duos d'amour auront un rôle dans le déroulement des événements. Il semble que, en même temps que ce qui se passait sur scène prenait cette nouvelle cohésion, ce qui se passait en dehors du spectacle représenté s'alourdissait. La diversification du spectacle demandait des moyens plus grands, et le poids financier d'une comédie musicale devenait de plus en plus difficile à supporter. (Une comédie musicale coûte aujourd'hui aux environs de 500 000 dollars, soit 250 millions d'anciens francs à monter). Et, du coup, les producteurs ont voulu s'entourer de toutes sortes de garanties, notamment quant au sujet.

Voilà une des raisons pour lesquelles la comédie musicale devra traiter de manière détournée — presqu'involontaire — les nombreux problèmes de la société américaine qui s'y expriment et qui en font, malgré tout, une forme de théâtre vivant et assez représentatif des Etats-Unis à notre époque.

Aussi l'examen que nous allons tenter maintenant de ce que la comédie musicale a apporté au théâtre américain dans les vingt dernières années, sera constamment sous-tendu par ces problèmes. Non pas que la comédie musicale soit — en quelque manière — le lieu où les réussites et les échecs de la société américaine apparaissent clairement : au contraire, bien des raisons s'y opposent à leur manifestation ouverte. Mais, précisément, parce qu'elle reflète la société américaine de manière indirecte, la comédie musicale semble avoir imposé trois éléments neufs, dont la scène américaine n'a pas fini d'entendre parler — parce qu'ils sont trois interprétations nouvelles de la réalité scénique. Il s'agit d'un mode d'expression onirique de la réalité, d'une intégration dramatique du discontinu, et enfin d'une nouvelle utilisation de la fiction théâtrale.

La comédie musicale permet, tout d'abord, de créer une réalité nouvelle en opposition complète avec le quotidien. Dans ce monde fictif les personnages et les lieux vivent de l'enchantement et de la musique; ils trouvent leur consistance dans leur irréalité même. Dans *Brigadoon* (Allen J. Lerner et F. Lœw) les brumes d'Ecosse cachent un village où les gens apparaissent et disparaissent selon la volonté de fées bien gentilles. Dans *Finian's Rainbow* (de Burton Lane et E. Harburg), les elfes irlandais sont presque plus importants que les personnages réels dans une contrée tout près du bout de l'arc-en-ciel. *Oklahoma* et *The Music Man* (de Meredith Wilson) sont situés dans des villages américains du Middle-West dont le charme presque surnaturel convertit les habitants à la bonté et à la bonne volonté générale. L'opposition avec la réalité ne saurait être plus forte : nous sommes dans des lieux mythiques, dans un milieu le plus souvent rural, qui est le domaine des esprits bienveillants.

Mais il y a un niveau plus complexe du traitement onirique de la réalité que la pure et simple opposition. Il semble que la comédie musicale manifeste les désirs collectifs de l'Amérique en ce qu'elle traite bien souvent les problèmes par compensation. C'est-à-dire que sa manière même de les poser les suppose résolus. Le problème racial nous fournira notre première illustration. Dans *Lost*

in the Stars (adapté de *Pleure ô mon pays bien aimé*), (Weill-Anderson 1949),
la résolution du conflit restait bien extérieure, puisque seule la mort des héros
faisait passer un courant de sympathie entre les pères noirs et blancs. Dans
South Pacific (Rodgers et Hammerstein 1949), l'amour entre le lieutenant de
marine et la polynésienne se termine mal parce que l'américain est tué à la
guerre; mais, beaucoup plus important, le héros français qui avait *épousé* une
polynésienne, et qui avait deux enfants eurasiens, fait la conquête d'une américaine. Ceci est d'autant plus remarquable qu'apprenant son premier mariage,
elle s'était refusée à le revoir. Mais son héroïsme à aider la U.S. Navy le rachète.
Le rachat du péché racial est donc possible à condition d'y mettre de la bonne
volonté. Comme dit une chanson « You've got to be taught » (il faut apprendre).
Et du coup, le racisme est aboli. Si chacun fait suffisamment effort, l'amour
triomphera. *The King and I* (Rodgers et Hammerstein 1951) fait un pas de plus
car la gouvernante britannique parvient à aimer les enfants du Roi du Siam
et à établir autour d'elle des relations confiantes sans qu'il y ait conflit. Enfin
dans *West Side Story* si le conflit est patent, il est le fait de la société, mais
se trouve résolu au niveau des individus. De même la question de la spécificité
des Etats-Unis dans la culture occidentale, a toujours été résolue par la comédie
musicale en recourant à l'irréalité la plus flagrante. D'une part on y retourne
à la « vraie » Amérique, géographique — le Middle West — ou historique —
les glorieuses années 1890-1910 — en tous cas à l'Amérique qui ne se compare
pas avec l'Europe, dont l'indépendance spirituelle n'est pas en question. D'autre
part on américanise les thèmes européens (Roméo et Juliette, Pygmalion, Don
Quichotte, le freudisme, un jour — pourquoi pas ? — Jeanne d'Arc ou Don Juan),
affirmant ainsi que la culture américaine peut parler d'égale à égale à l'européenne. Enfin la crise des rapports entre hommes et femmes est largement évo-
quée, pour être encore traitée de manière contournée. Dans *My Fair Lady* lorsque
Higgins chante « Why can't Women be more like Men » (Pourquoi les femmes
ne sont-elles pas comme les hommes ?), il reconnaît le problème, le résout à sa
manière, fait comprendre au public par antiphrase que toute solution passe par
un minimum de respect, et dans l'ardeur qu'il met à se tromper laisse prévoir
quel mari parfait il sera — selon le modèle américain — lorsqu'il aura « appris ».
En ce sens *My Fair Lady* pourrait être le rêve d'un couple dont le cauchemar
serait *Who's Afraid of Virginia Woolf* ? Il semble donc possible d'entrevoir les
aspirations de l'Amérique au travers des rêves de compensation présentés par
la comédie musicale.

    Mais il y a plus encore. La comédie musicale s'oppose souvent au réel, elle
y projette souvent les souhaits des spectateurs. Il semble qu'en plus elle confère
à ces sujets une sorte d'auréole quasi-mythologique qui est le signe même de la
démarche onirique. Cette auréole qui fait parler ceux qui ont eu le privilège de
voir les meilleures comédies musicales d' « enchanted evenings » (pour reprendre
le titre d'une des chansons de *South Pacific*) provient de ce que, dans toute
comédie musicale, il y a toujours de nombreux niveaux entre lesquels les
perceptions des spectateurs se trouvent captées. Et tout d'abord la plupart des

comédies musicales — et toutes celles qui ont connu un gros succès sont des adaptations (1). Qu'il y ait des raisons économiques — un livre ou une pièce déjà connus sont des garanties supplémentaires — est certain; mais, outre qu'elles ne sont pas notre propos d'aujourd'hui, ce n'est pas l'aspect le plus intéressant de la question. Il semble que les allées et venues entre l'original et l'adaptation donnent une dimension nouvelle au spectacle. Ceci est au moins vrai pour la comédie musicale dont l'original est sûrement connu; et dans ce cas-là, une comédie musicale réussie sera celle qui ajoutera une nouvelle couche de mythe à une histoire bien connue. Si l'œuvre arrive à nous faire pénétrer à nouveau dans le monde de Roméo et Juliette, rebaptisés pour la circonstance Maria et Tony, ou dans celui du professeur Higgins et d'Eliza Doolittle, nous reconnaissons des paysages, des personnages au passage. Nous nous retrouvons pour ainsi dire dans le terrain connu de nos imaginations antérieures; et le rêve qui reprend à ce moment connaît par là même un nouvel essor. (L'échec provenant ici précisément de la fidélité trop plate, et surtout de la transposition défectueuse dans le langage de la comédie musicale). On pourrait presque dire que l'adaptation réussie aboutit à quelque chose de parallèle aux hommages récents de peintres non-figuratifs à Delacroix, qui ont ré-interprété *L'entrée des Croisés à Jérusalem* selon leur langage. C'est l'intégration plus grande du spectacle qui permet ce genre de réinterprétation. Car l'œuvre originale doit être traduite selon une réalité nouvelle pour acquérir ainsi le titre non pas de source, mais presque de mythe généralement accepté. Il faut que le paysage soit juste assez changé pour qu'il y ait un sentiment de décalage et que notre reconnaissance soit teintée de surprise, pour que l'effet onirique soit présent. D'autre part, c'est à l'intérieur de chaque élément que se fait la reconnaissance. C'est-à-dire que la musique, les paroles des chansons, les ballets, racontent l'histoire ou créent l'atmosphère chacun à leur manière; il y a donc plusieurs niveaux de transposition et par

---

(1) Voici une liste de comédies musicales et de leurs sources d'adaptation. On remarquera à ce propos la variété de ces sources (qui vont jusqu'à la bande dessinée) et le nombre d'œuvres du répertoire classique (Shakespeare, Cervantès, Voltaire, Shaw).

The Man of la Mancha	— Don Quichotte (Cervantès)
West Side Story	— Roméo et Juliette (Shakespeare)
Kiss me Kate	— La Mégère Apprivoisée (Shakespeare).
The Boys from Syracuse	— La Comédie des Méprises (Shakespeare)
Candide	— Candide (Voltaire)
My Fair Lady	— Pygmalion (G. B. Shaw)
Carousel	— Liliom (Ferenc Molnar)
Porgy and Bess	— Porgy (Du Bose Heyward)
Lost the stars	— Pleure, O pays bien aimé (Alan Paton)
Oklahoma	— Green grow the Lilacs (Lynn Rigg)
Carmen Jones	— Carmen (Bizet)
South Pacific	— Tales of the South Pacific (Michener)
Guys and Dolls	— Tales of Damon Runyon (Damon Runyon)
Lil Abner	— Bande dessinée du même nom
Superman	— Bande dessinée du même nom

conséquent plusieurs niveaux de reconnaissance. Nous retrouvons le professeur Higgins dans le nouveau personnage; mais nous le revoyons aussi lorsqu'il chante sa misogynie, lorsqu'il fait son « numéro » de torero après que Liza a su prononcer « The Rain in Spain, etc. ». Et dans chacun de ces moments nous repartons dans le rêve, dans une sorte d'état second, où nous reconnaissons un personnage tout aussi second. C'est bien celui que nous connaissions, mais dans un nouveau contexte qui lui donne une réalité nouvelle née aussi bien du caractère rêvé de la rencontre que de la profondeur du champ — profondeur dont la source est la possibilité de comparer.

C'est cette auréole mythologique et onirique à la fois qui marque le plus nettement la comédie musicale comme spectacle de rêve, comme organisation de l'enchantement, comme expression de la réalité à travers l'irréel.

Mais la comédie musicale a apporté autre chose à la scène américaine. Puisqu'il faut exprimer ces niveaux différents, la comédie musicale sera l'intégration du discontinu dans le spectacle théâtral. On a parfois l'impression que, si le théâtre de notre époque est un théâtre de discontinuité, le spectacle théâtral en souffre quelque peu. Ici le discontinu — moins explosif qu'ailleurs, il faut bien l'admettre — parvient au contraire à rehausser le spectacle et à le rendre encore plus efficace. Il y a dans la comédie musicale une manière de s'exprimer par différents moyens entre lesquels aucun lien logique n'existe, qui n'est pas tellement éloignée d'une certaine manière américaine de vivre des situations différentes, voire contradictoires, sans s'en étonner. Il semble que ce discontinu de l'expression théâtrale peut se situer dans deux domaines : d'abord celui de l'organisation de l'espace en plusieurs terrains qui jouent l'un contre l'autre; ensuite dans une fragmentation du temps dramatique.

Pour ce qui est du premier point, il ne s'agit pas tellement de l'utilisation d'un plateau tournant ou d'effets de lumière qui isolent des espaces hétérogènes; la comédie musicale a été assez conservatrice en ce qui concerne la partie la plus technique de la mise en scène — ou plutôt son esprit d'invention ne se situe pas là, mais dans l'utilisation adroite de ses éléments constitutifs, et de tout ce dont elle ne peut se passer. Par exemple la fosse d'orchestre : cet élément de rupture entre le spectacle et le spectateur, par-dessus lequel paroles et chansons doivent passer, commence aujourd'hui à être intégré dans le spectacle : dans *Hello Dolly* une sorte d'avant-scène court entre la fosse et le public et certains numéros de danse y ont lieu. Mais la scène principale n'est pas vide pendant ces moments. Nous voyons dès cet exemple le principe qui préside à cette organisation particulière de l'espace théâtral. Créer des domaines différents dont les jeux à plusieurs niveaux *représentent* les allées et venues de l'esprit du spectateur dans un champ qui n'a pas que deux dimensions. Dans le même ordre d'idées les groupements de personnages en chœurs masculins ou féminins occupant — de manière régulière — telle partie de la scène, qu'il s'agisse du chœur des cow-boys au premier acte, ou du chœur des indiens au second (ceci est à peine exagéré; dans *Oklahoma* il y a des choses de ce genre) créent, pour ainsi dire, des vides et des pleins, même en leur absence. Et ainsi d'acte en acte, de scène en scène les impressions se superposent — tout en bougeant, puisqu'aussi bien personne ne tient en place dans la comédie musicale — et les réalités différentes s'entrechoquent. Il en est de même de la danse. Ici encore l'espace de la pièce, au sens traditionnel n'est pas le même que l'espace de la danse. Celui-ci est plus élastique, s'augmente d'une certaine hauteur, comprend parfois les coulisses grâce auxquelles de nombreux effets comiques sont obtenus (on n'a guère poussé l'expérience de *Hellzapoppin* qui consistait à mettre des « chorus-girls » — nous sommes en 1938 — dans la salle, mais ce serait assez dans l'esprit de ce genre de spectacle). Ici nous retrouvons un espace rêvé où l'adresse et la grâce donnent une nouvelle dimension à l'histoire, qui est ainsi traduite en un nouveau langage. Et il n'est pas besoin de lumières tamisées pour suivre un Fred Astaire, un Danny Kaye, un Sammy Davis Jr. lorsque celui-ci s'échappe, non pas du spectacle qui reste permanent et dont l'échappée fait partie, mais de ce que le spectacle raconte. Enfin cette vérité de rêve, cette présence si forte d'un autre monde, vient de la combinaison de tous ces mouvements : de la multiplication aussi logique que totalement illusoire d'une sorte de délire mouvementé où chaque personnage sur la scène se reflète en quelqu'un d'autre; et on a parfois l'impression d'être dans un palais des miroirs. Cette prédominance des mouvements, des ruptures continuelles et des retours en point d'orgue à l'équilibre, révèle immédiatement la nature de ce spectacle. Il s'agit d'exprimer de mille manières non pas le sens, mais le rayonnement d'un moment. Les auteurs de comédie musicale font avec la scène ce que les auteurs dramatiques font avec des mots; leur vocabulaire et leur syntaxe sont ceux de la scène qui ne s'embarrassent pas de la fable sur laquelle tout cela repose. Ainsi sont établies dans l'espace les conditions où le mythe peut se déployer; les personnages eux-mêmes deviennent beaucoup plus que la somme de leurs attitudes, de leurs espérances, de leurs pensées; ils atteignent dans la fête, le niveau des dieux auxquels on peut croire sans avoir à y adhérer. Du coup l'important dans une comédie musicale ne sera pas ce qui y est dit; le langage verbal est usé jusqu'à la corde, tout aussi usé que les intrigues sur lesquelles les comédies musicales sont bâties. Celles-ci ne sont que le soutien, le fil — ou le filet — qui permet à l'acrobate d'évoluer. Mais l'œuvre de l'acrobate c'est le mouvement, et la captation de l'espace qui est autour de lui. Il fait de l'air son aire et intègre — comme nous n'y arriverons jamais — sa gauche et sa droite, ce qui est à ses pieds et le ciel au bout de ses doigts. Ainsi la comédie musicale prend les mille moments discontinus, chaotiques, dissonants de notre vie et les organise, dans le mouvement et dans la discontinuité, en un dessin de beauté.

Il en est de même pour le temps, que la comédie musicale disloque pour mieux le réorganiser. Non pas qu'elle se serve beaucoup de flash-backs ou de flash-forwards. Dans une comédie musicale de Kurt Weill et Ira Gershwin, *Lady in the Dark* (1941), une femme revit bien en rêve les expériences marquantes de son passé. Mais le spectacle en question a des connotations psychanalytiques, et ces allées et venues dans le temps mental sont relativement peu fréquentes dans la comédie musicale. En revanche une première différenciation temporelle est le fait de la musique qui permet de prendre conscience de l'opposition entre le temps du monde — les deux heures que dure la représentation —, le temps dramatique — les jours ou les années que dure l'intrigue —, et surtout le temps vécu — la seconde où l'on est ému par une belle chanson, un pas de danse, ou un splendide décor, seconde que l'on voudrait retenir et qui s'échappe d'autant plus vite. Cette différenciation n'est pas caractéristique de la seule comédie musicale; on la retrouve dans l'Opéra, dans l'Opéra-Bouffe, parfois même dans l'Opérette. Ce qui me semble caractéristique c'est le heurt voulu de ces différentes temporalités, que la comédie musicale souligne si souvent. Dans l'Opéra-Bouffe on essayait de passer du récitatif à l'air sans trop de surprises. Ici au contraire on se donne du mal pour faire sentir la différence. Le passage de la parole au chant est souligné par le chahut que fait un orchestre où dominent les cuivres. De plus la musique est orchestrée avec un renfort d'éléments qui n'ont rien à voir avec le clavecin de l'Opéra-Bouffe. Ces différences créent à nouveau des allées et venues; l'oreille du spectateur passe de l'un à l'autre, entraînant son esprit du vécu au réel au dramatique, comme tout à l'heure l'organisation de l'espace l'entraînait au rêve.

La fragmentation du temps dramatique se voit aussi dans les rapports qu'entretiennent l'intrigue et la chanson. A priori quand on chante on ne *dit* rien (ce que le français exprime si joliment : « c'est comme si je chantais »). Et, par conséquent, il devrait y avoir un arrêt total de l'action au moment où le héros, ou le couple amoureux, vient « pousser sa chansonette ». En fait les choses se passent un peu différemment et surtout de manière quelque peu plus complexe. Si on peut en effet penser que lorsque Eliza Doolittle nous chante son rêve de faire fusiller le professeur Higgins (dans *My Fair Lady*), l'action marque doublement le pas, parce que nous sommes dans un rêve et parce que nous sommes dans une chanson, il faut néanmoins remarquer que le moment faible dans le temps dramatique est compensé par un moment fort dans le temps vécu des spectateurs. De plus la source de ce temps fort est l'émotion créée aussi bien par la jolie chanson que par tout ce qui, dramatiquement sous-tend le rêve — la manière dont Eliza a fait la connaissance du professeur, leurs rapports jusqu'à maintenant, et le fait que nous savons que ces rapports vont se modifiant —. Et par là même nous voyons que le moment de la chanson n'est pas si faible dramatiquement : premièrement il cristallise la situation et nous en fait mieux prendre conscience (dans l'exemple choisi, toute l'adresse de l'auteur consiste à nous dire les choses par antiphrase); ensuite il participe quelque peu à l'action même : car ce que nous savons des personnages, de leurs sentiments, et ce que nous prévoyons de leurs actions, n'est pas semblable avant et après la chanson. L'étonnant est que nous sommes tellement persuadés que les chansons ne servent à rien que nous baissons, pour ainsi dire, nos défenses d'incrédulité et que nous n'avons que rarement conscience que la pièce avance pendant ce temps-là. Cette sorte de dialectique entre le temps du drame et le temps de l'émotion qui le sert en quelque sorte, est un nouvel exemple de comment la comédie musicale parvient à intégrer en un spectacle cohérent des éléments radicalement — et volontairement — hétérogènes. On peut se demander pourquoi ces éléments divers n'entraînent pas la dissolution du spectacle. Et parfois, en effet, on a tendance à ne voir dans la comédie musicale qu'un théâtre de décoration, qu'une sorte de revue à grand spectacle qu'on assimilerait volontiers au Lido ou au Casino de Paris. Mais les comédies musicales les plus solides d'une part sont bâties si fortement, et d'autre part sont ancrées de manière si cohérente dans l'atmosphère rêvée que l'intégration se fait avec un certain sens de l'art de la fiction. Et c'est là le troisième apport fondamental de la comédie musicale à la scène américaine entre 1945 et 1965.

A la distinction entre les tendances du théâtre américain issues du réalisme engagé d'Arthur Miller, et celles qui découlent des obsessions presque hallucinantes de Tennessee Williams, il faut, semble-t-il, ajouter un troisième théâtre américain que j'appellerai celui de la scène-fiction (comme il existe une science-fiction où la science est au service de la fiction, il existe une scène-fiction où la scène est au service de l'imaginaire). Alan Jay Lerner — qui plaidait *pro domo*, puisqu'il est auteur de comédies musicales — dit que « *on a choisi le théâtre musical pour servir, in absentia, de théâtre romantique, de théâtre héroïque, de théâtre poétique* ». Malgré l'outrance qui consiste à refuser ces appellations à toute autre production américaine, il y a là un grain de vérité.

Il faut d'abord indiquer rapidement que ce n'est pas la seule vocation que la comédie musicale se soit jamais reconnue. Il y a eu des moments où la comédie musicale a essayé de prendre racine dans la réalité, notamment dans la réalité politique et sociale. En 1937 le syndicat des ouvrières du vêtement a fait tenir deux ans une assez féroce satire sociale, *Pins and Needles* (Aiguilles et Epingles). En 1951 *Of Thee I sing* — titre pris dans un des hymnes politico-religieux dont les Etats-Unis semblent si friands — se moquait de la vie politique américaine. En 1954 *The Pajama Game* (Le Jeu des Pyjamas) racontait, sur un ton à vrai dire assez anodin, une grève dans une fabrique de pyjamas.

Mais il semble que depuis la fin de la guerre la comédie musicale prenne un tout autre chemin. Et ceci se voit d'abord en ce que les méthodes de l'illusion perdent du terrain devant les méthodes de la fantaisie. Ne pouvant rivaliser avec le cinéma dans le domaine de la reproduction de la réalité, ne pouvant donc arriver à donner réellement le change, le théâtre musical semble choisir volontairement d'éveiller la faculté d'imagination par les méthodes de l'irréalité. Les décors ne seront donc pas réalistes, et n'emprunteront même pas leur structure à la réalité. Ils agiront par pure suggestion. Ici *My Fair Lady* va infiniment plus loin que *West Side Story* qui garde un fondement de réalisme (le grillage du terrain public de basket-ball est du vrai grillage, et le terrain est vraiment marqué sur le sol). Mais dans *My Fair Lady* Ascot est suggéré par quelques tentures, et l'atmosphère art nouveau est présentée dans des costumes parfaitement extravagants, mais plus que vraisemblables. Il s'agit de plus en plus de jouer sur l'imagination du spectateur et de lui faire saisir à demi-mot, parfois même par antiphrase la tonalité voulue. Dans un autre ordre d'idées, la comédie musicale est le seul théâtre américain à pouvoir utiliser un chœur qui commente

9. ARTHUR LAURENTS : West Side Story.

l'action — sous forme de chanson, ce qui n'est pas tellement loin de ce qui se passait dans la tragédie grecque. Ce commentaire intégré dans la pièce serait de nature à affaiblir la fiction dans un contexte réaliste, ou même cinématographique (il a fallu bien des recherches à Kazantsakis pour nous faire accepter le chœur de son *Electre*). Ici au contraire, elle est un élément de plus qui nous permet d'accrocher notre scepticisme au vestiaire (ce qui n'est pas sans rappeler un certain côté ritualiste du théâtre). D'ailleurs on retrouve le même genre de procédé dans l'utilisation de la musique qui, bien souvent commente l'action à sa manière : dans *My Fair Lady*, lorsque Eliza arrive à prononcer « The rain in Spain... », la petite musique espagnole est une allègre manière d'épingler l'absurdité de ces exercices phonétiques, tout en montrant déjà la joie qu'Eliza et Higgins prennent à s'amuser ensemble. Plus encore : le rythme général d'une comédie musicale dépend évidemment de sa musique; à tel point que des œuvres aussi proches par le sujet que *Brigadoon* (le village enchanté en Ecosse) et *Finian's Rainbow* (le trésor irlandais au bout de l'arc-en-ciel) se distinguent essentiellement par l'allégresse de la musique de la première et la mélancolie de la musique de la seconde. Ici encore ce n'est pas seulement ce qui est dit — encore moins ce qui est seulement montré — qui établit la spécificité de telle ou telle comédie musicale. Cette individualité est ressentie plus dans la conscience du spectateur que dans son intelligence immédiate de ce qui se déroule devant lui. A tel point que ni un catalogue analytique des comédies musicales, ni les disques qui en fournissent les chansons, ni une exposition de décors, ne rendent compte de ce genre de théâtre qui se caractérise par ce que tous ses éléments mis en mouvement suggèrent. Et je voudrais revenir ici sur cette notion d'antiphrase que j'ai déjà mentionnée. C'est une des constantes de cette forme particulière de théâtre que de dire le faux pour faire comprendre le vrai. Les chansons sont des commentaires, nous l'avons dit, mais très souvent drôles sur des sujets sérieux : dans *Oklahoma* la demoiselle qui vient d'être abandonnée par son ami jaloux, réfléchit amèrement, mais non sans ironie, sur le fait « qu'elle ne sait pas dire non ». Dans *West Side Story* les jeunes délinquants s'amusent, non pas de leurs malheurs, mais des efforts pitoyables de la société pour y remédier; et nous sentons, par-delà la gaieté, la souffrance d'adolescents dont chacun cherche à se débarrasser. De même pour montrer la violence la plus atroce, celle dont est victime la sœur du chef de bande porto-ricain, aux mains du gang américain, lorsqu'elle cherche à sauver l'amour de Tony et de Maria, *West Side Story* nous présente un ballet d'une grâce presque féline. La fiction est ici à son comble puisque nous entendons, ou voyons une chose et que nous pénétrons par là même dans un univers opposé. Enfin cette antiphrase peut se dérouler à plusieurs niveaux. Lorsque Tony et Maria se déguisent en mariés dans la boutique de couturière où Maria est employée, le faux mariage, si visiblement faux nous fait entrer dans leur vraie joie, alors qu'au moment où ils ne jouent plus leur mariage, mais en vivent par avance le cérémonial, dans ce moment précis où toute leur joie éclate, nous somme assaillis et presque submergés par leur angoisse devant l'impossibilité de cet amour.

Ainsi la comédie musicale prend nettement son parti de la fiction théâtrale, et l'emploie au maximum pour créer ce monde du spectacle, ce monde fictif où l'imagination peut s'épanouir.

Pour terminer il faudrait essayer rapidement de montrer que ces éléments propres que la comédie musicale a apportés à la scène américaine dans les vingt dernières années — monde onirique, intégration du discontinu, et acceptation de la fiction théâtrale — répondent assez bien aux exigences qui nous font aller au théâtre ou à l'opéra. Il s'agit de donner le rêve pour la réalité, de faire admettre le discontinu comme vivable, de nourrir nos désirs de contre-réalité. Or tout ceci me semble enraciné dans les deux fondements du plaisir que nous prenons à voir une action représentée sur une scène : d'une part la recherche d'une stabilité dans la fuite du temps qui conduit à surévaluer un moment pour le transformer en éternité (la soirée enchanteresse qui, par la magie de la mémoire demeure à tout jamais); d'autre part et parallèlement le désir de créer une vie nouvelle, plus intégrée, où tous nos gestes fassent partie d'un ensemble qu'on pourrait appeler esthétique.

Que la comédie musicale soit une manière d'échapper à la vie ne me paraît guère discutable; mais elle est importante parce qu'elle est sans doute la manière américaine de le faire qui est sentie comme la plus nationale, et parce qu'elle révèle, en creux, les besoins qui font revenir à la vie.

LE THÉÂTRE ALLEMAND
ET LA DEUXIÈME GUERRE MONDIALE

par Camille DEMANGE
Faculté des Lettres, Paris-Nanterre

La période du théâtre allemand consacrée au témoignage sur la guerre est aujourd'hui révolue. Et pourtant la dernière date qui s'impose à nous pour en établir le bilan provisoire est très récente. Elle est celle de la création simultanée, sur différentes scènes allemandes, le 19 octobre 1965, de l'oratorio d'Auschwitz de Peter Weiss, *L'Instruction*.

Je commencerai par essayer de caractériser brièvement cette œuvre insolite qui semble être le terme de l'évolution que la guerre a déterminée.

Relation du procès qui a été fait à Francfort aux tortionnaires du camp d'Auschwitz, *L'Instruction* est une pièce-document, à laquelle la stylisation poétique, faisant contraste avec l'horreur du contenu, confère le ton d'oratorio qu'a voulu lui donner l'auteur. La pièce est jouée sans décor et s'achève avant que ne soit prononcé le verdict sur la fausse conclusion d'un accusé qui sollicite l'oubli. Le juge, sans robe, est assis devant une simple table. Il ne fait figure, en réalité, que de greffier. Les chaises des accusés sont disposées comme sur une estrade de concert ou alignées devant les photographies des tortionnaires.

Dans la mise en scène de Peter Palitzsch, élève de Brecht, les mêmes acteurs jouent alternativement les rôles des victimes et les rôles des criminels. Ainsi est soulignée l'intention essentielle de l'auteur : rappeler au public allemand qu'il a été tout entier compromis dans le drame et inviter l'étranger à se demander ce qu'il aurait fait, s'il avait vécu le drame.

Si l'on considère la création de Peter Weiss comme un aboutissement, on verra qu'elle exprime un aveu d'impuissance effectivement très caractéristique du théâtre de l'après-guerre. Impuissance d'exprimer le drame par une action, un dialogue et un décor, impuissance surtout d'opposer au crime que l'on dénonce une doctrine, une idéologie ou simplement une autorité morale.

Historiquement le théâtre allemand de la deuxième Guerre mondiale a d'abord été un théâtre de protestation. Son seul foyer important fut le Schauspielhaus de Zurich, où a été présentée, dès le 30 novembre 1933, la première pièce de la Résistance, *Les Races* de Ferdinand Bruckner, suivie, en 1934, de la création du *Professeur Mamlock* de Friedrich Wolf.

Ailleurs, en France particulièrement, on n'a guère joué que dans des petites salles de réunions, qui n'étaient pas des salles de théâtre, les œuvres antifascistes et antinazies, comme *Les fusils de la mère Carrar,* la protestation de Brecht contre la non-intervention en Espagne, et son ensemble de sketches-documents sur le nazisme, *Grand'peur et misère du Troisième Reich.* La tradition du théâtre politique n'existait pas en France, du moins à l'échelle des grandes organisations du spectacle.

À ces premiers efforts de théâtre engagé fait suite, pendant la guerre, l'entreprise de témoigner du drame devant le monde. Le Schauspielhaus de Zurich présente successivement *Le soldat Tanaka* de Georg Kaiser et, le 19 avril 1942, *La Mère Courage,* de Brecht.

La troisième phase est marquée par la volonté pour les émigrés en instance de retour de contribuer à la dénazification, et pour les jeunes allemands et les jeunes étrangers qui se sentent concernés, de dire sans détours ce qu'ils ont vécu et ce qu'ils éprouvent. Les trois grandes dates de cette confession, *Le Général du Diable* de Carl Zuckmayer, *Dehors devant la porte* de Wolfgang Borchert, et *On les entend chanter à nouveau* de Max Frisch, se situent en 1946.

Deux années auparavant, le nazisme avait encore utilisé comme instrument de propagande le témoignage du vieil homme du théâtre allemand, Gerhart Hauptmann, en présentant son *Iphigénie à Delphes* comme une explication édifiante du sacrifice de Stalingrad.

Ensuite seulement a été tentée l'analyse et les pièces de Brecht, écrites pendant les événements, comme son *Antigone, Le Procès de Lucullus, Arturo Ui* et *Schweyk* ont été produites dans le monde avec un retard considérable que leur auteur avait voulu.

Il est naturel que nous voyions apparaître au fil de cet examen les moyens d'expression les plus divers : des pièces réalistes, ne traitant qu'un épisode, comme *Les races* de Bruckner, *Le Professeur Mamlock* de Wolf, *Le radeau de la Méduse* de Kaiser ou, pour citer un exemple beaucoup plus récent, *Philémon et Baucis* de Leopold Ahlsen; des farces, comme *Jacobowsky et le colonel* de Franz Werfel, sous-titrée : « La comédie d'une tragédie » et dont on a fait un opéra; des Volksstück comme le *Schweyk* de Brecht; les pièces-documents et aussi les drames qui renouent avec la grande tradition du théâtre historique ou de la chronique (*Le Général du Diable* de Zuckmayer, *Mère Courage* de Brecht) ou encore, et de manière très différente, avec la tradition des fables mythologiques (*La Tétralogie des Atrides* de Hauptmann, *L'Antigone* de Brecht).

Mais pour une classification qui ne prétend pas être exhaustive la distinction des genres est un critère moins important que la nature du témoignage qui est apporté par les auteurs. Or celle-ci dépend évidemment de la situation du témoin par rapport à l'événement et, donc, essentiellement, de son âge.

C'est sur cette différence d'optique entre les générations que je désire mettre l'accent.

Le seul témoignage qui nous ait été donné immédiatement après la guerre par la jeune génération allemande qui a vécu le nazisme en Allemagne est *Dehors devant la porte* de Wolfgang Borchert. Il n'est pas surprenant que cette pièce soit aussi celle qui offre les ressemblances les plus évidentes avec les drames expressionnistes dont les auteurs avaient été les combattants de 1914. On retrouve la même structure du drame par stations, le sujet du soldat qui revient du front, comme dans *Hinkemann* de Toller, qui a des allures d'épouvantail et qui désespérément s'interroge et interroge les autres, la même expression du tragique par des cris, des éclats de rire grinçants, des chansons grotesques. Le héros subit des visions de rêve allégoriques et tournées au macabre burlesque : L'Elbe est personnifiée sous les traits d'une goualeuse qui sent le pétrole; la Mort, grasse des cadavres dont elle s'est repue, apparaît comme un monstrueux profiteur de guerre, ridiculisant un dieu qui n'est plus qu'un petit fonctionnaire retraité.

Le drame de Borchert exprime comme les drames expressionnistes une conversion et appelle le public à la conversion, pour qu'il découvre l'autre aspect des choses que cache le masque des apparences et de la bonne conscience. Et c'est aussi, dans l'acception rigoureuse du terme, et bien que l'auteur ne se soucie pas d'analyse, une pièce politique, car le héros, pour désaxé qu'il soit, pose bien cependant le double problème urgent de la génération trahie : sa réadaptation sociale et la prise de conscience de sa propre culpabilité.

Notons à ce sujet que la littérature et le théâtre de la Guerre de 1914 n'avaient pas mis en question la responsabilité de leur héros, le poilu, qui n'était qu'une victime. Au contraire, devant une situation différente, l'idée de la responsabilité collective s'est imposée à tous les témoins de la deuxième Guerre mondiale.

A côté du drame de Borchert il nous faut tenir compte du témoignage d'une nature particulière qu'a exprimé Max Frisch dans son requiem *On les entend chanter à nouveau.*

La pièce rappelle un autre aspect du théâtre expressionniste, en même temps que l'influence, très importante à cette époque, de Thornton Wilder. Le décor principal est un cloître en pays conquis. Les morts et les vivants se côtoient autour de la table où l'on partage le pain. Mais ils sont les uns et les autres enfermés dans leur huis-clos. Les vivants ne voient pas les morts et les morts ne peuvent pas se faire entendre des vivants. La leçon de leur drame ne peut donc pas être transmise et n'a servi à rien.

La pièce suivante de Max Frisch, *Quand la guerre fut finie*, écrite trois années plus tard, en 1949, n'est plus aussi nihiliste. Une intention très différente, et bien caractéristique de l'évolution générale, inspire l'auteur. Il veut faire violence au public allemand pour l'obliger à combattre ses préjugés. Frisch prend parti pour son héroïne, Agnès, qui commet l'adultère avec un Russe, d'abord pour sauver son mari qui est un nazi et un exterminateur de juifs et ensuite par véritable inclination quand elle a découvert les profondes qualités humaines de l'officier russe, en qui, victime des clichés de la propagande, elle n'avait vu d'abord qu'un barbare. Le moralisateur, avec beaucoup de tact, prend le pas sur le témoin et la pièce retourne à la tradition du drame, généralement moins intéressant, qui ne traite qu'un épisode de la guerre. Max Frisch représente ces témoins marginaux qui ont joué un rôle considérable dans la renaissance du théâtre européen. La situation de Peter Weiss, émigré en Suède, est analogue, comme est très comparable, par rapport à la France, la situation de Beckett, Ionesco et Adamov.

L'œuvre de Borchert et de Max Frisch exceptée, le théâtre de la deuxième Guerre mondiale et qui lui est consacré est presque entièrement l'apanage de la génération des anciens combattants de la Guerre de 1914. Ainsi Hauptmann, Zuckmayer, Brecht, Kaiser, Weisenborn, Werfel et Remarque.

Ce fait a pour conséquence une orientation très différente de ce que l'on avait connu après 1918, d'une part dans le sens d'un retour vers les formes classiques et, d'autre part, vers un théâtre politique qui est beaucoup plus un théâtre de réflexion et de culture qu'un théâtre militant.

Considérons d'abord les œuvres qui renouent avec la tradition.

La fable mythologique ne pouvait guère être mise au service de la dénazification parce qu'elle avait trop servi au nazisme.

Pour inaugurer son nouveau cycle de pièces politiques, Erwin Piscator a pourtant, à la surprise de beaucoup, choisi la *Tétralogie des Atrides* de Gerhart Hauptmann dont nous avons vu que la quatrième pièce, *Iphigénie à Delphes*, avait été créée sous le régime nazi, à Vienne, en 1943.

En l'occurrence, ce sont les nazis, et non Piscator, qui se sont montrés les plus judicieux.

Sans doute, associé au mythe de la mort d'Empédocle, le sacrifice d'Iphigénie à Delphes représentait-il dans l'esprit de Gerhart Hauptmann une protestation contre le sacrifice du sang humain et donc contre la guerre. Mais il faut bien dire, si cruel que cela soit à l'égard de l'auteur des *Tisserands,* que sa démarche de mythologue allait hélas dans le sens du wagnérisme et de son exploitation par le nazisme.

Au lieu de procéder de l'approfondissement psychologique du mythe pour nous mener de l'irrationnel au rationnel et du rationnel à l'utile, il fait au contraire retour vers l'irrationnel et le mystère de la cérémonie cultuelle. En 1941 ou 1942 le régime aurait sans doute interdit l'œuvre de Hauptmann, mais après Stalingrad elle venait à propos pour présenter comme une grandiose expiation rituelle la mort de tant de soldats. Elle permettait, sous le couvert du mythe d'Empédocle, de sacraliser l'holocauste et de retarder la dénonciation du crime.

On comprend mieux, à la lumière de cet exemple, l'acharnement avec lequel Brecht, notamment dans son *Antigone,* s'en est pris au grand style tragique et au dangereux usage que l'on pouvait en faire.

Il fallait effectivement, après la guerre, réapprendre à lire et à jouer les classiques.

Brecht lui-même qui avait fait peu de cas, avant son exil, de la tradition et l'avait le plus souvent tournée en dérision par la parodie, a trouvé dans le passé historique et littéraire allemand l'inspiration de la plus belle œuvre sur la guerre, *Mère Courage et ses enfants*.

Avec un art très sûr il a repris le schéma de la chronique élisabéthaine qui a toujours servi de modèle au grand théâtre historique allemand. Il a mis le présent en relation avec l'autre grand désastre de son histoire nationale, la Guerre de Trente ans. Et surtout il a transformé la picara de Grimmelshausen, la mère Courage, en une grande figure symbolique qui incarne à la fois la souffrance et la responsabilité de la guerre, qui est à la fois la mère des victimes et la mère des coupables.

Le héros-type de la littérature de la Guerre de 1914 n'était, le plus souvent, que le petit soldat débrouillard qui s'en tirait comme il pouvait sans avoir jamais lieu d'interroger sa conscience ni de se demander ce qu'il pourrait faire pour changer un monde qui était mauvais. Combien plus complexe est la mère Courage, qui persiste, dans son aveuglément et malgré ses drames, à tirer la roulotte de la guerre !

Carl Zuckmayer a choisi pour son *Général du Diable* un autre modèle du théâtre à la fois psychologique et historique : le personnage d'Egmont, ou plutôt le couple Egmont-Orange. Dans l'*Egmont* de Gœthe, le héros, brillant et insouciant, était assuré jusqu'au bout de la sympathie du public. Mais le public devait aussi être amené progressivement à comprendre que l'homme politique avisé et conscient était Orange et non Egmont.

L'aviateur Harras est, dans le drame de Zuckmayer, le héros. L'homme qui s'oppose à lui est un saboteur et progressivement le public doit en venir à admettre que c'est le saboteur qui a raison. Harras, il est vrai, participe autant qu'il le peut à sa réhabilitation en se condamnant lui-même pour ne rien avoir entrepris contre Hitler et, finalement, en se suicidant.

La critique, avec le recul du temps, est aujourd'hui très sévère à l'égard de Zuckmayer, dont les pièces ultérieures, comme *Le chant dans la fournaise* qui évoque un épisode de la Résistance en France, ont pris trop souvent, effectivement, des allures de feuilletons à bon marché et n'utilisent que pour leur effet spectaculaire les procédés du théâtre moderne. Pour ce qui est du *Général du Diable* on lui reproche d'avoir par trop sollicité la complaisance du public bourgeois et, indirectement, des milieux, surtout militaires, qui n'ont été qu'à demi compromis par le nazisme. On oublie qu'il fallait tout de même un certain courage pour faire en Allemagne, en 1946, l'éloge d'un saboteur de la Luftwaffe.

Remarquons à ce propos que le théâtre de la dénazification a été beaucoup mieux accueilli par le public que le roman antinazi. Les mêmes groupes d'étudiants qui boycottaient le *Doktor Faustus* de Thomas Mann, parlaient avec sympathie de Borchert et de son drame, pourtant très agressif. Le théâtre, semble-t-il, a très heureusement exercé sa fonction sociologique et pédagogique.

L'œuvre d'analyse et de culture politique que la guerre a suscitée est, évidemment, dominée par les réalisations dramatiques de Brecht, et, plus encore que par ses réalisations, par son rayonnement exceptionnel d'homme de théâtre, de dialecticien et de pédagogue.

Si nous considérons en effet le sujet précis du nazisme et de la deuxième Guerre mondiale, nous voyons que Brecht lui a consacré, en plus du prologue moderne de son *Antigone*, cinq essais : *Grand'peur et misère du III⁰ Reich, Têtes rondes et têtes pointues, La résistible ascension d'Arturo Ui, Les visions de Simone Machard et Schweyk dans la deuxième Guerre mondiale*. Ces pièces, ajoutées aux œuvres qui traitent de la guerre en général, *Mère Courage et ses enfants, Le Procès de Lucullus et Antigone*, mais dont les références à la situation de 39-45 sont transparentes, constituent un répertoire assurément très important et c'est à travers ce répertoire que la génération qui n'a pas vécu le nazisme s'en est fait son image.

Constatons tout de même que ce grand sujet a beaucoup embarrassé Brecht, ainsi qu'il s'en est expliqué lui-même plusieurs fois. Pour des raisons esthétiques il n'a pas voulu, sauf dans *Grand'peur et misère du III⁰ Reich,* donner une représentation réaliste des événements. De même qu'il n'a pas voulu, pour des raisons, cette fois, pédagogiques et politiques, présenter la relation des atrocités de la guerre, notamment de l'univers concentrationnaire. Il n'en serait sorti, *L'Instruction* de Weiss le confirme, qu'une impression de nihilisme et Brecht était suffisamment courroucé de s'être entendu accuser de pessimisme pour avoir présenté une Courage qui ne tire pas elle-même la leçon positive de ses épreuves.

Le fait essentiel qu'est l'adhésion de la quasi-totalité du peuple allemand au nazisme ne lui a certes pas échappé. Mais il n'a voulu l'analyser qu'en rationaliste, comme une somme de compromissions et de capitulations, déterminées par des intérêts de classe. Or cette somme ne fait pas le tout. Il y a aussi un phénomène de psychose collective que Brecht a ignoré obstinément parce qu'il relève de l'irrationnel. Quant à l'aventure hitlérienne elle-même, il l'a vue comme la bande dessinée d'une histoire de gangsters. *Arturo Ui* est un chef-d'œuvre pour ce qui est de la parodie, des effets de mime, de l'atmosphère et de la virtuosité du langage. Mais l'analyse politique y est indigente, si on la compare à l'étude si fine des mécanismes économiques que l'on trouve dans *Sainte Jeanne des Abattoirs*.

Il m'apparaît surtout que le point de vue de Brecht a très profondément divergé, en cette époque, de la ligne politique générale, nécessairement opportuniste, des partis et des pays qui luttaient contre Hitler. Leur politique ne pouvait être que celle de l'union sacrée : associer dans un même combat les patriotes nationalistes, les bourgeois, les chrétiens, et les ouvriers socialistes et communistes. Brecht avait trop vivement et trop sincèrement mis en garde la classe ouvrière dans *Sainte Jeanne des Abattoirs* et dans *La Mère* contre toute collaboration avec les chrétiens et les idéalistes; il avait toujours soutenu que l'union sacrée, d'où qu'elle naisse, masque le seul vrai problème qui est celui de la lutte des classes : on le voit mal prendre part, comme homme public et comme homme de théâtre, aux entreprises des « Fronts Nationaux » qui ont été si utiles dans tous les pays occupés. Brecht respecte la Résistance, mais il est très gêné,

10. BERTOLT BRECHT : La Résistible ascension d'Arturo Ui.

en raison de son antiidéalisme irréductible, pour la célébrer. Il y renonce, dans *Antigone*, parce que, dit-il, le personnage ne s'y prête pas. Il l'incarne, dans *Les Visions de Simone Machard*, sous les traits d'une enfant. Il lui adresse un hymne dans *Lucullus*, mais seulement dans la version corrigée, après la discussion que l'on sait avec les autorités de la R.D.A. Et le fond de sa pensée apparaît dans *Schweyk*. Aux résistants de la première heure il préfère le petit peuple sain et débrouillard qui est peut-être un peu compromis, mais qui, en fin de compte, ne s'est pas laissé faire.

Le public qui applaudit aujourd'hui l'excellente pièce populaire ne se rend plus compte qu'il l'aurait violemment rejetée en 1946 ou en 1947, comme une insulte à la Résistance. Brecht, lui, l'avait compris, et il l'avait gardée dans ses tiroirs, comme *Arturo Ui*.

Son théâtre n'appartient pas au théâtre-témoignage ni à ce que nous avons appelé le théâtre de la dénazification. Bien que conçu pendant les événements, il est destiné à un futur relativement lointain. C'est un théâtre de culture.

Brecht se trouve ainsi constituer la charnière de la transformation du théâtre politique, et, considérant maintenant les deux guerres mondiales et non plus seulement la dernière, je voudrais établir en conclusion une distinction entre les différentes formes de ce théâtre politique, qui, semble-t-il, a définitivement pris racine dans l'histoire dramatique.

Le théâtre expressionniste et le théâtre de Borchert, conçus sous l'effet immédiat du traumatisme, représentent une réaction impulsive, un cri à l'adresse de l'humanité. Pour inorganisé et névrosé qu'il soit, il n'en est pas moins politique, car il appelle violemment à l'action; il fait de la scène une tribune.

Historiquement, c'est du théâtre expressionniste qu'est né le théâtre politique du xxᵉ siècle.

Le théâtre d'agitation et de propagande est important en 1918 et inexistant en 1945, parce que le climat révolutionnaire est absent, et parce que les partis utilisent d'autres moyens de vulgarisation comme le cinéma. Ce genre que Brecht n'a pratiqué qu'une fois dans une pièce de circonstances, en en faisant, pour le tourner en dérision, un devoir d'écolier, est justement décrié du point de vue esthétique. N'oublions pas toutefois qu'on lui doit quantité d'innovations techniques. Le théâtre épique lui doit beaucoup et le théâtre-document est son héritier direct.

Les hommes qui ont plus de recul par rapport à la guerre, parce qu'ils sont plus âgés ou plus jeunes que les combattants, jugent à froid les événements et analysent les mécanismes. Ils pratiquent un théâtre qui peut être d'actualité, mais qui est surtout de réflexion politique. Le promoteur est, à mon avis, Georg Kaiser, dans sa trilogie inspirée de la première Guerre mondiale : *Gaz I, Gaz II, Coraille*.

Le théâtre de réflexion politique de Georg Kaiser est neutre. Le théâtre de réflexion politique de Sartre est engagé, par exemple dans *Les Séquestrés d'Altona*.

Le théâtre de Brecht appartient à cette même catégorie pour ce qui est de *Sainte Jeanne des Abattoirs* et *La Mère*. Quand il écrit ses pièces il est parfaitement en accord avec les forces dynamiques qui dominent l'actualité.

Mais les grandes œuvres de la dernière période de Brecht, pour engagées qu'elles soient assurément, et elles le sont d'autant plus qu'elles s'appuient, comme le montre d'autre part Madame Marianne Kesting, sur une éthique rigide et intransigeante, ont cependant une autre signification. Brecht parle lui-même de pièces « indirectes » en les opposant au *Nekrassov* de Sartre qu'il qualifie de « direct ». Dans les pièces « indirectes » l'action immédiate compte moins que la pédagogie profonde et la maïeutique. Elles renouent, en fait, avec la tradition schillérienne du théâtre considéré comme une institution d'éducation.

Le grand mérite de Brecht est d'avoir diffusé cette idée, adaptée à la pensée moderne, au-delà des frontières de l'Allemagne et d'avoir ainsi contribué à élever considérablement le niveau et les exigences intellectuelles du théâtre mondial.

Cet examen incomplet du théâtre de la deuxième Guerre mondiale me laisse, d'autre part, un regret que je voudrais dire en terminant.

Nous ne connaissons qu'un très petit nombre des pièces qui ont été écrites sur ce sujet. Nous ignorons la littérature mineure. Piscator dit que quelque deux cents manuscrits sont passés par ses mains. Ils témoignent en général, assure-t-il, d'un bon esprit. Ce jugement est insuffisant.

La fonction intellectuelle, morale, et même politique du théâtre est maintenant unanimement reconnue. Mais son intérêt sociologique est encore ignoré. Le théâtre de la deuxième Guerre mondiale, en l'ère du « paperback » que nous vivons, aurait mérité de posséder son anthologie.

LE THÉÂTRE ALLEMAND APRÈS 1945
PERSONNALITÉS ET TENDANCES

par Marianne KESTING

Les lendemains du désastre présentaient pour le théâtre allemand une situation extraordinairement confuse et difficile. Sur les décombres de ce qu'on appelait jadis la vie culturelle, en l'absence de tout recul après l'effondrement du Reich hitlérien, les premières tentatives de création dramatique furent des pièces plus ou moins réussies sur le sujet des ruines de la guerre et du drame des soldats qui revenaient du front.

Il n'est pas étonnant que les premières grandes impulsions soient venues du dehors, de l'allemand émigré Bertolt Brecht, lorsqu'il a fondé son théâtre à Berlin-Est pour y jouer les pièces qu'il avait écrites à l'étranger et des auteurs suisses Frisch et Dürrenmatt qui furent les premiers à vouloir apporter leur témoignage sur le drame de l'Allemagne. Ils étaient suffisamment concernés pour considérer que ce sujet était le leur et ils avaient été suffisamment épargnés, ils avaient suffisamment de recul pour être en mesure de donner une formulation à leur témoignage.

Ainsi c'est au dehors et par le dehors que le théâtre allemand a assuré sa survie.

Il doit sa véritable renaissance et sa reconstitution à Brecht. Brecht rapportait les œuvres qu'il avait composées dans l'exil et le théâtre du Berliner Ensemble qu'il a fondé en 1948 avait pour objet de constituer une école pour un style nouveau de mise en scène. De fait, sa technique dramatique a exercé une influence considérable, surtout après sa mort, lorsque ses élèves ont mis en pratique son enseignement dans différents théâtres de l'Allemagne de l'Est et de l'Allemagne de l'Ouest.

Assurément, dans un premier temps, son influence a été battue en brèche, pour des raisons politiques à l'ouest et pour des raisons esthétiques à l'est, tandis que quelques éditeurs, critiques et hommes de théâtre isolés s'efforçaient courageusement de lui rendre justice.

En fait, c'est par le truchement de la France qui le découvrit dans l'enthousiasme, et d'autre part par l'intermédiaire des Suisses Dürrenmatt et Frisch que l'influence de Brecht finit par atteindre l'Allemagne.

Dürrenmatt et Frisch en étaient encore l'un et l'autre à leurs débuts lorsque Brecht, que l'on avait joué pendant la guerre au Schauspielhaus de Zurich, vint lui-même en Suisse confirmer de son autorité personnelle le succès de son théâtre. Il n'y est pas resté longtemps, mais son passage a laissé des traces durables.

Dürrenmatt et Frisch ont subi son ascendant tout en faisant preuve, l'un comme l'autre, de circonspection et de discernement. Ils ont adopté le point de vue de critique sociale qui était celui de Brecht, mais ils ont évité de se fixer politiquement comme Brecht s'était fixé.

Ils lui ont emprunté la forme de la parabole populaire qui caractérise ses dernières œuvres, mais, si l'on excepte le premier essai de Dürrenmatt, *Le mariage de Monsieur Mississipi,* ils n'ont pas repris à leur compte ses innovations dramaturgiques les plus personnelles. En revanche ils ont développé certains éléments qui apparaissaient déjà chez Brecht, mais n'étaient pas prépondérants. Ainsi Dürrenmatt a mis l'accent sur le grotesque et le style de cabaret-théâtre, tandis que Frisch, dont l'inspiration était toujours nourrie par ses propres expériences de la vie, évoluait plutôt vers une sorte de réalisme.

Brecht devait la rigueur et la cohérence de sa conception à la fermeté intransigeante de sa pensée, aux œillères qu'il s'imposait de porter parfois. Les doutes et les scrupules de Dürrenmatt et de Frisch qui se sentaient constamment épiés par la critique et, d'eux-mêmes, ne cessaient de remettre en question leur pensée, les ont privés de cette efficacité mais les ont placés dans une situation qui correspond mieux à l'état d'esprit actuel.

Une réflexion de Dürrenmatt est bien significative à cet égard : « La pensée de Brecht », dit-il, « est intransigeante, parce qu'il a l'intransigeance de s'interdire de penser à bien des choses ».

Dürrenmatt, lui, pensait à beaucoup de choses et cela suffit pour détruire chez lui le pathos révolutionnaire. Du point de vue de la forme il est resté en deçà des acquisitions de Brecht. Il s'est souvent laissé entraîner par les facéties du jeu de cabaret. Ainsi, dans *Les Physiciens, Un ange vient à Babylone* et *Frank V,* le rapport entre la forme dramatique et le sujet disparaît et le « gag » envahit tout, estompant les problèmes que le dramaturge s'était posés.

En revanche, dans sa meilleure pièce, *La visite de la vieille dame,* il s'affirme précisément par la vigueur avec laquelle il détruit l'illusion utopique qui voudrait qu'un contrepoids moral et social efficace pût encore exister dans une société qui se développe en un système purement économique et purement commercial.

A l'opposé de Dürrenmatt l'évolution de Frisch est dominée par des éléments psychologiques et sociologiques. La question pirandellienne de l'identité de l'individu n'a jamais cessé de le préoccuper. C'était déjà le thème de sa première pièce *Don Juan et l'amour de la géométrie* et il reparaît dans *Andorra,* élargi aux dimensions de la sociologie politique et appliqué au problème de la psychose collective et du racisme.

11. MAX FRISCH : Andorra.

Frisch a formulé cette question de la façon la plus intéressante dans *M. Biedermann et les incendiaires,* en adoptant cette fois un point de vue plus sociologique que psychologique.

Comme Brecht l'avait fait dans *Homme pour homme* Frisch met ici en évidence l'impersonnalité, l'absence de « visage » du « petit bourgeois » moderne. Ce « petit bourgeois », sous le régime de la terreur, masque et change son visage à volonté. Frisch exprime ainsi la constatation la plus effrayante que le passé allemand récent nous a donné l'occasion de faire.

En dépit du succès quelque peu contestable d'*Andorra, Biedermann et les incendiaires* reste la meilleure pièce de Frisch, et la plus amère au fond, surtout si l'on tient compte de « l'épilogue en enfer » qui n'a pas été joué sur les scènes allemandes. On y voit Biedermann s'apitoyer sur son sort de victime de la catastrophe que lui-même a causée. Mais il ne lui arrive rien, car la perversion généralisée de la morale fait que l'enfer ne remplit plus sa fonction. La ville détruite est rapidement reconstruite en nickel et en chrome et les choses restent ce qu'elles étaient.

Frisch qui souvent s'enlise dans les problèmes personnels et psychologiques a réussi à présenter dans cette pièce un processus sociologique nettement structuré, en s'appuyant sur l'idée qu'il n'y a pas au fond une alternative ni un contrepoids à ce qui est, une idée qui est un dépassement de la pensée de Brecht.

Les pièces de Frisch sont des « pièces didactiques » dans un sens plus subtil que chez Brecht. Elles montrent et démontrent, mais sans s'appuyer sur les fondements d'une utopie sociale, et Frisch renonce au geste du pédagogue, du sage, de celui qui possède la vérité.

L'attitude de Frisch est au contraire l'attitude, également esquissée par Brecht, de celui qui interroge, qui cherche, qui expérimente, qui doute, en bref de celui qui, de situation en situation, doit chaque fois se déterminer à nouveau.

Après Brecht la scission s'est faite entre ces deux tendances, ces deux attitudes possibles qui coexistent chez Brecht, de l'homme qui sait et de l'homme qui s'interroge.

La critique sociale très aiguë se place, chez Martin Walser, de ce point de vue du doute en la possibilité de l'alternative.

Peter Hacks, qui a quitté l'Allemagne de l'Ouest pour Berlin-Est, était, lui, l'homme qui sait et qui est sûr de lui. Une fine ironie a voulu qu'il verse ainsi dans le genre particulier du conte romantique.

Martin Walser est l'un des dramaturges les plus doués de la jeune génération. En un certain sens ont peut le comparer à Frisch et à Dürrenmatt; car lui aussi évite de recourir aux éléments les plus révolutionnaires de la dramaturgie brechtienne et il utilise aussi la forme de la parabole populaire; son théâtre est également un théâtre didactique post-révolutionnaire, je veux dire : un théâtre de critique sociale qui refuse le contrepoids de l'utopie idéologique.

En la personne de Walser la jeune génération qui, comme telle, possède seule le courage et le recul nécessaires pour le faire, entreprend une tentative de clarification, en même temps, de la situation du IIIe Reich et de la situation de l'après-guerre. Brecht est pour lui le point de départ à partir duquel il va de l'avant. S'il évite de pratiquer du point de vue formel le « théâtre de l'absurde » il décrit cependant des faits absurdes, en poussant jusqu'à l'absurde les trouvailles de Brecht, par exemple l'image brechtienne du petit bourgeois sans visage. Ainsi, dans sa première pièce importante, *Eiche et Angora,* le personnage principal, Aloïs, est l'homme qui s'adapte et change son visage trop tard; dans sa simplicité d'esprit il choisit sa ligne politique quand le vent tourne déjà. Il devient nazi, par conséquent, quand la guerre est finie et s'expose aux sanctions des nazis d'autrefois qui, eux, nagent maintenant dans les nouvelles lignes d'eau. C'est bien plus qu'une trouvaille comique géniale. Car ainsi Walser met en évidence l'attitude de ceux qui ne font pas qu'emboîter le pas à Panurge, mais qui, au contraire, s'identifient consciencieusement à leur cause, qui donc ne sont pas de simples moutons; et c'est à la lumière de ces situations que la perversion morale devient réellement transparente.

Les trouvailles dans les autres drames de Walser ne sont pas moins signifiantes. Dans *Monsieur Krott plus grand que nature,* c'est la situation sociale révolutionnaire qui est poussée à l'absurde. Le bourgeois florissant qui nage et suffoque dans les flots d'or du miracle économique implore la société de le démettre de ses fonctions. Mais il n'est pas exaucé. Quoi qu'il fasse, qu'il s'applique à dresser contre lui le syndicat ou qu'il provoque le « petit homme » qui participe au miracle économique, tout ne fait que le consolider dans sa position.

Enfin, dans *Le cygne noir* on voit, non pas les nazis, mais les fils des nazis entreprendre de se punir eux-mêmes, afin de restaurer la morale publique.

Chez Peter Hacks qui ne s'est pas contenté d'imiter dans le détail le langage, les chansons, la conception des situations historiques et les pièces historiques de Brecht, mais qui a également voulu suivre l'exemple politique du maître, et, marchant sur ses traces, contribuer à l'édification d'un théâtre propre à la R.D.A., c'est l'utopisme qui est poussé à l'absurde.

Témoignant encore de sa crédulité là où Brecht, de sa manière rusée, avait, lui, exprimé implicitement son scepticisme ou ses réserves politiques, il a écrit un grand nombre de pièces charmantes et talentueuses qui révèlent un comportement politique tout à fait borné. Il s'est spécialisé dans l'analyse marxiste vulgarisée de l'histoire de Christophe Colomb, de la Guerre de Sept ans, du vieux Frédéric et de la féodalité médiévale.

Hacks, qui avait fait ses études à l'Institut de théâtre de l'Université de Munich, et dont il est intéressant de noter qu'il avait présenté son mémoire de doctorat sur le théâtre populaire à l'époque du style Biedermeier, a précisément repris à son compte une stylisation dramatique d'un mélange de romantisme et de Biedermeier qu'il jugeait « populaire »; ce qui fait que, même quand il veut faire agressivement de la propagande politique, on le voit verser dans le romantisme d'un Tankred Dorst.

Aussi longtemps qu'il s'est contenté de traiter de sujets historiques Hacks a joui d'un certain crédit. Mais, ces dernières années, il a entrepris d'évoquer, avec *Les soucis et la puissance* et *Moritz Tassow* des problèmes de l'actualité politique en R.D.A., en les présentant à sa manière de romantique naïf. Les composantes politiques se trouvent ainsi transposées dans le monde du merveilleux.

Le cas de Peter Hacks est typique pour la R.D.A. Là où le théâtre atteint un certain niveau, il imite dans le détail Brecht, il plagie ses personnages, son langage et sa diction (ainsi Helmut Bayerl et Hartmut Lange) et les sujets qui se rapportent aux problèmes de la production agraire sont transposés dans le genre romantique et naïf du conte. Cela ne laisse pas d'offrir une note tout à fait grotesque, compte tenu de la situation réelle en R.D.A. Sous la bannière du réalisme, aussi bien pour ce qui est du style que pour ce qui est du contenu, on tourne franchement le dos à toute réalité.

Il est caractéristique que ces personnages épais de l'imagerie populaire parlent en iambes. On veut, dans l'esprit de *La cruche cassée* de Kleist, conférer ainsi une certaine classicité à leur parler.

Les composantes révolutionnaires, sur le plan social comme sur le plan esthétique, sont radicalement supprimées. Les drames de ce genre présentent un caractère de petit travail artisanal.

C'est avec Peter Weiss que nous nous éloignons le plus du modèle brechtien. Son drame de *Marat* est le meilleur spectacle allemand de l'après-guerre. Du point de vue de la forme il ne procède pas seulement des acquisitions de Brecht, mais il poursuit en même temps les recherches de Pirandello, de Meyerhold et d'Artaud. Du point de vue du fond il met en scène le conflit entre l'individualisme exacerbé et la révolution.

C'est un exemple rare dans le théâtre de l'après-guerre d'un drame qui associe à une forme d'expression nouvelle un contenu nouveau, utilisant avec un art très sûr des possibilités modernes. L'immense dialogue entre le marquis de Sade et Marat sur l'idée de la révolution et sa cohérence est éclairé par une multitude de reflets et de réfractions optiques grâce à la mise en scène à l'asile d'aliénés de Charenton, la pièce se trouvant ainsi compartimentée en éléments de dialogue, tableaux d'arrière-plan de l'histoire de la Révolution, premier plan à la lumière de la restauration napoléonienne, et enfin, dernière réfraction du prisme, sa confrontation avec le présent post-révolutionnaire. La décomposition des formes d'expression en dialogue à rythme libre, vers blancs et fantasmagories symboliques, a déconcerté la critique allemande qui n'était pas habituée à une telle audace esthétique. En effet les traditions, auxquelles elle se réfère, de Meyerhold et d'Artaud, sont jusqu'à maintenant restées étrangères au théâtre allemand. C'est pourquoi cette pensée audacieuse dans la ligne du conservatisme de forme du théâtre allemand de l'après-guerre est restée jusqu'à ce jour un événement presque isolé.

Les drames de Günter Michelsen constituent un autre cas, aussi exceptionnel, dans le théâtre politique. Pour Michelsen la question d'une explication de la situation de l'Allemagne était liée à la question, posée par Ibsen, des revenants du passé. Au lieu du pays de cocagne en nickel et en chrome, que raillent Frisch et Walser, le théâtre de Michelsen se joue dans les trous des caves des maisons

effondrées, dans des ruines, les cuisines étroites à étouffer, l'atmosphère fantomatique des tout premiers temps de l'après-guerre.

L'idée s'impose dans ces drames que l'on ne peut pas venir à bout du passé,
car le passé nous délègue ses revenants, des revenants comme ceux d'Ibsen, qui
peuvent devenir très menaçants pour les survivants oublieux du passé. Ce n'est
pas par hasard que Michelsen a écrit deux drames, *Stienz* et *Helm,* sur une
« personne absente ». Dans *Stienz* le revenant surgit à la fin de la cave et anéantit
l'espoir d'évasion des survivants. Dans *Helm* on entend seulement tirer le revenant; il liquide l'un après l'autre les anciens officiers qui se sont retrouvés, gais
et insouciants, dans leur cercle d'amis.

Les drames de Michelsen semblent vouloir incarner la mauvaise conscience
de l'Allemand; en poussant la situation jusqu'au pathologique il trouble et
exaspère un public qui n'aime pas se souvenir. Aussi ne peut-on pas dire que
ses drames connaissent un grand succès.

Le grand succès revient au contraire aux pièces politiques « réalistes ». Le
chef de file a été Zuckmayer, présentant à la société de l'après-guerre sa version
du héros au cœur sincère qui, malheureusement, comme bien d'autres qui se
voyaient comme des héros au cœur sincère, a hissé le mauvais pavillon. On ne
se demande pas ce que représente « l'héroïsme » dans une guerre de la technique, on ne discute pas la question de savoir s'il suffit d'être un garçon capable
et possédant bien son métier pour pouvoir se juger un « héros ». Comme l'ont
montré les pièces postérieures de Zuckmayer, le réalisme tend à devenir, ici et
ailleurs, un réalisme propre au roman-feuilleton. C'est le cas aussi pour le
Vicaire de Hochhuth qui a été joué dans le monde entier; on est en droit de le
lui reprocher sans nier l'importance du problème qu'il soulève.

Il a tiré le bénéfice du scandale qu'ont provoqué d'une part le choix du sujet,
le comportement de Pie XII devant le problème juif, et d'autre part la façon
très grossièrement efficace dont il a traité son sujet. Le pathos, les scènes de
camps de concentration débitées en vers iambiques ont fini de faire une monstruosité esthétique d'un drame qui politiquement et moralement avait une
signification certaine.

Un succès presque aussi général a accueilli un autre drame-document,
L'affaire Oppenheimer de Heinar Kipphardt, construit à partir des minutes du
procès Oppenheimer. Il est contestable de porter à la scène le destin de personnes
qui sont encore vivantes, même s'il est vrai que le sujet concerne un problème
scientifique et politique important.

Ce drame a été aussitôt parodié par Jean Vilar qui, à son tour, à partir des
mêmes dossiers judiciaires, a construit un autre drame tout aussi « spectaculaire » que celui de Kipphardt.

Peter Weiss à son tour a sacrifié à la mode de la pièce-document dans son
Instruction, un « oratorio en cinq chants » sur le procès d'Auschwitz. Il s'agit
là moins d'un drame que d'un oratorio scénique; les débats du tribunal sont
transportés sur la scène, les principaux faits qui permettent de se représenter
le camp sont exposés et Weiss essaie, en confrontant les témoignages des détenus

12. PETER WEISS : L'Instruction.

et les témoignages des bourreaux, de nous faire deviner la psychologie de ceux qui ont été les hommes de main de la machine d'extermination. Les procédés sont empruntés à la technique brechtienne du langage et de l'emploi de la versification qui permet d'accentuer le contraste entre la solennité du récit et l'horreur que soulève la relation des faits. Assurément cette pièce atteint un niveau très supérieur à celui des autres pièces-documents de ces dernières années, sans pour autant que nous échappions au dilemme qui veut que nous ne puissions entièrement lui faire crédit, ni comme document, ni comme œuvre d'art. L' « Oratorio » a été présenté simultanément sur de nombreuses scènes allemandes, donnant ainsi lieu à une sorte de manifestation politique, et la critique l'a généralement jugé favorablement. Une appréciation esthétique ne pouvait être faite, les faits que rapportait la pièce interdisant en réalité de parler d'esthétique.

La pièce politique et de critique sociale occupe une place considérable dans le théâtre allemand de l'après-guerre. Cependant, au sentiment qu'il est nécessaire de se préoccuper de ces problèmes qui oppressent notre société, s'oppose naturellement, pour lui faire équilibre, un besoin d'échapper au tourment de ces interrogations.

Si surprenant que cela puisse paraître, il y a des romantiques parmi nos dramaturges allemands. Le plus doué est Tankred Dorst qui associe à son goût du sujet romantique et d'une dramaturgie romantique un sûr instinct du burlesque, de la clownerie, du jeu pour le jeu et des bonnes trouvailles scéniques qui passent bien la rampe. Son talent est divers. Ses tentatives dans le domaine de l'absurde (*Le tournant*) ou dans le genre du théâtre d'esprit pacifiste postbrechtien (*L'outrageante diatribe prononcée sur les remparts*) ont été aussi des succès mais Tankred Dorst est vite retourné à ses songes d'une nuit d'été.

Richard Hey est plus mélancolique. Son univers à la Biedermaier est déjà menacé par l'esprit moderne de l'affairisme et engagé dans la décadence; il exprime une nostalgie plus qu'une réalité, il évoque le passé plutôt qu'il ne propose une évasion dans le jeu. Sa dernière pièce, *Malheur à celui qui ne ment pas* avoue déjà la perte de son univers romantique et dit les regrets de l'auteur de l'avoir perdu.

Le théâtre allemand moderne manifeste très peu d'intérêt pour l'expérimentation de nouveaux procédés scéniques. Cela peut s'expliquer d'une part par le fait que le IIIᵉ Reich a détruit la tradition esthétique moderne, et d'autre part par des raisons d'ordre économique. Les systèmes d'abonnements pratiqués par les théâtres regroupent un public formé des nouvelles couches bourgeoises qui veut un style de théâtre représentatif et noble, les expérimentations sont réservées aux studios-laboratoires annexes de ces théâtres. Les tentatives qui ont été faites dans le sens de la recherche d'une forme nouvelle s'inspirent le plus souvent des modèles du théâtre français, particulièrement des pièces de Ionesco et Beckett.

Wolfgang Hildesheimer est le représentant de ce qu'on appelle le « théâtre de l'absurde » dans une variante typiquement allemande; il introduit un élément de jeu romantique fantaisiste et capricieux, spirituel, dont le charme fait quelques concessions à la mode, mais il supprime l'arrière-plan métaphysique, esthétique et de critique sociale qui est essentiel dans les drames de Beckett et de Ionesco. Dans sa dernière œuvre, cependant, *Le retard*, Hildesheimer se sépare de cette tendance du théâtre moderne et à la mode pour nous donner une image fantômatique de la déliquescence du monde réel.

Günter Grass va dans le même sens que Hildesheimer avec ses sketchs surréalistes qui offrent une multitude de trouvailles de théâtre amusantes et efficaces mais ne constituent pas des ensembles vraiment rigoureux. Seule, *La crue* fait exception. Grass, dans cette pièce, montre une famille de deux générations. Alors que la crue annonce un déluge imminent, les vieux s'adonnent à des passe-temps stupides et les jeunes à leurs amourettes badines. C'est une figuration très adéquate du rapport absurde qui se manifeste dans la vie d'aujourd'hui entre l'existence privée et les événements du monde extérieur.

Paul Pörtner, à partir d'études sur le théâtre expressionniste allemand et sur le théâtre français contemporain, a fait de grands efforts pour s'assimiler la tradition moderne. Ses expériences le conduisent d'une part dans la voie de Georg Kaiser quand il représente l'emploi du temps du petit homme qui est broyé dans la meule de la bureaucratie (*Mensch Mayer*), ou dans la voie de la recherche de formes nouvelles de spectacle (*Jeux à deux*). Ces expériences préparent la réalisation du « Mitspiel », c'est-à-dire un spectacle qui procède d'un simple schéma d'action, est en grande partie improvisé sur la scène et appelle les spectateurs à intervenir dans le jeu : une nouvelle variante, qui va davantage dans le sens d'un jeu, de l'idée de la suppression de la rampe entre la scène et le parterre, à laquelle avaient songé Artaud et Meyerhold.

Récemment les *Pièces parlées* de Peter Handke, un auteur de vingt-quatre ans et, notamment son *Insulte au public* (1965) ont apporté une révélation. Il n'y a pas d'action dramatique, pas de décors. Les acteurs jouent sur une scène vide et jouent à partir de leur situation sur la scène, c'est-à-dire de leur situation entre la scène, le spectacle, le public et la critique, en construisant des phrases et des parodies rythmiques. On pourrait parler de la rupture de l'illusion comme chez Pirandello, avec cette différence qu'il n'y a même pas à rompre une illusion puisqu'il n'y a pas d'illusion. Quatre commentateurs en costume de ville persiflent sur un rythme de jazz le comportement des acteurs et du public, construisant une gamme d'acrobaties abstraites qui remplace l'action et le geste de théâtre.

Les « poèmes dramatiques » de Nelly Sachs, que l'on voit rarement jouer, parce qu'ils dépassent largement les possibilités concrètes des scènes de théâtre, occupent une place à part dans le théâtre allemand. Ils tendent à porter, comme le demandait Artaud, des métaphores lyriques dans l'espace à trois dimensions de la scène. C'est un essai en réduction d'un théâtre total où fusionnent la danse, la pantomime, les jeux des décors, les mouvements chorégraphiques et la musique pour constituer de grandes visions théâtrales. L'imagerie de la scène est en correspondance intime avec les images du dialogue lyrique. Le sujet de ces jeux est le destin juif exprimé dans ses mythes. C'est là que le théâtre renoue le mieux avec l'expressionnisme. La scène devient le lieu d'une vision de poète qui, comme dans les tableaux de Chagall, confond le mythe et le présent, la réalité et la fantaisie, le type et l'archétype dans des métaphores passionnées.

L'un de ses drames les plus importants est *Beryll voit dans la nuit* ou *L'alphabet perdu et retrouvé*. Le sous-titre révèle l'arrière-plan mythique : *Scène de l'histoire des souffrances de la terre*. Le lieu de l'action est « le monde » qui est en même temps « l'univers du langage ». Un monde archaïque, représenté par l'Arche de Noë, et un monde moderne, figuré par un commentateur de télévision, se combattent. Le monde archaïque est vaincu dès qu'il abandonne le langage, sa dernière résidence. Mais Beryll conjure à nouveau la force et la magie des mots. Là est l'« action » de la pièce qu'il ne faut évidemment pas comprendre comme une action dramatique dans le sens habituel. La pièce est une sorte d'interprétation de la poésie, donc de la poésie sur le sujet de la poésie, avec une superposition complexe de métaphores. L'action elle-même est métaphore, ainsi que la langue lyrique, que la chorégraphie, que le décor et les accessoires de scène.

Un certain nombre d'éléments qui interviennent dans le théâtre de Nelly Sachs ont également déterminé les œuvres de Konrad Wünsche, le plus personnel et le plus hermétique des dramaturges de l'après-guerre.

Les points de départ de sa recherche semblent être surtout des éléments formels, tels qu'on les trouve dans les drames de Tchekhov : transposition musicale du dialogue, mouvements chorégraphiques des personnages sur la scène qui successivement la vident et la remplissent de façon suggestive comme dans *La Cerisaie* et *Sur la Grand'route* de Tchekhov.

Les premières pièces de Wünsche, comme celles de Tchekhov, sont essentiellement statiques, leur cadre donne une impression de démodé, est enveloppé de rêverie et s'épaissit, comme dans sa meilleure pièce, *Les incorrigibles,* pour former une atmosphère fantômatique et poussiéreuse. On a l'impression de voir évoluer sur la scène un univers de cadavres vivants.

L'atmosphère prend le pas sur une thématique précise. Celle-ci est en quelque sorte transposée dans les éléments formels et lorsque, dans *Les adieux ou la Bataille de Stötteritz,* Wünsche se met soudain à présenter de violentes scènes de guerre, la thématique de l'œuvre entre en conflit avec ses tendances formelles. L'action théâtrale concrète contredit la musique du dialogue qui précisément (on remarque cela très clairement chez Tchekhov) jaillit dans les moments où l'action est reléguée à l'arrière-plan. Wünsche possède l'un des talents les plus discrets, mais les plus vigoureux et les plus personnels, du théâtre allemand contemporain. On peut encore attendre de lui quelques créations importantes s'il parvient à clarifier cette opposition entre la forme et le fond qui dans sa dernière pièce l'a conduit à la confusion.

Il manque au théâtre allemand de l'après-guerre, depuis la mort de Brecht, l'auteur de talent exceptionnel qui servirait de critère pour juger l'ensemble. Mais cette lacune lui profite aussi d'autre part, en ce qu'elle favorise la diversité. Alors que dans le théâtre étranger on distingue des groupes plus ou moins homogènes, le théâtre allemand se caractérise par la multitude des tendances et des aspects. Il serait regrettable qu'une telle originalité qui, dans l'isolement, manque d'efficacité, soit, à l'échelon du théâtre mondial, méconnue parce que restant à l'ombre des œuvres à sensation du théâtre réaliste et politique. Sur le plan de l'art, ces isolés du théâtre allemand présentent en eux un potentiel combien plus riche que les dramaturges réalistes qui, parce qu'ils traitent de problèmes politiques actuels, attirent aujourd'hui la foule dans les salles de théâtre d'Allemagne et aussi de l'étranger.

Le système de théâtre propre à l'Allemagne, si imparfait qu'il soit, a l'avantage de favoriser ces talents originaux, étant donné le considérable besoin qu'il suscite en pièces de répertoire et en créations. Assurément, ce système de théâtre présente des défauts évidents. Comme le théâtre allemand est essentiellement un théâtre provincial, comme il est coupé de la concurrence des théâtres de la métropole, de nombreuses pièces intéressantes sont condamnées par de mauvaises mises en scène avant qu'on ait pu juger de leur valeur réelle. Et quand la première a été un échec on ne les rejoue plus nulle part. Mais d'un autre côté nous pouvons nous féliciter de l'importante œuvre de mécénat en faveur de jeunes dramaturges qu'assument quelques éditeurs allemands. Nous leur devons pour une large part de pouvoir aujourd'hui parler à nouveau d'un théâtre allemand moderne.

FRIEDRICH DÜRRENMATT
OU LES EMBARRAS DE LA COMÉDIE NOIRE

par Philippe IVERNEL
Faculté des Lettres, Paris-Sorbonne

Dans une conférence de 1955 intitulée « Theaterprobleme », Friedrich Dürrenmatt prononce l'oraison funèbre de la tragédie. La tragédie est morte, nous sommes faits pour la comédie, ou plutôt nous y sommes voués, seule elle convient à ce temps, elle seule est opportune. Parodie et grotesque, tels sont les deux pôles entre lesquels le théâtre moderne est appelé à chercher sa forme.

A dire vrai, cet éloge moderniste de la comédie, à laquelle l'écrivain semble définitivement converti depuis *Romulus le Grand* (1949), « comédie historique en marge de l'histoire » qui fait suite à deux « drames », *Les fous de Dieu* et *L'aveugle*, s'inscrit lui-même dans une tradition. On lui trouvera en particulier des antécédents lointains chez les théoriciens romantiques, qui ont restitué à la comédie, au début du XIXe siècle, sa dignité métaphysique. En condamnant le « purisme » de certaines écoles contemporaines, Dürrenmatt se fait l'écho de A.W. Schlegel, qui à l'objectivité de l'art grec opposait le « sens du chaos ». Il n'entend donc pas par comédie un genre entre autres, mais une mise en question des genres eux-mêmes, sinon de l'art tout court, dont les purs exemplaires (lyrisme pur, tragédie pure, etc.) seraient renvoyés au musée de la culture. Faute de mieux, on appellera comédie noire, ou tragi-comédie cette représentation du chaos. La tragi-comédie est le climat propre dans lequel devrait se manifester sans entrave la « bouffonnerie transcendentale » chère à Friedrich Schlegel, ou encore cette « idée de l'anéantissement du monde » (Weltvernichtungsidee) évoqué par Brentano, deux formules grandioses, qui chaussent le comique de cothurnes emphatiques : il apparaît alors comme l'aventure suprême de l'esprit. A la même époque, Hegel réhabilitait Aristophane, plus tragique que les tragiques, parce qu'il ébranlait le cosmos des valeurs grecques en les livrant — déjà — à la dérision. Enfin les *Nachtwachen des Bonaventura* exaltent la « farce tragique », geste philosophique qui permet d'assumer le chaos à l'heure où la philosophie fait banqueroute et découvre un monde en ruine.

Si les romantiques ont restitué à la comédie sa dignité métaphysique, Brecht lui a reconnu son mérite politique. Le *Petit Organon* de 1947, qui avec une souveraineté provocante condamne la tragédie, résidu de l'ère quaternaire, champ clos des mastodontes grecs ou shakespeariens voués à la mort dans un paysage de jungle immuable, se lit comme un traité de la comédie, irritant et fécond. L'effet de distanciation est un procédé comique hérité des origines du théâtre, que Brecht charge de signification sociale. C'est la comédie qui appelle la collectivité à résoudre les contradictions que la tragédie exaspère. Elle est par vocation conciliante : source de progrès, elle dessine en creux le visage de l'avenir. Avec elle commence l'histoire que la tragédie hypothèque au profit de la catastrophe.

Il n'est pas certain, malgré les apparences, que ces deux tendances de la comédie allemande soient rigoureusement incompatibles. Un fragment ésotérique de Novalis, le jeune génie du romantisme, permet de les rapprocher un instant :

> Toute représentation du passé est une tragédie au sens propre. Toute représentation de l'avenir, une comédie. La tragédie est opportune au moment où les nations passent par une période de vie intense, la comédie au moment où elles passent par une période de faiblesse. En Angleterre et en France, il faudrait des tragédies, en Allemagne par contre des comédies.

Hofmannsthal variera après 1918 la pensée de Novalis : après une longue guerre, les peuples ont besoin de comédies. Celles-ci devraient avoir une vertu thérapeutique et permettre de surmonter les traumatismes et les névroses collectives, de réanimer le corps social menacé de paralysie.

Dürrenmatt est tout aussi inséparable du climat d'après-guerre. Il insère son ambition théâtrale dans le contexte des vingt dernières années, il l'étaie par des considérations historiques qui ont trait tantôt à l'état de la culture, tantôt à l'état de la civilisation contemporaines. Mais cette constatation ne suffit pas à légitimer le long préambule qui précède. S'il se légitime, c'est que je crois reconnaître avant tout en Dürrenmatt — on me permettra dès maintenant ce jugement de valeur — un héritier, un épigone. Non pas un épigone satisfait, confortable, qui répèterait à l'infini le canon dont il s'inspire, mais un épigone malheureux, brillamment malheureux, mal partagé entre le double héritage de la comédie métaphysique et de la comédie politique, et dont le style hétérogène porte la marque d'une hésitation mauvaise entre les deux modèles. En dernière analyse, la lecture de l'œuvre laisse une impression de confusion résignée, que certaines déclarations impétueuses, vitalistes de l'auteur sur la grande liberté du théâtre ne peuvent réellement exorciser.

*
* *

Pour évoquer le climat spécifique des comédies de Dürrenmatt, on se reportera à la première d'entre elles, *Romulus le Grand*. Après les deux drames cités plus haut, elle prend en effet une valeur de manifeste, même si la différence est minime qui la sépare des *Fous de Dieu*. On se rappelle que dans un colloque comme celui-ci Edouard Pfrimmer avait interprété *Homme pour Homme* de B. Brecht comme une tragédie-bouffe (1), ou mieux encore — le terme semble plus clair — comme une « tragédie-bidon » : le circuit des marchandises se substituait à la marche du destin, l'individu interchangeable au héros tragique.

Romulus le Grand se présente non pas exactement comme une tragédie-bidon, mais comme une tragédie mouillée, qui fait long feu : une tragédie désamorcée, où l'explosion finale n'a pas lieu, parce que d'une façon ou d'une autre la mèche est pourrie. Hebbel, l'un des premiers, avait déjà mis l'accent sur la corruption du destin moderne, qu'il comparait à un marécage, « capable d'engloutir des milliers de victimes sans en mériter aucune », et opposait à la Justice hégélienne, substance morale qui triomphe à l'heure où le héros succombe. La même corruption alimente la comédie chez Dürrenmatt : elle prospère en terrain malsain, sur le cadavre de la tragédie qui la contamine de sa pestilence. L'auteur se plaît à souligner les surprises déconcertantes, les double-sens de son théâtre : *doppelbödig*, il comporte un double-fond. Comme les valises des prestidigitateurs et des criminels.

Romulus le Grand est donc une tragédie désamorcée en quatre actes; le dernier culbute l'édifice des trois premiers. Encore ceux-ci ne présentent-ils pas la rigueur linéaire de la construction classique. Le moment culminant du troisième acte est amené par une succession de ruptures, de cassures spectaculaires. Romulus joue au début l'empereur cynique qui ne s'intéresse qu'à l'aviculture cependant que l'empire s'effondre : l'avenir, on le sait, est dans les œufs. Sa seule présence livre à la dérision une cour en désarroi; le prince est installé au centre de cette folie comme un dieu de malice qui surveille le mécanisme des passions. Au deuxième acte, l'apparition d'Emilien, épris non seulement de sa fille, mais de l'honneur de l'empire, avec l'énergie farouche du captif qui vient d'échapper aux mains de l'ennemi, injecte dans ce climat burlesque une dose de gravité. Romulus change de ton. Au troisième acte enfin, au moment où les conjurés de la cour se préparent à liquider l'empereur, le liquidateur, le cynisme de Romulus se convertit en moralisme, le moralisme en lyrisme prophétique. La langue froidement ironique de Romulus se charge de réminiscences bibliques, d'antithèses rhétoriques et de métaphores solennelles. « Ce n'est pas moi qui ai trahi Rome, c'est Rome qui s'est trahie elle-même ». Elle va connaître désormais « les griffes de la vérité, les crocs de la justice ». Romulus est le lion, *quarens quem devoret*, qui se prépare à engloutir Rome condamnée pour ses péchés. Le traître enlève le masque : c'est un justicier.

Ainsi la tragédie avec ses effets emphatiques est sortie de la comédie comme le papillon de la chrysalide. Mais au moment même où elle se prépare à prendre son essor, l'auteur lui coupe les ailes. Romulus, après avoir conduit Rome à une

---

(1) Cf. Edouard PFRIMMER, « Brecht et l'anti-tragique », in *Le Théâtre tragique*, Editions du C.N.R.S.

juste ruine, offre sa vie en sacrifice expiatoire, comme un héros de Schiller qui assumerait jusqu'au bout son destin et celui des siens. Mais par deux fois, ce sacrifice est refusé. Non seulement déjà au 3ᵉ acte où les conjurés s'enfuient au moment même où ils allaient frapper, mais surtout au 4ᵉ et dernier, où Romulus attend d'Odoacre, son adversaire, la mort qui couronnera sa vie. Odoacre le Germain n'est lui-même qu'un second Romulus, amateur d'aviculture et non moins convaincu des horreurs de la *pax germanica,* que son homologue des horreurs de la *pax romana.* Aussi a-t-il besoin de sa collaboration pour retarder ne serait-ce qu'un instant le règne de la violence. C'est une étrange comédie qui clôt l'aventure de Romulus : la collision avec le destin ne saurait avoir lieu, celui-ci se dérobe devant le héros, il le condamne au sursis. La grande lutte tragique s'envase dans les sables mouvants. Le dernier César — dernière dérision — est mis à la retraite, et les honneurs lui sont rendus. Fin petite-bourgeoise, et simulacre de paix. Les pantalons sans tête qui constituent les troupes d'Odoacre, en particulier son neveu Théodoric, fanatique d'héroïsme germanique, sont invités à plier le genou devant Romulux : en attendant le jour où ils se déchaîneront. Voici le dialogue :

Odoacre : Il va falloir que je règne.
Romulus : La réalité a corrigé nos idées.
Odoacre : Douloureusement.
Romulus : Supportons la douleur. Essaie de mettre un peu de sens dans le chaos pendant les années qui te restent à vivre... Quelques années que l'histoire universelle oubliera parce qu'elles ne seront pas héroïques... Jouons une dernière fois la comédie. Faisons comme si l'esprit restait victorieux de la matière humaine.

*
* *

Cette pièce, qui il est vrai n'est pas la meilleure de Dürrenmatt, n'est pas la moins caractéristique : le mécanisme de ses comédies noires y est particulièrement apparent. Et même ostensible. L'auteur nous épelle ici l'alphabet de son théâtre. On lit en clair l'altération irrémédiable de la tragédie, indissociable de l'irrémédiable altération de l'histoire. C'est ce constat qui ouvre à Dürrenmatt le chemin de la comédie noire, dont il faudra préciser en conséquence la portée et les limites.

Dans les *Theaterprobleme,* l'auteur s'explique longuement à ce sujet. Cette conférence à bâtons rompus passe pour le *Petit Organon* de Dürrenmatt — mais le ton de Brecht est lapidaire et martial, provocant. C'est l'époque (1947) où sur les ruines de la culture allemande le dramaturge tente une reconstruction systématique du théâtre pour parer au danger de sa restauration : il faut occuper en bon stratège la place encore vacante. Le nouveau théâtre sort tout armé de l'arsenal de la raison dialectique. Huit ans plus tard au contraire, la réflexion de Dürrenmatt se caractérise par son allure capricante, elle saute allusivement d'un thème à l'autre, et par souci de ne pas s'enclore dans un système trébuche plus d'une fois dans ses propres contradictions. Cependant un même leit-motiv revient sans cesse : la tragédie est morte. Brecht ajoutait : il faut la tuer. Dürrenmatt, lui, ne peut se détacher du cadavre; ses adieux n'en finissent pas.

En 1959 il célèbre encore dans son discours de Mannheim la mémoire imposante de Schiller (*Schiller Rede*), tout en marquant ses distances par rapport au grand art classique, qui conspire à notre perte, dit-il, en sollicitant le sacrifice du héros. Dürrenmatt n'en est pas à une légère confusion près, car à bien lire *Romulus* et les *Theaterprobleme*, il n'invoque guère alors d'autre comédie que celle de la tragédie *malheureusement* impossible. Il introduit alors une distinction féconde entre la tragédie et le tragique, dont on trouvera à nouveau la source chez Hebbel : celui-ci définissait déjà la tragi-comédie comme la manifestation d'un destin tragique dans une forme qui ne l'est pas. Ainsi le monde contemporain est-il envahi aux yeux de Dürrenmatt par un tragique diffus qui ne permet plus la tragédie elle-même. L'atomisation de la guerre, la bureaucratisation du pouvoir, la collectivisation de la faute ressuscitent le destin antique mais l'individu, aussi grand soit-il, n'est plus à la mesure ni de la faute, ni du pouvoir, ni de la guerre, devenus anonymes, innommables. Tout l'effort de Brecht tendait à nommer le destin. Pour Dürrenmatt, cette prétention de l'intelligence est toujours déçue dans un monde sans visage (douteux, incertain — zweifelhaft, bedenklich), où « les secrétaires de Créon expédient le cas d'Antigone ». Il n'y a plus ni justice, ni héros tragiques, mais seulement des victimes. L'idée de responsabilité, clé de voûte de la belle époque, s'est pulvérisée dans cette monotonie sanglante. Hegel affirmait : « C'est l'honneur des grands caractères que d'être coupables », Lukacs après lui montrait qu'ainsi « l'homme dit oui à ce qui lui arrive ». Dès la tragédie grecque, la culpabilité héroïque fonctionne comme une ruse de la liberté. Elle efface la malédiction en vertu de laquelle les grandes familles mythiques étaient vouées à la réitération infernale du crime, de génération en génération, à la répétition d'une histoire sempiternelle. En refusant à Romulus le sacrifice expiatoire dont il rêvait, Dürrenmatt inversement laisse errer le tragique comme un fantôme néfaste d'un personnage à l'autre, sans qu'il rencontre jamais le héros de tragédie qui pourrait l'exorciser. L'univers entier est contaminé par la mort, mais son omnipotence n'a d'égale que son insignifiance. Qu'avec l'empire la cour de Rome soit engloutie corps et bien, y compris l'impératrice et sa fille, ou que l'empereur, trahi par son destin, soit condamné au sursis deux fois de suite, comme ces fusillés à qui l'on joue la comédie de la grâce, voilà qui aboutit dans tous les cas à vider la mort de sa substance morale. Elle n'est plus qu'un accident universel, macabre, qui peut arriver n'importe où, n'importe quand, à tout le monde, et de toute façon à coup sûr, même et surtout quand sa venue est retardée. Ainsi les bourreaux se glissent partout dans le théâtre de Dürrenmatt, non moins nombreux que les victimes qu'ils doublent comme des anges gardiens. Le règne du bourreau est annoncé dès la première pièce, *Les fous de Dieu*, et il est bien certain qu'en vertu de l'inéluctable contamination ils ressemblent à ceux qu'ils sont chargés d'exécuter.

Romulus est lui-même à la fois bourreau et victime de son empire, comme
le prix Nobel du *Météore*, la dernière pièce de Dürrenmatt, est à la fois bourreau
et victime de la société; Akki, le pauvre glorieux d'*Un ange vient à Babylone*,
passe lui aussi successivement par les deux états, sans compter la Vieille Dame,
ou le Mississipi du *Mariage*. Tous ces personnages sont autant d'avatars, tantôt
sublimes, tantôt ridicules, et de préférence simultanément sublimes et ridicules,
d'un même archétype qui signe le malheur contemporain : un malheur qui n'a
précisément rien de commun avec la tragédie, mais dont l'amertume n'est pas
sans remède. Elle peut éventuellement céder le pas à d'étranges douceurs cré-
pusculaires, au vertige intime du consentement, de l'abandon. Ainsi l'intellectuel
de *Dialogue nocturne* attend pathétiquement sa mort pour prouver à ses oppresseurs, avec mépris et colère, sa liberté. Mais il ne voit venir qu'un bourreau de
rêve qui enjambe la fenêtre et le poignardera finalement ... comme un frère :
« Moi aussi je voulais mourir comme un héros. Et maintenant je suis seul avec
toi ». Beda Allemann a parfaitement distingué, dans une étude consacrée aux
Fous de Dieu (2), l'exécution de la mort tragique. Celle-ci est un moyen de
connaissance, un « assaut contre les frontières », dans lequel le héros lutte contre
l'aveuglement, entre dans sa vérité. Au passage on reconnaît une expression de
Kafka, et c'est de lui sans doute que Dürrenmatt a hérité littérairement sa hantise du bourreau à laquelle la guerre avait donné son horrible actualité. La mort
qu'il dispense, inéluctable et contingente, se rencontre partout et ne mène nulle
part : elle ne peut jamais faire office d'initiation. Elle mine l'existence, elle ruine
la mort elle-même. Cette mort n'est que l'impossibilité de mourir. La plupart des
personnages de Kafka passent eux aussi à côté de leur destin, comme ce chasseur
Gracchus qui erre sans trouver le port, dans un au-delà de l'existence. Josef K.,
poignardé en plein cœur par deux bourreaux gras et blêmes comme des cabotins
déchus sait que le procès n'est pas terminé : il meurt comme un chien, la honte
lui survit, il poursuivra l'itinéraire labyrinthique où s'enchevêtrent à mille
carrefours son innocence et sa culpabilité, hésitant sans cesse entre l'aveu et
le défi, jusqu'à l'épuisement.

C'est dans la fatigue que le roman de Kafka trouve sa solution : cela veut
dire qu'en fait il ne peut prendre fin. Pas davantage une pièce de Dürrenmatt.
R. Grimm a opposé le théâtre pyramidal au théâtre en carrousel. *Romulus le
Grand*, pour y revenir, appartient au second. Plus exactement, cette pièce reproduit dans les trois premiers actes la structure pyramidale de la dramaturgie
classique (tout en incluant en guise de prélude un certain nombre de ruptures
discordantes) et abat dans le quatrième sa construction laborieuse, comme un
enfant une tour de cubes. La mort, engloutissement rapide qui succède à l'ascension du héros sur les sommets de la tragédie, mesure sa grandeur. Elle est le
sceau qui légitime la vérité à laquelle il accède. Au contraire la condamnation
de Romulus à la survie l'expose à l'humiliation. C'est le dégrisement après

(2) Beda ALLEMANN, « Dürrenmatt », in *Das deutsche Drama*, édité par Benno von Wiese.

l'ivresse tragique. Est-ce l'heure de la lucidité ? Brecht avait entrepris dans son
Antigone de relativiser la tragédie et de dénoncer son culte : hommage critique
à l'héroïne, qui arrachait finalement le masque de Bacchus pour révéler le visage
d'une société en guerre. Chez Dürrenmatt, rien de ce dévoilement, de ce démas-
quement : ce n'est pas la lumière crue, mais un petit jour trouble. L'heure du
dégrisement est celle d'une énorme gueule de bois, d'une énorme migraine, dans
laquelle la réalité est éprouvée comme un chaos pâteux. La tragédie se dissout
dans la dérision *mais* le tragique s'enfle démesurément. Romulus voit sa mort
lui échapper, *mais* ce sursis indésirable, malencontreux est la promesse d'innombrables carnages. La paix germanique se préparant à succéder à la paix romaine,
Odoacre se prépare à tomber sous les coups de son neveux Theodoric, activiste
en pantalons comme Romulus avait failli tomber sous ceux d'Emilien, autre
activiste en toge. La pièce peut recommencer, c'est le carrousel, avec cette différence que ni Romulus ni Odoacre ne peuvent plus nourrir l'illusion de mourir
en héros tragiques. Tout au plus peuvent-ils écarter encore l'espace d'un instant
les mâchoires de l'histoire.

Telle est l'idéologie de Dürrenmatt qui prétend n'en pas avoir, proclame
avec fracas la fin des idéologies et refuse toutes les appellations qui permet-
traient de contrôler son œuvre. L'écrivain de *Crépuscule d'arrière-saison*
(*Abendstunde im Spätherbst*) énumère avec complaisance les interprétations que
son œuvre a suscitées : psychanalytique, catholique, protestante, existentialiste,
boudhiste, marxiste. Et le conférencier des *Theaterprobleme* ne voudrait surtout
pas passer pour le commis-voyageur des conceptions à la mode (Weltanschau-
ungen), existentialiste, nihiliste, expressionniste ou ironiste. La peur de la critique, le défi à la critique, la critique de la critique semblent constitutifs de
l'acte d'écrire chez Dürrenmatt. Le critique est précisément le seul bourreau
auquel il ne se résigne pas. Cet homme corpulent, ce « costaud de la littérature »
dont chacun vante le tempérament (« ein Naturbursche ») multiplie les subtilités
pour brouiller les pistes et perdre l'interprète; il revendique tous les prestiges
de l'œuvre ouverte, qui pourtant ne me semble pas moins à la mode que beaucoup d'autres modes.

A première vue cependant, si l'une de ces étiquettes devait convenir mieux
qu'une autre, c'est la dernière que l'on serait tenté de retenir : en effet l'ironie
paraît toute-puissante dans ces tragédies manquées, l'ironie aristophanesque, qui
s'attaque avec virulence aux mythes de l'histoire, de la guerre chaude ou froide,
du capitalisme et du socialisme, aux héros, aux idées, aux sentiments et aux
croyances. Ces mythes fournissent la matière première des *Fous de Dieu* et de
Frank V en passant par *Romulus, Le Mariage de M. Mississipi, Un Ange vient
à Babylone* ou *La visite de la Vieille Dame*. Dürrenmatt donne à son théâtre
l'allure d'une comédie politique, et nous lui sommes reconnaissants de cette
ambition, il l'ouvre aux dimensions de la civilisation européenne telle que la
crise de 1939-45, les révolutions communistes, la consommation industrielle l'ont
façonnée, ou détruite. C'est l'Etat qui est en scène, l'Empereur, sa cour, les ministres, républicains ou non; autour de l'Etat, la société tout entière, les puis-

sants, les riches, les faibles, les pauvres. Chrétiens, athées, banquiers et marxistes, traîtres et patriotes viennent faire leur tour de piste en se tenant par la main. A chaque fois Dürrenmatt montre les aliénations dues à l'intérêt, à la fonction ou à la conviction. Ces trois ressorts agissent les personnages comme des mécanismes d'horlogerie au rythme de plus en plus rapide; il leur arrive de jouer en même temps chez un même être, où ils se chevauchent dans un dérèglement burlesque.

C'est tout un pathos qui se vide de sa substance lorsque, par exemple, autour de Romulus, Zéno et Marès, partisans d'une « résistance idéologique », invoquent leur « mission historique contre le germanisme », « la victoire finale du Bien », accusent le « sabotage » et le « défaitisme », lorsque César Rupf, magnat du pantalon, capitaliste *ex machina*, vient offrir avec emphase, cynisme et naïveté ses services à l'empire en désarroi; lorsque l'état parfait de Babylone, qui n'a d'autre fin que lui-même, prétend éliminer la misère et introduire le bien-être pour tous; lorsque le salon d'Anastasie réunit les possédés de la loi de Moïse, de la lutte des classes ou de l'amour chrétien, qui ferraillent à grand bruit pour la possession d'une même femme, pour la possession du monde. Les exemples sont multipliables à l'infini et ne sont d'ailleurs jamais réductibles à un schéma unique. Tantôt l'ironie pousse l'idée à l'absurde, tantôt elle la confronte à la réalité, tantôt elle la convainc de mensonge. Eventuellement elle peut se charger de colère, ou faire appel à l'analyse : il ne manque pas d'accents brechtiens dans l'œuvre entière.

Mais Dürrenmatt ne détruit les mythes de l'histoire que pour ériger l'histoire en mythe. La rencontre de Romulus et d'Odoacre, illustrait précisément cet éternel retour de l'histoire sur elle-même, qui la constitue en destin, hors de portée de l'intervention humaine. La structure en carrousel qui peut donner un temps l'illusion d'ouvrir l'œuvre classique à une réalité épique que les formes rigides de la tradition sont incapables d'embrasser, a en réalité pour fonction de fermer cette réalité épique sur un parti-pris idéologique. Dans *Les Fous de Dieu*, la ville de Münster, qui est passée des catholiques aux luthériens et des luthériens aux anabaptistes, passe à nouveau des anabaptistes aux catholiques. Les deux héros de la secte, Knipperdolling et Beckelson, terminent leur existence sur une roue symbolique. Dans *Mr. Mississipi*, l'ordre succède au chaos des idéologies, le ministre reste vainqueur du moraliste aussi bien que du révolutionnaire, avant que de nouveau le chaos ne succède à l'ordre : car ni Mississipi, ni St-Claude ne peuvent mourir réellement, pas plus que Romulus, et ils se préparent au-delà de la mort à tout recommencer de nouveau, comme des grenouilles décervelées qui n'en finiraient pas de s'agiter frénétiquement. C'est alors l'image d'une meule, d'un moulin qui se dessine à l'arrière-plan, contre lequel s'élance — éternellement lui aussi — Ubelhohe, le Don Quichotte déchu de l'amour. Dans *Un Ange vient à Babylone* l'intermède de la grâce ne dure lui aussi que l'espace d'une révolution manquée; la seule qui réussisse c'est l'alternance, de 1 000 ans en 1 000 ans des deux rois Nabuchodonosor et Nimrod, deux sosies enchaînés l'un à l'autre à un trône où les pieds du premier écrasent la tête du second jusqu'à ce que la situation se renverse. L'Anastasie de *Mr. Mississipi*, la Claire Zachanassian de *La Visite*, la femme-médecin des *Physiciens*, qui dépossède les savants du secret atomique dont ils avaient voulu débarrasser la terre, sont autant de souvenirs de l'allégorie du monde ou de la mort, d'un monde livré à la mort immuable, seule loi du temps. Vieilles filles ou prostituées, elles ne donnent, ne se donnent et ne se dévouent que pour mieux capturer. Elles énervent, épuisent l'homme qui les désire, elles rattrapent toujours celui qui cherche à leur échapper.

L'histoire est moulue par une machine à broyer, il n'en reste plus qu'un tourbillon de vicissitudes. Ce n'est pas un hasard si les deux premières pièces de Dürrenmatt — *Les Fous de Dieu* et *L'Aveugle* — évoquent le « Trauerspiel » allemand, jusque dans la langue où fleurit la métaphore, jusque dans le contexte historique de la guerre de trente ans. Sous le manteau du christianisme se cache déjà un désespoir analogue. W. Benjamin (3) a montré comment chez les Lohenstein, Opitz ou Gryphius, l'idéal historique de la Renaissance cédait la place à l'idée de catastrophe. Il est de fait que *Romulus le Grand, Un Ange vient à Babylone* prolongent l'atmosphère de cour en désarroi — et ressuscitent le personnage du roi tyran et martyr — qui règnent sur cette scène baroque. *Le Mariage de Mr. Mississipi* transpose la même configuration dans le salon d'Anastasie, *La Visite de la Vieille Dame* dans une charmante bourgade suisse, qui se prépare à assassiner le maire qu'elle se prépare à élire. Or l'eschatologie de ce théâtre est telle, poursuit W. Benjamin, qu'elle exalte une dernière fois la terre et ses fils avant de les livrer à la mort fatidique. C'est ce qui se produit aussi chez les fous de Dieu de Münster, où Bochelson et Knipperdolling vivent tous les spasmes de la chair et de l'esprit avant de monter sur la roue; à Rome où autour de Romulus chacun intrigue, complote, s'active; dans le salon de Mme Mississipi, où les idéologies et les convictions font des soubresauts de poisson sans eau; à Güllen encore où les citoyens suisses entrent dans l'ère de la consommation et des achats à crédit avec frénésie. Ici l'art de Dürrenmatt, qui trouve son point de perfection, déguise subtilement la catastrophe, comme la population l'assassinat de Ill : il n'y a d'autre fatum que la loi naturelle de l'enrichissement, que le plaisir de vivre, qui exhalent tout à coup un goût putride. La société de consommation s'édifie sur un cadavre, et la contagion du bien-être est identique à la progression de la peste. Société cadavérique, et il importe peu qu'elle soit capitaliste ou socialiste, qu'elle ait telle ou telle forme historique : de toute façon elle ne résistera pas à la vertu magique d'une milliardaire, d'une fée maléfique, venue du lointain des âges, et qui frappe toute vie à mort en convainquant éternellement les hommes de leurs vices irrémédiables ou plutôt de leur faiblesse ontologique. Ainsi dans le baroque luthérien où le monde est fané avant d'avoir vécu et ne s'anime que pour goûter la mélancolie de sa fin. Le burlesque de Dürrenmatt est le piment qui permet de goûter la restauration de cette mélancolie,

---

(3) Walter BENJAMIN, « Ursprung des deutschen Trauerspeils », in *Schriften* (Sahrkamp).

sortilège par lequel la comédie se résorbe peu à peu dans la comédie noire à caractère métaphysique, jusqu'au moment où celle-ci capote à son tour dans le simple jeu de massacre. Ce moment de gratuité n'est jamais loin chez Dürrenmatt; mais l'angoisse expressionniste n'est jamais loin non plus, qui elle aussi vouait l'individu à la mort comme à une déesse préhistorique.

De cet univers expressionniste, à qui Dürrenmatt offre une fugitive résurrection, Brecht n'a cessé de faire la critique depuis *Baal* et *Tambours dans la Nuit*, encore parfaitement ambigus de ce point de vue. Aussi malgré Hans Mayer (4), qui s'efforce de pousser Dürrenmatt vers Brecht, tout en restant très conscient des difficultés du concubinage, je pense que l'œuvre du premier efface celle du second, *Romulus le Grand* efface *Sainte Jeanne des Abattoirs*, *Lucullus* et *Arturo Ui*, Akki le clochard bienfaisant qui un instant fait régner la grâce à Babylone sous les traits du bourreau efface la leçon du juge Azdak qui un instant fait régner la justice dans un Orient de contes cruels. Les *Physiciens* veulent faire oublier *Galilée*. Dès que Brecht se prépare à cerner le destin, à le désigner, Dürrenmatt s'empresse de le mettre hors de portée. C'est lui au contraire qui nous cerne, comme la faute collective, le pouvoir bureaucratique, ou la bombe atomique, c'est lui qui nous désigne pour ses prochains holocaustes, réveillant le pessimisme allemand des années vingt dont Spengler s'était fait l'écho philosophique dans *Le Déclin de l'Occident*.

Dürrenmatt a l'ambition de dépasser Brecht. Il a écrit que celui-ci pensait inexorablement mais qu'inexorablement il ne pensait pas à tout. La formule est belle et comporte sa part de vérité. L'œuvre de Brecht est fortement marquée par les crises violentes qui ont secoué l'Allemagne dans la première moitié du siècle. Il se peut qu'elle n'ait pas tenu compte suffisamment de la régression stalinienne (encore que l'esthétique brechtienne batte en brèche, sans compromission, le jdanovisme), ni qu'elle ait su envisager dans toutes ses conséquences l'évolution sociologique contemporaine. Il reste que la critique de Dürrenmatt ne suffit pas pour autant à placer Dürrenmatt lui-même à l'avant-garde d'un théâtre post-révolutionnaire. On pourrait lui reprocher plus justement encore de s'être trompé d'après-guerre.

*
* *

Comment définir alors la fonction et le style de la comédie dans cet univers déréalisé par la menace de l'insignifiance ? Elle a pour objet de restaurer perpétuellement une réalité qu'elle ne cesse perpétuellement de ruiner : Sisyphe est son emblème. On se rappelle Romulus : « Jouons une dernière fois la comédie. Faisons comme si l'esprit restait victorieux de la matière humaine ». La matière humaine, c'est l'ordre germanique qui se prépare à succéder à l'ordre romain, la mort qui se prépare à succéder à la mort. L'entente entre les deux empereurs, les deux sages, c'est le temps de la comédie, le temps de la paix, le temps de

---

(4) Hans MAYER, « Dürrenmatt und Frisch », *Opuscula* (Neske).

l'esprit, un éclair dans la nuit noire, une péripétie douloureuse puisqu'elle prive le héros de sa mort véridique et le condamne au réalisme du simulacre : à ce prix la comédie abolit un instant l'éternel recommencement de l'histoire. Ce destin qu'aucun des personnages de Dürrenmatt ne saurait maîtriser, ils vont jouer à l'apprivoiser, avec courage dit leur auteur : « L'aveugle, Romulus, Ubelhohe, Akki sont des hommes courageux ». En fait, ce courage n'est autre que l'acceptation résignée d'une nécessité lointaine, inattaquable, inévitable dans laquelle il n'y a plus de place que pour la plus petite action possible. Si lointaine parfois, qu'elle en devient hypothétique et pourrait aussi bien autoriser toutes les contingences. Rien de commun avec la lutte tragique contre les dieux jaloux, ni avec la lutte historique contre un destin concret. Romulus est le champion sans force d'une petite paix, Ubelhohe d'un grand amour, Akki d'une liberté solitaire que seul le désert lui permet d'entretenir : athlètes de foire qui ne trompent personne. Que l'accent final soit néo-stoïcien, néo-épicurien ou généreux, à chaque fois il donne l'impression d'un couac dans la parade funèbre. La mort sans révolte dans les bras du bourreau qui frappe au cœur une victime humble, comme un frère, répond davantage à la logique interne de cette conception où il n'y a d'autre issue que des échappatoires, et finalement peut-être, comme dans *Les Physiciens,* d'autre échappatoire que des pièges.

Quant à la comédie, elle est l'échappatoire suprême; elle est l'entr'acte, l'intermède, politique dans *Romulus,* féérique dans *Un Ange vient à Babylone,* frénétique dans *Mr. Mississipi,* entre deux ruminations de l'histoire. Pour donner à nouveau la main aux romantiques, elle est le chaos dont parle A. W. Schlegel. Chaos fécond pour le théoricien, qui évoque la genèse, les enfantements douloureux, chaos stérile chez Dürrenmatt, souvent puéril, qui ressemblerait assez à une récréation turbulente où le dramaturge s'amuse et nous divertit avec les formes et les significations, dans un univers de pur théâtre.

On reviendra ici aux déclarations d'intention. Dürrenmatt se situe lui-même dans un monde douteux, opaque et par là-même sans style, où les idées et les modes d'expression traditionnels ont explosé. Le public est devenu une masse anonyme en face de laquelle l'auteur est seul. Cette époque est sans style, cela veut dire désormais que chacun a le sien, mieux que le style n'est plus qu'une décision prise de cas en cas. D'un bond Dürrenmatt rejoint la nouvelle nouvelle avant-garde en épousant le slogan d'une dramaturgie expérimentale. Cependant son expérimentalisme est parfaitement étranger au climat ésotérique dans lequel se déroulent certaines recherches contemporaines. Il vise surtout à épanouir la liberté du théâtre en brisant les contraintes de tout ordre, formelles ou idéologiques, qui peuvent peser sur lui. Il ne consent à reconnaître qu'une seule loi, la loi de la théâtralité, ce qui n'est pas nécessairement une tautologie. Il refuse de sacrifier aucune des valeurs propres du spectacle, ni le décor, ni le verbe, ni l'action. S'il dématérialise le décor, c'est pour en faire surgir une poésie nouvelle (becs de gaz babyloniens, petites gares suisses, panorama utopique du salon d'Anastasie, etc.). S'il dépathétise la rhétorique des planches, c'est pour mieux jouer de toutes les variétés du langage théâtral, y compris éventuellement le long monologue pathétique. Enfin s'il casse la grande action tragique, c'est pour multiplier les rebondissements imprévus, les renversements de situation et les situations renversantes. L'intrigue en cascade de beaucoup de ses pièces évoque le roman d'aventures, l'héritage picaresque ou la série noire. L'ironie dont il fait preuve envers la dramaturgie classique a donc pour résultat — ou plutôt pour objet — de ressusciter tous les artifices du décor, du discours et de l'intrigue. Entre l'esthétique de la poule et celle de l'œuf (cf. *Theaterprobleme*), il choisit les plumes et le caquet, la couleur et la sonorité, y compris et surtout les dissonances, la confusion, la turbulence des formes et des significations. Comme la vie qui s'exalte à l'heure de la mort, le théâtre, le pur théâtre, disons le carton-pâte s'accommodent parfaitement de la mélancolie historique. Il faut aller en chercher les sources, au-delà du théâtre épique, ou de la farce viennoise, que Dürrenmatt cite souvent, dans le baroque européen à nouveau. *Theatrum mundi*, le théâtre du monde et le monde comme théâtre, l'illusion perdue et retrouvée, le jeu subtil de la réflexion, cause permanente de distanciation, qui fonde les apparences au fur et à mesure qu'elle les détruit dans son élan vers la transcendance, telle est l'imposante aventure qui jette ici ou là, dans l'œuvre de Dürrenmatt, de pâles reflets. La dramaturgie expérimentale à laquelle il se rallie n'est autre qu'un retour aux origines du théâtre occidental, à l'heure où il fait la découverte, esquissée dès le Moyen Age, de sa liberté instrumentale et de sa fonction symbolique. Sauf qu'ici le jeu grandiose de la réflexion se dégrade en ambiguïtés comiques, sur une scène qui est le lieu d'une immanence sans recours.

Le baroque allemand, à la différence du baroque espagnol peu visité par la grâce, plus sévère, plus austère, avait donné la prépondérance à la plainte, l'expressionnisme de la première après-guerre au cri. En 1947, Borcherdt, dans *Draussen vor der Tür,* ne faisait que reprendre, en toute spontanéité, cette tradition, à qui il insufflait une incomparable sincérité. Dürrenmatt cultive au contraire l'ambiguïté, dont il fait un véritable mode d'expression. En vertu de celle-ci, il n'est pas de tragédie qui ne se pervertisse en comédie, ni de comédie qui ne se pervertisse en tragédie — et ceci pourrait-on ajouter à l'infini, car en passant l'un dans l'autre les deux genres se corrompent réciproquement. Tout tient dans le presque, catégorie de l'équivoque qui rend compte adéquatement de l'œuvre de Dürrenmatt. Si *Romulus* est presque une comédie (ou presque une tragédie ?) *La Vieille Dame,* qui explique à elle seule le succès du dramaturge, est presque une tragédie (ou presque une comédie ?). Le souvenir d'une trahison vient empoisonner l'atmosphère d'une petite ville. Or l'étrange justice qui devrait permettre la purification tragique et effacer la faute la répand au contraire comme une épidémie dans l'ensemble de la collectivité. Les achats à crédit qui se multiplient à Güllen ont pour conséquence inéluctable l'assassinat de Ill, l'ancien amant de la Vieille Dame. Celui-ci mourra en silence : silence expiatoire ? En fait le destin ne mûrit pas dans le secret de cette âme solitaire, il se décompose. La fin de Ill ressemble à un étouffement, elle établit le règne du mensonge et mine la vérité tragique. C'est le triomphe de la male mort, tombée d'un ciel vide avec la Vieille Dame, et qui se manifeste à Güllen par la multiplication

13. **FRIEDRICH DÜRRENMATT** : La Visite de la vieille dame.

pseudo-miraculeuse des chaussures jaunes. La civilisation des objets ressuscite l'accessoire fatal des « Schiksalstragödien », livrées elles aussi à la loi d'un destin mécanique qui ressemble au plus arbitraire des hasards. Telles sont pour Dürrenmatt les seules histoires encore possibles dans un monde sans histoire.

La Panne varie le même thème : elle associe la justice à un raté du moteur, déguise les magistrats sous des oripeaux de théâtre, confond l'ivresse dionysiaque avec les effets d'un bon repas, la faute et l'expiation avec un mauvais rêve, qui peut indifféremment se terminer par un suicide ou un retour à la vie. Si *Le Procès* est la dernière épopée du monde moderne, tendue par une rigoureuse dialectique de l'innocence et de la culpabilité, *La Panne* n'en est que la version miniature, et inerte. Ce processus de réduction ouvre la voie à la parodie. De la même façon, Dürrenmatt s'attache au roman policier, héritier lointain de la tragédie grecque au milieu du xxᵉ siècle, avec le western, mais c'est pour mieux en ronger la substance : pour en écrire le « Requiem ».

Cette perpétuelle oscillation de la tragédie à la comédie, du désespoir au rire, a sans doute ses séductions, et surtout aussi ses raisons, historiquement fondées. Mais Dürrenmatt échappe difficilement au danger qu'elle renferme : celui d'une ambiguïté mauvaise qui se reproduirait à l'infini comme une arabesque décorative. Cet ornementalisme est d'autant plus troublant qu'il est sans cesse troublé par le souvenir de la foi, l'intrusion de la conscience morale et politique, ou même simplement par l'explosion de la vitalité naturelle. Mais ces ruptures elles-mêmes ne peuvent nous faire sortir du jeu, tantôt parodique, tantôt grotesque.

La parodie est souveraine dans ce théâtre, c'est elle qui vide les formes anciennes de leur contenu : Romulus disloque la tragédie, Mississipi la comédie de salon, la Vieille Dame la poésie du théâtre épique « à la Wilder ». Tout se désagrège sous son action corrosive, y compris bien entendu l'univers baroque dont elle s'inspire par l'intermédiaire de la comédie viennoise, le baroque luthérien dans *Les Fous de Dieu*, « parodie désespérée ou désespoir parodique » (5), le baroque catholique dans *Un Ange vient à Babylone*, où la grâce, *dea ex machina*, est obligée de s'enfuir dans un désert après avoir perturbé pour un court délai l'ordre implacable du monde profane.

Le théâtre de Dürrenmatt s'installe à proximité de l'opérette, du jeu de marionnettes ou du cabaret — mais du cabaret aussi peut surgir à tout instant le grotesque, contigu à la tragédie. Dürrenmatt définit avec précision celui-ci comme la seule forme susceptible de prendre corps dans un monde devenu informe : la face tragique est au chaos ce que l'obscénité est au sexe. Grotesques tous les moments où les « héros » de Dürrenmatt reconnaissent leur défaite, Romulus, Ubelhohe dans *Mr. Mississipi*, ou encore Möbius dans *Les Physiciens* : c'est-à-dire non pas la nécessité de leur sacrifice, mais l'insuffisance dérisoire de ce dernier. Le sublime auquel ils accèdent les livre en même temps au ridicule.

---

(5) Cf. article cité de Beda ALLEMANN.

Et l'on a l'impression que le dramaturge monte avec sadisme les péripéties souvent rocambolesques qui vont lui permettre d'opérer son personnage et de lui
ouvrir le cœur. En effet dans ce monde hanté par une mort dérisoire, l'écrivain
est le bourreau suprême. Au reste les bourreaux de Dürrenmatt sont toujours
très cultivés, ils sont même passionnés de littérature, éventuellement prêts à
quitter la cagoule pour la blouse du bouquiniste. Inversement, l'excellent petit
dialogue intitulé *Crépuscule d'arrière-saison* montre un auteur célèbre qui a pour
secret d'assassiner, afin d'avoir la matière de vrais romans policiers, et qui en
particulier va tuer sous les yeux du spectateur le détective qui a percé ce secret,
nouveau crime qui est la promesse d'une nouvelle œuvre. Le jeu dans le jeu,
la « réflexion » baroque, qui fondait une dialectique permanente entre le fini et
l'infini, est ici entièrement dans les mains de l'écrivain démiurge dérisoire et
dangereux. Son œuvre se construit à coup de sinistres stratagèmes : et la révélation de ces stratagèmes au spectateur — ou au lecteur — loin de rétablir la
réalité, redouble l'artifice. Dürrenmatt nous conduit en fait, par le bout du nez,
dans un univers de carton-pâte dont il n'arrive plus à crever le plafond, et où
se multiplient des cadavres dont lui seul est responsable. Du reste, on le voit,
il s'en accuse lui-même, pour nous ôter la possibilité de le faire, et nous entraîner
encore un peu plus loin dans son jeu. Déjà Ubelhohe avait déclaré dans
Mr. Mississipi :

> Ainsi l'amateur de fables cruelles et de comédies inutiles qui m'a créé, ce pro-
> testant qui s'acharne à écrire, ce rêveur chimérique, m'a brisé pour savourer ma
> substance — effroyable curiosité; ainsi il m'a humilié, non pour me conférer le sain-
> teté — qui ne lui est d'aucun secours — mais pour me rendre semblable à lui — pour
> me jeter dans le creuset de cette comédie où il fait de moi non un vainqueur mais un
> vaincu : uniquement pour voir si vraiment la grâce de Dieu est infinie dans ce monde
> fini, notre seule espérance.

On ne peut mieux dire, et il faut rendre hommage à Dürrenmatt de cette lucidité,
il est vrai bien complaisante : il n'empêche que — comme le sadique qui tue
ce qu'il aime — Dürrenmatt ne peut que faire fuir ce qu'il cherche. Les cœurs
qu'il ouvre ne lui renvoient que son propre caprice.

On répondra — nous sommes pris, on le voit, dans la mauvaise ambiguïté,
et donc vaincus à notre tour — qu'au moins il aime ce qu'il tue, et c'est ce qui
épaissit la confusion de ce théâtre. Entre la parodie et le grotesque, Dürrenmatt
cherche sans cesse à glisser, on pourrait dire à placer l'humain. Ses explications
théoriques en particulier sont graves. Elles ne coïncident pas toujours avec la
matière même de l'œuvre, mais l'intention qu'elles y inscrivent ne cesse de la
perturber. Beckett sait conjurer par une magie rigoureuse un anti-monde d'une
parfaite cohérence. Dürrenmatt refuse cette cohérence sidérale. Il ne quitte pas
cette planète. Mais en lui enlevant toute possibilité réelle de libération politique
ou métaphysique, il s'englue dans une dérision avide d'humanisme. Son théâtre
se disloque, comme ce monde qu'il reflète, et la vitalité dont il fait parade
masque souvent une grande fatigue.

*
* *

L'ambition de Dürrenmatt cependant n'est pas banale. Je me permettrai de la lire — de l'imaginer ? — entre les lignes du discours de Mannheim. Il oppose, en rendant à chacun ses mérites, le théâtre selon Schiller au théâtre selon Brecht, dont il trouve l'origine philosophique dans les deux grandes traditions de Kant et de Hegel. Il n'est pas impossible que ce Suisse ait pensé à surmonter le divorce entre ces deux théâtres, symbolique à maint égard de la dichotomie allemande. Il n'est pas impossible qu'il ait pensé offrir à l'Allemagne une scène confédérale qui lui fait encore défaut. En tout cas il cherche à échapper à l'alternative Schiller-Brecht. D'une part il sait que le temps de l'individualisme héroïque est passé; d'autre part il recule devant le radicalisme dialectique de Brecht, qui lui semble conduire à l'oppression. La voie étroite qu'il choisit entre ces deux modèles est celle de la comédie noire, ni réellement politique, ni vraiment métaphysique. On peut se demander si elle n'aboutit pas à une impasse. Le succès de Dürrenmatt aux quatre azimuts, à Prague et à Varsovie aussi bien qu'à Berlin, Francfort, Londres ou Paris, devrait rassurer. Il y a chez lui un don satirique qui désagrège, avec les formes et les idées, les scléroses et les fanatismes de tout ordre, sauf peut-être celui du théâtre. Dürrenmatt porte des coups sévères au terrible esprit scolaire de la guerre froide, il est vrai maintenant bien ébranlé. La neutralité et le provincialisme helvétique ne sont sans doute pas étrangers à cette liberté humoristique du jugement. Ceci dit, passé le temps de la surprise — et de la réussite formelle de *la Vieille Dame* où pour la seule fois peut-être dans ce théâtre l'équivoque, parfaitement cohérente, se charge de signification — il n'est pas exclu que le public à juste titre ne se lasse des artifices de cette mauvaise ambiguïté. A moins qu'il ne s'y complaise, car elle ne manque pas de vertus culinaires; culinarisme qui va à la rencontre des facilités de la société de consommation, qui elle aussi disloque les fronts et réunit à table les deux Europes naguère divisées. Si Dürrenmatt suivait cette pente sur laquelle il a déjà glissé, il n'offrirait jamais qu'un Offenbach de plus à nos divertissements, alors que nous manquons tant d'Aristophanes à la mesure de l'ère atomique. Le danger est là, inhérent au mouvement par lequel le dramaturge récupère parodiquement notre culture en débris, constate son inadéquation au réel, noie cette réalité dans un tragique absolu absolument dérisoire dont finalement lui seul tire les ficelles. Il pourrait vite s'attirer le reproche d'exploiter les charmes pourris d'une situation « désespérée mais peu sérieuse », comme on dit à Vienne, capitale de l'opérette.

LE THÉÂTRE SUÉDOIS DEPUIS 1945

par Maurice GRAVIER

Professeur à la Sorbonne

Depuis 1945, le théâtre suédois nous a apporté nombre de textes intéressants. Mais les vingt dernières années ne fourniront certainement pas la matière à l'un des chapitres les plus glorieux à la littérature dramatique dans ce pays. On a joué pendant ces vingt ans beaucoup de pièces étrangères en Suède (françaises et américaines surtout), en revanche aucun auteur dramatique suédois n'a réussi à s'imposer sur les scènes des autres pays, abstraction faite de la proche Scandinavie. C'est dire que, pendant ces années, la Suède n'est pas demeurée étrangère aux mouvements d'idées ni à l'évolution du style dramatique et que les écrivains suédois s'efforcent de ne jamais prendre trop de retard. Ils ne créent pas donc exclusivement sous le signe d'une tradition nationale certes fort glorieuse, puisqu'elle remonte à Strindberg. Les grands du théâtre suédois, entre les deux guerres, Hjalmar Bergman et Pär Lagerkvist, étaient les disciples de ce grand créateur, de cet écrivain que l'on peut considérer comme le père de l'expressionnisme. Et Bergman (avec la *Porte* et le *Tisserand de Bagdad*) avait suivi Strindberg sur la voie de l'expressionnisme, de même Pär Lagerkvist, poète de l'*Angoisse* et du *Chaos* doit être classé comme l'un des maîtres du mouvement, si l'on considère dans son ensemble l'école expressionniste européenne (l'*Heure difficile*, l'*Homme qui revécut sa vie*). Mais par la suite Bergman s'était amusé à écrire dans un style plus boulevardier, plus anecdotique (les *Swedenhjelm, Joe, Jac et Compagnie*), tandis que, soucieux de mener une action politique plus directe, Lagerkvist, à partir du *Roi* (1930) s'efforce de s'exprimer en paraboles plus claires voire même d'écrire des drames nettement réaliste (*L'homme sans âme, La victoire dans les ténèbres*).

La génération des années trente (*trettiotalister*, les historiens des lettres suédoises admettent que les générations littéraires se succèdent régulièrement de dix ans en dix ans, agréable simplification) manifestait sa foi en adoptant des attitudes tranchées, ils étaient fidéistes, pacifistes, vitalistes, pansexualistes. La génération suivante, les *fyrtiotalister* (des années quarante, elle a rédigé la revue *Fyrtiotalet*) crie surtout son désarroi. Elle affiche volontiers son mépris

envers n'importe quel acte de foi, elle est pratiquement nihiliste. Cette cohorte
de « jeunes gens en colère » s'est développée spirituellement sous le signe de la
seconde guerre mondiale. Ici et là, la mauvaise conscience du neutre suscitait des
interrogations torturantes et des débats sans fin. Mais le théâtre ne fut pas à
cette époque le principal mode d'expression, le roman, la nouvelle, le reportage,
le lyrisme surtout expriment plus aisément et plus complètement les révoltes
et les angoisses de ce nouveau *Sturm-und-Drang*. Et quand les *fyrtiotalister*
recourent au théâtre, celui-ci tend à se confondre avec le lyrisme, il se fait
subjectif, la peinture des hommes et des foules s'achève sous le signe de l'hallucination, de la distorsion, de la plainte folle et grinçante. Quand les critiques
assistèrent à la première représentation du *Condamné à mort* (*Den dödsdömde*
1947) ils se crurent ramenés vingt-cinq ans en arrière, il leur semblait qu'on
venait de remonter quelques-unes de ces saynètes angoissées que Pär Lagerkvist
proposait aux scènes suédoises vers 1920. Une seconde vague de l'expressionnisme germano-suédois venait donc déferler sur la Scandinavie.

Par le thème comme par la forme, le *Condamné à mort* fait en effet penser
à Pär Lagerkvist. Le spectateur même aguerri frissonne en écoutant ce long cri
d'angoisse, en contemplant le spectacle d'une société chaotique, composée d'individus qui tous restent prisonniers de leur égoïsme, incapables de se pencher sur
la détresse du voisin et d'éprouver pour lui la moindre compassion. Et pourtant
le thème du drame aurait pu être la compassion. Un homme avait été condamné
à mort, à la suite d'un crime qu'il n'avait pas commis. Le jour de son exécution
arrive. Le coupable qui, jusque là, s'était tu, croyant que le malheureux a déjà
« expié », se dénonce enfin. L'innocence du condamné étant acquise, on relâche
celui-ci à la dernière minute. Mais le condamné à mort s'est si bien préparé à
la fatale échéance que toute joie de vivre est morte en lui. Il est libre, mais
comme inerte, atone. Une étrange société s'empare de lui, essaie de le réconcilier
à tout prix avec l'existence (il y a là l'explorateur qui n'a été qu'à moitié dévoré
par le lion, le funambule qui a perdu l'équilibre au-dessus des chutes du Niagara
mais qui a pu s'accrocher à la dernière branche, l'homme qui a presque été
crucifié et le duelliste qui a *failli* être embroché par son adversaire). Notre ex-
condamné se voit donc traîné jusqu'à la salle de banquets où la société de
sauvetage spirituel lui offre une solennelle agape. Et, pour lui rendre le goût
de la vie, chacun des convives lui conte comment il a lui-même manqué mourir.
Mais comme chacun de ces héros se contente de narrer une aventure qui n'intéresse que lui-même, notre condamné s'ennuie et s'endort presque, tandis que
les monologues succèdent aux monologues. Faute de pouvoir établir le contact
avec leur invité, les sociétaires font appel à leur suprême ressource. Le restaurant
qui les abrite recèle une chambre secrète : on y enferme l'ex-condamné avec
une belle hétaïre fort experte dans l'art de rendre aux hommes le goût de
l'existence. Mais notre homme est si las, si paralysé psychiquement qu'il ne
parvient pas à franchir les quelques mètres qui le séparent du lit où la belle
épuise les ressources de son savoir-faire. Les agaceries de la professionnelle
finissent par irriter le malheureux homme qui dégaîne son revolver et l'abat en

un moment de rage. Il a obtenu gain de cause. Il sera exécuté, puisque maintenant il a réellement commis un crime. On le ramène à cette prison qu'il n'espérait plus quitter et où il se trouve à nouveau très bien, il s'accommode sans peine d'un destin que la plupart de ses congénères jugeraient cruel. Quand la joie de vivre s'est éteinte, à quoi bon laisser subsister l'homme ?

Œuvre irrégulière, étrange, inégale, riche de splendides mouvements lyriques et d'étonnantes explorations psychologiques. Mais c'est déjà un théâtre qui nie le théâtre, puisque, en son essence, le théâtre repose sur l'existence du dialogue et que cette pièce proclame dès le départ, l'impossibilité du dialogue. Ce fameux *Aneinandersprechen,* dont on avait si justement parlé à propos des drames strindbergiens, désarticule ici chacun des actes, chacune des scènes, chacune des séquences du dialogue. Le théâtre tue le théâtre à force de flirter avec la psychopathologie et de jouer avec le paradoxe esthétique.

Et pourtant la critique suédoise reconnut que cette œuvre était belle et prenante. Avec Dagerman les Suédois pouvaient penser qu'ils tenaient, en plein vingtième siècle, un second Strindberg. Dagerman était, comme son grand aîné, un écorché vif, un citoyen paradoxal qui se sentait appelé à prendre place parmi les aristocrates des nerfs et de l'esprit et qui conservait, enracinée en son cœur, la nostalgie de la classe prolétarienne au sein de laquelle la nature l'avait fait naître. Prolétaire et anarcho-syndicaliste par sa naissance et le milieu où il avait vécu jusqu'à la dissolution de son premier mariage, il avait acquis, grâce au succès de ses romans, de ses livres et de ses pièces, une solide aisance. Il avait quitté sa première femme, descendante d'émigrés politiques allemands, pour épouser en secondes noces une vedette du cinéma suédois. A son angoisse naturelle (celle qu'il chante dans le *Condamné à mort*) venait bientôt s'ajouter une nouvelle source de tortures, il se sentait rongé par le remords. Il voulait expier ce qu'il considérait comme une série de trahisons. Pour parler de lui-même, parce qu'il était venu habiter « les beaux quartiers », il disait « le propriétaire de la villa ». Il se méprisait. Son extrême nervosité avait fini par tarir en lui l'inspiration. A bout de souffle, inquiet pour son propre avenir, mécontent plus que jamais de lui-même, il mit fin à ses jours en 1954, n'ayant que de peu dépassé la trentaine.

L'essentiel de son œuvre n'est peut-être pas à chercher dans son théâtre. Ses romans, d'une facture très personnelle, ses nouvelles aux raccourcis puissants nous révèlent sans doute plus immédiatement les arcanes de son univers personnel. Quand il reprend à la scène le thème d'un roman (*L'enfant brûlé* [*Brända barnet*] devient à la scène *Ingen gårfri* [*personne n'échappe à la condamnation*]), le drame n'exprime que très imparfaitement l'inquiétude de l'auteur, les traits sont maladroitement grossis, le fil du scalpel s'émousse. Quatre grandes œuvres dramatiques méritent de retenir l'attention. Elles sont groupées deux par deux dans les deux volumes du théâtre (qui ne retient pas les jeux radiophoniques). Le premier tome s'intitule *Drames sur des condamnés* (*Dramer om Dömda*) publié en 1948 (il contient le *Condamné à mort* et l'adaptation dramatique de l'*Enfant brûlé*). Le tome II contient les *Drames sur des Judas* (*Judas Dramer*) publiés en 1949. Le premier de ces drames est sans doute le moins lyrique et le moins égocentrique de toute l'œuvre. Il s'intitule *Skuggan av Mart, l'Ombre de Mart* [*Martin*]. L'action se déroule dans un pays qui a été longtemps occupé par le vainqueur provisoire (la France, semble-t-il). Une mère a deux fils. L'aîné, Mart [Martin], a été exécuté par l'ennemi. Il appartenait à un mouvement de résistance. La famille et l'entourage lui rendent le culte dû aux héros morts. La mère surtout. Chez elle le souvenir de Mart est une sorte de prétexte pour torturer le fils survivant, un être faible, maladroit et triste, voué dès ses tendres années au mépris et au malheur. La mère revient cruellement et sans cesse sur son propos : « Ah ! si le cadet, Gabriel, avait été aussi courageux, aussi beau, aussi intelligent que l'aîné ! » Misérable cadet, pendant la guerre, il vivait dans ses pantoufles. Aujourd'hui encore, il se contente d'une existence casanière et médiocre. Petit bureaucrate, les femmes ne font pas attention à lui. La mère abusive exploite toutes les occasions qui s'offrent à elle pour humilier ce bénêt de Gabriel qui plie l'échine devant elle. Gabriel rêvait d'épouser l'ex-maîtresse de son défunt frère, la belle Thérèse. Et la mère convoque chez elle Thérèse et s'ingénie, sous les yeux de Gabriel, de ménager à Thérèse des perspectives flatteuses, elle épousera un bellâtre, un « héros » qui porte un nom significatif, Victor. Quant à Gabriel, il paraît voué pour toujours à tenir le rôle du vaincu, du malheureux qu'on berne et qu'on malmène, il rumine son désespoir, il remâche ses perpétuelles humiliations et on le jugerait incapable de relever la tête. Il faut quand même à la fin que le couvercle de la marmite saute. Gabriel sait maintenant à quoi s'en tenir, pour ce qui est de l' « héroïsme » de son frère. S'il sortait nuitamment, ce n'était pas toujours pour aller rejoindre les autres « héros » de son réseau. Certaines aventures féminines le tenaient parfois loin de la maison. C'est en allant de nuit retrouver une belle qu'il a été arrêté par l'occupant. S'il a été par la suite exécuté, il le doit à un obscur et malheureux concours de circonstances, beaucoup plus qu'à la vaillance de son comportement. Gabriel osera-t-il parler, révéler à sa mère tout ce qu'il a pu apprendre ? Au dernier tableau, nous voyons se dresser un Gabriel métamorphosé, il parade devant sa mère installée dans un fauteuil. A vrai dire, nous n'apercevons ce fauteuil que de dos. Jamais le malheureux n'avait tant parlé, jamais il n'avait paru si éloquent. Et la mère ne réagit pas devant tant de crâne assurance, c'est Gabriel maintenant qui raille et qui provoque. Nous ne comprenons que tardivement la cause de ce silence : Dame Angelica, la mère de Gabriel, est morte avant que le rideau ne se lève sur ce dernier tableau. Afin de pouvoir enfin parler, Gabriel a tué sa mère. Mais quelqu'un trouble la fête, Gabriel est à nouveau réduit au silence, une ombre surgit dans le fond du salon, elle envahit toute la scène, cette ombre, c'est celle de l'aîné, *l'Ombre de Mart,* Gabriel s'effondre, il a perdu d'un coup toute sa belle assurance, il s'excuse auprès de la morte. Et il pousse un cri d'angoisse : « J'ai peur. Je me sens si seul, Maman ! ».

La dernière œuvre importante de Dagerman, *l'Arriviste (Strebern),* populiste par le ton, un peu mélodramatique par l'intrigue, doit être interprétée comme une confession personnelle. Nous assistons à la destruction d'une minuscule coopérative ouvrière. Quatre gagne-petits se sont associés pour monter une affaire modeste, où l'on rechape les vieux pneus d'auto. Mais désireux de s'enrichir, de parader, de commander, l'un des associés, un faux-frère, incorpore le petit atelier à un grand circuit capitaliste, il se fait nommer directeur, il réduit ses compagnons de travail à l'état de subordonnés que volontiers il malmène. Par ses aventures amoureuses sordides, par sa déloyauté, il fait le déshonneur de la petite équipe courageuse et honnête à laquelle primitivement il appartenait. Au dernier tableau, nous voyons Blom le traître, noyer dans le champagne son chagrin et sa honte et lancer ses cris tantôt dérisoires, tantôt provocateurs, dans la nuit, en direction de la ville qui s'éveille. Ici encore, le théâtre de Dagerman tourne au lyrisme, car il s'agit bien d'un théâtre égocentrique et voué perpétuellement à l'angoisse et à la confession personnelle.

Ingmar Bergman appartient, lui aussi, à la génération des *fyrtiotalister*; comme cinéaste, il est bien connu et fort apprécié en France, plus même peut-être que dans son propre pays. Mais les Suédois l'applaudissent aussi comme un metteur en scène de théâtre, puissant et original. Il dirige (sans doute pour peu de temps encore) le Théâtre Royal Dramatique de Stockholm (1). Il a débuté dans la vie comme animateur du théâtre universitaire à Stockholm et aussi comme auteur dramatique. Il a d'abord fait carrière dans diverses villes de province. Vers 1947, il avait mis son talent au service du Théâtre municipal de Göteborg et on y jouait alors ses pièces; certaines d'entre elles ont été éditées (je ne crois pas que Ingmar Bergman accepterait qu'on les joue maintenant). Plus tard, tantôt pour rendre service à ses élèves du Conservatoire de Malmö, tantôt pour meubler les programmes de la radiophonie suédoise, Ingmar Bergman a composé des œuvres dramatiques courtes et presque hiératiques, telles que *Trämålning (Peinture sur bois, Rétable)* ou *Staden (la Ville)*. Qu'il s'agisse de ces créations plus récentes ou des ouvrages plus amples des années 40 (les *Trois moralités*, 1947; *Jack et les comédiens*, 1946), nous découvrons la permanence des thèmes à travers l'œuvre, les drames joués à Göteborg sont sans doute plus lâches dans leur construction, les œuvres radiophoniques plus dépouillées et plus linéaires et plus strictes; il nous semble de plus que, pour ce qui est de l'inspiration, Bergman auteur dramatique ne se distingue guère de Bergman cinéaste. Analyste intrépide, il s'efforce de percer les mystères les plus honteux, les plus douloureux de l'humanité, il jette sur toutes ses figures ce regard tour-à-tour follement indiscret et presque sadique, et très humain, très pitoyable, comme s'il était capable de se glisser dans la psychose de ses patients même les plus pitoyables, car une grande partie de ce théâtre est l'œuvre d'un génial clinicien, plus encore que d'un excellent psychologue, au sens classique du terme. Si nous essayons maintenant de définir les rapports du cinéma et du théâtre dans l'œuvre d'Ingmar Bergman, nous dirons que, comparées à ses films, les pièces

---

(1) Ingmar Bergman a quitté la direction du Théâtre Royal Dramatique à la fin de la saison 1966. Il lui arrive cependant encore de faire des mises en scène dans divers théâtres de Scandinavie.

d'Ingmar Bergman semblent presque pauvres, en tout cas simplement mélodiques, tandis que dans le film notre créateur atteint la puissance et la complexité de la grande symphonie. Le cinéma d'Ingmar Bergman est étroitement apparenté au théâtre suédois, à l'œuvre de Strindberg en particulier, dans les *Fraises sauvages,* par exemple, les réminiscences du *Singe* sont évidentes et dans le *Septième sceau* le grand défilé des pénitents s'inspire fortement de certaine procession de flagellants qui constitue le clou de la *Saga des Folkungar,* la *Source* fait songer aux récits et drames médiévaux de Pär Lagerkvist. Mais surtout Ingmar Bergman cinéaste se souvient des tentatives et des esquisses qu'a multipliées Ingmar Bergman auteur dramatique. Ainsi pour étudier la genèse du *Septième sceau,* il serait bon de relire *Dagen slutar tidigt* (la *Journée finit tôt*), écrite en 1947, nous y rencontrons déjà une danse macabre, bien que le drame se déroule de nos jours (dans cette même pièce nous découvririons aussi un pasteur qui rassemble péniblement les débris de sa foi, mais ne réussit pas à réchauffer le cœur d'une ouaille paralysée par l'angoisse de vivre, frère d'un certain ecclésiastique des *Communiants*), dans le recueil des pièces radiophoniques on trouvera ensuite la *Ville* (1951), première version (radiophonique, toujours en costumes modernes) du *Septième sceau,* le poète imagine l'effet que produiraient sur nos contemporains les signes avant-coureurs du Jugement dernier. Enfin, avec *Peinture sur bois* (1954), nous voyons se dessiner un à un les personnages qui figureront dans le grand drame cinématographique, le Chevalier, son valet, la Mort, les paysans, les comédiens, la sorcière. Seulement ils défilent, hiératiques, schématisés, se détachant sur le fond d'or des vieux rétables, au lieu de s'animer sur une scène gigantesque, celle du Monde, comme dans l'admirable film que vous connaissez.

Les années 50 ont vu se manifester en France les maîtres du théâtre absurde (la première de la *Cantatrice chauve* remonte à 1949). Trois hommes du même âge, qui abordent ensemble, tard dans leur vie, l'aventure de la création dramatique, nous surprennent non seulement par leur brillante connaissance de notre langue (tous trois portent des noms étrangers) mais aussi parce que leurs œuvres, très différentes par le style et l'inspiration, se placent toutes sous le signe de l'Absurde. La Suède a-t-elle connu semblable aventure ? Nous serions tentés de répondre oui en nous référant au cas de Bertil Schütt. C'est, lui aussi, un homme venu du dehors. Par son père, il est d'ascendance russe et israélite, il voit la Suède avec les yeux interrogateurs de l'étranger. Il a été fourreur et il a tenu boutique dans les beaux quartiers de Stockholm, avant d'être saisi par le vertige des années 40, il a parcouru le monde, bourlinguant sur les côtes d'Afrique, hantant les rues chaudes de Casa et de Dakar. Il a été boxeur la durée d'un match. Il a même tâté de la planche à clous et s'est proclamé fakir. Puis il a écrit des romans (*Le Poisson-lanterne, Le solo de triangle*), il s'est assuré une solide réputation d'humoriste et de non-conformiste en proposant dans un roman-pamphlet, comme remède aux misères sexuelles dont souffre la Suède, la loterie du sexe (*Détresse dans l'abondance*). Il n'a commencé à écrire son théâtre absurde qu'au début des années 50. Donc dans le temps même où

Ionesco essayait de faire écouter sa *Cantatrice chauve* et où Adamov réunissait au Théâtre Lancry les premiers admirateurs de *Parodie,* Schütt faisait jouer puis éditer *Inomhuslek (Sports d'intérieur, La Femme Cheval).* Lorsque le rideau se lève, il nous semble que la dispute du couple strindbergien reprend à l'âge moderne, plus morne et plus aigre encore qu'au temps de *Père* et de la *Danse de mort,* car les protagonistes sont des ratés, un romancier sans lecteurs, une comédienne dont le mariage a interrompu une carrière sans éclat. Tous deux souffrent, regrettent, se tourmentent, puis brusquement, de la provocation naît la magie, des personnages fantastico-poétiques surgissent, nos héros se transforment, se dédoublent, se perdent dans un étrange rêve totémique, le règne animal envahit la conscience des humains, l'imaginaire ne se distingue plus que malaisément du réel. La confusion est bientôt si grande que l'auteur lui-même éprouve les plus grandes difficultés à récupérer ses personnages, à remettre de l'ordre dans la maison. Finalement c'est la comédienne qui restera la maîtresse de la situation, chassant de l'appartement les fantômes dérisoires et encombrants et avec eux l'époux volage et cynique qui avait déclenché cette brutale invasion.

Depuis lors Schütt s'est attaqué aux sujets les plus divers et a fait preuve de la plus grande audace. Laissons de côté une parodie de drame policier, pourtant divertissante, *La Mort par le rire* pour mentionner une comédie aristophanesque d'anticipation *Läckan (Fuite d'eau),* l'action se déroule en 1980, une guerre atomique a ravagé la plus grande partie de la planète. Réduite à quelques dizaines de milliers d'individus, l'humanité s'est réfugiée dans un chapelet de grottes, non loin de la mer. Encore beaucoup de nos successeurs ont-ils perdu à la bataille le don de procréer et l'on a sélectionné tous ceux dont les capacités génésiques étaient reconnues intactes. Ceux-là ont été classés P6 (en suédois *P sex*). Les deux héros du drame, un couple de P6 se débat dans l'angoisse, en effet, depuis qu'ils sont nubiles, sous le contrôle d'inspecteurs spécialisés qui, presque chaque jour ont relevé les cadrans ornant leur chambre, ils ont vécu ensemble. Et pourtant, au cours de ces dix ans, ils n'ont eu aucune descendance. Aucun signe n'annonce une prochaine naissance. Vont-ils être déchus de leur dignité, perdre tous les avantages liés à leur classement et devoir travailler à nouveau, comme tous leurs frères moins bien partagés qui s'affairent dans la vaste termitière humaine ? La bonne volonté des malheureux ne faisant aucun doute, les autorités leur accordent un sursis, ils multiplient les assouplissements physiques et psychologiques qui pourraient les amener à mieux s'acquitter de la tâche que l'Etat leur a confiée. Ils se lancent dans une rêverie si puissante, si profonde que, de leur imagination naissent deux personnages nouveaux, des dieux, qui s'installent dans leur étroite cellule (et qu'il va falloir nourrir, or la ration de pilules est soigneusement calculée pour chacun dans le phalanstère sous-marin ou souterrain, on ne sait pas trop). De plus, la police rôde constamment autour de tous les citoyens et plus particulièrement autour des P sex. Alors, comment dissimuler les nouveaux dieux, ou, comme dirait Ionesco, comment s'en débarrasser ? La grande conduite qui passe dans le couloir voisin cesse bientôt d'être étanche, par la fenêtre on aperçoit des poissons qui nagent, alors que précédemment les oiseaux venaient s'y montrer. L'eau monte qui va aider l'auteur, dans une atmosphère « fin du monde », à trouver son dénouement. Ajoutons que nous avons mainte raison de penser que cette fuite d'eau providentielle n'ébranle pas la sécurité du monde réel, l'auteur nous permet de supposer que cette catastrophe prend place dans le délire qui trouble l'esprit des deux condamnés. Ici, comme dans les œuvres précédentes, Schütt nous interdit de tracer une frontière trop précise entre l'univers de la réalité et le règne du délire ou de l'hallucination collective.

Toujours audacieux, Schütt a voulu rivaliser avec nos vaudevillistes de la Belle Epoque. Sa pièce bouffonne *La Veuve*, absurdiste dans le détail de l'exécution mais construite avec une rigueur inattendue chez un homme de cette génération, a remporté un très vif succès au Théâtre de Malmö. Schütt nous présente un comédien (un raté, pour ce qui est de la profession, mais Harry, c'est son nom, est rusé comme le Scapin de Molière ou comme le Heinrich de Holberg et, comme tous les valets de comédie, il adore se déguiser). Harry a une petite amie, Annie qui, de temps à autre, se travestit en cartomancienne. Tous deux s'entendent pour duper (et plumer) une cliente de la cartomancienne, honorable veuve — ou qui se croit telle, son mari n'est jamais revenu d'une expédition dans l'Himalaya —. Un sketch s'ébauche dans l'esprit de notre comédien : Annie va suggérer à la veuve (fort désirable encore) qu'un charmant jeune homme viendra la trouver. Elle l'épousera, elle sera heureuse avec lui. Bien entendu, ce sera Harry, l'union ne durera pas longtemps, juste le temps nécessaire pour que Harry reçoive en donation toute la fortune de Polly la veuve. Mais Polly s'accroche à ce jeune mari. Comment l'amener à rompre ? Une seule solution : rendre Polly... polygame. Harry va tenir le rôle du mari qui est revenu du Tibet sans crier gare. Il est si bon comédien que Polly tombe une fois encore dans le panneau. Mais quelqu'un trouble la fête, le vrai alpiniste qui vient encore ajouter à la confusion générale. Harry, poussé par la très morale Annie (d'ailleurs jalouse de Polly et non sans raison), se prépare à avouer ses vilennies multiples mais Polly et son alpiniste, tout à l'euphorie des retrouvailles, se refusent à entendre la moindre explication. Annie et Harry pourront se marier et ils seront riches aussi, grâce à la générosité aveugle de la charmante Polly. Toute pièce qui s'achève sur un mariage est nécessairement un ouvrage moral. Je ne sais s'il faut mesurer la *Veuve* à l'aune de la moralité. Mais on rit à la voir ou à la lire, tout comme on s'amuse en regardant Scapin duper Géronte. Scapin est-il moral ?

A date toute récente, quittant le théâtre pour le cabaret et s'improvisant metteur en scène, Bertil Schütt a présenté sur la petite scène du Pistol Teater de Stockholm une irrévérencieuse parodie. *Kyrkomöte* (*La Secte se réunit*) fait songer aux réunions cultuelles assorties de prédications que les « Eglises libres » de Suède tiennent parfois en plein air. Mais ici, l'homme et la femme d'aujourd'hui rendent un culte à leurs véritables divinités, le ventre, Eros, la voiture, le veau d'or. Le texte contient beaucoup de mots crus, des vérités amères, il est coupé d'effets scéniques saisissants. Le culte s'achève par la distribution de la nouvelle communion, le couple qui joue le rôle du clergé la distribue aux spectateurs sous forme de petits miroirs qui leur renvoient leur propre image, car les contemporains, en leur totale impiété, semblent ne plus connaître qu'un seul maître, qu'un seul dieu, leur propre Moi. La critique suédoise a fait un excellent accueil à cette dernière création, on doit le noter, car elle n'a pas toujours été tendre pour cet absurdiste, elle admet maintenant que, avec Bertil Schütt, la Suède compte un authentique auteur dramatique.

Sans quitter tout-à-fait le Royaume de l'Absurde, faisons encore place à ce que nous appellerons le théâtre des lyriques. Comme nous vivons au temps du lyrisme grinçant, de la lyre volontairement désaccordée, ce théâtre-là aussi débouche sur l'Absurde. Werner Aspenström, en tant que poète lyrique et essayiste, appartient au *fyrtiotal,* mais ce n'est que dans les années 50 qu'il s'est tourné vers le théâtre. Et il se refuse à écrire en vue de la représentation, les servitudes de l'industrie théâtrale lui inspirent quelque dégoût, pourquoi s'astreindre à écrire des pièces qui occuperont le spectateur toute une soirée, quand on ne tient qu'une idée fournissant la matière d'une courte mais savoureuse pochade ? Quant à lui, il se plaît à nous offrir dans ses deux volumes des esquisses très brèves (Tome I, 1956) ou des pièces un peu plus longues mais n'excédant jamais la taille d'une toute petite comédie ou d'un drame en miniature (Tome II, 1963). Il sait qu'il ne sera pas joué (et pourtant il l'a été plus d'une fois, grâce à des amateurs qui ont bon goût, tout récemment il connut le discutable bonheur d'être au centre d'une véritable bataille à la biennale de Paris), il s'efforce de plaire à un public de lecteurs. Pour mieux présenter ses textes dramatiques, il développe largement les indications scéniques (qui occupent la moitié gauche de la page, tandis que le texte des répliques est cantonné dans la moitié droite). Un simple coup d'œil sur le livre permet de constater que souvent le texte dit n'occupe qu'une place modeste dans les préoccupations de l'auteur. Une fois même le texte disparaît complètement. Il s'agit d'une pantomime dont les héros sont des singes.

Quelle est l'inspiration de ce théâtre impressionniste et poétique ? Volontiers, pour le définir, je reprendrais ce sous-titre que W. Aspenström a donné à sa petite comédie *Skuggorna* (**Les Ombres**), « Ett skuggspel om en förvirrad man i en förvirrad tid », « Un jeu d'ombres [chinoises] à propos d'un homme troublé en une époque troublée ». Un poète jette sur un monde qui le trouble un regard inquiet. Il toise les hommes qu'il rencontre sur son chemin et se laisse entraîner malgré lui dans le tourbillon que crée une société sans âme. Le héros qui prend souvent les apparences d'un être romantique, fier et tourmenté, déjà au bord de la psychose, est affronté aux raffinements bureaucratiques d'un « Wellfare State » qui s'occupe avec une sollicitude et une persévérance déplacées de notre santé et de notre bonheur. Ici c'est un individu peureux qui doit être soumis à un examen radiologique obligatoire et qui hurle son inquiétude. Ailleurs une jeune fille tombe au milieu d'une absurde vente aux enchères menée par un commissaire priseur aux allures d'automate en présence d'acquéreurs pour qui l'achat et la vente sont devenues une fin en soi, sans qu'on songe un instant à l'objet mis aux enchères. La malheureuse ne parvient pas à expliquer pourquoi elle souffre ni à intéresser ces hommes-machines à l'objet de sa nostalgie. De même un prêtre traverse la vente, disant son angoisse métaphysique, mais nul ne le prend au sérieux. La tonalité de ces brèves sonates dramatiques n'est pas nécessairement désespérée ni même tout-à-fait sombre. La mélancolie fondamentale du poète ne lui interdit pas de sacrifier à son goût pour l'idylle, il sait aussi écrire de petits contes, un peu dans le style des romantiques allemands. Chamisso eût aimé sa petite pièce *Skuggorna* (*Les Ombres*). Aspenström est aussi accessible à une large et robuste tendresse humaine qui se nuance parfois d'un humour sombre. Le mélange doux-amer du breuvage qu'il nous sert nous rappelle plus d'une fois les compositions tendres et grinçantes d'un grand aîné, Pär Lagerkvist.

Parmi les lyriques suédois qui ont abordé le théâtre, citons encore Lars Forssell, dont la grande tragédie néo-antique *Kröningen* (*Le Couronnement*), qui tendait à renouveler l'antique histoire d'Admète, n'a remporté au Théâtre Royal dramatique qu'un succès d'estime. En revanche son esquisse *Charlie Mac Death,* 1961 (admirablement interprétée au Stadsteatern de Stockholm par Ulla Sjöblom) a conquis le public (de même elle a été fort bien accueillie par un public d'invités à la Maison Belge de la Cité Universitaire à Paris) : c'est le dialogue du ventriloque et de sa poupée sur la scène d'un music-hall. Mais le Maître perd le contrôle du numéro, la poupée prend le commandement et réduit le baladin à sa merci. Depuis lors, Forssell a présenté une excellente pièce en un acte, *Mary Lou* (1962) qui a pour cadre un studio de la radiodiffusion allemande à la fin de la seconde guerre mondiale. L'auteur nous révèle les secrets du « traître » de service, en l'espèce une femme qui, abusant du charme de sa voix, invitait les soldats yankees à cesser le combat. La critique suédoise manifesta un grand enthousiasme devant cette réussite et salua en Forssell le « rénovateur de la scène suédoise ». La grande comédie qu'il fit jouer en 1963, *La Promenade du dimanche,* ne se maintient pas au même niveau.

Il est sans doute trop tôt pour juger et classer les productions plus récentes. Les historiens suédois n'ont pas encore trouvé le temps ni l'audace nécessaires pour nous définir les caractères du nouveau crû, le *sextitalet* (la génération des années 60). Verra-t-on se dessiner un retour au réalisme et à une littérature plus réaliste et plus « sociale » ? Certains indices sembleraient l'indiquer, notamment le succès remporté par un drame polémique très fortement ancré dans la réalité suédoise, *Le Juge,* œuvre d'un vétéran des années 30, le puissant écrivain et polémiste Vilhelm Moberg.

On serait une fois de plus tenté d'enregistrer ce retour au réalisme en examinant la première pièce d'un débutant, Bo Sköld, qui suscita un assez vif étonnement. D'abord à cause de son titre insolite et passablement « vieux-jeu » : *Ma bien-aimée est une rose* (*Min älskade är en ros*) ensuite parce que l'auteur avait tenté une exploration hardie sur une *terra incognita*, la psychologie des « teenagers ». Il a imaginé un personnage de « docent » (maître de conférences) de l'Université d'Upsal qui vit complètement en dehors du monde moderne. Cet

universitaire déteste cette société matérialiste, indifférente à tout ce qui l'intéresse lui : l'esthétique, l'histoire de l'art, les valeurs de l'esprit. Car il ne vit que
pour ses études, il est plongé dans un grand livre qu'il est en train de composer,
un tableau de l'Italie au temps de Botticelli. Notre homme se heurte constamment
à son entourage qui ne le comprend pas et qui ne lui manifeste aucune sympathie. Les hommes et les femmes qu'il rencontre vivent d'une existence superficielle et comme standardisée, façonnés dans leurs aspirations et leur comportement par l'éthique simpliste du « wellfare state », à l'aise dans les dérisoires
palais que les promoteurs suédois mettent à la disposition de leurs concitoyens.
Notre docent veut pourtant se prouver à lui-même qu'il existe encore de par le
monde, et en tout cas parmi les jeunes, des âmes fraîches et pures capables de
se laisser envahir par l'émotion esthétique la plus haute. Il aborde donc dans
la rue une « Mademoiselle Age tendre » et il prétend lui faire apprécier les sublimes prestiges du Quattrocento. Il lui met sous le nez à brûle-pourpoint une
reproduction du « Printemps » de Boticelli. La mignonne constate seulement
qu'on lui présente l'image de femmes fort peu vêtues. Elle exprime sa surprise
en termes crus et dignes de sa contemporaine Zazie. Veut-on l'inciter à la débau-
che ? Elle est amenée à raconter à sa mère cet étrange incident. Celle-ci entre
immédiatement en action. Elle s'indigne : sa fille est sérieuse, il faut se garder
de la troubler. Toute réflexion faite, la mère et la fille se mettent d'accord pour
voir venir les événements. Après tout, ce docent, malgré la différence d'âge,
pourrait faire un excellent fiancé. Mais la bande de blousons noirs dont la jeune
personne est l'égérie aperçoit l'affaire sous un tout autre angle. Ne pourrait-on
pas faire chanter ce ridicule croûtant ? La fillette va donc servir d'appeau, nos
voyous montent une affreuse embuscade, on convoque même un voyeur. Mais
c'était compter sans l'amour. Non seulement le docent s'est sérieusement épris
de la petite mais l'irrévérencieuse jouvencelle fait connaissance avec le respect,
l'affection même, et bientôt l'amour. Ici l'affaire tourne mal (non seulement pour
elle mais encore pour l'auteur qui tombe dans le mélodrame). Mademoiselle Age
tendre s'interpose quand les blousons noirs, furieux de ne pas être parvenus à
leurs fins, se ruent sur notre savant. La fillette paie de sa vie son attitude
courageuse.

La pièce serait passionnante si Bo Sköld n'avait pas couru deux lièvres
à la fois. Il veut faire le procès de l'Etat-Providence et de la civilisation banale
qui défigure la Suède traditionnelle et en même temps il prétend brosser une
fresque illustrant les vertus et les vices de la jeune génération. Faute de pouvoir
exploiter à fond une matière ardue (comment décrire cette jeune faune qu'on
approche si difficilement ?) il insiste sur le premier thème, à vrai dire plus
banal, la critique de la civilisation H.L.M.; fatalement il perd le fil et nous entraîne sur des sentiers battus. Si parfois il nous donne l'impression de reculer
devant une tâche trop difficile et s'il nous déçoit, surtout dans son dernier acte,
Bo Sköld a amplement prouvé, en écrivant quelques scènes vives, fraîches et très
originales qu'il possédait un réel talent d'auteur dramatique.

Cette dernière pièce nous présente malgré tout une image assez frappante de la Suède contemporaine. Les universitaires — disons plus généralement les intellectuels — s'y sentent trop souvent mal à l'aise. Ils ont trop souvent l'impression que les recherches auxquelles ils se livrent n'apparaissent aux yeux de leurs compatriotes que comme des distractions gratuites et personnelles, qu'on les traite comme de doux rêveurs, qu'ils sont mis presque en quarantaine, tandis que les élites de fait (ou plutôt les élites du salaire, les « cadres supérieurs », dans la terminologie française) visent exclusivement à s'assurer un confort toujours plus grand. Ces gens-là se gargarisent de formules toutes faites, s'enferment dans des schémas sociaux préfabriqués, restent prisonniers de ce que Georges Perec appelle « les Choses ». Les intellectuels se sont donc laissé enfermer dans une sorte de ghetto. Il semble bien que le théâtre suédois de ces dernières années ne soit guère écrit et ne se joue guère qu'au profit des tribus squelettiques qui vivent dans ce ghetto. La remarque vaut pour presque tous les textes que nous venons d'évoquer, sauf sans doute pour les drames de Stig Dagerman, cet authentique fils du peuple. Pourquoi le théâtre suédois s'est-il ainsi coupé du peuple ? Le théâtre ne vivra pas, s'il continue à être écrit, un peu partout dans le monde, par et pour les habitants de Saint-Germain-des-Prés, de Greenwich Village, ou encore par et pour la bohême littéraire qui évolue dans les rues étroites de Gamla Stan, à Stockholm. Il faut que le théâtre cesse d'avoir honte de lui-même, de céder automatiquement le pas à l'anti-théâtre, de se moquer constamment de lui-même. Pour survivre, le théâtre a besoin de faire une cure de jouvence, de se simplifier, de se purifier et de plonger à nouveau dans le peuple de puissantes racines nourricières.

LES VOIES DU THÉÂTRE SOVIÉTIQUE RUSSE [1]

par Nina GOURFINKEL

I. — LA DRAMATURGIE

A la recherche d'un style révolutionnaire

Au seuil de 1917, le drame russe traverse une mauvaise passe. Le répertoire se contente de pièces de divertissement ou d'une fausse profondeur psychologique, sous-produits de Léonide Andréev. L'intérêt se porte moins sur le fond que sur le spectacle. Au tournant du siècle, seul le Théâtre d'Art de Moscou conciliait la solide dramaturgie à problèmes avec les recherches — inédites à l'époque — de réalisme psychologique et d'« états d'âme ». Mais ce stade est dépassé. Le spectateur russe s'est laissé séduire par les images scéniques. Il a vu Reinhardt, Craig; il a vu des reconstitutions des théâtres antique et espagnol; Meyerhold le tient en haleine par ses grandes mises en scène de classiques et par l'emploi des procédés de la commedia dell'arte dans ses écoles et sur les petites scènes. Les jeunes studios du Théâtre d'Art suivent des cheminements compliqués, Taïrov et Vakhtangov montent des spectacles retentissants. Le metteur en scène est maître du théâtre.

La Révolution de Février 1917 n'y change rien. Elle libère tout au plus un flot de pièces jusque-là jugées inacceptables par la censure, ou d'ignobles farces dont la famille impériale fait les frais (« raspoutiniades »). Dans le meilleur des cas, ce sont des pièces historiques sur la sombre époque de Paul Ier ou le martyre des décabristes. Après Octobre, la question du répertoire se pose enfin sérieusement, car il s'agit, pour le nouveau pouvoir, d'ouvrir les scènes bourgeoises aux masses et de faire l'éducation de celles-ci par le théâtre. Mais quel répertoire choisir ?

---

[1] La présente étude se borne aux exemples les plus marquants qui permettent de dégager l'évolution du théâtre soviétique.

En 1919, Gorki, sa compagne, l'actrice Marie Andréeva et le poète Alexandre Blok fondent, à Pétrograd, le Grand Théâtre Dramatique, tandis que Radlov ouvre Le Théâtre de la Comédie Populaire. Ni le premier, avec ses tragédies et ses auteurs de comédies — Schiller, Shakespeare, Molière, non plus que le second, avec ses farces anciennes, raffinées et savantes, ou de mises en scène d'expressionnistes allemands, ne reçoivent l'adhésion du nouveau public. En désespoir de cause, Gorki en arrive à prôner le retour au mélodrame.

Dérouté, ne se trouvant pas de place, Stanislavski part pour une longue tournée en Occident (1922-24), tandis que Némirovitch-Dantchenko accueille la comédie musicale au vénérable Théâtre d'Art, allant de *La Mégère apprivoisée* à *La Fille de Madame Angot*. Le répertoire manque cruellement. Meyerhold se tourne vers l'adaptation de pièces à tournure révolutionnaire, *Les Aubes* de Verhaeren ou *La Nuit* de Martinet, pour passer ensuite, audacieusement, à des « montages » de classiques — Ostrovski, Soukhovo-Kobyline, Gogol. A coups d'innovations esthétiques : constructivisme, bio-mécanique, recomposition du texte, il s'efforce de leur faire rendre un son nouveau.

La dramaturgie, qui retarde sur l'art de la mise en scène, cherche à innover en s'inspirant de la technique des spectacles surgis de la Révolution : imposantes scènes de masse à ciel ouvert. Donnés la nuit, sous le puissant éclairage des projecteurs, devant le fronton classique de la Bourse, sur la Néva ou sur l'immense place du Palais d'Hiver, ces spectacles sont montés par des hommes de théâtre aux idées esthétiques avancées — Annenkov, Doboujinski, Chtchouko, Evréïnov, Petrov, qui se souviennent des fêtes de la Renaissance et de la Révolution française. Des milliers d'exécutants recrutés dans les usines ou les casernes, s'adressens à des dizaines de milliers de spectateurs massés sur le ponts, sur les places, dans les rues adjacentes. Dans ces conditions, il ne peut s'agir que d'une suite d'images grossies, suggestives, l'action étant remplacée par l'opposition des prolétaires opprimés aux oppresseurs capitalistes, des assaillants rouges aux assiégés blancs. En fait de texte, éclatent des mots d'ordre, des coups de canon, des stridulations de sirènes ou une musique grandiose.

Des procédés analogues, mais sur une petite échelle, sont utilisés par l'agitation et la propagande, l'*agit-prop*. Les acteurs et les peintres se transforment en agitateurs. Sur des plateformes de camion, ils parcourent les rues jouant de courtes scènes. Les énormes affiches de propagande, qui parfois couvrent de vastes pans de mur, fixent les « masques sociaux » : d'un côté, le prolétaire, l'ouvrier, le combattant de la Révolution; de l'autre, le capitaliste à chapeau claque ou le bourgeois à chapeau melon. Maïakovski et Babel ont dessiné des milliers de ces placards.

Ainsi se dégagent les protagonistes du nouveau drame, personnages-types qui envahiront bientôt la scène.

Le roman et la nouvelle sont les premiers à rendre le chaos de la guerre civile, le froid, la famine, les épidémies, l'immense ballottement des foules, réfugiés ou combattants, l'enchevêtrement des hommes et des choses à travers le pays. Les romanciers découvrent des moyens d'expression neufs, un style saccadé, cahoté, un langage enrichi par l'afflux d'expressions régionales ou techniques ou empruntées à la langue verte, des onomatopées faites de sigles des nouvelles institutions; ils bouleversent la synthaxe, ils créent ce qu'on appellera la composition « déchirée » (*rvanaïa kompositsia*), fragmentaire, ahanante, dont Boris Pilniak est le grand virtuose.

La dramaturgie fera son profit de ces procédés : le style placard, les personnages types contrastés, en noir et blanc, ou plutôt en rouge et blanc, la composition morcelée, en épisodes, des répliques et des situations stéréotypées, et avec ça le goût de l'épopée, le besoin de montrer la foule et son impressionnant déferlement. Maïakovski le premier en tirera la leçon dans son *Mystère-bouffe* (1918), satire schématique qui se joue entre les bourgeois et les prolétaires, dans un décor qui représente la calotte du globe terrestre. Mis en scène par Meyerhold, dans des conditions aléatoires, *Le Mystère-bouffe*, d'abord incompris, restera longtemps la seule pièce authentiquement soviétique.

Dans sa dramaturgie de metteur en scène, Meyerhold s'inspire des nouveaux procédés, se fait « co-auteur » des classiques qu'il morcelle et façonne à son gré. Son « Octobre Théâtral » se place sous le signe de recherches esthétiques, entraînant de nombreux studios et petites scènes qui se consacrent à des recherches inspirées du modernisme le plus échevelé — futuristes, excentriques, constructivistes, imaginistes, etc. Epoque folle, anarchiste et cependant infiniment féconde, dont le souvenir, plus que jamais, hante aujourd'hui les artistes russes. Voici ce qu'en écrit Nicolas Akimov, un des plus remarquables metteurs en scène de Léningrad :

« *A ceux qui n'ont pas connu nos studios et petits théâtres des années 20 et 30, il est difficile d'imaginer les immenses possibilités de travail qu'ils offraient, grâce à l'esprit qui y soufflait, à la confiance mutuelle et à la foi que nous avions en nos animateurs...* » (2).

Le théâtre au secours du dramaturge

Les toutes premières œuvres dramatiques, nourries de l'héroïsme de la guerre civile, témoignent des convictions politiques avec beaucoup de bonne volonté, sans savoir mettre à profit la nouvelle technique. Leurs auteurs sont de vieux communistes, tel A. Sérafimovitch (1883-1949) qui, en 1918, écrit *Mariana*, où il nous fait assister à l'éveil d'une paysanne à la vie consciente sous l'effet de la révolution. A. Névérov (1886-1923) est l'auteur de courtes « pièces d'agitation » (*aguitki*), héroïques et symboliques, sur la guerre civile, destinées parfois à être jouées à ciel ouvert; il fait deux pièces réalistes : *Les Babas* et *La Mort de Zakhar* (1920), drames sociaux et lutte de classes au sein de la paysannerie. Elles sont jouées surtout par les collectivités et les clubs ouvriers *auto-actifs* (amateurs). Ces pièces sont d'autant plus nombreuses que Gorki en

---

(2) N. Akimov : *A propos de théâtre.* Léningrad-Moscou, 1962.

provoque la multiplication en instituant, en 1919, des concours dramatiques, mais elles sont faibles et boiteuses (3).

La nouvelle technique n'apparaîtra que chez des auteurs professionnels, à commencer par Vladimir Bill-Bélotserkovski (né en 1884), dans ses pièces *L'Echo* (1924) et *Barre à gauche !* (1926). La première a pour sujet une grève de dockers américains refusant de charger des armes destinées aux occidentaux qui veulent intervenir en Russie; la seconde montre la révolte, sur un navire anglais, des matelots qui, bien que férocement maltraités, résistent dans une situation similaire. Les deux pièces se composent de brefs et multiples épisodes et comptent de nombreux personnages, violemment contrastés : d'un côté, les héroïques révolutionnaires, de l'autre, la police, les fascistes, le Ku-Klux-Klan. Les dialogues, rapides et pathétiques, sonnent comme des mots d'ordre. Aucune individualisation, l'attitude du personnage est déterminée par son appartenance de classe.

La tendance à traiter la révolution sur un mode « cosmique », pathétique et philosophique, trouve son expression dans le théâtre d'Anatole Lounatcharski (1875-1933). Communiste de la génération aînée, il pratique, après 1917, les mêmes formes qu'au début du siècle, faisant largement appel aux symboles et à l'histoire, à Faust, à Cromwell, à Campanella. On le joue beaucoup au début des années 20. Ses pièces, quelle que soit leur grandiloquence, sont d'un niveau intellectuel certain et d'un généreux élan humaniste.

Par réaction au symbolisme abstrait, naissent de nombreuses pièces aux clichés révolutionnaires romantiques. On y voit réapparaître le thème de l'amour, dramatisé par les péripéties de la guerre civile. Ce sont des éphémérides, mais le grand public en est friand. La révolution, constatent certains critiques, y est traitée *« à la lumière de Dumas-père »*. En 1925, au cours d'une discussion de « L'union des auteurs dramatiques révolutionnaires », le drame social est opposé à ce *« théâtre de sentiments intimes qui, étalant l'individualisme et l'adultère, réduit la pièce à l'intrigue amoureuse »*.

Bien qu'ouvert à tous les genres et sympathisant, en vieil habitué de Montparnasse, avec les courants d'avant-garde, Lounatcharski n'en est pas moins un consciencieux Commissaire du Peuple à l'instruction publique : il sait que, seul, un théâtre réaliste sérieux peut remplir la tâche éducative que lui assigne le nouveau régime, et, dès 1923, il lance le mot d'ordre : *« En arrière, vers Ostrovski ! »* (4).

Ce n'est pas qu'il prône un retour direct au plus grand des dramaturges russes du milieu du XIXᵉ siècle, avec son réalisme brutal, mais il veut revigorer la dramaturgie, la tourner vers des personnages de chair et de sang, présentés sous des formes immédiatement perceptibles à un vaste public fermé aux arguties de l'art moderne.

---

(3) V. les comptes rendus de ces pièces par Alexandre Blok, Œuvres éd. Lén. 1936, vol. 12.
(4) A. LOUNATCHARSKI : *Théâtre et dramaturgie*. Moscou 1958.

Un autre facteur de retour au réalisme est fourni par les pièces-chroniques qui reconstituent des épisodes révolutionnaires précis dans leur vérité historique, par exemple le soulèvement des décabristes, le meurtre d'Alexandre II ou la révolution de 1905.

Enfin, il faut tenir compte de l'influence du cinéma où la coulée des épisodes s'accorde avec la précision de l'image et, ce qui importe, avec l'image de l'homme. Serge Eisenstein, élève de Meyerhold, qui a commencé sa carrière dans les théâtres excentriques extrémistes, passe au cinéma dans un tout autre esprit. En 1925, *La Grève* et *Le Cuirassé Potemkine* orientent les auteurs dramatiques et les metteurs en scène. L'individu réapparaît sur le plateau.

Mais c'est encore le théâtre qui aidera le mieux le dramaturge à retrouver un sol ferme.

Stanislavski est rentré en Russie en 1924. Il est mécontent de ce qu'il y retrouve : les outrances formalistes et la déformation des classiques au goût du jour l'épouvantent. Il a pour le texte un respect religieux, et lorsqu'il a lui-même recours à « l'actualisation » d'anciennes pièces, il le fait par des moyens scéniques, sans toucher au texte (5). Cependant, il comprend qu'il est impossible de s'en tenir là, même s'il s'agit de *Figaro*, de *Fuente ovejuna* ou de Romain Rolland. Voici qu'approche le xe anniversaire du nouveau régime, le public a droit à une dramaturgie soviétique portant sur la scène sa propre vie et ses propres problèmes. Devant la pénurie de la production, Stanislavski se tourne vers le roman qui, lui, a produit des œuvres de valeur. Il attire de jeunes romanciers et les fait travailler pour le théâtre.

« *Notre force est dans notre ensemble,* dit-il, *dans la mise en valeur d'un seul thème... Un théâtre* dramatique — *je souligne :* dramatique, *doit disposer d'un drame, c'est-à-dire d'une action qui se développe sur* un seul thème, *d'une action unie qui résulte des événements et des conflits de caractères et qui, sous forme de spectacle, expose au spectateur* l'idée *dont il a besoin* en ce moment ».

Le travail de *dramatisation*, accompli par Stanislavski avec les jeunes écrivains est étonnant (6). Le maître amène les auteurs à *dramatiser* les conflits, le caractère des personnages, leur attitude politique, leurs rapports de famille et leurs sentiments, de manière à doser l'individuel et le social en renonçant au monumental et à l'abstrait. Ceci s'impose d'autant plus que la première tentative du Théâtre d'Art de monter une pièce soviétique a échoué. Il s'agissait d'un drame historique de Tréniov sur la révolte de Pougatchev, une jacquerie au temps de Catherine II. Il est caractéristique que cette pièce ne s'intitulait pas « Pougatchev » mais *Pougatcherie (Pougatchovchtchina)*. L'auteur et le théâtre cherchaient à rendre la révolte, la colère cosaque et paysanne, tandis que la

---

(5) Mon étude sur Stanislavski dans *La Mise en scène des œuvres du passé.* C.N.R.S., Paris, 1957.

(6) N. GORTCHAKOV : *Leçons de mise en scène de Stanislavski.* Moscou, 1951. — E. POLIAKOVA : *Le Théâtre et le dramaturge. Le travail du Théâtre d'Art sur les pièces des auteurs soviétiques. 1917-1941.* Moscou, 1958.

figure de Pougatchev restait pâle. On ne voyait pas un chef mais un pantin mu par des forces historiques qu'il ne savait ni galvaniser ni maîtriser. L'auteur et le théâtre avaient succombé au « sociologisme vulgaire » des débuts du marxisme russe et à sa négation du rôle de l'individu dans l'histoire (on allait se rattraper avec le culte de la personnalité !).

Stanislavski tira la leçon de l'échec de cette abstraction : il fallait au plus vite revenir aux personnages contemporains et les habiller de chair.

« *Le temps est venu*, disait-il, *de montrer ce que la révolution a changé dans l'homme. Il ne suffit pas de la figurer sur la scène sous forme d'une foule portant des drapeaux* ».

C'est ainsi que, sous sa direction, furent adaptées et créées les premières pièces vraiment soviétiques.

Les Jours des Tourbine (1926), d'après le roman de Mikhaïl Boulgakov (1891-1940) : *La Garde blanche*, montrent le tourment d'un groupe d'officiers, patriotes sincères mais hostiles à la révolution. Les personnages de Boulgakov, écrivain d'un talent original et inquiet, sont dans la ligne traditionnelle de l'interprétation du Théâtre d'Art, mais il parut inadmissible à certaines autorités de montrer des blancs sympathiques et honnêtes. Le spectacle souleva de vives controverses. En dépit des blâmes, il se maintint au répertoire, au prix, il est vrai, d'importantes modifications.

La grande réussite de Stanislavski « dramaturge » fut l'adaptation de la nouvelle de Vsévolod Ivanov : *Le Train blindé 14-69,* épisode de la guerre civile en Sibérie : un train d'officiers blancs qui traverse la taïga, est coupé de ses points d'attache par les maquisards paysans.

« *Le récit d'Ivanov*, dit Stanislavski, *montrait la révolution sous l'aspect d'* « *éléments déchaînés* ». *Nous ne devons pas nous y laisser prendre. Nous nous sommes brûlé les doigts avec* La Pougatcherie, *et la faute n'en est pas seulement à l'auteur* ».

Stanislavski exige des personnages forts, nettement dessinés. Dirigé par lui, par sa connaissance du plateau, Vsévolod Ivanov élague, complète, regroupe et écrit de nouvelles scènes, pour aboutir à une pièce sobre et puissante. *Le Train blindé* est devenu un classique de la jeune dramaturgie soviétique.

Cette actualisation, ce sentiment du temps présent, d'une vie intensément vécue *en ce moment,* qui est le propre du théâtre, Stanislavski a su l'insuffler à d'autres pièces. *Ountilovsk,* de Léonide Léonov (né en 1899), un des plus remarquables romanciers et dramaturges soviétiques (7), est un tableau saisissant

---

(7) Le théâtre de Léonide Léonov et celui de Mikhaïl Boulgakov, non conformistes, nourris aux sources dostoievskiennes, exigeraient une étude spéciale. Parmi les pièces les plus intéressantes de Léonov, citons : *Skoutarevski* (1934), *La Tempête de neige* (1939, interdite sous Staline), *Un Homme ordinaire* (1945), *Le Carosse d'or* (1957). Parmi les pièces de Boulgakov : *L'Ile pourpre* (1928), *La Course* (1928), *Molière ou la cabale des dévots* (1936), *Les derniers jours de Pouchkine* (1943). Boulgakov a adapté à la scène *Les Ames mortes* de Gogol (1932) et *Don Quichotte* (1938). Il a laissé un *Roman théâtral* inachevé, satire acerbe des méthodes de Stanislavski (publié dans *Novy Mir*, 1965, 8).

de l'agonie de l'ancien mode de penser, dans une petite ville de province (1928). *Ils ont mangé la grenouille (Rastratchiki,* 1928), comédie adaptée d'un roman comique de Valentin Kataëv (né en 1897), conte les aventures anodines de deux caissiers, poussées par Stanislavski jusqu'au burlesque gogolien.

Stanislavski n'est certes pas le seul à avoir fait naître des vocations dramaturgiques, mais il l'a fait avec génie, et il est l'initiateur de la féconde collaboration du dramaturge avec le metteur en scène (8).

La tentation du psychologique

On a accoutumé de considérer *La Tempête (Chtorm)* de Bill-Bélotserkovski (1925) comme le début d'une nouvelle étape tendant, cette fois, au psychologique. C'est encore une pièce « kaléïdoscopique », avec une cinquantaine de personnages qui défilent en petites scènes fragmentaires, mais traités moins sommairement. L'action est plus concrète, les personnages plus tangibles. Le héros est un commissaire régional, secondé par un matelot unijambiste, fruste mais clairvoyant et plein de fougue. A eux deux, ils se lancent à l'assaut de tous les fléaux qui conspirent contre le nouveau régime. Le Commissaire sera tué, mais la cause est sauve.

L'héroïsme s'humanise dans la célèbre pièce de Constantin Tréniov : *Lioubov Iarovaïa* (1927, Théâtre Maly). L'action se déroule dans une petite ville qui, des mains des rouges, passe aux mains des blancs, pour revenir définitivement aux communistes. Le désordre amené par ces changements de pouvoir successifs permet à l'auteur de montrer le désarroi, la bêtise, la cupidité ou l'hypocrisie des habitants. Le texte abonde en situations comiques, telles les scènes où figure un vieux professeur converti au marxisme sur ses vieux jours. La figure du Commissaire modèle Kochkine, encore schématique, est irréprochablement exemplaire, mais, à côté de ce monolithisme, il y a la lente et difficile prise de conscience de Pikalov, soldat-paysan, et surtout la figure de Chvandia. Ce matelot illettré est un vrai chef, âme de l'action révolutionnaire, audacieux, rusé, ingénieux, imprévu.

Les différents épisodes sont groupés autour du drame de l'institutrice Lioubov Iarovaïa qui a de tout cœur adhéré à la révolution. Lioubov, qui aime son mari, le croit perdu; elle finit par le retrouver dans la mêlée, mais ce n'est plus le même homme : cet ancien révolutionnaire est maintenant un officier blanc. Lioubov découvre qu'il trame un complot et, la mort dans l'âme, le dénonce aux rouges.

Ni la figure de l'héroïne ni celle de son mari ne sont approfondies. C'est un drame de situation et non de caractères, mais il s'agit d'une situation connue,

---

(8) Parmi les metteurs en scène « dramaturges », nommons Meyerhold, Alexei Popov, Okhlopkov, etc. Cf. B. Romachov : *Le Dramaturge et le théâtre. Articles, souvenirs, études.* Moscou, 1953. — K. Roudnitsky : *Portraits de dramaturges.* Moscou, 1961.

fréquente au cours des luttes civiles qui divisaient les familles, et le public supplée aux insuffisances. On lui a offert enfin une matière humaine ! Ainsi s'explique l'énorme succès de cette pièce.

L'auteur, Constantin Tréniov (1878-1945), de la génération aînée, a su insérer les nombreux épisodes et le mouvement incessant de la foule dans un cadre solide de cinq actes. Il y a près de cinquante personnages dont beaucoup épisodiques, sans compter la foule anonyme, composée de « gardes-rouges, ouvriers, officiers, soldats, lycéennes, citoyens » (9).

Aussi classique d'allure, mais plus concentrée, est *La Cassure* (*Razlom*, 1927, Théâtre Vakhtangov), pièce en quatre actes de Boris Lavréniov (1891-1959). L'action, qui se situe à Cronstadt dans les journées d'octobre, se déroule, tantôt sur le cuirassé « L'Aube » (allusion au cuirassé historique « Aurore »), et tantôt à terre, dans l'appartement du Capitaine de vaisseau Bersénev. Celui-ci, rallié à la Révolution, est passé du côté des matelots. Chez lui, sauf sa fille Tatiana, toute la famille est contre-révolutionnaire, d'où le titre de la pièce : « cassure ». Son gendre, le lieutenant Stube (la consonance germanique de son nom est révélatrice), complote avec les émissaires des blancs, et l'intrigue se dénoue grâce à Tatiana qui dénonce son mari.

Lavréniov a cherché à fuir les généralisations, il a réduit le nombre de personnages et les a individualisés; sa composition est plus ferme. Il s'est libéré de la théorie qui voulait que l'héroïque fût incompatible avec le drame personnel.

Un grand pas vers le psychologisme est fait par Alexandre Afinoguénov (1904-1941). Issu d'un milieu d'intellectuels, après avoir surmonté le gauchisme artistique de ses débuts, Afinoguénov écrit deux drames qui, d'emblée, le placent au tout premier rang des dramaturges soviétiques. Le premier : *Le Cinglé* (*Tchoudak*, 1929, Théâtre d'Art), a pour lieu d'action une manufacture de papier en province. Volguine, qui y travaille, est « un communiste sans parti », il croit au socialisme, il est sincère, enthousiaste et désintéressé, ce qui lui vaut d'être considéré comme un cinglé; il s'épuise dans une vaine lutte contre le bureaucratisme étouffant de la direction, personnifié par la présidente du comité d'usine, communiste décrite d'une plume satirique : noyée dans un flot de circulaires, elle ne voit ni la vie ni le véritable travail.

La seconde pièce d'Afinoguénov : *La Peur* (1931, Théâtre d'Art) s'attaque à un sujet ambitieux : celui de la reconversion idéologique de la vieille intelligentsia. Le protagoniste en est le professeur Borodine, âgé de soixante ans, directeur d'un Institut de stimulants physiologiques. Sincère, honnête, mais anti-marxiste et partisan de la « science pure », Borodine est l'auteur d'une théorie sur les « stimulants immuables » qui sont la faim, l'amour, la colère et

---

(9) *Lioubov Iarovaïa*, créée en 1927 par le Théâtre Maly, ne recevra sa forme définitive que dix ans après, lorsque, avant de la monter au Théâtre d'Art, Némirovitch-Dantchenko la retravaillera avec l'auteur, selon les méthodes de Stanislavski. V. *La Dramaturgie soviétique*, vol. I, Moscou-Lén. 1948, et C. Tréniov : *Œuvres*, éd. 1956, vol. I.

surtout la peur. Pour mettre au point cette théorie, il a créé un laboratoire d'étude du comportement humain. Il veut préserver la science de l'assaut des jeunes, issus du peuple, qu'il considère comme des barbares, des « kirghizes aux pommettes saillantes ». « *Le laboratoire prouvera, dit-il, que notre existence va à vau l'eau. Ce sont des savants qui devraient gouverner le pays et non des jeunes gens frustes. Le système soviétique ne vaut rien* ».

Le professeur est soutenu par son élève Hermann, apolitique, fils d'un sénateur, ce qui l'empêche d'être nommé assistant. Lui aussi pense que « *la physiologie devrait évincer la politique. Ce n'est pas dans des comités exécutifs et des cellules que doit se décider le destin des hommes, mais dans des instituts...* ».

Borodine a une fille; sculpteur, elle a fait une statue symbolique d'exécution très moderne : « Le Prolétaire », que la petite pionnière (« éclaireuse ») âgée de dix ans, a pris pour un chameau. Les conceptions non-figuratives de la fille vont rejoindre les « stimulants idéalistes » de son père, alors que l'enfant déjà consciente écrit des rapports sur la situation sanitaire. Elle aimerait bien jouer à la poupée, mais elle en a honte.

L'opposition ne se borne pas à la vaillante pionnière. Borodine se heurte aux jeunes savants de formation marxiste, Hélène et Kimbaëv; ce dernier, originaire du Kazakhstan, est justement « un kirghize aux pommettes saillantes ». « *Que de livres ! s'écrie Kimbaëv. Et je dois les lire tous. Jusqu'à l'âge de vingt ans, je n'ai fait que m'occuper de chevaux; il faut maintenant que je me rattrape. Le peuple du Kazakhstan est encore dans les ténèbres...* ». Kimbaëv lit nuit et jour, jusqu'à en perdre la tête, mais encouragé par Hélène, il croit fermement que les véritables stimulants sont le travail, l'enthousiasme et la joie de vivre.

Avec l'aide de la vieille et sage communiste Clara, les yeux du professeur s'ouvrent à la vérité marxiste. Face au public, il proclame son nouveau credo.

L'art d'Afinoguénov est manifeste et l'aiguillon de la satire ne l'est pas moins qui a valu à la pièce une interdiction d'abord, puis de nombreux remaniements et des atténuations (10). Afinoguénov ne se contente plus de caractères statiques, son Borodine évolue sous nos yeux. Voici comment l'auteur interprète, à sa façon, la fameuse formule de Staline sur « les écrivains, ingénieurs de l'âme » :

« *Nous sommes des ingénieurs de la psychologie de l'homme qui se manifeste dans son caractère... Souvent, nous nous disons : voici des sentiments neufs, il faut les déceler et les décrire. Mais ne serait-il pas plus important de suivre comment, dans de nouvelles circonstances, les sentiments anciens se muent en sentiments nouveaux...* » (11).

Une autre pièce significative d'Afinoguénov est *Le Lointain* (*Daliokoïé*, 1935). C'est le nom d'une petite gare perdue dans la taïga sibérienne, à 6 700 km

---

(10) La version originale de *La Peur* n'a pas été publiée.
(11) A. AFINOGUÉNOV : *Articles, journaux intimes, lettres, souvenirs*. Moscou, 1957. — *Journaux intimes et carnets*. Moscou, 1960.

de Moscou. Là, travaillent de toutes petites gens, mais leur effort quotidien, ordinaire, implique un véritable héroïsme.

Le thème de l'intellectuel revient de plus en plus souvent au théâtre. Parmi les pièces les plus marquantes, mais d'un niveau inférieur à celui d'Afinoguénov, citons, pour son grand succès, *Platon Krétchet* (1934) de Kornéïtchouk. Le jeune chirurgien Krétchet est un novateur qui tente d'audacieuses expériences, mais il entre en conflit avec l'administration ignare. L'intrigue est corsée par les amours de Krétchet avec une jeune fille dont il a opéré, sans succès, le père.

Retour à l'épopée

En 1929, débute le premier plan quinquennal. Le pouvoir lance un appel au pays pour l'inciter à contribuer à son succès. Les écrivains, en particulier, sont chargés d'insuffler l'enthousiasme aux combattants du front de la reconstruction, et de visiter, à cet effet, les usines, les kolkhozes, les gigantesques chantiers qui s'ouvrent un peu partout (12).

Là encore, le roman montre la voie au théâtre : Léonide Léonov chante la naissance d'un combinat en Turkménie (*Sot*, 1930), et Mariette Chaguinian glorifie les techniciens dans *L'Hydrocentrale* (1931). On adapte les romans de Fédor Gladkov (1883-1959) dont les titres sont parlants : *Le Ciment* (1926, Théâtre Municipal de Moscou) et *L'Energie* (au même théâtre, 1934).

Une des premières pièces conçues à la gloire de l'industrialisation : *Le Pont de feu* (1929, Théâtre Maly) de Boris Romachov (1895-1958), jette un pont entre l'épopée guerrière et l'épopée industrielle en chantant la grandeur du labeur.

L'étoile de cette nouvelle étape de la dramaturgie soviétique est Nicolas Pogodine (1900-1962). Il est significatif qu'il vient du journalisme. Depuis l'âge de vingt-deux ans, il est correspondant ambulant de la *Pravda*, ce qu'on appelle un *otcherkist*, spécialiste de reportages romancés. *Otcherk* est en Russie un genre civique par excellence, et il a derrière lui un passé glorieux : au XIXe siècle, il a largement contribué à la formation du réalisme en faisant connaître la situation lamentable du peuple sous le régime tsariste. Sa vocation de dramaturge apparut à Pogodine au cours d'une de ses missions de reporter à Stalingrad, en 1929, à l'usine des tracteurs qui s'y édifiait. Voici ce qu'il raconte dans ses *Notes autobiographiques* (13) :

« *J'écrivis ma première pièce dans l'ignorance totale des lois du métier dramaturgique. Je la fis, parce que j'éprouvais le vif besoin d'exprimer les énormes, les émouvantes impressions qui m'envahirent au chantier de Stalingrad... J'assistais là à quelque chose d'inouï. Les rythmes de la construction géante agis-*

---

(12) *Questions de littérature et de dramaturgie*. Recueil. Lén. 1934. — *Le Théâtre soviétique et notre époque* (*Sovietski teatr i sovremennost*). *Recueil de documents et d'articles*. VTO, Moscou 1947. — *Le Théâtre soviétique*. Recueil. Moscou 1947.

(13) Nicolas Pogodine : *Œuvres dramatiques* en 5 vol., Moscou 1960, vol. I, pp. 15-25.

saient sur les gens, ils les brisaient, et instinctivement, je pénétrais le sens d'un processus que je ne comprenais pas encore, mais dont les contradictions dynamiques et la dialectique intérieure étaient proprement dramatiques. Sans que j'eusse fait un grand effort et presque à mon insu, ce dramatisme pénétra mes scènes très simples et fondit en un ensemble vivant et impétueux ma première pièce : Le Rythme ».

Cette pièce pose un important jalon dans l'histoire de la dramaturgie russe. Porté par l'enthousiasme, l'auteur l'a écrite en une semaine. (*Tempo*, 1930, Théâtre Vakhtangov). A l'usine, deux groupes d'ouvriers s'affrontent : les métallos qualifiés, communistes conscients et organisés, et les maçons, des paysans, ouvriers saisonniers; habitués à travailler sans hâte, ils ne comprennent pas le but de l'immense entreprise. Leur lenteur freine la construction, et l'ingénieur américain qui la dirige, excédé, menace de donner sa démission. Le dynamisme de Boldyriov, directeur communiste de l'usine, soutenu par les métallos, sauve la situation. Boldyriov empoigne toutes les besognes à la fois, à l'instar du dynamique commissaire de *La Tempête* de Bill-Bélotserkovski : il vient à bout de l'indolence des paysans en les éveillant au rythme de la vie nouvelle mais aussi en faisant purifier au chlore l'eau potable, pour prévenir la typhoïde; il combat en même temps la crasse physique et morale, symbolisée par les punaises (vieux symbole russe, songeons à la pièce de Maïakovski !) :

« *J'alloue cinq mille roubles et demi pour la lutte contre les punaises ! Parce que, frères, les punaises font, elles aussi, obstacle au rythme !* »

On travaillera à l'américaine, rationnellement :

« *L'américanisme, il faut l'entendre à la russe, en l'animant de principes communistes* ».

Cela signifie que si, par rapport aux 100 % du rythme américain, le rendement des Russes n'a été jusque-là que de 60 %, il monte maintenant à 168 % ! L'ingénieur américain en est confondu :

« *Tout en s'affirmant politiquement neutre, Mr. Carter déclare qu'un tel record est impossible dans un pays possédant un régime autre que soviétique !* »

L'année suivante, Pogodine écrit une pièce qui va établir sa gloire définitivement : *Le Poème de la hache* (1930). Cette pièce est née aussi d'un reportage, cette fois dans la petite ville de Zlatooust dans l'Oural, et son décor est une aciérie. Un simple ouvrier découvre par intuition le procédé de fabrication de l'acier inoxydable, ce qui, en lui permettant de fabriquer ses propres haches, va rendre l'Union Soviétique indépendante des livraisons occidentales (14). L'intrigue est corsée de scènes d'espionnage industriel où des Américains et des « touristes » suspects tiennent leur rôle. Pogodine lui-même jugeait la pièce « *grossière, chaotique et criarde* », « *presque dénuée de scènes vraiment drama-*

---

(14) En Occident, des spécialistes hautement qualifiés ont longtemps travaillé avant de découvrir le procédé. Je me suis d'ailleurs laissé dire par des ingénieurs que rien n'était moins rentable que de fabriquer des haches en acier inoxydable.

tiques ». Elle devint cependant célèbre, parce que, dit l'auteur, « *elle était l'ex-pression militante d'une orientation dramaturgique avec très peu de dramaturgie proprement dite* ». N'oublions pas son titre lyrique : *Le Poème de la hache.*

C'est encore l'usine qui forme le décor de la troisième pièce célèbre de Pogo-dine : *Mon Ami* (1932, Théâtre de la Révolution) où l'auteur, à en croire la critique soviétique, approfondit la psychologie de ses personnages, surtout celle de Gaï, le directeur de l'usine, qui entrera dans la galerie des héros exemplaires. Communiste, enthousiaste du travail, Gaï combat les intrigants qui cherchent à entraver son action. Il triomphe d'une cabale grâce à la compréhension d'une « Personnalité dirigeante du Centre » (ainsi est désigné ce personnage dans la distribution). On retrouvera souvent dans le théâtre soviétique cet Exempt du Roy du final de *Tartuffe* qui vient rétablir la justice. Chez les auteurs de l'U.R.S.S. son apparition est due aux mêmes raisons que chez Molière.

Gaï est considéré comme le type même du héros positif de l'ère industrielle, comme Chvandia, de *Lioubov Iarovaïa*, ou Godoun, de *La Cassure*, l'étaient de l'ère de la guerre civile.

Pogodine lui-même est beaucoup plus modeste que la presse soviétique :

« *En bâtissant ma pièce sous forme d'épisodes fragmentaires et presque fortuits, je me souciais seulement de rendre l'esprit du temps, de montrer en toute sincérité la difficulté de mettre en œuvre une entreprise neuve et moderne dans un pays paysan, arriéré... J'ai introduit dans cette pièce de nombreux per-sonnages. Ils sont illustratifs, tracés d'une main faible qui ne savait pas camper un caractère en deux ou trois traits, et ne servent qu'à faire progresser l'action liée au travail de l'usine...* ».

Sans doute considère-t-on *Mon Ami* comme un chef-d'œuvre parce que, contrairement aux pièces précédentes de Pogodine, qui manquaient d'un axe dramatique, la figure centrale de Gaï lui en offre un. Il faut tenir compte aussi du travail accompli par l'excellent metteur en scène Alexeï Popov qui apporta un grand secours à l'auteur inexpérimenté.

Les tons majeurs de ce genre de pièces et leur optimisme, appréciés par les gouvernants, assurèrent leur succès. Elles furent suivies d'un flot d'œuvres « industrielles ». Encouragées en haut lieu, celles-ci lassèrent vite le public. Une fois de plus, Pogodine avait vu juste :

« *On ne pouvait recommencer indéfiniment* Le Poème de la hache. *Celui-ci a eu son temps, et ce temps est passé. Le spectateur ne peut pas admirer sans fin comment, sur la scène, on coule le métal et on forge des haches. Il exige de nouveaux sentiments, de nouveaux caractères. Afinoguénov l'a compris avant moi... Mon malheur est de ne pas avoir reçu une formation classique. Ce défaut devait inévitablement marquer ma profession littéraire. Une fois passées les premières inspirations, je constatai que je manquais de bagages pour atteindre une véritable maîtrise...* ».

Pogodine continue d'être joué sur les scènes de l'Union. Il a indiscutable-ment du talent, mais son succès tient peut-être surtout à son flair. Dans une œuvre qui compte plus de quarante pièces, il a toujours su s'attaquer au sujet actuel et, comme il a vécu jusqu'en 1962, nous le rencontrerons à tous les tournants.

Ainsi, sentant faiblir l'enthousiasme industriel, il renouvela le genre en prenant pour sujet la construction du Canal de la Mer Blanche par des criminels de droit commun que des tchékistes rééduquent à force d'enthousiasme pour le travail. Dans cette comédie héroïque figurent des personnages truculents, délinquants, voleurs, prostituées, parlant une savoureuse langue verte. Mais la fin est édifiante, puisqu'ils se convertissent à la vertu du labeur. Le titre de la pièce est : *Les Aristocrates*. L'évolution du théâtre soviétique est telle que le metteur en scène Okhlopkov, élève de Meyerhold, qui avait créé cette pièce en 1935 au Théâtre Réaliste comme une haute comédie, a pu la reprendre, en 1957, au Théâtre Maïakovski, sous forme d'une farce bouffonne.

L'agriculture n'a pas été oubliée. *Le Pain*, de Vladimir Kirchon, met en scène la lutte pour la socialisation de la campagne (1930, Théâtre Académique du Drame à Léningrad) (15). Le roman de Cholokhov : *Les Terres vierges*, n'a pas seulement été adapté à la scène, mais I. Dzerjinski en a fait un opéra (1937, Théâtre Bolchoï). Dans ce domaine, nous retrouvons aussi Pogodine avec sa pièce : *Après le bal* (1934, Théâtre de la Révolution) qui traite des problèmes de la collectivisation dans les kolkhozes, sous une forme mi-sérieuse, mi-plaisante, à la manière des *Aristocrates*. C'est dans les années 1950, lorsque Khrouchtchev aura lancé le mot d'ordre d'emblavement des terres vierges, que se déchaînera le flot de pièces agricoles.

A côté de l'épopée industrielle, continue l'épopée guerrière. Les romans de Cholokhov, de Fadéev, d'Alexeï Tolstoï montrent la voie. Au théâtre, dans sa pièce en vers : *Le Commandarme 2*, Ilia Selvinski (né en 1899, Théâtre Meyerhold, 1929) a essayé de sortir des voies battues en représentant un commandant d'armée issu de l'intelligentsia, en conflit avec la soldatesque. L'individu pensant s'oppose à la collectivité aveugle. Fatalement, c'est l'individu qui est brisé : le commandant sera fusillé sur l'ordre d'un bolchévik monolithique. On a cru voir dans cette pièce de Selvinski la première tragédie soviétique, mais, très vite, on en découvrit « l'erreur idéologique ». Le poète et son metteur en scène, Meyerhold, furent accusés d'individualisme.

Une tragédie soviétique ne peut être pessimiste, c'est ce que viennent démontrer deux auteurs en vogue : Korneïtchouk, dans sa *Fin de l'Escadre* (1933), met en scène l'héroïsme de la flotte de la Mer Noire, qui se saborde plutôt que

---

(15) Vl. Kirchon (1902-1938) était déjà un auteur connu. Sa pièce *La Rouille* (en collab. avec A. Ouspenski, 1927), consacrée au problème, brûlant à l'époque, de l'amour libre, avait fait énormément de bruit. Ce fut aussi la première pièce soviétique représentée à l'étranger. Dans la saison 1929-30, elle fut jouée à Londres, à Berlin et à Leipzig. New York en donna une version déformée dans un but de propagande antisoviétique. A Paris, *La Rouille* eut 150 représentations au Théâtre de l'Avenue. Parmi les autres pièces de Kirchon les plus connues sont : *Les Rails grondent* (1928), *Le Ville des vents* (1929), *Le merveilleux Alliage* (1934), comédie pour la jeunesse, jouée aujourd'hui encore dans l'Union. Kirchon mourut victime de Staline.

de tomber entre les mains de l'ennemi; Vsévolod Vichnevski (1900-1951) est l'auteur de la plus célèbre des pièces soviétiques de ce genre : *La Tragédie optimiste.*

Militaire, combattant de la guerre civile, mitrailleur, commandant de la flotte rouge, Vichnevski porte au sublime l'épopée guerrière. Ses premières pièces étaient destinées au théâtre aux armées. Sa *Première Division montée* (1929) est un « drame sans héros » : elle traite de la désagrégation de l'armée tsariste et de sa bolchévisation. Délibérément, Vichnevski renonce à toute « psychologie », voire à toute composition traditionnelle et revient aux épisodes, au schématisme, à la multiplication de scènes sans lien logique, avec de très nombreux personnages qui se perdent dans la foule. *La Tragédie optimiste* est considérée comme un des sommets de la dramaturgie soviétique (1933, Théâtre Kamerny). On a vu cette pièce à Paris au Théâtre des Nations, dans la solennelle mise en scène de Tovstonogov. C'est un épisode de la guerre civile. Un détachement de marins de la Baltique est envoyé en Crimée pour combattre les Allemands. La présence d'éléments anarchistes menace l'unité du détachement. Mais le commissaire politique, une jeune femme, réduit l'anarchie et ramène les combattants à la conscience de leur devoir révolutionnaire. Elle paie de sa vie son intrépidité, mais elle a su maîtriser le chaos. C'est pourquoi cette tragédie est dite optimiste (16).

A ces années appartiennent également les adaptations scéniques de romans célèbres sur la guerre civile : *Le Torrent de fer* de Sérafimovitch (1924, adapté en 1934), *Tchapaëv* de Fourmanov (1923, adapté en 1930), *Et l'Acier fut trempé* de Nicolas Ostrovski (1935, adapté en 1937).

Lénine incarné

Dans ce cliquetis d'armes, dans ce bourdonnement de machines, une tendance à l'humanisation se fait jour par une voie imprévue.

En 1937, à l'occasion du xxᵉ anniversaire de la Révolution, le gouvernement organise un concours de pièces et de films sur le sujet : l'avènement des bolchéviks et Lénine en Octobre.

Le poème de Maïakovski sur Lénine, « *le plus terrestre des hommes qui passèrent sur la face de la terre* », et les pages émouvantes que Gorki lui consacra, avaient rendu la figure de Lénine proche et humaine, et c'est ainsi que le traitèrent, en pleine légende héroïque, les auteurs et les cinéastes. Parmi les pièces présentées au concours, les suffrages allèrent à *L'Homme au fusil* de Pogodine (1937, Théâtre Vakhtangov) et à *La Vérité* de Korneïtchouk (1937, Théâtre de la Révolution). Les deux auteurs — Pogodine avec plus de bonheur — choisirent, pour montrer le chef, un moment où il entre en contact avec un homme du peuple.

---

(16) Vs. VICHNEVSKI est aussi l'auteur du scénario du film de Dzigan : *Nous autres de Cronstadt.*

14. VSEVOLOD VICHNIEVSKI : La Tragédie optimiste.

Dans la pièce de Pogodine, un soldat-paysan désorienté arrive du front à Pétrograd; il tient encore à la main son fusil, mais refuse de se battre. Il se rend au Smolny pour demander ce qu'il faut faire. Dans un couloir, il tombe sur Lénine et, sans savoir à qui il s'adresse, il lui demande où il pourrait obtenir un verre de thé. Gentiment, Lénine lui indique la cantine et profite de l'occasion pour appliquer sa fameuse « méthode d'explication » : avec simplicité et précision, il fait comprendre au soldat Ivan Chadrine son devoir de combattant de la Révolution : il ne doit pas jeter son fusil pour rentrer les mains nues dans son village où il espère obtenir enfin un lopin de terre; non, pour devenir maître de sa terre, il lui faut justement garder son fusil et combattre.

Korneïtchouk, plus romantique, choisit aussi pour héros un soldat-paysan rentré du front. Tarass Golota va de l'un à l'autre, à la recherche de la vérité. Pour la découvrir, il est prêt à aller à pied jusqu'en Sibérie. Un bolchévik le conduit au Smolny et c'est Lénine en personne qui la lui révèle.

Tarass : « *Merci, camarade Lénine. J'ai longtemps cherché la vérité et c'est ici que je l'ai trouvée... Maintenant, nous anéantirons tout ce qui nous barre encore le chemin* ».

Fort du succès de *L'Homme au fusil*, Pogodine fera deux autres pièces sur Lénine : *Les Carillons de Moscou* (1942, Théâtre d'Art) où on voit Lénine s'attaquant au problème de l'électrification, et *La Troisième pathétique* (1958, Théâtre d'Art), consacrée aux derniers jours du chef. Au-delà de la mort, Lénine réapparaît dans le final sur le péristyle du Smolny, pour insuffler une dernière fois l'enthousiasme aux révolutionnaires qui défilent devant l'état-major bolchévik.

La Troisième pathétique, qui date de 1958, porte déjà la marque de la grandiloquence que le style stalinien a imprimée à l'art soviétique. Mais des années après, voici la désagréable aventure arrivée au dramaturge Alexandre Krone (né en 1909). Comme beaucoup d'autres, il voulut représenter un Lénine « tout simple ». Dans sa pièce : *Entre les pluies* (1964), on voit Lénine dans son modeste logis dans les communs du Kremlin. En un long monologue, il réfléchit aux raisons d'introduire une nouvelle politique économique. Il cherche aussi à comprendre le comportement d'un jeune garçon. Il hésite : « Je n'ai pas de fils, moi... ». La table est mise, sa femme et sa sœur tardent, Lénine a faim. Il grignote sa pauvre ration de pain. Ceci fut jugé vraiment trop trivial. La pièce avait été publiée dans la revue « Théâtre », (1964, 4), mais dès le numéro suivant, la rédaction, dûment chapitrée sans doute, reconnaissait avoir commis une erreur en la faisant connaître. En 1965, cependant, la pièce apparaissait sur la scène, « revue et corrigée ».

Le réalisme socialiste

Aux débuts de la Révolution, Lénine, tout en soulignant son incompétence en la matière, se déclarait en faveur de la présentation des œuvres d'art sous des formes réalistes, immédiatement perceptibles au nouveau spectateur de masse. Mais, la tâche éducative mise à part, il reconnaissait à l'artiste une liberté absolue

dans le choix de ses moyens d'expression et il exigeait qu'il fût traité avec mé-
nagement.

En cela, les autorités suivirent Lénine. Une résolution du Comité Central
de 1925 portait expressément que le parti entendait « *ne pas se lier en adhérant
à un quelconque courant artistique* » mais au contraire tenait « *à ce que, dans
tous les domaines, s'exerçât une libre compétition de tendances et de groupements* ». La résolution s'achevait sur cette déclaration significative : « *Toute
autre solution du problème serait une solution bureaucratique* » (17).

En 1927, le Comité Central s'exprimait encore dans le même sens. Cependant, vers 1930, l'influence, encore occulte de Staline, commençait à se faire
sentir, imposant toujours plus impérieusement une politique artistique, dictée
quant au fond, par sa hantise de la grandeur, et quant aux formes, par ses déplorables goûts personnels.

En 1932, les mouvements d'avant-garde étaient liquidés, et en 1934, au Premier Congrès des Ecrivains, Jdanov, soutenu par Gorki et Némirovitch-Datchen-
ko, proclamait la prééminence du réalisme socialiste. En soi, cela aurait pu ne
pas être un grand malheur, le réalisme étant le style national par excellence.
Mais il s'agissait, hélas ! non d'une priorité, commandée par des buts éducatifs,
mais d'exclusivité. Ce n'était pas l'intention de Gorki, très ouvert aux recherches
des jeunes auteurs; mais l'administrateur Jdanov entendait « faire de l'ordre »
dans le domaine intellectuel et, pour lui, le nouveau style se présentait comme
un règlement obligatoire d'autant plus intransigeant qu'il ne s'agissait plus de
réalisme « psychologique » ou « critique », tel que l'avait connu le xixe siècle,
mais « socialiste », c'est-à-dire rigoureusement conforme à la politique du parti.
Celle-ci visait à rééduquer l'homme russe en lui imposant, du haut de la scène,
des modèles. Staline lançait sa formule de « *l'écrivain, ingénieur des âmes* », ce
qui présumait que ces âmes devaient être faites de béton et de fer. L'héroïque et
l'épique étaient plus que jamais à l'ordre du jour (18).

Par bonheur, l'influence de Gorki (déclaré classique de son vivant et participant, bien malgré lui, comme Stanislavski, du culte de la personnalité) exerça
sur ces tendances une action modératrice. Dramaturge plutôt faible, ce dont lui-
même se rendait parfaitement compte (19), Gorki avait dit au théâtre ce qu'il
avait à dire, trente ans auparavant, avec *Les Bas-fonds, Les Petits-bourgeois* et
Les Ennemis et il ne fit que reprendre ses anciens thèmes dans les pièces de
sa dernière époque. Il ne créa aucun de ces types prolétariens, puissants et mo-
nolithiques, qu'appelait de ses vœux le réalisme socialiste. Egor Boulytchev, le

---

(17) *Les Voies du théâtre (Pouti razvitia teatra)*, recueil. Moscou 1940.
  (18) R. Rostotski : *Histoire de la lutte pour un théâtre soviétique réaliste et idéologique.*
Moscou-Lén., 1950. — A. Anastassiev : *La Lutte du Théâtre d'Art contre le formalisme.* Moscou,
1953; *Au Théâtre contemporain.* Moscou, 1961; *Aujourd'hui au théâtre.* Moscou, 1965. —
Les Résolutions du Parti Communiste 1898-1953 (Kommunist. partia v résolutsiakh), I, 1951,
II, 1953. — *Problèmes de la dramaturgie soviétique.* Recueil. Moscou, 1954.
  (19) *A propos de pièces* (1933). *Œuvres*, vol. 26. — Cf. la correspondance échangée par
Gorki avec les jeunes auteurs dans *Héritage littéraire*, vol. 70, Moscou, 1963.

plus intéressant de ses nouveaux personnages, est plutôt négatif : bourgeois indécis, il s'aperçoit, à la fin de sa vie, que « ce n'est pas la bonne rue qu'il a habitée ».

Gorki agissait moins par son théâtre que par l'influence qu'il exerçait, par le rayonnement de sa personnalité, par la contagion de sa foi en l'homme. On lui doit aussi la reprise de la discussion sur « *l'homme vivant sur la scène* », à laquelle la revue « Le Nouveau Spectateur » ouvrait ses pages en 1928. Bill-Bélotserkovski y prônait le style épique : « Assez d'hommes en étui ! » clamait-il, faisant allusion au fameux personnage de Tchékhov, alors qu'Afinoguénov exigeait l'approfondissement psychologique des héros.

Au début des années 30, les deux tendances, épique et psychologique, s'affrontent dans un large débat que le public suit passionnément. Pogodine et Vichnevski sont les tenants de l'héroïsme, Afinoguénov et Kirchon défendent le psychologisme (20).

Le débat porte, d'abord, sur la nature des personnages : faut-il centrer l'action sur un ou deux héros, ou bien sera-ce la foule aux cent visages, menée par des chefs anonymes et remplissant la scène dans un va et vient continuel ? Et s'il y a « héros », seront-ils individualisés ou des êtres tout d'un bloc, sublimes ou abjects, en gros plan, symbolisant telle vertu prolétarienne ou tel vice bourgeois ? Présentera-t-on des hommes ou des « masques sociaux » ? Le conflit doit-il avoir pour objet un thème personnel, ou le choc de la lutte de classes ?

L'expression dramatique se conformera à l'une ou l'autre conception : doit-elle être dynamique, fragmentaire, faite d'épisodes se succédant, souvent sans suite logique, afin de rendre l'agitation, le ballottement, le tourbillon des années révolutionnaires, ou bien est-il possible d'exprimer les nouvelles réalités dans les formes traditionnelles ? Afinoguénov souhaite un héros neuf mais complexe :

« *L'homme de l'édification socialiste ! C'est le nouveau type que l'artiste prolétarien doit approfondir, pour montrer ses possibilités et la multiplicité de ses couleurs. Il faut mettre en lumière sa richesse, et non l'abaisser au niveau d'une masse sans visage* ».

Pour Afinoguénov et Kirchon, seuls les problèmes, les idées, les sentiments, le langage sont neufs. Mais le fond des rapports humains est invariable, et le nouveau peut être rendu par des moyens appartenant à la tradition, en actes, scènes ou tableaux.

La mise en scène et l'interprétation se ressentirent de cette discussion. Selon les termes techniques répandus à l'époque, on la formulait comme le conflit entre « *le plafond* » et « *l'air* ». Les partisans du « plafond », c'est-à-dire de l'image scénique close, voulaient enfermer la pièce dans des intérieurs. Ceux de « l'air », au contraire, prônaient l'action hors les murs, action de masse, épopée, dans un décor symbolique monumental.

---

(20) S. ANDREEVA : *La polémique dans la dramaturgie soviétique des années 1930* dans « Messager de l'Université de Léningrad », n° 20, fasc. 4, Lén. 1957, p. 172 ss.

Au début des années 30, le parti psychologique reçut un important renfort grâce à la publication des jugements sur l'art de Marx et Engels, avec leurs vastes horizons littéraires, et en particulier de la lettre de Marx à Lassalle au sujet de la tragédie de ce dernier : *Franz von Sickingen* (21), où il parlait de la nécessité de camper « *des caractères typiques dans des circonstances typiques* ». Cette formule autorisait les « psychologues » à combattre le schématisme.

Il faut aussi tenir compte du facteur Shakespeare qui, dans ces années 30, est beaucoup joué dans toute l'Union. Il est vrai, à quelques exceptions près, son interprétation tend au monumental, tendance stalinienne par excellence, qui l'emportera bientôt grâce au style imposé par la guerre.

Après la guerre, les problèmes « domestiques » de famille, de jeunesse, d'amitié, confinés entre les quatre murs d'un foyer, reviennent, et cela en dépit de tous les appels des autorités à porter sur la scène des personnages héroïques et leurs exploits sublimes. Les années 50 verront la coexistence des deux tendances.

Entre temps, quelle que puisse être l'exaspération des auteurs et des metteurs en scène, le réalisme socialiste continuera de régner en maître, soutenu par la dictature culturelle et la guerre.

La guerre ramène les mots d'ordre héroïques. Le réalisme se fait martial. La production dramatique de ces années est numériquement énorme, puisque, selon les consignes, elle doit fournir, à la fois, un répertoire valeureux au théâtre aux armées et maintenir le moral à l'arrière. La plupart de ces pièces de circonstances ne dépassent pas le reportage militaire dramatisé. Pratiquement, pas un auteur, obscur ou connu, ne se dispense d'apporter son tribut au genre guerrier. Bornons-nous à signaler quelques titres parmi les plus marquants.

L'auteur le plus acclamé du genre est Constantin Simonov (né en 1915), poète et romancier dont l'œuvre est alimentée par son métier de correspondant de guerre. Les plus connues de ses pièces, d'un caractère franchement journalistique, sont : *Un Gars de notre ville* (1941), dont les personnages sentent venir la guerre et, dans la scène finale, partent au front; *Les Hommes russes*, pièce qui glorifie la résistance socialiste et patriotique au fascisme; son élan et son optimisme lui valent l'honneur d'être publiée dans la *Pravda* (13-16 juillet 1942); *Attends-moi* et *Ce sera ainsi* (1944) traitent des épreuves des familles dispersées et des problèmes d'ordre éthique qui en résultent.

Vichnevski trouve son élément familier dans le drame populaire épique : *Sous les murs de Léningrad* (1944), tandis que Tchépourine, la même année, met en scène *Ceux de Stalingrad*. La guerre terminée, on continue à en reprendre les thèmes. Ainsi fait Simonov : il montre dans *Les Marronniers de Prague* (1945) et *La Question russe* (1946) le combattant soviétique déchiré entre son

---

(21) Lettre du 18 mai 1859. — Cf. G. Fridlender : *Marx et Engels et les problèmes de la littérature*. Moscou, 1962.

désir de rentrer dans ses foyers et son devoir de demeurer hors des frontières, pour assumer ses responsabilités en Europe centrale.

On rencontre parfois dans ces pièces des accents vibrants, mais, dans l'ensemble, que de pathos, de clichés et d'enthousiasme de commande ! Il en va de même des nombreuses pièces historiques qui ressuscitent la vaillance guerrière du temps des Tatares, d'Ivan le Terrible, de Pierre le Grand, de Souvorov et surtout de Koutouzov, héros de la première Guerre Patriotique de 1812.

Dans ce flot, deux exemples, deux pôles du genre : *Le Front* de Korneïtchouk (1942) qui, lui aussi, eut les honneurs de la *Pravda,* et une pièce fort malmenée de Pogodine.

Dans *Le Front,* deux officiers supérieurs se heurtent à cause de leurs conceptions militaires opposées : c'est le vieux général Gorlov, prisonnier de la routine, entouré d'un état-major d'incapables, et le jeune et dynamique général Ogniov qui a assimilé les méthodes de la guerre moderne et aux yeux de qui Gorlov commet un crime contre la patrie (22). Moscou, le centre sage et omniscient, soutiendra Ogniov qui l'emportera.

Mais, à côté du style héroïque, se maintient le besoin de mettre en scène des gens ordinaires, serviteurs dévoués de la patrie sans phrases ronflantes, ou même des embusqués qui n'ont rien compris et ne pensent qu'à sauver leur peau et leurs meubles. Pogodine, extrêmement sensible à la commande sociale, a voulu peindre ces deux catégories de non-héros dans *La Passeuse (Lodotchnitsa,* 1942). Une jeune comsomolienne, qui habite un faubourg de Stalingrad, fait passer la Volga sur sa barque aux civils et aux soldats. C'est une modeste mais vraie héroïne dans une pièce qui n'a rien d'héroïque. Les guerriers et les civils continuent, entre les combats et les alarmes, à songer à leurs petites affaires, et la passeuse fait comme eux. C'est pourquoi la pièce fut vivement attaquée pour son esprit terre à terre et rejetée du répertoire. Pour une fois, l'adroit Pogodine avait raté le coche.

Dans cette production de masse, une pièce au moins rend un son de profonde émotion. Elle est due à Léonide Léonov, dont nous avons dit qu'il était un des auteurs les plus originaux des années 20. *L'Invasion* montre les épreuves d'une famille de médecin dans une petite ville occupée par les Allemands. Il y a là des maquisards et des collaborateurs, « anciens morts », comme les désigne l'auteur, qui s'étaient terrés sous les Soviets et ont repris vie avec l'arrivée des nazis. Le drame d'une petite fille y est esquissé avec discrétion, et il y a surtout l'évolution de Fédor Talanov, le fils du médecin, jeune homme au passé trouble, aigri et secret; cependant, le moment venu, il se sacrifie pour sauver le chef du maquis, indispensable au pays. *L'Invasion* est sans doute le chef-d'œuvre du genre.

---

(22) La figure du militaire nouveau modèle, qui réfléchit, apparaît aussi dans la pièce largement jouée d'Alexandre Krone : *L'Officier de la flotte* (1945, Théâtre d'Art).

Les impératifs dramaturgiques au temps du « culte de la personnalité »

Les écrivains et artistes qui se sont vaillamment battus contre l'envahisseur croyaient avoir conquis, en même temps que la liberté de la patrie, celle de pouvoir enfin créer librement. Cet espoir fut déçu. Dès 1946, les décrets jdanoviens, renforcés en 1948, les maintenaient au pas. L'Union Soviétique arrivait au zénith du culte de la personnalité avec son pesant dirigisme culturel, son chauvinisme, son mauvais goût et ses aspirations au gigantisme dont les gratte-ciel de Moscou conservent le triste souvenir.

Le style de parade devient de rigueur. Il est interdit de mentionner les œuvres et les recherches des quinze premières années de l'ère soviétique et de nombreux artistes récalcitrants, ou réputés tels, sont « physiquement éliminés ». Certains théâtres sont fermés, d'autres réformés de manière à leur faire perdre leur caractère.

Le style stalinien a été imposé avec tant de force qu'il survivra non seulement à la mort du dictateur, en 1953, mais aussi au xxᵉ Congrès où, en 1956, Khrouchtchev, avec une maladresse peut-être voulue, fait mine de renverser l'idole. On verra les successeurs de Staline, formés à son école, reprendre pour leur propre compte et à peine atténuées, ses directives culturelles.

Pour caractériser la production dramaturgique des années 50, il suffit d'analyser les termes littéraires qui naquirent alors et sont toujours, en Russie, d'un emploi courant.

L'immense victoire a engendré, à côté d'un optimisme légitime, l'usage de tons majeurs qui vont jusqu'à la bravade. Tout ce qui est soviétique est porté aux nues. Le nouveau type de héros ne peut être que *positif* (*polojitelny guéroï*) (23). Jadis, au temps des pièces « blanc et rouge », on distinguait facilement le héros positif dans le révolutionnaire. Maintenant, après trente ans de nouveau régime, tout le monde est soviétique, ce qui signifie qu'il n'y a plus de « méchants ». S'il existe des profiteurs, des voleurs, des chenapans, ce ne peuvent être que de tristes survivances de l'époque bourgeoise, nullement caractéristiques de la nouvelle société. Ceux-là sont soumis au « *reforgeage* » (*pérékovka*) qui en fait de vrais soviétiques, c'est-à-dire des héros positifs. Il ne peut surgir entre ces personnages entièrement positifs que des conflits entre « le bien » et « le mieux », comme on trouvait, par exemple, chez Gogol une « dame simplement agréable » et une « dame agréable sous tous les rapports ». En conséquence, dans les pièces de Korneïtchouk, Sofronov, Mdivani, Finn, Salynski et *tutti quanti* (24), on voit des kolkhoziens, des savants ou des ouvriers travaillant « bien » ou « encore

---

(23) *L'Image du héros positif dans les littératures des peuples de l'U.R.S.S.* Acad. des sciences sociales auprès du Comité Central du Parti Comm. Chaire de la théorie de l'art et de la litt. Moscou, 1962. — V. Ozerov : *L'Image du communiste dans la littérature soviétique.* 2ᵉ éd., Moscou, 1960.

(24) Le *nec plus ultra* du sirop kolkhozien est la pièce de Korneïtchouk : *Le bosquet d'obiers* (*Kalinovaïa rochtcha*, 1950).

mieux ». Grâce au *reforgeage,* tout s'arrange et aboutit à un obligatoire *happy end.* Le final le plus répandu, comme le fait remarquer un critique, est « l'apothéose autour d'une table de banquet ». Cette manière de ne peindre que des situations et des personnages positifs recevra l'appellation très répandue de « vernissage » (*lakirovka*) ou de « style de parade » (*paradnost*).

Il en résulte une impossibilité d'opposition dramatique sinon superficielle, c'est-à-dire la négation même du drame. Dans le meilleur des cas, on recherchera un faux conflit, par exemple entre un ouvrier inventeur et un ouvrier routinier. Les dialogues sont « déclaratifs » (*déklarativnyé*) et les personnages « illustratifs » (*illustrativnyé*) et ils évoluent dans un vacuum dramatique.

Tout cela est exprimé par un nouveau terme exhaustif : *beskonfliktnost* (absence de conflit), puisque théoriquement aucun conflit sérieux ne peut surgir dans une société socialiste « reforgée ».

Tout irait donc pour le mieux dans le meilleur des mondes, mais voilà que, chose inouïe en Russie, le public se met à bouder les théâtres...

La grande victime de cet état de choses est la comédie, à plus forte raison la comédie satirique (25).

Ses débuts, dans les années 20, avaient été brillants : Maïakovski lui avait donné le départ, atteignant d'emblée à un niveau de fantaisie, de rire et d'acerbe ironie qui n'a pas été dépassé. A côté des survivances du régime bourgeois, il mettait au pilori les tares du nouveau régime; le bureaucratisme dévorant, le doctrinarisme, le retour au pire académisme dans l'art. Dès 1929, il pressentait le danger de la phraséologie ronflante, destinée à dissimuler l'absence de véritable esprit révolutionnaire. Maïakovski est sorti à temps de la scène soviétique pour n'avoir pas eu à répondre de cette scandaleuse liberté de jugement. Au moment des grandes purges, Meyerhold, son metteur en scène, paie pour les deux et les pièces de Maïakovski disparaissent du répertoire soviétique pour vingt ans.

Les premières comédies soviétiques trouvaient une riche pâture dans l'épanouissement momentané de la nouvelle politique économique, la NEP, avec ses profiteurs, les *nepmen.* Telles les pièces de Boris Romachov (1895-1958) : *Le Soufflé* au titre parlant (1925, Théâtre de la Révolution) ou *La Fin de Krivorylsk* (1926, même théâtre). Mais là aussi il était dangereux d'aller trop loin. Ainsi, on reprocha vivement à Mikhail Boulgakov *Le Logis à Zoïka* (1926, Théâtre Vakhtangov), comédie considérée comme « *idéologiquement viciée* » et presque antisoviétique, parce que, « *à l'écume capitaliste* » des businessmen qui opèrent avec l'appui d'une entremetteuse et dans son logement, l'auteur n'a pas opposé un représentant « positif » de la nouvelle société. C'est ainsi qu'un siècle auparavant, on avait reproché à l'auteur du *Révizor* de n'avoir montré dans sa comé-

---

(25) N. Frolov : *A propos de la comédie soviétique.* Moscou 1954 ; *L'art révèle le monde. Articles sur la littérature, la dramaturgie et le cinéma.* Moscou, 1965. L'évolution des idées de l'auteur qui s'est accomplie entre ces deux ouvrages est caractéristique.

die que des personnages négatifs, à quoi Gogol rétorquait qu'il y en avait aussi un positif : le rire.

Dans le même ordre d'idées, Nicolas Erdmann se rendit suspect d'irrévérence à l'égard des Soviets par sa satire des ci-devant : *Le Mandat* (1925, Théâtre Meyerhold). Suspectes aussi les comédies de Zochtchenko ou de Iouri Olécha. Ce dernier s'attacha à mettre en scène, dans des tons mi-mélancoliques mi-ironiques, le paradoxe de la vieille intelligentsia, à la fois attirée et horrifiée par la Révolution. On lui doit *La Conjuration des sentiments* (1929, Théâtre Vakhtangov), *La Liste des bienfaits* (1931, Théâtre Meyerhold) et *Les trois Poussahs* (1930).

Depuis *Le Révizor*, la bureaucratie a toujours été la cible traditionnelle de la comédie russe. L'étatisation soviétique avec son innombrable armée de fonctionnaires donnait prise à la satire au moins autant que le régime tsariste. Gorki en personne en avait donné un exemple par son scénario (1918) au titre parlant : *Le Camarade Samotiokov*, qu'on pourrait traduire par : *Le Camarade à la diarrhée verbale*. *Le Coup de feu* d'Alexandre Bézymenski (né en 1898) continuait les attaques contre les bureaucrates dans l'esprit de Maïakovski et de Meyerhold.

Les procédés de farce, encore grossis dans la mise en scène meyerholdienne du *Lac Lull* d'A. Faïko (1923, Théâtre de la Révolution) étaient également employés par l'auteur dans *L'Homme à la serviette* (1928) où s'opposaient des savants : d'un côté, les sincères, les vieux démocrates, de l'autre, les carriéristes, ceux qui savent s'adapter.

Valentin Kataëv (né en 1897) est l'auteur de légères et divertissantes comédies sans méchanceté : *Ils ont mangé la grenouille* (1930, Théâtre d'Art, nous l'avons mentionnée) ou *La Quadrature du cercle*, quiproquo résultant de la difficulté de cohabitation dans les logements surpeuplés.

Mais la satire perd de son mordant. Victor Goussev (1909-1944) fait une « comédie héroïque » : *La Gloire* (1935) et une « comédie lyrique » : *Le Printemps à Moscou* (1941), consacrée à la jeunesse. Vers 1950, la satire est émoussée, « édentée ». Les auteurs préfèrent choisir des sujets anodins, par exemple la promotion de la femme. Ainsi, dans la trilogie d'Anatole Sofronov (né en 1911) : *Le Cordon bleu* (1959), *Le Cordon bleu marié* (1961) et *Pavlina* (1964), le comique est basé sur le fait que la femme — une femme de tête — est élue présidente du kolkhoze, tandis que son mari est réduit aux besognes domestiques. Une situation analogue est exploitée par le Biélorussien André Makaïonok (né en 1920), largement adopté par le théâtre russe, dans sa comédie : *Lévonikha mise sur orbite* (1961).

Quant à Alexandre Korneïtchouk, Ukrainien (né en 1905), il traduit lui-même ses pièces en russe et, de ce fait, est considéré comme un comédiographe appartenant à la littérature russe. Il jouit d'un vaste succès dû surtout à la couleur locale de ses œuvres, et notamment à leur joyeux accent ukrainien. Rirait-on autant aux pièces de Pagnol, sans l'accent marseillais ?

De façon générale, la critique dogmatique et même simplement officielle, tient en piètre estime la comédie légère et le vaudeville sans contre-partie « positive ». On veut bien rire, mais d'un rire garanti sans danger. On est loin de Gogol, de Soukhovo-Kobyline, de Maïakovski. Le culte de la personnalité, assorti de nombreux rappels à l'ordre, a enseigné la prudence aux auteurs. Un nouveau terme « littéraire » apparaît, d'un emploi courant et durable : *péres- trakhovka* (l'assurance) : les auteurs introduisent dans leur texte des réserves bien pensantes prenant des assurances contre des erreurs idéologiques éventuel- les, comme on en prend contre l'incendie...

Une place à part appartient à Eugène Schwarz (1897-1958) qui a trouvé sa meilleure interprétation au Théâtre de la Comédie d'Akimov à Léningrad. Schwarz a créé un genre particulier de pièces-contes, souvent sur des thèmes empruntés au folklore ou à Andersen, mais teintées d'un tendre humour et par- fois d'une ironie mordante. On les joue aussi bien dans les théâtres pour enfants que pour les adultes. Dans sa *Reine des neiges* (1938), le mauvais génie est un conseiller de commerce; *L'Ombre* (1940) modernise le thème de Peter Schlemihl et d'Andersen. Son chef-d'œuvre est *Le Dragon* (1943) où le vaillant Lancelot (qui, aux yeux du public, représente Lénine luttant contre la dictature) libère le pays terrorisé par un monstre. Mises en scène avec brio et ingénuité par Akimov, les pièces de Schwarz comportent de nombreuses variantes rejetées par la cen- sure. Elles sont en effet moins anodines qu'elles ne le paraissent, et malgré la popularité de l'auteur, il n'existe toujours pas d'édition complète et non expurgée de son théâtre.

Dans les dernières années, la comédie satirique a fait une réapparition timide. Telle, par exemple, la pièce très drôle : *Plus dangereux qu'un ennemi* (dans le sens du « pavé de l'ours » de D. Al et L. Rakov (1963, Théâtre de la Comédie). Le thème en est brûlant : dans un absurde institut scientifique de production de kéfir (boisson fermentée à base de petit lait), on s'attend à une purge; il est question d'éliminer les pseudo-savants et les imbéciles. Il s'ensuit une série de situations comiques avec moult allusions à l'actualité. Le public rit franchement. La figure du directeur, carriériste ignorant, calquée sur le vif, est particulièrement bien campée. Il n'est jamais à bout de ressources et au moment où il semble devoir s'écrouler, on lui fait confiance : lui, saura surnager.

La pièce aurait dû s'arrêter là. Malheureusement, les auteurs ont éprouvé le besoin de « prendre des assurances » : ils noient la pointe finale dans une farce niaise, avec apparition de personnages positifs.

La tendance intimiste

Nous savons aujourd'hui que les attaques anti-staliniennes du xxᵉ Congrès n'ont eu, pour la liberté d'expression, que des effets très limités mais, sur le moment, la Russie pensante avait cru à l'avènement d'une ère nouvelle. En 1956, la Révolution était vieille de quarante ans. Les jeunes générations s'étaient formées dans un milieu purement soviétique. Une nouvelle intelligentsia était née, et il n'était pas question de douter de sa loyauté. Une autre génération a grandi depuis, qui n'a plus connu la peur. Quelques-uns de ces jeunes poètes viennent réciter à Paris leurs poèmes pleins de défi. Certains indices permettaient d'espérer : on rééditait Dostoïevski et Maïakovski réapparaissait sur la scène.

En cette même année 1956, la revue « Questions de philosophie » publiait un article d'un extrême intérêt : *A propos du retard de la dramaturgie et du théâtre* (N° 5, sept.-oct., pp. 85-94). Les auteurs : B. Nazarov et O. Gridnéva, cherchent les raisons de ce retard. A coups de textes empruntés à Lénine et aux organes du Comité Central de l'époque pré-stalinienne, ils démontrent que l'épanouissement du théâtre soviétique avait coïncidé avec la plus grande liberté de création artistique et que le mal actuel vient de la bureaucratisation du système théâtral et de la mise en tutelle des dramaturges. Les auteurs concluent en demandant le retour à Lénine : il faut enlever la direction dramatique au Ministère de la Culture et octroyer aux théâtres l'autonomie.

Des sanctions ont-elles frappé les auteurs de l'article et la revue qui l'a publié ? (Au fond, pour avoir cité Lénine !). Le fait est que, aujourd'hui encore, certains vénérables critiques en parlent l'écume à la bouche (26).

Quoi qu'il en soit des débats théoriques, le public, fatigué d'héroïsme, exige toujours plus instamment qu'on lui montre l'homme soviétique d'aujourd'hui et les problèmes qu'il affronte. Les autorités sont d'accord, mais elles voient la vie soviétique sous un angle particulier : il faut montrer, bien sûr, l'homme ordinaire et ses intérêts immédiats, mais c'est que l'homme soviétique frôle le sublime ! Dès 1957, l'ordre vient d'en haut « *de ne pas oublier les problèmes généraux et les thèmes héroïques de la dramaturgie* ». Des dizaines de résolutions et de directives gouvernementales (lesquelles, en fait, sont des ordres) sont prises en ce sens, et les critiques officiels font chorus. Voici comment, dans une brochure de large distribution, est caractérisé le protagoniste idéal du film et du théâtre : « *Le héros est à la fois un caractère individuel concret et un type collectif et généralisé, personnifiant les meilleures tendances sociales : le courage, la grandeur d'esprit et la fermeté morale* » (27). En février 1966, *La Gazette littéraire* déplorait que les héros du cosmos, qui sont des « hommes véritables » (28), n'aient toujours pas été portés sur la scène.

Cette opposition, nous l'avons vu, ne date pas d'hier, mais le xxe Congrès a permis de préciser les positions : d'un côté, la nostalgie de la grandeur qui hante les bureaucrates quinquagénaires et plus, formés à l'école stalinienne, de l'autre,

---

(26) P. ex. N. ABALKINE : *Les Horizons théâtraux*. Moscou, 1964.

(27) E. GROMOV : *L'Epoque. Le Héros. Le spectateur*. Moscou, 1965. Cf. CHOKHINE : *Le Héros tragique et le personnage comique*. Moscou 1961. Ou la brochure : *Chanter l'héroïque*. D'après les matériaux du IIe Congrès des Ecrivains de RSFSR. Ed. Militaires de la défense. Moscou, 1965. — *La Littérature et le temps présent*. Recueils, I-II, Moscou, 1961. — *Notre Contemporain sur la scène*. Recueil. Moscou, 1962. — *Notre Contemporain en notre époque. La dramaturgie soviétique d'aujourd'hui*. Recueil. Moscou, 1964. — *L'Epoque. Le Pathétique. Le Style. Courants artistiques dans la littérature soviétique d'aujourd'hui*. Moscou-Lén., 1965.

(28) Définition « héroïque » courante empruntée au titre du roman populaire de Boris Polévoï (1946).

les exigences du public qui se résument dans un nouveau terme de polémique : *kamernost* (dérivé de « musique de chambre ») qu'on pourrait traduire par « intimisme ».

Voici comment les auteurs d'une intéressante étude caractérisent la situation. Après avoir constaté qu'on voit de moins en moins sur la scène « des caractères peints en noir et blanc et des intrigues sans conflits », ils continuent :

« *Les critiques sont partis en campagne contre l'intimisme. Les titres de pièces tels que* La Faute d'Anna, Seule *ou* L'Epouse... *sont devenus une sorte de bannière pour les partisans de cet intimisme et un épouvantail pour ses adversaires... Les premiers luttent pour le droit de montrer le quotidien, les seconds craignent que celui-ci ne refoule de la dramaturgie le thème révolutionnaire héroïque et disent : il faut évincer l'intimisme. Dans un passé récent nous avons été témoins d'une telle éviction et nous en connaissons les résultats : les salles se vident...* ».

On ne saurait cependant faire entièrement confiance aux auteurs de ces lignes (29). Plus encore que par l'apparition sur la scène soviétique de personnages négatifs, ils sont atterrés de voir ceux-ci « *représentés de telle sorte qu'il appartient au spectateur de les juger en bien ou en mal* ».

Le voilà, le scandale ! Accorder au spectateur, cet éternel mineur, le droit de juger !

Malgré l'offensive intimiste, le nombre de pièces « conformistes » est tel qu'en 1962, au cours d'une discussion sur la dramaturgie, L. Maliouguine dira : « *Nos comédies ne sont pas amusantes et nos drames ne sont pas dramatiques...* » (30).

Au temps de la discussion dramaturgique des années 30, Pogodine s'écriait : « *Qu'est-ce qui me rapproche de Vichnevski... et nous sépare tous deux de Kirchon et d'Afinoguénov ? Prenez les pièces de ces deux derniers. Quel est le fond de l'intrigue ? Qu'est-ce qui excite la salle, qu'est-ce qui domine et fait agir ? L'amour. Prenez les pièces de Pogodine et de Vichnevski. Quel en est le fondement ? Ce n'est pas l'amour ! Ce n'est pas l'amour ! C'est sur ce point que nous nous affrontons* ».

C'est l'amour qui a vaincu. La dramaturgie soviétique actuelle l'emporte de loin sur toutes les autres par le nombre de situations déchirantes, toujours vécues dans les circonstances les plus banales par des hommes et des femmes qui s'aiment, cessent de s'aimer, quittent le conjoint pour d'autres affections (on n'oserait parler d'adultère !), se posent des questions sur l'amour, l'amitié, le travail, et qui — et cela importe le plus — ne sont « qu'à moitié sympathiques », ainsi que Tchékhov définissait ses personnages.

---

(29) L. MARKHASSIEV et V. FROLOV : *Notes critiques* dans *Théâtre et Vie*. Recueil. I, pp. 64-77. Les auteurs concluent, en effet, que « l'unique voie d'ascension qui se présente à la dramaturgie soviétique est la voie du pathétique civique ». V. aussi le vol. II de ce très intéressant recueil. (1957-58).

(30) « Théâtre », 1962, 10, p. 48.

Mais le « héros positif » est vivace. Il s'agit d'être assez habile pour concilier intimisme et grandeur. C'est ce qu'a su faire Alexei Arbouzov (né en 1908) dans sa pièce : *Une Histoire à Irkoutsk* qui est un des plus bruyants succès du théâtre soviétique, ce qui ne laisse pas d'étonner. Valia, petite caissière dans un chantier sibérien, ne se pose pas de problèmes. C'est une fille facile, on l'a surnommée « Valia bon marché ». Elle est aimée par Victor mais épouse Serge, ouvrier dans une équipe d'excavatrice. L'amour de Serge la transforme et en fait une épouse et une mère aimante. Mais Serge meurt dans un accident et Valia accepte de vivre d'une rente que lui versent les camarades de son mari. Elle comprend enfin que cette situation est indigne et, d'elle-même, va travailler au chantier. Sans doute sera-t-elle récompensée par le retour de Victor.

Le compromis entre l'intimisme et la fin édifiante donne satisfaction tant au public qu'aux dirigeants culturels.

Un autre maître de l'intimisme est Victor Rozov (né en 1913). Il a créé une série de pièces sur les jeunes, en difficulté avec leur famille ou en proie à l'incertitude au moment du choix d'une carrière. Ces pièces, aux pensées pures, sont très aimées et ne quittent pas l'affiche de nombreux théâtres. Elles donnent l'impression d'être « juvéniles », non exemptes de didactisme. En les regardant, on ne se sent pas tout à fait adulte (31).

Sur le fond général de cette dramaturgie peu réjouissante, signalons quelques pièces, étapes dans la voie de la « déshéroïsation » et de la dénonciation des séquelles du stalinisme.

Pogodine se devait de marquer aussi ce tournant. Un grand succès est son *Sonnet de Pétrarque* (1956). Le directeur d'un chantier sibérien, très seul à côté de sa femme épaisse et ignare, tombe amoureux d'une jeune bibliothécaire. C'est un amour platonique. L'homme vieillissant ne demande qu'à s'épancher en des lettres poétiques qu'il adresse à Maïa. C'est son « sonnet de Pétrarque ». Sa femme, son chef du personnel, l'austère communiste, amie de Maïa qui ne peut se départir de la « vigilance du parti », sont incapables de croire à la pureté de ce sentiment. Les lettres sont volées, lues, profanées, et les amoureux vilipendés sont accusés de détruire les fondements de la sacro-sainte famille soviétique. Mais le dirigeant communiste, sage et humain, parvient à arranger les choses. Maïa partira, et le directeur sera réhabilité. La vie reprendra — sans rêve, sans Pétrarque, mais la dignité humaine est sauve.

Citons le dialogue entre Dodonov, le chef du personnel obtus, et Pavel Mikhaïlovitch, le communiste éclairé. Ce dialogue nous paraît banal, mais en 1956, à la sortie de l'ère stalinienne, il rendait un son explosif :

Dodonov. — « *Selon vous, une famille saine serait petite-bourgeoise ? Très intéressant* ».

Pavel Mikhaïlovitch. — « *Comprenez-moi, estimé camarade, ce n'est pas la notion de la famille qui est petite-bourgeoise, mais le culte que vous rendez aux*

---

(31) Les pièces les plus jouées de Rozov sont : *Ses amis*, 1949; *Ta voie*, 1953; *Bonne chance !*, 1954; *A la recherche de la joie*, 1957; *Le jour du mariage*, 1964.

vertus familiales... Cela nous amènerait à condamner les femmes qui ont des enfants « illégitimes »... D'après votre logique, le monde est peint en deux couleurs antagonistes, le noir et le blanc. Tout le reste est trahison, perfidie... ».

Après cette audacieuse profession de foi, l'auteur ressent le besoin de « prendre une assurance ». Il le fait dans le monologue final de ce même communiste au grand cœur :

« Selon moi, le plus beau dans la vie, c'est l'homme... pas n'importe quel homme... Il y a des êtres vils, indignes de vivre... Mais lorsque je rencontre sur mon chemin un homme, notre homme soviétique actuel, doué d'une immense beauté spirituelle, je sens davantage le bonheur de vivre. Car l'homme nouveau, entier, libéré du capitalisme, et doté par surcroît de beauté spirituelle, est pour moi la joie, la perfection. Je vois en lui l'avenir du monde, le communisme. Car le communisme, ce ne sont pas des pierres, ce sont les hommes ».

Tous les auteurs ne se croient pas astreints à de telles déclarations de loyauté. Ils se lancent hardiment dans la voie de « déshéroïsation » et de la dénonciation des séquelles du stalinisme.

Une Affaire personnelle d'Alexandre Chtein (1954) a pour héros la victime d'une intrigue bureaucratique ourdie par le chef du personnel. Bien que cette intrigue soit surmontée avec un peu trop de facilité, la manière dont l'auteur en démonte le mécanisme met en lumière le mépris de l'administration pour la valeur de l'homme.

Ce même Alexandre Chtein introduit, avec *L'Océan* (1961), un thème qui semblait banni de la littérature soviétique : celui de l'acte gratuit, dans le sens où l'entendait Gide. Un lieutenant de marine, fils d'amiral, s'enivre et fait du scandale, sans qu'on discerne très bien ses raisons, à moins que ce ne soit le *taedium vitae*, réputé impossible dans la société soviétique. Le commandant de vaisseau le couvre et le ramène dans le droit chemin. (On est, d'ailleurs, rassuré dès le prologue qui, en fait, est l'épilogue de la pièce). Au risque de payer cher son indulgence, l'officier sauve le lieutenant du désordre, parce que, plus qu'à sa propre carrière, il tient à l'homme dont il est responsable. La critique a insisté sur la figure de ce commandant d'un nouveau type, mais la véritable nouveauté réside dans la révolte irraisonnée du jeune lieutenant.

Tournons-nous maintenant vers un groupe d'auteurs dramatiques qui, s'ils ne sont pas toujours jeunes, ont ceci en commun qu'ils se passent d' « assurances », de déclarations édifiantes et évitent soigneusement toute attitude à effet. Ils s'inspirent de la manière de Tchékhov, en particulier de son procédé de « sous-texte », et il est presque aussi difficile de résumer leurs pièces que celles de leur modèle : il ne s'y passe pas grand'chose, rien que de petits faits et des conflits de famille, une difficulté de vivre toute personnelle. C'est une dramaturgie volontairement « grise ».

La série de ces pièces s'ouvre, en 1956, par *Une Fille d'usine* (*Fabritchnaïa devtchonka*) d'Alexandre Volodine (né en 1919), qui a produit l'effet d'une bombe. Ici, le mot « usine » n'a rien de grandiose. Tout se passe dans le dortoir des ouvrières d'une usine de textile, jeunes filles simples, avec leurs amourettes, leurs rêves un peu ridicules et leur horizon limité. En toute simplicité, elles voudraient vivre gaiement, agréablement, et le comsomolien Babitchev, leur directeur de conscience communiste, les ennuie à mourir par ses rappels constants de grands principes; elles le trouvent insipide et fuient les discussions idéologiques. Voilà qui est nouveau. Nouveau aussi le fait que Liolia, la fille qui paraît être la plus sérieuse, la plus « dans la ligne », et qui fait mine de soutenir Babitchev, se révèle être une fille-mère, ce qui n'est guère apprécié dans la prude société soviétique. L'atmosphère se détend grâce à la jeune Jenka, « le mauvais sujet » du dortoir, révoltée contre la bêtise et la contrainte. Après une bourrasque sans drame, le dortoir, débarrassé des phrases ronflantes, adopte l'enfant de Liolia. Et la vie continue.

Cette pièce, accueillie comme révolutionnaire — à rebours ! — a soulevé des discussions passionnées.

Les autres pièces de Volodine sont aussi simples (32).

Un remarquable intimiste est Samuel Aliochine (né en 1913) (33). *Seule* (1956) est le drame d'une femme délaissée par son mari et qui trouve en elle assez de force pour réorganiser sa vie, grâce à son métier et à la présence de sa fille. Et cela, sans la moindre phrase.

Le problème du travail consciencieux opposé au carriérisme est traité par Aliochine dans une pièce très goûtée du public : *Tout reste aux hommes* (1958) où s'affrontent des savants, et dans *Le Point d'appui* (1959) qui nous transporte dans un milieu ouvrier. Mais le problème est le même : l'aspect éthique du travail qui n'est plus ni un Moloch dévorant ni une idole, mais qui, à la mesure de l'homme, s'inscrit dans ses problèmes personnels.

Dans *La Salle d'hôpital* d'Aliochine (1962), le hasard réunit quatre malades, quatre caractères différents. Le test, ici, est fourni par leurs réactions aux séquelles du « culte ».

Les meilleures pièces d'Issidor Chtok sont aussi des pièces intimistes. *A Cronstadt* (*Place des ancres*) nous propose le cas de conscience d'un jeune marin : il ne peut se pardonner d'avoir manqué l'heure du départ de son sous-marin, parce que le camarade qui l'a remplacé, a péri. L'explication entre le jeune homme et la mère de ce camarade est simple et émouvante. *La Chaussée de Léningrad*, une autre pièce de Chtok, jouit d'une vaste popularité. C'est un drame de famille dans un milieu ouvrier.

Léonide Zorine (né en 1924) met en scène des jeunes, mais nullement à la manière de Rozov. Il peint une jeunesse indécise, à la fin des études, désemparée dans ses amours et dans le choix d'une attitude devant la vie. Telle *Amis et Années* (1962), chronique dramatique en trois parties qui s'étendent sur plusieurs années. Les camarades jadis unis, s'orientent dans différentes directions,

---

(32) *Cinq soirées* (1959), *Chez soi et en visite* (1960), *Ma sœur aînée* (1961), etc.

(33) Aliochine a essayé d'aborder, à ses débuts, mais avec moins de bonheur, les grands thèmes de la dramaturgie mondiale, Don Juan dans *En ce temps-là à Séville*, 1947, et *l'Homme de Stratford*, 1954.

les uns cèdent à la bureaucratisation desséchante, les autres gardent le sens de l'humain.

Parmi les nouveaux venus, citons à titre d'exemple Edward Radzinski dont la pièce a attiré d'emblée l'attention ne serait-ce que par le défi de son titre : *Parlons d'amour encore une fois* (1963, Grand Théâtre Dramatique à Léningrad. La version publiée s'intitule : *104 pages d'amour*). Le drame se passe parmi de jeunes physiciens. L'un d'eux fait parade de son cynisme. Il traite à la légère l'amour que lui porte une *stewardess,* mais lorsque la jeune fille périt dans un accident, il prend conscience, en même temps que de son propre sentiment, des responsabilités morales qu'implique l'amour.

Les mots qui reviennent sans cesse pour caractériser cette tendance intimiste, la plus récente de la dramaturgie soviétique, sont : simple, humain, émouvant. Tandis que le théâtre occidental s'enfonce dans la déshumanisation, sous le signe d'une ironie désespérée ou de l'absurde, le théâtre soviétique, attaché au social et au moral, redécouvre lentement, avec difficulté mais irrésistiblement, ce qui a toujours été la préoccupation majeure de la littérature russe : l'homme.

II. — LA MISE EN SCÈNE

Nous avons vu que pendant un quart de siècle, du milieu des années 30 jusqu'à la fin des années 50, le théâtre soviétique a été régi par le dogme du réalisme socialiste qui donnait au fond et à la « moralité » de la pièce la priorité, au détriment de l'image scénique. Les libres recherches esthétiques des quinze années précédentes étaient marquées du sceau infamant du « formalisme » et inexorablement condamnées. Les théâtres qui cultivaient les méthodes expérimentales furent fermés les uns après les autres, et leurs animateurs éliminés, à moins qu'ils ne fussent « physiquement liquidés ». Sur les scènes s'instaura un style vériste uniforme, officiellement justifié par l'application généralisée du « système » de Stanislavski. En fait ce réalisme, basé sur la vraisemblance littérale, remontait à la vieille routine d'avant Stanislavski.

L'uniformisation des procédés de mise en scène, un académisme de la pire espèce, la bureaucratisation avec la paresse d'esprit qu'elle engendre, régnaient au théâtre. Les initiatives artistiques susceptibles de se révéler dangereuses, étaient écartées. Voici comment le metteur en scène Lobanov décrit la situation :

« *Les pièces sur la production industrielle posent de grandes difficultés. Prenons une usine de moteurs; elle lutte pour la réalisation de son programme et travaille au-delà du plan prévu. Il semble qu'il n'y ait pas de vies individuelles. Les héros sont uniquement préoccupés de leur tâche et de leur vie sociale. Les situations généralement chéries du metteur en scène, de l'acteur et du spectateur*

*et qui découlent de l'enchevêtrement des rapports personnels, sont absentes. Or,
dès qu'il s'agit d'amour et de problèmes intimes, un bon acteur trouve facilement
des couleurs et un mode de jeu vifs, il se sent dans une atmosphère qu'il a toujours connue au théâtre. Mais lorsqu'il lui faut démontrer à son partenaire que
le plan doit être rempli non à 106 mais à 115 %, ou bien ça ne donne rien ou
bien ça dégénère en clichés... La réalité soviétique est rendue par un langage
convenu, des sentiments approximatifs et des personnages — ouvriers d'usine,
toujours les mêmes »* (34).

Lobanov, pour surmonter l'ennui, cherchait à susciter l'émotion de l'acteur.
Il lui demandait de parler d'un moteur avec la tendresse qu'il aurait éprouvée
pour la femme aimée. Il semble que les résultats de cette méthode que Lobanov
appelle « poétique », n'aient pas été brillants, car, à part les officiels, tous les
artistes et critiques déploraient la monotonie de l'interprétation. « La maladie la
plus répandue dans nos théâtres, est leur triste uniformité », écrit un critique
en 1964.

Après le xxᵉ Congrès du Parti, en 1956, où fut déboulonné Staline sinon tout
à fait le stalinisme, survint un changement. Les forces alors libérées jaillirent
avec une impétuosité qui dépassait de loin les intentions très modérées du
Congrès. Sur le plan des arts, et notamment du théâtre, qu'on ne peut dissocier
de l'arrière-fond politique, ce mouvement se traduisit par la lutte pour — litote
pudique — « la multiplicité des moyens d'expression », lutte qui se place aujour-
d'hui au centre de la vie intellectuelle et artistique russe (35).

Le souvenir des années 1920

La faim dramaturgique, nous l'avons vu, provoqua, après qu'on fût saturé
de pièces héroïques, martiales ou industrielles, un retour au drame intimiste;
de même, la monotonie de la reproduction du « vécu » suscita le besoin d'une
image scénique colorée, d'un spectacle proprement dit. Une querelle en résulta
qu'on peut définir dans les termes lancés au début du siècle par Meyerhold :
opposition du réalisme-naturalisme à la stylisation ou « convention voulue ».
Mais le souvenir est vif de la récente terreur intellectuelle, et on ne manie ces
termes subversifs qu'avec circonspection. Toutefois, le riche héritage des années
20 est présent à l'esprit de nombreux artistes, et s'il y a peu de survivants parmi
ceux qui ont été formés directement par Meyerhold, Vakhtangov, Taïrov ou le
« vrai » Stanislavski, beaucoup l'ont été par leurs disciples. Au plus fort de la
dictature réaliste, un Akimov, à Léningrad, un Okhlopkov, à Moscou, parve-

---

(34) A. Lobanov (1900-1959) dans le recueil : *L'Art de la mise en scène aujourd'hui*,
Moscou, 1962, p. 150 s.

(35) Dans un article assez récent on lit : « *Etant entendu que les positions idéologiques
de tous les artistes soviétiques sont les mêmes, rien ne les empêche de procéder à des recherches
et de développer librement leurs initiatives artistiques... en renouvelant leurs moyens d'expression.* » — I. Rybakov : *Querelles de la saison*, « Théâtre », 1965, 7.

naient à affirmer leur individualité de metteurs en scène, quittes à payer cher cette audace.

D'autres, astreints à pratiquer le style illusionniste, descriptif et explicatif, saisissaient toute occasion pour varier l'image scénique. Les pièces militaires ou usinières donnaient justement prétexte à utiliser des décors construits assez sommaires, à condition d'en justifier l'emploi. Ainsi fit Alexei Popov (1892-1961) pour *La Fin de l'escadre* de Korneïtchouk (Moscou, 1934, Théâtre de l'Armée Rouge, décorateur : N. Schiffrine) (36), à partir des masses et des éléments d'un navire de guerre : ponts, cheminées, échelles, gueules de canon, etc. Vingt ans après, Popov plantait sur le plateau, pour *Terres défrichées* de Cholokhov, une colline avec, au sommet, un village ; les scènes extérieures se déroulaient sur les flancs de la colline, et les intérieurs se plaçaient dans une coupe verticale de celle-ci (1957, même théâtre et même décorateur). C'est aussi Popov qui s'attacha au « constructivisme » usinier de Pogodine. On se représente facilement comment se matérialisaient les indications d'auteur, pleines de lyrisme industriel : éclat des laminoirs, « symphonie de signaux lumineux multicolores et de grondement de mécanismes » ou l'indication pour la fin du IVe acte de *Rythme* :

« *Des deux côtés du plateau, s'avancent des échafaudages aux formes angulaires. Leurs contours se perdent dans les hauteurs. Au loin, dans la brume vespérale, on distingue la tour et une grue. Quelque part, en haut, les constructeurs...* ».

Mais, comme disait Pogodine lui-même — nous l'avons cité dans le contexte dramaturgique — « on ne pouvait indéfiniment recommencer *Le Poème de la hache* ». Trop souvent repris, ce décor, pour dynamique et pittoresque qu'il fût, n'en lassa pas moins rapidement le public, de même que les sempiternelles scènes de foule. Au milieu des années 50, on tend à passer de l'héroïque au quotidien, ce qui nécessairement entraîne la prédominance des intérieurs. Un moment on crut voir rebondir l'ancienne querelle « air-plafond », entre les tenants des spectacles de masse à ciel ouvert, ceux-ci fussent-ils figurés sur le plateau, et les partisans de la vie de tous les jours. Mais cette fois ces derniers tenaient le bon bout. Les metteurs en scène s'ingénièrent à introduire dans le décor des éléments non-réalistes. Ainsi, un metteur en scène faisait jouer *Le Sonnet de Pétrarque* de Pogodine, qui se passe dans les bureaux d'un chantier sibérien, sur un fond de draperies Renaissance (1958). En reprenant *La Tragédie optimiste* de Vichnevski (1955, Théâtre Pouchkine à Léningrad), Tovstonogov ne craignit pas de s'inspirer, pour l'essentiel, de la conception de Taïrov qui avait créé cette pièce en 1933. Le décor constructiviste du Kamerny était plus abstrait, plus schématique. Les Parisiens ont vu celui de Tovstonogov : il avait de nombreux niveaux et usait abondamment, trop abondamment peut-être, de la scène tournante (1961, Théâtre des Nations). *Une histoire à Irkoutsk*, d'Arbouzov, dont l'action

---

(36) N. A. Schiffrine : *Le Peintre au théâtre*. Lén. 1964. Cf. G. Boiadjiev : *La Poésie au théâtre*. Moscou, 1960. — Alexei Popov : *Souvenirs et réflexions sur le théâtre*. VTO, Moscou, 1963.

est parfaitement réaliste et qui a pour héros une équipe travaillant sur une excavatrice sibérienne, connut des mises en scène presque abstraites. Eugène Simonov (1959, Théâtre Vakhtangov) imagina un dispositif modérément constructiviste, avec, au fond, un pont tournant, peut-être symbolique, et un minimum d'accessoires réalistes. La mise en scène de Nicolas Okhlopkov, plus romantique, comportait un « pont de fleurs » franchissant l'orchestre, de sorte que certains acteurs entraient de la salle, sous la lumière des projecteurs. Quant à Tovstonogov (1960, Grand Théâtre Dramatique, à Léningrad), sa hardiesse allait jusqu'à l'hyperbole dans la scène de la noce, dominée par un échafaudage pyramidal de plates-formes couronné d'un piano à queue.

Pour rares et isolées qu'elles fussent, ces tentatives n'en marquaient pas moins une lente reconquête du legs des années 20 dont les recherches avaient préfiguré l'orientation de la mise en scène occidentale.

Rappel de vérités premières

Au lendemain de la guerre, les metteurs en scène se mirent à travailler au renouveau du théâtre. Nous connaissons dans l'essentiel les conférences qu'ils tinrent auprès de la Société Théâtrale Panrusse (V.T.O.) (37). On jugera combien bas était tombé l'art scénique d'après les efforts que ces hommes de premier plan ont dû déployer pour « réhabiliter » les principes élémentaires. Iouri Zavadski rappelant les leçons de Vakhtangov, défendait l'individualité du metteur en scène; Mikhoëls démontrait la nécessité de varier les jeux de scène; Akimov préconisait l'élargissement des moyens d'expression, ce qui, disait-il, compléterait « la récente amnistie du mot « âme » par la réintégration du mot « magie ». Il est manifeste qu'en disant « magie », Akimov pensait « théâtralité », mais ce vocable était encore suspect. Faute de pouvoir s'en prendre directement au réalisme, il dénonçait la grisaille. « La dégradation de la mise en scène, disait-il, commence au moment où le metteur en scène se voit obligé de renoncer à l'invention ».

Ces modestes espérances furent cependant déçues. Pour le théâtre soviétique, l'après-guerre fut au moins aussi sombre que l'époque qui l'avait précédée. Voici comment, en 1958, l'auteur dramatique Arbouzov caractérise la monotonie persistante du théâtre :

« Notre dramaturgie est loin d'être à l'aise. Nos pièces n'éveillent pas la réflexion, alors que c'est la réflexion qui pousse à l'action. Au lieu de porter sur la scène la vie dans son dynamisme, nous l'enregistrons d'une manière plutôt officielle, comme si nous ne faisions pas des pièces mais des rapports. Nous ne sommes pas à tu et à toi avec le jour d'aujourd'hui, nous le vouvoyons comme des témoins trop polis. Oui ! des témoins et non des participants... ».

---

(37) Almanach théâtral, V.T.O., Moscou, 1946.

A l'uniformité des pièces, correspond l'uniformité de leur présentation :

« La presse s'en prend souvent aux auteurs dramatiques, leur reprochant de virevolter d'un théâtre à l'autre, sans s'attacher à aucun... Pourtant, avec quelle passion un dramaturge souhaiterait tomber amoureux d'un théâtre ! Car, pour vouloir y demeurer, il faut aimer son théâtre, et pour pouvoir l'aimer, il faut pouvoir le distinguer des autres... » (Rires. Applaudissements) (38).

Le dramaturge à l'aide du metteur en scène

Pendant longtemps, les auteurs s'en étaient remis aux théâtres tant pour la mise en scène que pour la dramatisation proprement dite de leurs pièces. N'oublions pas que la dramaturgie soviétique avait commencé par l'adaptation de romans, et les romanciers avaient à faire leur apprentissage. Par la suite, la priorité absolue impartie au sujet au détriment de la forme, favorisa encore la passivité des auteurs. Il est d'autant plus curieux que les intimistes soient les plus soucieux d'enrichir et de varier leurs mises en scène, pour rehausser le quotidien qui en constitue la matière. Ils s'ingénient à user de procédés insolites.

Arbouzov a donné l'exemple. Dans sa très quotidienne *Histoire à Irkoutsk*, il intervertit les temps de l'action en commençant par l'épilogue et il introduit un chœur à l'antique. Ce chœur, censé être invisible pour les personnages, assiste aux événements et les commente. A vrai dire, les situations étant élémentaires, ce commentaire est parfaitement superflu. Parfois il est même gênant. Ainsi, dans la mise en scène du Théâtre Vakhtangov, le chœur est formé de quatre hommes dont la présence à côté du lit des nouveaux mariés, par exemple, prête plutôt à rire. Ces audaces formelles soulevèrent dans la critique et le public de vives discussions, ce qui s'explique par la soif de nouvelles formes scéniques. Vichnevski avait introduit jadis, dans sa *Tragédie optimiste*, deux « coryphées ». Maintenant, coryphées ou récitants prolifèrent, sans que leur apparition soit justifiée par le caractère héroïque de la pièce, comme c'était le cas chez Vichnevski.

Le procédé des scènes interverties dans le temps se retrouve dans nombre de pièces, par exemple, dans *L'Océan* d'Alexandre Chtein (1961) qui, on ne sait trop pourquoi, commence par l'épilogue. Zorine, lui, tout en alternant les temps de l'action, use dans *S'apercevoir à temps* (1960) d'un procédé de cinéma : le fondu. A certains moments, la scène s'obscurcit et, dans un rayon de projecteur, apparaît un décor sommaire figurant un moment de l'avenir du personnage, tel qu'il sera ou pourrait être. C'est une vision prémonitoire. La jeune Rita qui, sans éprouver un sentiment véritable, joue avec le cœur des garçons, se voit apparaître vieille, seule, affalée dans un fauteuil, à côté d'un téléphone muet et d'un cendrier rempli de mégots. Elle « s'aperçoit à temps » de la menace et trouve en elle la force de partir vers une autre existence.

De façon générale, les indications d'auteur acquièrent toujours plus d'im-

---

(38) D'après un sténogramme de la Conférence théâtrale panunioniste de 1958.

portance. De subordonnées, elles se muent en un monologue de l'auteur, jusqu'à devenir une sorte de rôle qui pourrait être confié à un récitant. La récente pièce du jeune auteur Iouliou Édlis : *Où est ton frère, Abel ?* (1965) (retenue par le Théâtre Contemporain) comporte plusieurs textes tantôt alternés et tantôt parallèles. L'action se passe entre deux personnages : « Moi » et « Lui », anciens prisonniers de guerre qui, vingt ans après, se rencontrent sur une plage. « Lui » a jadis trahi « Moi », mais c'est « Lui » qui, dans un mouvement proprement dostoïevskien, éprouve le besoin de se faire reconnaître. La pièce se déroule pour une grande partie comme un monologue intérieur de « Moi », ce qui lui confère une concentration lyrique impressionnante. A mesure que « Moi » reconnaît « Lui » et fomente une vengeance, purement morale, l'entretien des deux hommes alterne avec des scènes du passé. Il incombe au metteur en scène de rendre par des jeux d'éclairage et de bruitage, par la variété surtout des timbres de voix, le présent et le passé, la vie intérieure de « Moi » et la vie estivale de la plage.

L'esprit de studio

A la suite de la libéralisation esquissée en 1956, l'excellente revue *Novy Mir* (Monde Nouveau, 1956, 8) organise auprès de sa rédaction un débat sur le thème : *Théâtre et Dramaturgie.* On y constate que la fameuse *bezkonfliktnost* (absence de conflits) « a amené le théâtre aux limites de la désagrégation ». Les uns sont pour la priorité de l'auteur, les autres pour celle du metteur en scène, mais tous sont d'accord sur un point : il faut que ça change ! Si le théâtre russe veut sortir de l'impasse, il doit chercher du nouveau. Et l'assistance de déplorer que, « depuis quinze ans, aucun studio de recherche de nouveaux thèmes et formes dramatiques n'ait été créé ».

La revue « Théâtre » ouvre ses colonnes à des articles polémiques comme ceux d'Okhlopkov sur *Les Plates-formes scéniques* (1959, 1) ou sur *La Stylisation* (1959, 12). L'auteur y affirme la liberté inconditionnelle du metteur en scène, véritable créateur du spectacle. Tout en défendant les droits de l'auteur, Tovstonogov, en termes plus modérés, plaide pour l'imagination. Il finira d'ailleurs par déclarer, lui aussi, que « *le problème du metteur en scène a été et reste toujours le problème central du théâtre* » (39).

En 1960, la revue « Théâtre » ouvre une série de vastes discussions-enquêtes sur les thèmes brûlants : pourquoi le théâtre retarde-t-il sur la vie ? Comment la vie nouvelle est-elle rendue sur le plateau ? Pourquoi si peu de pièces traitent-elles de sujets actuels ? Depuis, la revue n'a cessé de publier les avis d'écrivains et d'artistes sur les questions les plus épineuses, dont « la stylisation ». Mais la rédaction est obligée de constater que la plupart des réponses reçues sont éva-

---

(39) G. Tovstonogov dans « Théâtre », 1965, 1, p. 26, et dans son livre : *Le Métier de metteur en scène,* V.T.O., 1965. Cf. I. Zavadski : *L'Art du théâtre,* V.T.O., 1965.

sives et que l'enquête n'a pas atteint son but qui était d' « *épurer l'atmosphère dans laquelle travaillent artistes et auteurs* » (1962, 11).

On comprendra peut-être la réticence des correspondants en apprenant que, dans ses articles de fond, cette même publication affirme toujours les positions du réalisme socialiste.

De toute manière, les réponses, pour circonspectes qu'elles soient, mettent en évidence le désir unanime de faire exploser le carcan. Le besoin de liberté de l'artiste se manifeste dans une formule qui a largement cours : « Il faut faire revivre l'esprit de studio ».

Cet esprit qui signifie recherche libre et continue, est un précieux legs de Stanislavski lequel, entre 1905 et 1936, n'a cessé de créer des studios de drame, d'opéra, et, au seuil de la mort, d' « actions physiques ». Ces studios étaient dirigés par lui-même ou par ses meilleurs élèves, et les étudiants y procédaient aux expériences les plus variées. Les jeunes des années 60 éprouvent, eux aussi, le besoin d'un travail expérimental. « *Soutenue par les théâtrologues, notre pratique théâtrale administrative combattait l'esprit de studio* », constate Lioumoudrov (40).

Au cours des discussions précitées, Tovstonogov formule ses griefs : l'enseignement dispensé dans les instituts théâtraux est trop théorique. Pour la technologie, ces instituts ne disposent même pas de plateaux scolaires où les apprentis-metteurs en scène pourraient s'initier à un métier par excellence pratique, et ils ne parviennent pas à se faire admettre dans les coulisses des théâtres. De son côté, Akimov insiste sur l'urgence de « *mettre à la disposition des jeunes au moins les moyens d'apprentissage dont disposait la jeune génération des années 20, cette génération qui a donné au pays tant d'artistes remarquables. Il faut que, soit en les choisissant parmi leurs camarades, soit en les appelant du dehors en toute indépendance, nos jeunes puissent se donner des maîtres capables de les aider à trouver les nouvelles solutions artistiques que leur soufflera l'époque.* » (41).

L'apprentissage technique ne suffit pas. L'esprit de studio suppose aussi abnégation, enthousiasme et cette éthique théâtrale qui, pour Stanislavski, Vakhtangov ou le tolstoïen Soulerjitski, faisait partie intégrante de l'art scénique.

En 1941, l'auteur Arbouzov et le metteur en scène Ploutchek tentèrent de former un studio avec un groupe d'amateurs « auto-actifs » et l'inaugurèrent par une pièce écrite collectivement : *La Ville à l'aube*. Mais cet essai venait avant l'heure et son existence fut éphémère. Le mot « studio » gardait encore à l'époque un sens péjoratif « formaliste » et « anti-professionnel ».

Aujourd'hui il en va autrement. Les jeunes les plus hardis s'unissent en groupes ouverts aux élèves et aux semi-amateurs. Non handicapés par l'enseignement académique, ceux-ci aspirent à la professionalisation dans les conditions

---

(40) Dans le recueil : *La Mise en scène en marche*, Moscou, 1966.
(41) N. Akimov : *Sur le théâtre*. 1962, p. 120.

d'une discipline librement consentie. Ainsi naissent des studios dont les plus viables conquièrent le statut de théâtres. Nommons en quelques-uns parmi les plus intéressants.

En 1956, Oleg Efrémov (né en 1927) forme un groupe de ce genre et prouve que l'enthousiasme, la persévérance et, bien sûr, le talent peuvent triompher du manque d'argent, de local, des embûches administratives et forcer le succès. Telle est l'histoire exemplaire du Contemporain, aujourd'hui l'une des scènes préférées des moscovites.

Le choix même du nom est significatif : on entend refléter sur le plateau la vie d'aujourd'hui avec des moyens scéniques rénovés et enrichis, sans donner la priorité à l'imagination du metteur en scène.

« *Quel est le secret de la popularité du Contemporain ? se demande Alexandre Anikst. Il n'est pas dans l'art de ses acteurs, ni dans celui de la mise en scène, mais dans son répertoire. Ce théâtre parle au spectateur de ce qu'il y a de plus actuel, de ce qui le touche le plus, il rend possible la discussion de questions qui n'ont pas trouvé de solution...* » (« Théâtre », 1966, 3, p. 32).

Le Contemporain a marqué ses préférences pour la tendance intimiste et les problèmes psychologiques des jeunes en s'attachant le dramaturge Victor Rozov. Ce théâtre ouvrit sa carrière avec une pièce de lui : *Ceux qui ne meurent pas* (d'où fut tiré le film : *Quand passent les cigognes*). C'est le drame d'une jeune femme qui, à l'arrière, oublie son fiancé, combattant au front. L'auteur ne juge pas l'infidèle mais s'efforce de la comprendre. Dans la Russie de 1956, c'était neuf et audacieux (42).

En portant sur la scène Eugène Schwarz et même Osborne, le Contemporain cherche à faire ressortir le fond social. Il monte un *Cyrano de Bergerac* dont le pivot n'est plus une histoire d'amour mais le choc entre le poète et le Cardinal. Le Contemporain pratique l'interprétation simple et convaincante, telle que l'avait jadis enseignée Stanislavski. Il fait revivre sur la scène le doute, l'inquiétude d'hommes et de femmes moyens. Ce mode de jeu tranche avec l'emphase adoptée sur les scènes russes au cours du quart de siècle précédent. Lors de la récente célébration du Xᵉ anniversaire du Contemporain, le poète André Voznessenski le saluait ainsi : « *C'est par vous que tout a commencé. Je vous souhaite de conserver votre fraîcheur de fruits non-confits.* » (43).

Un autre Studio était formé par A. Efros, metteur en scène au Théâtre Central pour enfants. Il s'en séparait en emmenant un groupe de ses élèves. La valeur de ce Studio permit sa rapide transformation en Théâtre du Comsomol léninien.

La plus éclatante réussite est celle du Studio animé par Iouri Lubimov, aujourd'hui à l'avant-garde de la grande bataille de la mise en scène.

Nous avons vu les auteurs rejoindre les metteurs en scène dans le dessein de rénover l'image scénique. Trois sources alimentent ce renouveau.

---

(42) Dernièrement, le Contemporain a repris cette pièce dans une nouvelle version, actualisée.
(43) « Théâtre », 1966, 4, p. 34.

Il y a, d'abord, la résurgence de l'héritage des années 20, due à une certaine libéralisation et au flot de mémoires des survivants de cette belle époque, mémoires dont beaucoup attendent encore leur *imprimatur*. Une publication significative est celle du livre du remarquable critique P. Markov : *La Vérité du théâtre* (1965) où sont reproduit ses articles à partir de 1922. Au même but concourent les reconstitutions de spectacles telles que la fameuse *Turandot*, de Vakhtangov à peine rénovée (créée en 1922), ou du *Mandat* d'Erdman dont Eraste Garine et K. Lokchina ont restitué la mise en scène meyerholdienne de 1925, et enfin, depuis 1953, la reprise des pièces de Maïakovski.

Ainsi se trouve préparé un terrain propice où de nouveaux metteurs en scène déploient leurs trouvailles. Les moyens techniques deviennent toujours plus compliqués. Sans parler de la scène tournante dont on use et abuse, on a recours à des plates-formes roulantes, on substitue, à la façon de Meyerhold, des mannequins aux acteurs vivants; le décor, de plus en plus souvent construit, devient plus sobre ainsi que le maquillage, et les gags ingénieux se multiplient.

Une deuxième source est l'apport des metteurs en scène actuels parmi lesquels on compte des talents remarquables. Leurs études et discussions sont publiées sous forme de recueils dont la succession se présente comme une véritable histoire de la mise en scène soviétique au cours des dernières et difficiles années (44).

Il y a enfin le contact vivifiant avec le théâtre occidental et les mouvements d'avant-garde des démocraties populaires dont les autorités soviétiques culturelles avaient si longtemps et si jalousement préservé la nouvelle « sainte Russie ». Nous ne nous arrêterons que sur un exemple : celui de l'influence exercée sur le théâtre russe par la révélation de Brecht. Lubimov inaugurait son Studio par *La bonne Ame de Sétchouan*. C'était tout un programme.

La leçon de Brecht

L'Union Soviétique a connu Brecht avec un grand retard sur l'Occident, mais nulle part ailleurs les répercussions de son théâtre ne furent aussi vitales. Les dirigeants culturels russes se méfiaient de cet antagoniste de Stanislavski, de ses origines expressionnistes et de son style entaché de « formalisme ». Cependant, des considérations de politique intérieure finirent par l'emporter et, après tout, Brecht offrait de solides garanties d'antifascisme. On se souvint aussi à point que les jeunes Piscator et Brecht, au temps de leurs groupes révolutionnaires de théâtre ouvrier, avaient été tributaires du théâtre russe autour des années 20 et de ses recherches esthétiques sur le plateau et à ciel ouvert. Sur le

---

(44) Voici les principaux de ces recueils : *Questions de mise en scène*, Moscou, 1954. — *L'Art du metteur en scène*, Moscou, 1956. — *L'Art de la mise en scène aujourd'hui*, Moscou, 1962. — *Le Novateurisme du théâtre soviétique*, Moscou, 1963. — *A propos de notre contemporain et du temps présent. La dramaturgie soviétique de nos jours*, Moscou, 1964. — *Questions de théâtre*, Moscou, 1965. — *La Mise en Scène en marche*, Moscou, 1966.

plan idéologique, le didactisme de Brecht était compatible avec celui du répertoire soviétique. C'est la forme dans laquelle il présentait la morale révolutionnaire qui déconcertait. Le fossé semblait infranchissable entre l'illusionnisme
réaliste et la rupture de l'illusion brechtienne. La pudeur du sentiment du public
russe était heurtée par la mise à nu du procédé « publicitaire » de l'agitation,
par la grandiloquence ironique, la rhétorique, la cruauté, l'appel de Brecht au
raisonnement et non à l' « âme ». L'obstacle principal était le procédé de *Verfremdung*. Le vaste public russe aime par-dessus tout éprouver le délice de *sym-
pathein* avec l'acteur, que Stanislavski lui a appris à identifier au personnage.
S'il doit s'en distancier, c'est qu'il ne s'agit plus de théâtre dramatique, mais de
farce ou de cirque.

En autorisant enfin, en 1957, une tournée en U.R.S.S. du Berliner Ensemble,
les officiels ne s'attendaient certes pas au prodigieux effet qu'allait produire la
révélation du théâtre brechtien, et justement sur le plan dont ils se méfiaient
le plus : celui de la mise en scène. Comme le constate Lioubomoudrov, « *la dramaturgie de Brecht est devenue un fait du théâtre soviétique. Elle est à l'avant-
garde des recherches actuelles...* » (45). Aujourd'hui, Brecht est joué dans toute
l'Union, de Léningrad à Tbilissi et de Tachkent à Vladivostok.

Cependant, la difficulté de « digérer » Brecht était telle que les premiers à
l'accepter ne furent pas les Russes mais les Baltes : leur formation germanique
les rendait plus ouverts au maître berlinois. Eux aussi, d'ailleurs, ayant passé
par l'école théâtrale russe, commencent par chercher des compromis. En 1958,
le metteur en scène esthonien Voledemar Panso montait à Tallinn un *Puntila*
traité comme une pièce légère et amusante, mi-farce mi-conte, dont l'irréalité
s'accommodait d'une certaine stylisation. La même année, le Letton P. Peterson
(Riga) jouait *La bonne Ame de Sétchouan* dans des paravents agrémentés par-
ci par-là de détails réalistes, comme par exemple dans la scène de la fabrique
de tabac. Un autre Esthonien : Kaarel Ird apportait à Moscou, en 1960, un
Galilée beaucoup plus brechtien. Mais les Moscovites s'y montrèrent réfractaires :
la pièce leur parut trop longue, ce Galilée trop raisonneur et, pour tout dire,
ennuyeux. Il fallait donc russifier Brecht et, d'abord, l'humaniser. Nous verrons
ainsi la « mère » l'emporter sur la « marchande », la « bonne âme » sur son
double méchant, et la grandeur de Galilée sur son apostasie.

Le Letton Jan Raïnis « débilita » donc *La bonne âme* (Riga, 1958) : « *Sciemment*, explique-t-il, *nous atténuâmes la rigueur et le laconisme brechtiens, afin
de rendre moins rhétorique cette pièce où il y a beaucoup de dialogue et peu
d'action. Avec le décorateur P. Schoenhof, nous nous risquâmes à animer le
spectacle par des taches de couleur, conférant à la présentation et aux personnages un coloris qui n'appartient pas à Brecht.* » (46).

---

(45) Dans le recueil : *La Mise en scène en marche*, Moscou, 1966, p. 158.
(46) Cité par S. STROËVA : *A l'approche de Brecht* dans *Questions de théâtre*, 1965, p. 81 s.
Parmi les études les plus intéressantes sur Brecht, citons, outre les très nombreux articles
parus dans la presse périodique (« Théâtre », « Néva », « Znamia », etc., à partir de 1957),

Ainsi altéré, ce difficile auteur était pour Moscou moins indigeste.

Maxime Strauch, premier metteur en scène moscovite à monter du Brecht (47), accommoda à la russe *Mère Courage* (1960). Au lieu de faire une satire de l'esprit de lucre petit-bourgeois, il mis l'accent sur l'antimilitarisme de la pièce. L'héroïque Catherine devenait le principal personnage, tandis que la vivandière, malheureuse mais irréductiblement cynique, telle que la campait Helene Weigel, était transformée, par l'artiste moscovite Glizer, en une mère éplorée presque attendrissante. Ce spectacle, nous dit-on, « allait droit au cœur ». Strauch, notait la critique, « *donnait manifestement la préférence à l'action au détriment du récit épique, et au sentiment au détriment du raisonnement, cherchant moins à instruire qu'à émouvoir* ».

A cet effet, Strauch procéda à de nombreuses coupures (laissant tomber même *Le Chant de la grande capitulation*) et à d'aussi nombreuses interpolations pour expliciter le laconisme de l'auteur ou justifier l'introduction des *songs*. La Guerre de Trente Ans ressemblait aux chroniques militaires si répandues dans le théâtre russe, et s'enrichissait de détails concrets, comme cette scène d'orgie de la soldatesque, ajoutée de toutes pièces, que précédait une marche guerrière.

Il est caractéristique que l'une des pierres d'achoppement était pour les metteurs en scène russes la justification des *songs* : tantôt ils les traitaient en simples intermèdes destinés à laisser souffler le public, leur ôtant ainsi leur vertu dramaturgique (ainsi pour *L'Opéra de quat'sous* au Théâtre Stanislavski, Léningrad) : tantôt ils ménageaient des transitions réalistes. Par exemple, dans *Le Cercle de craie caucasien* (V. Doudine, Moscou, Théâtre Maïakovski), les songs étaient exécutés par des chanteurs populaires caucasiens et insérés dans une sorte de ballet folklorique. V. Galitski, lui, plaçait *Puntila* dans un faubourg finnois typique, avec scènes de genre et paysans réalistes, dignes, dit un critique, du Théâtre d'Art. Il y introduisait même des « pauses psychologiques ». La cuisinière Laïna fredonnait ses couplets tout en s'acquittant de son travail, sans se tourner vers le public. Dans *La bonne Ame*, R. Souslovitch (Léningrad 1962, Théâtre Pouchkine) se montra plus hardi en adoptant pour le décor des matériaux bruts : lattes de bois, haillons, nattes, rideaux de bambous bruissants (décors de Sophie Iounovitch), sans éviter cependant une tendance au concret et à la simplification des métaphores brechtiennes. Quant à l'interprétation, l'actrice Mamaëva sut rendre de manière touchante la bonté de Chen-té,

B. REICH : *Bert. Brecht*, M. 1960 ; B. ZINGERMANN : *Jean Vilar et les autres. Le théâtre de Brecht. Leçons anglaises*. M. 1964. — I. SOLOVIEVA : *Le Spectacle est présenté aujourd'hui*. M. 1966. C'est à ces différents ouvrages et aux comptes rendus des journaux que j'ai emprunté les détails sur les spectacles, pour en faire la description par recoupements.

(47) En 1930, le Kamerny de Taïrov avait monté, avec sa virtuosité coutumière, *L'Opéra de quat'sous*, mais ce spectacle, confondu avec d'autres mises en scène « formalistes », n'eut pas de résonance spécifiquement brechtienne. Ce fut aussi le cas de *L'Opéra de quatre sous*, monté la même année à Paris par Gaston Baty.

mais elle humanisa aussi son méchant double Choui-Ta. Le style émotionnel des acteurs russes était bien difficile à surmonter.

Aussi est-ce à un Polonais, Erwin Axer, de l'école de Léon Schiller, que fit appel Tovstonogov. Il lui demanda de transporter au Grand Théâtre Dramatique de Léningrad sa mise en scène varsovienne d'*Arturo Ui,* vieille de trois ans (1961), dans les décors varsoviens d'Eva Starowejska et de Konrad Swinarski. On vit alors pour la première fois dans un théâtre russe (1964) un spectacle authentiquement brechtien, encore que les acteurs russes n'eussent pu s'empêcher d' « approfondir ». Ainsi, le fascisme montant était montré comme un processus social, et le personnage d'Arturo changeait selon qu'il était interprété par le Polonais Lomnicki ou le Russe Lébédev. Tandis que le premier se distanciait de son rôle en composant une marionnette, le second « vivait » Arturo en intellectuel déchu, aux motivations dostoïevskiennes, sorti tout droit des *Notes prises au sous-sol.* Excédé, Axer se serait écrié : « Il est impossible de jouer Brecht avec votre réalisme ! ». En fin de compte, il aurait fini par se laisser convaincre par « la dialectique de l'âme russe ». On aimerait recueillir à ce sujet son propre témoignage.

Quoi qu'il en soit, le spectacle Axer-Tovstonogov fut considéré comme « une école du style brechtien », avec son déploiement de théâtralité révolutionnaire et « publicitaire ». Les tentatives se multiplient pour se rapprocher de ce style. Il est intéressant de noter qu'elles émanent d'étudiants en cinématographie qui cherchent à enrichir les moyens d'expression scéniques par des procédés de cinéma. *Arturo Ui* semble le plus propre à ces expériences. En 1962 déjà, Siegfried Kühn, étudiant est-allemand à l'Institut de Cinématographie de Léningrad, montait cette pièce avec ses camarades en suivant de près le Berliner Ensemble. Les deux mises en scène de 1964, dirigées par des grands du cinéma russe : Guérassimov et Ioutkevitch, innovent. L'un et l'autre s'attachent à l'effet de contraste. Réservant le plateau à un spectacle de cirque et de foire, Guérassimov fait couvrir le manteau d'arlequin de photographies agrandies : d'un côté, des gens du peuple qui souffrent, de l'autre, les soldats hitlériens. Sur l'avant-scène, une clownerie se déroule, pendant qu'au fond, sur un écran, passent des fragments suggestifs de documentaires : brutalités et massacres alternent avec des réceptions diplomatiques; des enfants offrent des fleurs aux officiels; puis on voit des cadavres d'enfants massacrés, etc. Le pathétique de la chronique historique donne du relief à la farce (Léningrad, 1964).

Partant de principes analogues, Ioutkévitch introduit dans son *Arturo Ui* (Moscou, Théâtre Universitaire) des intermèdes dansés par cinq partenaires; quatre restent toujours les mêmes, ce sont les tueurs, seul change le cinquième, c'est la victime. Les documentaires qui passent sur l'écran du fond sont parodiés sur la scène.

Voilà le théâtre russe prêt à créer son propre Brecht. L'honneur en revient au Studio de Iouri Lubimov, déjà mentionné, qui ouvre ses portes en 1963, avec *La bonne Ame de Sétchouan.* Nous allons voir maintenant ce que signifiait cette épreuve.

Lubimov est peut-être le plus authentique dépositaire de la tradition de Vakhtangov (mort en 1922) qui, à l'époque, était l'espoir du théâtre russe, espoir d'une « synthèse dialectique » des méthodes de Stanislavski et de Meyerhold-Maïakovski. De ces maîtres Lubimov tient sa conception du jeu scénique mettant en œuvre toutes les possibilités corporelles de l'acteur et mobilisant aussi toutes ses forces morales. Il était le plus apte à approcher Brecht.

Voici comment se présentait *La bonne Ame,* telle qu'il la monta avec un groupe d'élèves de l'Ecole théâtrale Chtchoukine, dans un modeste local scolaire, avec des moyens de fortune.

Une aire de jeu nue entourée de draperies. A droite, un grand portrait de Brecht. Les acteurs, en chandails de training, entrent tous ensemble. D'un seul mouvement, ils se tournent vers le portrait du maître, lèvent les yeux en silence et se concentrent dans une attitude d'allégeance. Puis, sans transition, ils se mettent à « jouer » en s'affublant de quelques accessoires-attributs. Ni maquillage ni costumes. Chen-Té se transforme en Choui-Ta à l'aide d'un chapeau, d'une paire de lunettes et d'une canne. Quelques masques légers qui ne cachent rien : tout le temps on voit le vrai visage de ces jeunes qui sont eux-mêmes ou parlent au nom de l'auteur. Les dieux portent des chapeaux de velours; ce sont de très ordinaires fonctionnaires procédant avec indifférence à une enquête administrative : il s'agit d'enregistrer l'existence d'une bonne âme. L'un d'eux porte un gros livre comptable. En fait de décors, quelques esquisses graphiques en noir et blanc (décorateur : B. Blank). Des écriteaux indiquent le lieu de l'action : « fabrique », « tabac », etc. Le parc est figuré par un seul arbre, fait de planches clouées. Le rythme du jeu est rapide, dans ce style d'improvisation légère qu'à révélé l'inoubliable *Turandot* de Vakhtangov (1922) et que rénove la *Verfremdung;* les acteurs n'incarnent pas leurs personnages mais s'en distinguent et en « témoignent », de connivence avec les spectateurs. Ils parviennent à maintenir un contact continu avec la salle qui se mue en tribunal. Ils arriveront ainsi au mouvement final du spectacle : face à la salle, ils ôtent leurs masques et, le bras levé, montrent leur visage de jeunes citoyens décidés, fidèles à la pensée révolutionnaire.

La musique joue un rôle actif (48). Les *songs* ne signifient plus un arrêt de l'action ou des digressions lyriques, mais jaillissent de la trame du spectacle en chants explosifs. Cependant, Lubimov a fait une concession à la nature affective du public russe en introduisant deux récitants ou plutôt deux chantants. Ce ne sont pas des personnages mais des guitaristes en blouses de travail, des « témoins ». Entrés par le fond de la salle, ils sont presque toujours présents sur le plateau, mais c'est au public qu'ils s'adressent et leur musique souligne en sourdine les paroles de Chen-Té, tel un commentaire triste ou passionné. Le réel se mêle à l'imaginaire, les incongruités tragiques prennent du relief, et les grosses vérités premières de Brecht sur l'injustice de la vie s'imposent avec force.

---

(48) N. KRYMOVA : *Brecht rue Vakhtangov* dans « Théâtre », 1964, 3.

Le retentissement de ce spectacle fut énorme. Promu metteur en scène en chef du Théâtre moscovite du Drame et de la Comédie (créé en 1946), Lubimov a redonné vie à cette troupe qui se mourait en y incorporant les meilleurs éléments de son studio. Depuis, ce théâtre va de succès en succès. On vient d'y monter *La Vie de Galilée* dans une interprétation originale (1966). Mais Lubimov a su aller au-delà de la dramaturgie de Brecht, il a su créer un spectacle neuf et bouleversant où les leçons brechtiennes, fondues avec celles des maîtres russes, s'enrichissent de trouvailles de son cru. Ainsi les *Dix jours qui ébranlèrent le monde*. Ce n'est pas une adaptation du célèbre livre de John Reed, mais une revue sur ses thèmes. Le temps ne me permet pas d'en faire la description, mais je tiens à citer les déductions que, dans un article remarquable et profondément ému, le shakespearologue moscovite Alexandre Anikst, généralement très réservé, tire de cet événement théâtral.

« *La mise en scène des Dix jours*, écrit-il, *a dépassé tous nos espoirs. Depuis longtemps aucun spectacle moscovite n'avait offert une semblable richesse d'inventions. Des surprises agréables attendent le spectateur de minute en minute. Au moment où l'on croit que Lubimov a épuisé tous ses moyens, on découvre qu'il en a d'autres en réserve... Sa mise en scène déclare la guerre au théâtre « vécu ». Entièrement et sans compromis, il assume le théâtre de « représentation », celui-là même qui tant de fois a été rejeté, condamné, vilipendé... C'est le triomphe de la théâtralité pure... L'élément de jeu acquiert toute sa portée... Lubimov n'avait même pas osé rêver de ce qui se passa. C'est que le public souhaitait justement la même chose que le metteur en scène... Car entre temps ce public avait mûri. L'uniformité dans la vie est difficile à supporter, mais en art elle est mortelle. Longtemps on avait persuadé le spectateur que le théâtre devait montrer la vie authentique, et voilà que, soudain, ce spectateur s'est mis à réclamer au théâtre du théâtre... Jamais encore nous n'avons eu de spectacle d'une telle envergure.* » (49)

Aujourd'hui, à Moscou...

Que devient dans tout cela le réalisme socialiste ? Bien que toujours considéré par la *Weltanschauung* soviétique comme une des trois baleines sur lesquelles, selon une croyance populaire russe, repose le monde, il est pratiquement dépassé. Sans doute, aujourd'hui encore, il n'est pas permis de l'attaquer de front. Qualifier un auteur d'anti-réaliste est pis qu'une injure : une dénonciation. La dernière en date des définitions de ce style se trouve dans le vol. IV de l'Encyclopédie théâtrale (Moscou, 1965, *s.v.*) : « *Méthode fondée sur la représentation véridique et historiquement concrète de la réalité dans son*

---

(49) A. ANIKST a emprunté le titre de son article à un vers de Maïakovski : *Le plus extraordinaire des spectacles*. Dans « Théâtre », 1965, 7. On trouvera la description de ce spectacle dans « La Culture soviétique » et « La Gazette littéraire ».

développement révolutionnaire ». Mais ce n'est plus qu'une définition. Sur les scènes, le vérisme est contraint de pactiser avec des éléments non-réalistes qui irrésistiblement font irruption. Il n'a pas été facile pour les artistes russes de s'arracher de leur lit de Procuste. N'osant appeler chat un chat, ils ont longtemps parlé par périphrase de « magie », d' « imagination », de « poésie », de « la diversité des stratifications de la culture théâtrale », avant d'user du simple mot de « théâtralité » (Lobanov : « *Le théâtre est ennuyeux sans théâtralité. C'est la moutarde, le piment qui fait « digérer » le spectacle* ». (50).

« *La tendance dominante actuelle est la lutte pour le droit de l'artiste de refléter la vie par les moyens les plus divers, la lutte pour la multiplicité de l'art réaliste* », déclare-t-on (51). C'est ce qu' « *abhorraient les réalistes ruminants* », précise un théâtrologue plus audacieux; bien que sous toutes réserves, il se décide enfin à employer le terme de « stylisation » qui sent encore le soufre formaliste :

« *Nous pouvons parler aujourd'hui de la stylisation, celle qui organiquement est intégrée à l'art, et celle que nous rejetons : l'hermétisme abstrait de l'art décadent. Dans la stylisation réaliste nous observons divers types et formes et la multiplicité des types de stylisation est aujourd'hui le problème essentiel de notre théâtre* » (52).

Voici enfin le terme de stylisation officiellement réhabilité : *sub voce* « Mise en scène », l'Encyclopédie Théâtrale (vol. IV, 1965) déclare (et qu'importe que ce soit en contradiction avec ses autres définitions !) : « *La stylisation artistique est elle aussi un moyen de révéler la vérité. Mais lorsqu'elle est considérée comme une fin en soi, on aboutit à un art formaliste* ». On en est donc arrivé à cette *contradictio in adjecto* qu'est « la stylisation réaliste » ou, comme dit Mme Stroëva : « *l'art stylisateur de la mise en scène réaliste* », ou encore, selon Ilinski, « *la théâtralité stylisée dans le bon sens de ce mot* » (53).

Un subtil distinguo est pratiqué par une théâtrologue qui semble particulièrement rebelle au « souffle pernicieux de l'occident » (54). Elle parle de la « *stylisation réaliste* » saine, apanage socialiste, et de la « *stylisation formaliste esthétisante* » qui a cours au théâtre occidental capitaliste, avec son psychologisme « *feint* », puisque impuissant à cerner le personnage dans sa vérité hu-

---

(50) Dans *La Mise en scène aujourd'hui*, 1962, p. 179.

(51) Cf. A. MIKHAILOVA : *La multiplicité dans l'art du réalisme socialiste*. « Le Communiste », 1964, 7.

(52) I. SMIRNOV-NESVITSKI : *La Stylisation et le style du spectacle* dans *La Mise en scène en marche*, 1966, p. 13.

(53) Igor ILINSKI, jadis un des grands acteurs de Meyerhold, après avoir fait l'éloge des décors du Berliner Ensemble, s'empresse d'ajouter : « *Le théâtre doit continuer à chercher de nouveaux moyens d'expression pour révéler toujours plus clairement et exactement l'idée de la pièce, sans distraire le spectateur par une « stylisation » maniérée, mais en le séduisant par une théâtralité stylisée dans le bon sens de ce mot* ». *Seul à seul avec le spectateur*, Moscou, 1964, p. 100.

(54) A. OBRAZTSOVA : *Le Metteur en scène* dans *Le Novateurisme du théâtre soviétique*, 1963, p. 333. Il est instructif de voir « les assurances » dont se couvrent certains auteurs de ce recueil en employant les mots « subversifs ».

maine. L'auteur achoppe malheureusement sur certaines « *forces progressistes* » occidentales, indiscutables même pour les soviétiques : Brecht, Planchon, Vilar. Mme Obraztsova est bien obligée de convenir que Vilar a dit :

« *En ce qui concerne le réalisme, je reste étonné de la longévité de ce mot. L'art est une certaine façon de mettre en ordre ou en désordre la nature. Que peut donc, en cette affaire, signifier le mot « réalisme » ?* » (55).

Mme Obraztsova cite ce passage mais elle se garde bien de citer la suite :

« *Le réalisme est la technique même. Je veux dire : le don et l'art des cadences, du vocabulaire, de la syntaxe, de l'architecture théâtrale. Car le réalisme au théâtre, cela se fait avec des mots et des corps humains* ».

Le réalisme une technique ? Fi donc ! Mais comme il faut à tout prix laisser à Vilar sa place dans le camp des justes (on l'a bien fait pour Picasso !), Mme Obraztsova, imperturbable, déclare :

« *Que Vilar le veuille ou non, nombre de ses spectacles sont réalistes, si l'on entend par réalisme une certaine méthode artistique... Le novateurisme de Vilar se manifeste le plus dans les spectacles où il se rapproche de la tâche d'aider le peuple à comprendre le sens de la vie* ».

Autrement dit, tel Monsieur Jourdain, Vilar fait du réalisme sans le savoir.

La confusion terminologique est totale. Mais comme il faut sauvegarder le principe, l'image réaliste s'élargit jusqu'à devenir un fourre-tout ou, comme s'exprime plus noblement Garaudy : « *un réalisme sans rivages* », ce qui lui permet de déclarer réalistes Picasso, Kafka et Saint-John Perse (56). Dans sa préface au livre de Garaudy, tout en proclamant qu'il parle en « réaliste socialiste », Aragon donne cette définition polyvalente :

« *Expression des choses qui existent en dehors de moi, qui m'ont précédé en ce monde et y subsisteront quand j'en aurai été effacé. Dans le langage abstrait, cela s'appelle le réalisme...* ».

Cela ne vous rappelle-t-il pas une certaine scène :

— Voyez-vous ce nuage là-bas ? Il a presque l'aspect d'un chameau.
— Par la Sainte Messe, on dirait un chameau, ma foi !
— Ou, plutôt, j'ai trouvé : une belette.
— Tout à fait le dos d'une belette.
— Mieux encore : d'une baleine.
— Une vraie baleine, en effet.

Ainsi les cathédrales, pour pouvoir englober l'*universum*, accueillaient aussi les gargouilles.

---

(55) Jean VILAR : *De la Tradition théâtrale*. Paris, L'Arche, 1955, p. 171.
(56) Roger GARAUDY : *D'un réalisme sans rivages*. Plon, Paris 1963.

Note bibliographique

C'est avec la plus grande circonspection qu'on se servira de la volumineuse *Histoire du théâtre soviétique dramatique russe*. Cette publication de l'Académie des Sciences à fidèlement suivi les directives gouvernementales du moment, au grand dam de la vérité historique; il en résulte de considérables fluctuations, d'un volume à l'autre, dans l'appréciation du répertoire. Ainsi le 1er vol. (1917-1934, paru en 1954) et consacré à la période la plus riche du théâtre soviétique, couvre d'injures les talents les plus marquants d'alors. Le 2e vol. (1935-1945, paru en 1960) témoigne d'une certaine libéralisation et le 3e (1945-1959, paru en 1961) « réhabilite », avec quelques réserves, les auteurs condamnés dans les précédents volumes.

L'Histoire du théâtre soviétique, publiée en toute liberté par d'éminents spécialistes à Léningrad, en 1933, est un exemple de ce qu'aurait pu être un tel ouvrage. Seul le 1er vol. : *Théâtres de Pétrograd de 1917 à 1921*, a pu voir le jour, et c'est fort dommage.

On s'en tiendra donc de préférence à des monographies parues après 1961, encore que certaines aient pour auteurs des dogmatiques refusant de tenir compte de l'évolution esthétique en cours.

La récente *Encyclopédie Théâtrale* (4 vol. parus entre 1961 et 1965, le 5e, à partir de la lettre « T » est sous presse), présente, à part certains partis pris idéologiques, une précieuse source de renseignements relativement objective; les notices historiques sont souvent dues à d'excellents spécialistes. La partie moderne tient compte, dans l'ensemble, des « réhabilitations » post-staliniennes.

Pour l'évolution générale du théâtre soviétique, v. l'ouvrage très instructif de A. O. BOGOUSLAVSKI et V. A. DIEV : *La Dramaturgie soviétique russe*, I, 1917-1935, M. 1963; II, 1936-1945, M. 1965.

La grande revue moscovite « Théâtre » permet de suivre le mouvement théâtral dans toute l'Union, les articles de fond représentant le point de vue officiel. Dans la presse périodique, v. surtout « La Gazette littéraire » et « La Culture soviétique ».

Les innombrables publications sur le théâtre sont dues en particulier aux éditions « Art » ou V.T.O., Société Théâtrale Pan-russe, et elles sont souvent d'une grande valeur.

Eugène SCHWARZ

par Nicolas AKIMOV

Directeur du Théâtre de la Comédie de Léningrad

J'ai l'impression que nos relations culturelles laissent encore beaucoup à désirer. On connaît très mal en France le théâtre russe. On pense que Tchekhov, le grand Tchekhov, est le dernier écrivain dont la contribution à notre théâtre soit importante. Mais tout en l'estimant beaucoup, je dois dire que depuis sa mort, s'est écoulé un bon demi-siècle durant lequel se sont manifestés des auteurs, des metteurs en scène, des écoles théâtrales d'une incontestable valeur. C'est pourquoi je n'ai pas osé refuser cette occasion de vous parler un peu d'un auteur que j'aimais et que j'aime beaucoup : Eugène Schwarz.

Le sort des écrivains est parfois assez bizarre. Quand le grand Tchekhov mourut, les journalistes russes s'écrièrent : « Quel malheur ! Cet écrivain « assez doué » est mort sans avoir réussi à créer quelque chose de grand ! ». Nous avions alors en Russie un écrivain bien plus célèbre : Potapenko, que personne ne connaît plus aujourd'hui, même en Russie, mais qui était considéré comme beaucoup plus éminent que Tchekhov. Le sort d'Eugène Schwarz est un peu semblable : après sa mort en 1958, sa gloire commença à grandir. Sa réputation augmente dans les autres pays, et maintenant que je discerne mieux le goût français et ce qui intéresse les animateurs et le public français, je suis sûr que si l'on connaissait mieux cet écrivain, ce serait excellent pour le théâtre russe, pour le théâtre français, et pour nos échanges artistiques.

Eugène Schwarz naquit à Maikop, petite ville du sud de la Russie. Il était fils de médecin et fit ses études dans cette ville. Au début de la Révolution, il se trouvait à Rostov, où il débuta comme acteur dans un « théâtre-atelier ». Il se rendit avec cette troupe à Léningrad vers 1920, et s'y établit, non pas comme acteur, mais comme rédacteur de journal et d'éditions pour enfants. Quelques années plus tard, il commença à écrire des pièces pour la jeunesse. Il y avait alors à Léningrad deux théâtres pour enfants, et c'est là qu'on mit en scène ses premières pièces. Et comme je cherchais déjà, comme maintenant, de jeunes écrivains pour le théâtre adulte, nous fîmes connaissance au Théâtre Vakhtangov en 1931, et jusqu'à sa mort nous sommes demeurés de grands amis. J'ai créé comme metteur en scène la plupart des pièces pour adultes d'Eugène Schwarz.

Je crois — bien qu'il ne l'ait pas connu — qu'Eugène Schwarz possède une certaine parenté avec Ionesco. Ce qui les unit, malgré leurs différences, c'est le travail sur le langage, l'art d'employer un langage banal, des clichés de chaque jour, dans un tout autre sens, dans une composition qui les utilise différemment.

Notre travail commun commença avec *La Princesse et le Porcher* (1933), pièce inspirée par des contes d'Andersen, également connue sous le titre *Le Roi Nu*. Mais finalement je n'ai pas pu monter cette pièce. On exigeait alors le pur naturalisme, qu'on appelait réalisme. Schwarz avait déjà rencontré des obstacles en écrivant ses pièces pour enfants. Dix ans après la Révolution, il y avait chez nous une science qui heureusement a été supprimée depuis, c'était la « pédologie », science très particulière qui s'opposait à la pédagogie. C'était un effort pour éduquer les enfants par des moyens nouveaux et tout à fait scientifiques. Et quand la science s'en mêle trop, c'est toujours affreux ! Ces pédologues condamnaient dans la littérature enfantine le recours au merveilleux, déclarant que dès leur jeune âge il fallait aux hommes une littérature réaliste, où il n'était question ni de princes, ni de fées, ni de sorciers. Mais Schwarz, esprit très indépendant, eut des ennuis tôt ou tard avec chacune de ses pièces. Car les fonctionnaires ne les comprenaient pas très bien. Ils n'ont pas vraiment su s'y prendre pour faire la guerre à Schwarz, et ils ont interdit ses pièces quand elles étaient déjà au milieu ou à la fin de leur carrière. Il y avait dans celles-ci quelque chose d'inquiétant qui faisait peur aux responsables.

Après *Le Roi Nu,* il cherchait un nouveau sujet de pièce. Je savais déjà qu'il aimait prendre un bon sujet traditionnel, fable, conte, légende, et l'arranger à sa manière. Et nous avons choisi ensemble encore un conte d'Andersen, *L'Ombre,* dont il fit une pièce qui a déjà été jouée dans une vingtaine de pays. Schwarz avait une façon très singulière d'écrire. Il lui répugnait de faire un plan, de composer sa pièce d'un bout à l'autre avant de l'écrire. Il écrivait en huit ou dix jours le premier acte, qui était toujours superbe. Dans la plupart de ses pièces, c'est le premier acte le meilleur. Ensuite il hésitait, il cherchait l'intrigue du deuxième et du troisième acte. Quand j'étais pressé, je faisais un plan de deux ou trois pages, qui indignait Schwarz, mais cela l'incitait à se remettre au travail; ce plan, même rejeté, était donc utile. En voyant de quelle manière étonnante il transformait ce que j'avais proposé, j'ai compris que je n'écrirais jamais, et j'ai mesuré toute la différence qui existe entre un auteur et un metteur en scène.

Nous avons mis en scène *L'Ombre* en 1940, avec grand succès, mais la guerre mondiale a empêché qu'on la joue plus longtemps. Or nous aimions beaucoup qu'une pièce entre au répertoire — tous les théâtres russes sont maintenant des théâtres de répertoire dont les spectacles se jouent en alternance. En 1960, vingt ans après la création, nous avons renouvelé ce spectacle, avec d'autres acteurs appartenant à une nouvelle génération, et nous l'avons inscrit à notre répertoire. Au bout de six ans, cette pièce continue à obtenir un vif succès et elle est devenue une sorte d'enseigne pour notre théâtre.

Schwarz a commencé à écrire *Le Dragon* avant la guerre, quand le nazisme était déjà en plein essor. Le premier acte était très bon. Mais nous avions des relations très compliquées avec Hitler, un dictateur songeant à tromper l'autre. On ne pouvait pas mettre cette pièce en scène, parce qu'elle pouvait offenser les Allemands. Pendant la guerre et le blocus de Léningrad, Schwarz nous a accompagnés à Duchanbé, à la frontière de l'Afghanistan; il se remit au travail sur cette pièce dont je commençai la mise en scène. Nous l'avons jouée à Moscou (où nous sommes restés un an à cause du blocus de Léningrad), et les responsables étaient heureux, trouvant que c'était la meilleure pièce antinazie qu'on eût écrite pendant la guerre. Il y eut cinq répétitions générales; donc tous les gens de théâtre, heureusement, purent voir ce spectacle. Mais lors de la première, à la fin de la représentation, je fus appelé au Ministère de la Culture. On me dit qu'on ne pouvait pas jouer cette pièce. Je fus surpris. Il s'était produit un effet tragi-comique : Schwarz, qui n'avait pensé qu'à l'offensive allemande, à l'idéologie nazie en écrivant cette pièce, était soupçonné de tout autre chose, d'une chose si épouvantable qu'on ne pouvait même pas la nommer ! Nous n'avons donc pu jouer la pièce. Mais pour sauver les apparences, le journal *Sovietskaia Kultura* (*l'Art soviétique*) publia un petit article, déclarant que c'était une fable stupide, qui n'avait aucun sens, pour expliquer au public pourquoi on avait suspendu la pièce. C'est seulement en 1962 que je l'ai montée. Nous l'avons jouée pendant deux ans, et elle figure aussi à notre répertoire.

Schwarz a encore écrit deux pièces où il allie son goût du merveilleux avec l'observation de la vie contemporaine : *Les Aventures de Hogenstaufen,* où, aux personnages réels, se mêlent les petites créatures espiègles des contes russes, et *Les Jeunes Mariés,* que nous avons mis en scène quand Schwarz était déjà très malade. C'est une pièce sur un sujet contemporain, écrite à rebours. Elle commence par le « happy end » et se développe comme un drame complexe et grave : il ne suffit pas d'être bon, d'être jeune et d'aimer, il faut en même temps savoir vivre à deux, c'est un grand art sans lequel on risque de gâcher tout ce qui est beau et commence bien.

Schwarz écrivit aussi des scenarii pour des films qui eurent beaucoup de succès : *Don Quichotte, Cendrillon,* et qui sont fortement marqués de son empreinte. Du *Petit Chaperon rouge,* ce conte un peu naïf, il a tiré une pièce pour les enfants. Schwarz avait un don particulier : toutes ses pièces pour adultes convenaient aussi aux enfants. Et aux pièces pour enfants, les parents assistaient volontiers. Les enfants méritent que de grands artistes travaillent pour eux. Et si l'art est bon, petits et grands peuvent en bénéficier. S'il est mauvais, c'est autre chose.

Schwarz a encore écrit, lors du blocus de Léningrad, une pièce philosophique de caractère très dramatique : *Une Nuit.* Chaque maison possédait alors une logette où l'on montait la garde, et où il y avait un téléphone pour signaler tout incident. L'action se passe dans une logette de ce genre. On ne l'a pas encore jouée car on la trouvait trop triste. Mais maintenant je crois que nos nerfs sont calmés et qu'on pourrait songer à la monter.

Quand les relations se tendirent avec Hitler, on chercha des pièces exaltant les sentiments militaires et patriotiques du peuple. Schwarz écrivit donc : *Notre Hospitalité*. La guerre n'était pas représentée sur la scène, mais un avion d'espionnage faisait un atterrissage forcé sur le territoire soviétique. Il était découvert par des étudiants et un vieux professeur de botanique, qui, faits prisonniers par l'équipage, se libéraient par une ruse et signalaient l'avion étranger — dont le pays n'était pas nommé. Cette pièce ne put être jouée, la censure objectait en effet que le Maréchal Vorochilov avait déclaré que nul adversaire ne pouvait franchir nos frontières, il était donc impossible qu'un avion les violât. J'ai discuté, disant qu'un seul avion, peut-être, dans la nuit, dans le noir, dans les nuages... On me répondit que c'était impossible. Mais deux ou trois mois plus tard, beaucoup d'avions allemands pénétrèrent sur notre territoire !

Il y avait toujours des complications de ce genre avec les pièces de Schwarz. Il a laissé, outre une vingtaine de pièces, des livres pour enfants, publiés dans plusieurs pays. Si je cherchais l'homme ayant le plus de bonté que j'aie jamais rencontré au cours de ma vie, je donnerais le premier prix à Schwarz. Il était doué d'une fantaisie incomparable. Il n'aimait pas beaucoup travailler, sauf quand il lui venait une bonne idée. Le reste du temps, il s'entretenait avec ses amis, plaisantait, faisait des vers. Une fois, quand nous étions en tournée dans le Caucase et que je ne pouvais pas commencer à répéter une pièce parce qu'elle n'était pas achevée, je l'ai enfermé dans ma chambre pour l'obliger à travailler. Mais je n'avais pas pensé qu'il y avait un balcon, et je l'ai retrouvé installé à ce balcon, bavardant avec les acteurs qui étaient en dessous.

Je suis très content que les spectateurs parisiens aient vu *L'Ombre* et *Le Dragon*; malheureusement ces pièces étaient jouées en roumain et en allemand. Il est très difficile de traduire Schwarz, mais la tâche n'est pas impossible. Malgré tout ce qu'apporte la mise en scène, l'essentiel dans une pièce de Schwarz, c'est le texte, qui est très beau. Pour donner une idée de sa subtilité : dans nos bureaux, quand on dit : « manger un homme », celà veut dire le renvoyer, le réduire au chômage. Dans *L'Ombre,* il y a deux ogres; quand ils parlent de manger le héros, en tant qu'ogres, ils parlent un langage réaliste. Mais il y a un double sens en russe, une expression très connue qui fait beaucoup rire le public. L'usage des mots les plus usés dans un sens neuf, Schwarz aimait beaucoup cela et c'est en cela qu'il me rappelle Ionesco. Un bon traducteur, une bonne édition de Schwarz, seraient souhaitables. L'an dernier, à Londres, la BBC a donné à la radio *Le Dragon,* avec un grand succès. Ce serait bien de faire connaître cet écrivain, son intelligence, sa philosophie, sa manière très individuelle.

« FIN DU CARNAVAL » DE JOSEF TOPOL

Étude précédée d'un aperçu de la dramaturgie tchèque depuis 1945

par Karel KRAUS

ÉVOLUTION DE LA DRAMATURGIE TCHÈQUE DEPUIS 1945

La deuxième guerre mondiale est venue interrompre la continuité du développement de la littérature dramatique tchèque et, par conséquent, les résultats remarquables de l'avant-garde des années 20 et 30 ont été en grande partie oubliés ou refusés. D'illustres auteurs dramatiques de la vieille génération sont morts ou bien se sont tus et ce n'est que pour un moment bref que les fondateurs modernes de l'art scénique tchèque — les metteurs en scène Frejka, Honzl, Burian et le duo d'auteurs et acteurs Voskovec-Werich, sont revenus à la scène.

Dans de nouvelles conditions sociales, le rôle du théâtre a été réduit après 1945 à sa simple fonction idéologique. On a exigé que le théâtre intervienne directement dans le domaine de l'instruction, de l'édification du pays et de l'économie, bref, qu'il devienne une institution politique et éducative. Cette conception réduite du théâtre a pu, bien entendu, se rattacher chez nous — quoi que ce ne fût pas tout à fait justifié — à une certaine tradition historique. En effet, aux temps de la monarchie austro-hongroise, le théâtre servait de tribune politique. Il faisait entendre, dans un milieu germanisé, la langue tchèque, répandait les idées nationales, protestait contre le règne des étrangers. Le théâtre avait alors vraiment le rôle d'une école, et y aller était un devoir patriotique. Ce même rôle a été assumé par le théâtre tchèque lors de l'occupation allemande. C'est donc à cette tradition que se rattachent en quelque sorte les tendances préconisant une densité maximum du réseau des théâtres ainsi que leur influence directe sur la formation des idées du citoyen d'un pays du socialisme naissant.

Mais avant que les dramaturges aient pu se rendre compte des lois du nouveau développement, leur travail a commencé à être réglementé par tout un système de consignes et d'ordres théoriques qui s'efforçaient de délimiter de la

manière la plus précise et la plus rigide la notion de réalisme socialiste. Ont vu
le jour des pièces grises, amorphes, sans intérêt, sans poésie. Des recettes toutes
prêtes et relativement faciles pour fabriquer une pièce de théâtre ont séduit
beaucoup de professionnels routiniers et beaucoup d'amateurs appliqués. Le
nombre de pièces allait croissant. Rien que sur les scènes officielles on a présenté, au cours des dix années qui suivirent la fin de la guerre — les pièces
pour la jeunesse non comprises — à peu près 200 pièces tchèques nouvelles. On
peut admettre que certaines de ces pièces ont eu un certain mérite ou un succès
partiel. Pourtant aujourd'hui on ne joue pratiquement plus rien de cette grande
production.

C'est seulement dans la deuxième moitié des années 50 que s'effritent les
idées sur l'accomplissement continu de l'homme par le seul changement des
bases sociales et économiques. Paraissent les premières pièces critiques (Miloslav
Stehlík, Milan Jariš). Pavel Kohout de son côté (Un tel amour) démontre pour
la première fois que même au sein d'une société nouvelle il peut y avoir des
tragédies individuelles, que des gens plongés dans le désespoir se heurtent à
l'indifférence de leur entourage. C'est à ce moment que le jeune auteur dramatique Josef Topol — il avait dix-huit ans à l'époque — écrit sa première pièce
(Vent de Minuit) qui s'inspire de l'histoire tchèque, dont le ton rappelle Shakespeare, et qui par sa langue et ses vers sort de l'ordinaire.

La nouvelle étape du développement de la dramaturgie tchèque commence
en 1958, date où l' « atelier » du metteur en scène Otomar Krejča demande à l'un
des plus grands poètes tchèques contemporains, František Hrubín, de collaborer
avec lui. L'idée, née du désir de battre en brèche les procédés de la production
alors courante et d'amener au théâtre de nouveaux auteurs s'est montrée juste.
La première de Dimanche d'Août de Hrubín eut lieu sur la scène officielle du
Théâtre National. Et celui-ci devint — pour un moment — le centre des recherches dramatiques les plus importantes.

Un intellectuel aigri est le héros du drame lyrique de Hrubín, un intellectuel
qui se sent exclu de la nouvelle société. Les personnages du Dimanche d'Août
poursuivent des discussions qui sont en réalité des monologues parallèles, des
témoignages de gens incapables de se mettre d'accord sur rien, pas même sur
leur esprit petit-bourgeois qui cette fois-ci n'est plus envisagé d'un point de vue
de classe, mais du point de vue du type humain. Hrubín a eu un succès extraordinaire parce qu'il en appelait aux expériences et aux sentiments des spectateurs
tout en ne leur présentant plus une image idéalisée de la vie. Sa méthode dramatique, originale et difficilement imitable, a contribué à une régénération du langage scénique qui avait été rabaissé par la simple imitation de la langue parlée
et par l'influence des phrases journalistiques. Après Dimanche d'Août il n'était
plus possible de continuer à écrire des pièces selon les schémas habituels. Nombre
d'auteurs réputés jusqu'alors, se sont tus.

Presque en même temps le théâtre tchèque découvre deux tendances nouvelles et importantes. C'est d'abord toute une série de comédies d'actualité à tendance satirique — où parfois la satire est très violente. On ne pourrait pas

affirmer que ces pièces aient été le résultat d'une analyse profonde des phénomènes sociaux contemporains : le public les appréciait plutôt parce qu'il y trouvait un témoignage consolant, à savoir que dorénavant au théâtre on pouvait
entendre les moqueries et les plaisanteries que l'on ne chuchotait jusqu'alors
qu'entre bons amis. Parmi les meilleurs auteurs de ce genre citons Vratislav
Blažek et Milan Uhde. Mais ce type de comédie n'a pas survécu plus de deux ou
trois saisons. Actuellement il s'avère que le public a été rassasié du genre satirique et que son intérêt baisse sensiblement.

La seconde tendance, plus importante du point de vue du développement,
a donné vie, vers la fin des années 50, à une vague de « petites-scènes ». Elles
naissent spontanément du besoin des jeunes de s'exprimer en public. On joue
dans de petites salles, dans d'anciens dépôts ou caves, sur des scènes primitives,
sur de simples podiums. Tout aussi limitées étaient souvent, hélas, les facultés
d'expression de ces ensembles de semi-amateurs. Une certaine naïveté dans l'expression et le contact direct séduisaient pourtant les spectateurs tout en donnant
à ces représentations un charme d'improvisation. Ce contact intime avec le spectateur a eu, par la suite, ses conséquences esthétiques. Ce genre de représentations ne se fonde pas d'habitude sur un texte de forme classique; souvent il s'agit
de petites formes littéraires, scéniques et musicales — de petites proses, chansons, pièces en un acte, montages littéraires et plastiques, pantomimes, etc.
Parmi les auteurs remarquables de ce mouvement il faut classer Ivan Vyskočil,
un des fondateurs du Théâtre de la Balustrade (Divadlo Na zábradlí) réputé
aujourd'hui à l'étranger, théâtre dirigé actuellement par le théoricien et metteur
en scène Jan Grossman. Au moment même où les grands théâtres et les théâtres
officiels commençaient à ressentir un reflux du public, devant les guichets des
petits théâtres se pressait très souvent une foule de jeunes spectateurs.

Pour la littérature dramatique tchèque le Théâtre de la Balustrade a découvert encore un jeune auteur de talent, Václav Havel. Formé par le théâtre de
l'absurde, il montre dans sa pièce *Garden-Party* la vie de l'homme dans un système qui ne justifie son existence que par rapport à lui-même sans essayer d'en
voir l'utilité. L'absurdité d'un tel système retombe sur l'homme qui perd sa propre face. Sa décomposition n'est plus — comme dans un drame psychologique
— d'ordre moral, mais elle est réelle, totale et se réalise directement dans l'action.

En attendant, au Théâtre National, le travail de l' « atelier » Krejča continue.
Le grand talent de Josef Topol fait son chemin; on présente sa seconde pièce,
Leur jour. Après le succès de sa première pièce de théâtre, František Hrubín en
donne une nouvelle, appelée *Nuit de cristal*. C'est ici que le jeune poète Milan
Kundera, déjà bien connu, entre dans le monde des dramaturges. *Les Propriétaires de clefs,* son unique pièce jusqu'à présent, attire avant tout par sa méthode dramatique originale et particulière. Une histoire, en apparence historique, se passant sous l'occupation — mais en réalité une pièce extrêmement
actuelle — se réalise simultanément à deux niveaux : le premier rappelle les
drames à héros, le second la comédie bourgeoise ou si vous voulez la pièce de
boulevard à tendance légèrement ionesquienne. Les deux niveaux s'éclairent mu-

tuellement et ainsi ils se réduisent à leur juste dimension : à chaque moment on
offre au spectateur une double vue. L'auteur atteint à l'objectivité par une confrontation simultanée. A part cela l'action s'arrête plusieurs fois pour faire place
à des visions, qui permettent au personnage principal de se rendre compte de la
réalité des faits et de réfléchir au dilemme moral devant lequel il se trouve. Selon
l'expression de l'auteur, *Les propriétaires de clefs,* ce sont les « propriétaires de
principes, propriétaires de la morale, propriétaires du droit de juger les autres,
de leur donner des leçons, de les admonester, propriétaires qui avec tout cela
ne savent jamais de quoi il s'agit au juste, dont l'horizon est bouché par leur
vertu monstrueusement gonflée et qui, profondément persuadés de leur mission,
mènent leur combat niais ».

Vers la fin de 1960 l' « atelier » Krejča quitte le Théâtre National pour
réaliser, cette fois sur une scène hors de Prague, à Olomouc, la nouvelle et troisième pièce de Topol, *Fin du Carnaval,* œuvre maîtresse de l'art dramatique
tchèque d'après guerre. Ici l'auteur fait de son village natal le symbole de la
communauté humaine. Les liens sociaux de l'action ne sont qu'un moyen pour
découvrir les rapports fondamentaux entre les hommes. L'action simple, presque « populaire » est une image de la philosophie implicitement contenue dans
des plans de portées différentes. C'est un drame d'une austère objectivité, d'une
riche valeur métaphorique et d'une culture sémantique raffinée.

Dans la capitale de la Slovaquie, à Bratislava, Otomar Krejča met en scène
la première œuvre d'un jeune auteur, *Le Moulin* de Zdeněk Mahler. Cette pièce,
très éloignée par sa méthode de l'art poétique de Topol, est issue encore de
l'occupation, mais ce thème ne sert que de prétexte à une démonstration philosophique. L'action fortement déployée, riche en intrigues et en rebondissements
inattendus, présente l'homme écrasé par le mécanisme aveugle de l'Histoire,
mécanisme au sein duquel l'individu essaie en vain de maîtriser son sort par une
construction rationnelle. Dans la pensée de Mahler l'homme est arraché à ses
rapports naturels et violemment projeté dans un système erroné dont la marche
mécanique est continuellement interrompue par un hasard goguenard et cynique.

Dans la première moitié des années 60, le nombre des nouveautés dramatiques diminue sensiblement. En même temps les théâtres enregistrent un reflux
du nombre des spectateurs. Ce fait s'accompagne cependant d'une différenciation
du caractère spécifique de certaines scènes dramatiques et non moins par la
différenciation de l'intérêt du public. La vogue des petites scènes retombe, mais
en même temps de nouveaux théâtres paraissent dont les tendances sont plus
nettement nuancées. Le Club dramatique (Činoherní klub), dirigé par le théoricien du théâtre et critique Jaroslav Vostrý tend délibérément à devenir un théâtre
d'acteur : au cours de deux saisons le Club a créé son propre cercle de visiteurs
stables. Otomar Krejča et son « atelier » fondent un nouveau théâtre, le Théâtre
derrière la Porte (Divadlo za branou). Pour sa première représentation ils manifestent leur programme par le choix de la nouvelle pièce de Topol, *La chatte sur
les rails.* On peut parler ici de la naissance d'une scène qui par son travail
concentré et une préparation professionnelle extraordinairement approfondie

veut atteindre à un effet d'une grande intensité et combattre pour la réalisation d'une mission spécifique du théâtre, mission qui devrait prendre sa place parmi les genres voisins de l'art dramatique — le film, la radio et la télévision.

« FIN DU CARNAVAL » DE JOSEF TOPOL (1)

Il y a quelques années j'avais à écrire un texte pour le programme de la pièce de Topol, *Fin du Carnaval*. Je lui donnai pour titre « Une tentative pour se comprendre ». J'avais l'impression d'exprimer par là pas tellement le sens même de la pièce, car celui-ci ne peut être enfermé dans une formule, mais plutôt son appel à peine audible, l'appel qui à mon sens se fait entendre avec insistance dans le monde d'aujourd'hui et plus spécialement dans ce reflet du monde qu'est le théâtre. Comme si ce geste de l'auteur, à peine esquissé, plutôt senti, ce geste de la main tendue, nous invitait à nouveau — après tant de bonne volonté tombée à rien — à de nouvelles tentatives de compréhension mutuelle. Ce feu follet de l'espoir, que j'oserai appeler une catharsis de la tragédie de Topol, donne un sens à nos actes et à notre présence dans ce monde, malgré l'accumulation de preuves répétées de son absurdité. Et malgré le fait que *Fin du Carnaval* elle-même témoigne de l'impossibilité pour les humains de se rapprocher, d'établir un réel contact.

Je pourrais également appeler ma communication d'aujourd'hui une tentative pour se comprendre. Dans un sens un peu différent tout de même. Je voudrais vous présenter un auteur dramatique dont l'œuvre n'a jusqu'à présent pas franchi les limites de sa langue d'origine. Fatalement donc elle est pour vous une grande inconnue, elle est plus mystérieuse que l'énigme posée par le Sphinx à Œdipe. Or remplacer une œuvre d'art par une périphrase ou par une description n'est qu'une entreprise trop risible. J'essaierai donc de caractériser la méthode dramatique de Topol et, sur quelques exemples, d'esquisser la structure conceptuelle de cette pièce, la meilleure qu'il a faite. A la vue de ce chemin tortueux j'éprouve un sentiment d'impuissance qui réveille certains doutes dans mon esprit, mais je n'ai pas réussi à trouver un meilleur moyen de me faire comprendre.

Si j'ai décidé de vous informer précisément de l'œœuvre de Josef Topol et de sa *Fin du Carnaval* en particulier, j'ai ma raison : j'estime en effet que l'auteur et la pièce en question tiennent une place de choix dans les dernières décennies de l'art dramatique tchèque. Et je pense qu'après avoir fait sa connaissance — connaissance qui dépend évidemment de celle du texte — qui, dans ce cas précis

------

(1) On trouvera à la fin de cet exposé un résumé de la pièce.

est hélas si difficile à traduire — on aura une base de compréhension et une mesure pour juger le reste de notre production dramatique contemporaine.

Pour l'orientation première il faudrait, bien entendu, classer Josef Topol, définir sa place précise dans la littérature dramatique de nos jours. Il est difficile cependant de le situer par rapport aux autres, même si au sein de la littérature dramatique tchèque il reste une figure isolée, exceptionnelle. Il faut cependant ajouter que son isolement n'est pas celui d'un auteur singulier et méconnu, d'un insurgé mal compris qui se révolte contre son époque ou bien d'un esprit provocateur, destructeur des conventions. Les sujets de ses pièces ne sont pas exclusifs et, dans sa méthode dramatique, il doit beaucoup à bien des prédécesseurs. Mais il sait se servir des procédés connus d'une manière à la fois raffinée et productrice de nouveaux effets. Il n'est pas difficile de classer une pièce d'un genre bien défini et d'une portée limitée. Ce sont par contre des œuvres complexes, riches par leur contenu et leurs associations d'images poétiques, des œuvres réalisées sur plusieurs niveaux du langage et de l'action, qui échappent le plus à une description rationnelle. Dans ce cas la terminologie nous trahit et nous nous trouvons exposés aux mêmes dangers que celui qui veut présenter l'analyse la plus complète d'une véritable personnalité et la voit se réduire à une série d'éléments disparates — on perd cet *encheiresis naturae* dont le Méphistophélès de Gœthe parle au disciple.

Topol appartient aux auteurs qui savent regarder le monde avec les yeux d'un enfant. Ce qui ne veut point dire la naïveté, mais la pureté de ce regard, l'âme sans préjugés, sensible aux découvertes, la faculté de voir toujours comme pour la première fois. On peut considérer comme exceptionnelle cette façon d'aborder la réalité, particulièrement dans un temps où une part importante de la production littéraire et dramatique s'inspire soit de la littérature elle-même, soit de différentes idéologies, de sujets attrayants ou bien encore de la technique d'un certain genre. Cette façon qu'a Topol d'aborder la réalité est courageuse et, en même temps, présente un risque car elle cherche toujours les premières et les dernières causes qui ont été cent mille fois recherchées, décrites — et aussi banalisées. Seul un véritable génie poétique est susceptible de formuler ces sentiments, ces attitudes et situations trop connus d'une manière toute nouvelle et de façon à les faire entrer dans la conscience du spectateur comme de véritables questions l'incitant à une réponse personnelle. Il y a de ces esprits forts qui désirent imprimer leur ressemblance au monde, qui s'en emparent en conquérants ou en usurpateurs. Topol par contre fait face au monde plutôt avec un regard humblement ouvert, et c'est lui-même qu'il cherche à vérifier dans la réalité. Comme il n'est pas lui-même fermé au monde, celui-ci ne lui apparaît pas non plus comme une chose finie, terminée. Mais n'oublions pas que le poète susceptible de se rendre maître de la réalité et de l'accepter sans préjugé, est de ce fait condamné à refaire l'expérience de tout le développement de la pensée humaine. Je suppose que plus tard nous aurons l'occasion de lire cette chronique raccourcie des vies humaines sortie de la plume de Topol. C'est pourquoi aussi Topol ne peut préconiser une seule méthode dramatique ni s'enfermer dans

15. JOSEF TOPOL : Fin de carnaval.

celle-ci. Parmi ses grands maîtres on trouverait très probablement Shakespeare et Tchékhov. Mais qui donc ne fait pas appel à eux ! Seule une étude détaillée pourrait prouver ces filiations, étude qui n'a pas encore été entreprise.

Il y a quelque chose d'agreste dans les pièces de Topol. Même un étranger ne connaissant pas le tchèque, comme Kenneth Tynan, s'en est aperçu récemment — et cela devait le frapper plus que nous, qui sommes capables de saisir en même temps la complexité des aspects de l'œuvre de Topol. J'ai employé le mot agreste en pensant, non à l'origine de Topol qui est en effet villageoise, mais à l'espace libre, non confiné de ces pièces dont les personnages ont encore le sentiment de vivre sous le firmament plein d'étoiles, d'être liés à la nature et aux saisons, à cet espace où les gens se rencontrent pour parler et non seulement pour se croiser, où les mots ont leur importance et chaque chose est tout d'abord ce qu'elle est pour prendre seulement après son sens métamorphique. Si nous éprouvons des difficultés à classer Topol en tant que type poétique, nous ne réussirons pas beaucoup mieux à le définir en tant qu'auteur dramatique. Nous sommes obligés d'éliminer les catégories des pièces du boulevard, du drame psychologique, du théâtre épique, des pièces politiques, des pièces de critique sociale, des pièces documentaires ou philosophiques. On serait non moins tenté d'éliminer dans son cas la notion un peu vague, mais couramment employée, du théâtre absurde. J'estime cependant qu'une comparaison rapide de l'œuvre de Topol avec ce courant important de la littérature dramatique contemporaine peut révéler des rapports que l'on n'aurait pas supposés, et d'autre part des différences non moins visibles et susceptibles de contribuer à caractériser la conception de Topol et sa méthode.

Dans l'avant-dernière pièce en un acte de Topol — *La Chatte sur les rails* — deux personnes attendent un train qui n'arrive pas, devant la baraque délabrée d'une petite station rurale. Il fait nuit, ces deux personnes reviennent d'une excursion, ils sont seuls — ce sont deux amoureux. Ils ne savent pas au juste où ils se trouvent, ils sont trempés, n'ont pas de quoi allumer une cigarette. Toute la pièce se réduit au fond à leur long dialogue. Après sept ans de liaison deux êtres humains, un homme et une femme, s'approchent et s'ouvrent l'un à l'autre d'une façon si complète qu'ils ne pourront plus trouver que ce qui les sépare, les raisons de leur impénétrabilité mutuelle, et ne pourront que se rendre compte de leur solitude. Il ne leur reste que le désir de l'amour, mais le sentiment le plus fort qu'ils soient capables de rassembler dans leur cœur, c'est essentiellement la pitié — qui, ici, peut signifier quelque chose de plus que l'amour même. Les mots cessent d'avoir une valeur, la pièce finit dans un silence. Le seul espoir qui reste, ce sont les doutes.

La critique tchèque est longtemps restée un peu perplexe vis-à-vis de Topol et souvent, en l'interprétant, elle le défigure quelque peu. Mais à l'occasion de *La Chatte sur les rails* une voix au moins s'est fait entendre, attirant l'attention sur certains rapports de sujet avec Beckett. Je crois que cet avis était juste, mais la seule lecture de la pièce prouverait en même temps combien la réalité de Topol est distincte de celle de Beckett.

La dernière pièce de Topol — un acte également — *Rossignol à dîner,* introduit un jeune homme, un jeune poète, dans une famille inconnue. Evidemment, c'est une très drôle de famille, dont les membres ne sont liés que par la haine. Ils vivent sans horloge, en dehors du temps, sans mémoire — car la mémoire est un tourment, de même que le temps est une illusion, dont le seul avantage est de différer ce qui est réel — la mort. Bien que la famille aît invité le poète pour le « connaître », elle ne lui laisse pratiquement pas prononcer un mot de toute la soirée. Elle se libère de tout son ennui, de son inutilité, et de son désespoir en les déversant sur le poète. A la fin les membres de la famille assassinent le poète, comme ils ont assassiné tous les invités précédent. Comme si en lui ils assassinaient leur désespoir, qu'ils ont placé dans sa personne, leur désespoir et leur désir désespéré de nouer un contact humain. Le seul espoir qui reste, est dans le sous-titre de la pièce : « Jeu dans un rêve ». Ce rêve est évidemment un cauchemar.

Si on ne faisait que raconter le sujet, on pourrait, je pense, mettre ces deux pièces — notamment *Rossignol à dîner* — en annexe au livre renommé d'Esslin, et cela sans aucune gêne. Et y ajouter aussi bien le dernier des ouvrages de Topol, pièce en un acte encore manuscrite — *Une petite heure d'amour.* Mais la prudence conseille d'éviter les généralisations trop hâtives étant donné que ces trois pièces en un acte ne sont vraisemblablement que des ébauches, des esquisses pour une grande œuvre qui, comme nous supposons, résumera et accomplira une étape nouvelle de l'évolution de Topol tout comme il y a cinq ans c'était le cas de *Fin du Carnaval.*

C'est précisément dans *Fin du Carnaval,* drame complexe et déjà d'une grande maturité, que nous avons des chances de trouver les points de départ de l'auteur aussi bien que les points de rupture avec le théâtre de l'absurde.

Selon le catéchisme du théâtre absurde le monde consiste en une succession de fragments incohérents de réalité et c'est comme tel qu'il doit être présenté au spectateur qui, lui, ne s'en rendrait pas compte autrement. Dans le monde de *Fin du Carnaval* transparaît encore un ordre. C'est pourquoi aussi ce monde est susceptible d'être connu et le spectateur ne peut s'abandonner à l'illusion d'être mis en présence avec la seule idée de l'auteur, il ne peut pas se voir dans ce monde. Le monde ne lui apparaît pas absurde, grotesque, mais tragique. Tragique parce qu'il est connaissable (reconnaissable).

La connaissance du monde par l'homme, implique la connaissance de l'homme par lui-même. Chez Topol l'homme n'est pas hermétiquement fermé dans sa subjectivité, son libre arbitre lui permet, s'il en a le courage, de se connaître, c'est-à-dire de s'accepter et d'être lui-même. C'est alors que le monde peut s'ouvrir à lui, avoir un sens; il reste caché à celui qui s'embrouille dans ses propres illusions ou qui est limité par une insuffisance morale ou intellectuelle. Dans une pièce absurde il ne reste à l'homme trompé par ses propres illusions qu'un seul remède : rire de lui-même. L'homme de Topol sombre dans la tristesse provenant de la connaissance, il sombre dans un sentiment tragique, il ne peut pas rire. Pourtant — s'il est à même de se dominer lui-même, il ouvre au moins une fissure d'espérance, c'est-à-dire que la réalité même serait susceptible d'être dominée.

Par rapport au théâtre absurde qui prend son point de départ dans une situation, l'action est possible dans la pièce de Topol, parce que l'auteur croit qu'on peut témoigner objectivement d'une réalité connaissable. Le schéma de la construction de la pièce ne répond cependant pas à l'idée que l'on se fait du drame traditionnel, du drame de perspective ou d'idéologie, et ceci parce qu'il lui manque une solution, remplacée dans le cas de Topol par une interrogation. Dans un monde connaissable, même le comportement de l'homme peut être motivé — c'est pourquoi il y a des caractères dans la pièce de Topol. Mais il y a une différence par rapport au théâtre traditionnel — les caractères de Topol n'évoluent pas, ils ne font que s'affirmer ou, si vous voulez, ils évoluent en direction d'eux-mêmes.

Une pièce qui a une action continue et des caractères, suppose également qu'on s'inquiète de l'histoire ou du sort de l'autre. Dans une pièce absurde il s'agit d'habitude non d'une action, mais d'une situation, et il ne s'agit pas de caractères, mais de l'autoprojection du dramaturge. « L'autre » n'entre pas en ligne de compte, non seulement parce que d'avance il est supposé impénétrable, donc absurde, mais aussi parce que le centre d'intérêt réside dans l'*ego* de l'auteur. Ainsi le monde doit nécessairement paraître incohérent, désagrégé en monades. En effet le théâtre absurde ne démontre pas cette situation fondamentale, mais il la prend pour évidente, il la suppose et en déduit les conséquences. Le rapport avec le spectateur est l'une de ces conséquences. La méthode dramatique est toujours, en un certain sens, l'expression d'un point de vue philosophique et moral de l'auteur. Mais le drame absurde emploie le plus souvent le procédé d'une démonstration qui implique l'attitude du professeur, du juge, du moralisateur. L'auteur fixe lui-même les règles du jeu. Cette attitude d'inégalité envers les spectateurs reste étrangère à Topol. Le public de *Fin du Carnaval* a l'impression de découvrir un monde en même temps que l'auteur. Et le fait qu'il se reconnaît dans le monde de Topol, implique pour le spectateur la possibilité d'y prendre part et non pas seulement de suivre la pièce comme une démonstration. Le spectateur ne la sent pas comme quelqu'un à qui on fait la leçon, mais comme un participant. On aurait raison de dire que Topol incite le spectateur à s'identifier avec les personnages dramatiques et qu'il fait tout pour qu'il les comprenne. Ce n'est qu'après la chute du rideau que le spectateur a l'occasion de tirer au clair son attitude intérieure vis-à-vis des différents personnages de la pièce et de prendre conscience — à l'aide d'une confrontation de toutes ses expériences, telles qu'il les ressentait au cours du spectacle — de sa propre image. Soit dit en passant — cette technique qui fait valoir continuellement et simultanément cette double attitude — celle de l'identification maximum et celle du décalage maximum — est l'un des principes fondamentaux de la méthode de Tchékhov.

De nombreuses images incohérentes, qui composent la réalité vue sous l'angle du théâtre absurde doivent être enchaînées par le spectateur selon un schéma donné, afin que la pièce donne un sens. Cet appel à l'intellect du spectateur suppose évidemment une complaisance à collaborer ou, si vous voulez, une disponibilité à l'égard de la métaphore de l'auteur. Mais Topol n'autorise pas le spectateur à se désolidariser du drame ou, du moins, de son premier plan — au niveau de l'action— donc du plan intelligible pour tout le monde. La vraisemblance du premier plan ouvre le spectateur aux plans suivants de la pièce et lui inspire de la confiance dans les procédés du poète. Autrement dit Topol offre aux spectateurs une clef permettant d'ouvrir les sens des autres plans.

Dans le théâtre absurde le spectateur est obligé de chercher lui-même cette clef. Mais aussitôt l'action déchiffrée il peut généralement réduire le contenu du message de l'auteur à quelques notions ou rapports. Ceci ne s'applique évidemment pas aux œuvres des grands poètes, par exemple à celles de Beckett. Dans le cas des pièces de Beckett, comme dans celui de Topol, on peut suivre le sens toujours de plus en plus fin, de plus en plus profond, de plus en plus général; tout comme au-delà de l'interprétation la plus pénétrante et la plus minutieuse du sens de la pièce plane toujours une sorte de mystère. Or le mystère est un élément important de toutes les œuvres artistiques. Pour employer l'expression de Gœthe, faire de la poésie, c'est créer des « mystères révélés » (offenbares Geheimniss) et dans ce sens la poésie est en même temps un élément humanisateur. Elle peut toutefois devenir un élément déshumanisant, comme l'atteste Wilhelm Emrich, dans la mesure où elle se manifeste d'une manière isolée, en troublant les contacts entre des humains, en propageant l'horreur — par exemple dans le fantastique ou le grotesque —, ou bien en prenant le masque rebutant de l'inintelligibilité.

Dans un drame absurde, le spectateur est à même — tout comme chez Topol — de revoir l'ensemble, après avoir vu la pièce en entier, quand l'image qu'il s'en est faite est elle-même entière. Martin Esslin rappelle cependant que le spectateur du théâtre absurde s'intéresse moins à son sens qu'à sa structure et aux moyens employés pour produire l'effet voulu. Autant dire que le théâtre absurde produit de l'effet plutôt dans le domaine de l'esthétique que dans celui de la philosophie. Le spectateur s'en va avec le contentement et la satisfaction d'avoir pénétré tout un système d'images et d'avoir été à même de les déchiffrer. C'est cette satisfaction qui compense pour lui l'impression première, désagréable, produite par l'attitude supérieure de l'auteur. Ce sentiment de contentement éloigne le spectateur du véritable message de la pièce, il est pour lui une sorte de consolation le protégeant du désespoir.

Chez Topol l'élément esthétique est inséparable de l'élément philosophique. Le spectateur atteint progressivement le sens des différentes stratifications du drame tout en commençant à deviner le sens de l'image complète. Il ressent également de la satisfaction sans arriver au sentiment de supériorité. La connaissance ouvre le chemin d'une entente entre les humains mais elle impose une responsabilité. L'homme, qui doit répondre de ses décisions, doit avoir la possibilité d'agir librement. L'espoir offert à l'homme par Topol, c'est la perspective de la liberté. Liberté rachetée par la négation de la peur, liberté aux confins de la mort, mais liberté qui est à la portée de l'homme.

Le rapport unissant Topol aux spectateurs a ses conséquences aussi pour la construction de la pièce. Dans *Fin du Carnaval* l'auteur procède d'une manière très compliquée. Il y a moyen de le montrer en prenant l'exemple du rôle que l'auteur fait assumer aux masques, aux participants du cortège carnavalesque passant à travers toute la pièce. Les masques n'ont pas la fonction de chœur pittoresque ou de figurants folkloriques. Ils entrent dans le jeu et on voit progressivement qu'ils contribuent dans une grande mesure à le déterminer.

Tout d'abord il faut dire que le masque a un sens équivoque dans *Fin de Carnaval*. Par rapport aux autres, il cache celui qui le porte, et en même temps il le protège d'une responsabilité personnelle. Il le libère de la timidité et des égards dûs à la bienséance tout en lui offrant l'avantage et la gratuité morale de l'anonymat. Pourtant ce n'est qu'en apparence que le masque parvient à masquer. En réalité il démasque ce qui d'habitude reste caché, c'est-à-dire les traits les plus personnels, les plus individuels et les plus intimes. Le masque ne stylise l'extérieur de l'homme d'une façon aussi expressive que pour libérer l'homme d'une « autostylisation ». Celui qui prend le masque aura l'occasion d'échapper temporairement à son rôle habituel. Celui qui chez Topol accepte le masque, ne perd pas sa personnalité, il devient au contraire ce qu'il est réellement, il s'identifie à lui-même. Le masque n'est que le prétexte d'une authenticité et d'une spontanéité suprêmes. Aussi paradoxal que cela puisse paraître, dans *Fin du Carnaval* le masque démasque.

Bien que les masques interviennent directement dans l'action, participant à sa fin tragique, sur un autre plan de l'histoire ils ne font qu'assister aux événements, ayant la fonction de simples spectateurs. Dans ce sens *Fin du Carnaval* est un théâtre dans le théâtre. Mais tandis que le spectateur sur le plateau ne participe qu'à certaines scènes — il n'est donc pas au courant de tout et fait ses déductions à sa façon —, le spectateur assis dans la salle connaît l'histoire à fond, ayant devant les yeux les vraies raisons du comportement des personnages parce que l'auteur les lui a fait voir. L'indifférence des spectateurs masqués leur fait prendre tout à la légère et avec un certain détachement. Les rapports entre humains sont brisés par l'ignorance et l'incompréhension. Le spectateur initié de la salle aura donc également devant les yeux l'attitude du spectateur à demi initié — c'est-à-dire son attitude habituelle dans la vie. Devant ses yeux l'histoire se développe dans sa forme réelle et en même temps dans son interprétation sociale.

Sous le masque la fantaisie jaillit de l'âme des simples campagnards, ils deviennent tous poètes, nous les surprenons dans des moments pareils à ceux qui ont vu naître la vraie poésie populaire. Et les masques également — comme leurs prédécesseurs presque mythologiques à la naissance du drame grec — sont sujets aux instincts et aux passions, ils se confondent avec les forces élémentaires de la nature, étant capables de tout, du bien comme du mal. Le cortège des masques est mené par un jeune villageois habillé en hussard. Il est le plus spirituel, le plus poétique, le plus ingénieux de tout le cortège. Ses improvisations ont subjugué tous les autres qui reconnaissent son autorité. Par là évidemment il a accepté la responsabilité pour tous les autres. Il domine les masques par la puissance et la beauté de la parole, il fait fonction de mystagogue et de démagogue à la fois, dans le sens premier de ces mots. On pourrait dire aussi qu'un des thèmes de *Fin du Carnaval*, c'est le rôle social du poète.

La faculté et la fonction de la parole sont examinées d'une manière assez systématique durant toute la pièce. Parfois le mot apparaît sous son aspect rationnel et répond au sens qu'on lui attribue, parfois il transpose son propre sens ou le cache à la faveur d'un quiproquo, parfois il se fond magiquement avec l'image qu'il évoque pour aussitôt l'abandonner et s'abaisser jusqu'au niveau d'un cliché. Au niveau de la parole l'on peut aussi déchiffrer *Fin du Carnaval* comme une suite de tentatives échouées d'explication, comme une preuve de la destruction de la fonction communicative de la langue.

Au début de la pièce, Topol élève intentionnellement son style pour montrer la puissance de la parole poétique en tant que moyen extrême et privilégié d'employer la langue. Dans les scènes finales de la pièce il provoque à nouveau une rupture dans son style pour annuler l'effet magique du poème et pour essayer de faire prévaloir la parole en tant que « logos », c'est-à-dire pour rendre compte, pour faire preuve de responsabilité, de réflexion et de raison. De nouveau se fait entendre ici son appel à la compréhension. Donc le poème est finalement soumis aux considérations d'ordre moral, au critère de la vérité.

Les paroles déchaînées d'une nuit de carnaval sont ainsi appelées à rendre compte. Mais que peut le langage raide d'une action judiciaire ? Quelle sera la marche de la justice après la chute du rideau ?

Le coupable a avoué, on trouvera des circonstances atténuantes pour réduire sa peine. Le maire essaie de se trouver dans le mécanisme du hasard meurtrier. Si tous témoignaient en fonction de leur conscience et de la vérité, la justice pourrait arriver à la seule conclusion possible : c'était un triste malentendu. La raison de ce malentendu, la logique du faux hasard, le dramaturge seul a su la dévoiler. Les participants directs témoignent l'un pour l'autre d'avoir agi inconsidérément mais sans mauvaises intentions. Mais même si les motifs réels ne leur échappaient pas, même si tous comprenaient le sens profond de leurs actes et avouaient leur participation commune au crime — inconsciente bien entendu —, la culpabilité collective assurerait l'impunité de tous.

C'est Henri qui est la victime du village. Sa folie n'est pas une maladie mentale, mais plutôt le péché de la pureté d'âme. Il vit dans le monde de la poésie première, inconsciente, dans les joies et les tristesses des enfants ou des sauvages. Tout comme eux il a une fantaisie, une imagination poétique d'une portée magique. Une parole, un geste ou une image ne sont pas pour Henri un simple signe de la réalité, mais cette réalité elle-même. Il dessine une figure dans le sable et s'y voit. Les choses n'existent pas contre lui, Henri est leur intime, parfaitement identifié à lui-même. Il évolue sans inhibitions dans son monde à lui, non aliéné. Mais le manque d'inhibitions implique aussi qu'il est absolument désarmé. Henri s'expose à la réalité qui, dans son contact avec lui, lui apparaît tout à fait transparente. Pourtant c'est une réalité fictive et c'est pourquoi elle n'est pas à même de tenir au contact du monde réel des adultes. Henri doit périr, parce qu'il n'est pas immunisé contre la vie.

Le coupable, celui qui a selon toute évidence tué, c'est Raphaël. Pour lui, le monde de Henri avait l'attrait d'un rêve, d'un beau souvenir de l'enfance. Dans sa réalité d'aujourd'hui Raphaël se voit entouré de choses et de gens qui sont autres que ce qu'ils prétendent être, ou bien qui sont tabous. Un sentiment résiduaire de la pureté enfantine empêche Raphaël de s'adapter complètement à un monde aliéné et désintégré où les rapports humains sont gâchés. Il désire s'en échapper et ne voyant pas de chemin devant lui, il recule dans ses souvenirs jusqu'au paradis perdu de son enfance. L'illusion de ce retour possible est très suggestive pour lui, surtout en présence de Marie. C'est avec elle qu'il demeurait jadis dans le royaume de l'harmonie propre à Henri, royaume dont il se sent expulsé aujourd'hui. Il croit que seul l'amour de Marie pourrait lui ouvrir les frontières de ce royaume.

Pour que Raphaël puisse surmonter sa résistance à la réalité de son époque — et aussi la peur qu'elle lui inspire — il doit la connaître et l'accepter. Il en est empêché par l'image du paradis perdu qui demeure, tel un reproche, dans Henri. Donc dans un rival heureux Raphaël tue — nécessairement, non point accidentellement — sa propre fiction, une partie de lui-même. Henri est sacrifié comme l'agneau qui doit payer pour l'expérience de Raphaël. Celui qui vivra, payera sa victoire douteuse un peu trop cher peut-être : il a fait son entrée dans le monde réel par le meurtre. Pour le moment il y est, nu et horrifié. Il doit affronter les faits non plus comme un enfant, mais comme un homme. Il prendra ses responsabilités qui égalent en même temps la liberté. La pièce ne nous donne pas le droit de présumer ce qu'il en fera.

Le procès qui s'ouvre au dernier acte de *Fin du Carnaval* dévoile évidemment un faux coupable et disculpe par erreur tous les complices. Il est difficile de supposer que le soupçon pourrait tomber sur le véritable auteur du crime — l'homme que l'on surnomme le Croque-mort. Ce coiffeur sympathique, « diseur de bons mots, mauvais caractère », comme dit Pascal, a mis en œuvre toute l'action, tel un Figaro du centre de la Bohême. Tout le village passe dans sa boutique, il connaît la psychologie des gens et accumule des renseignements sur tout le monde qu'il retravaille ensuite comme une machine, avec à propos, sachant combiner et n'ayant l'air de rien. Son intelligence inhumaine, stérile, lui inspire un sentiment de supériorité et de mauvaise utilisation de ses dons. Il suscite un nombre infini de liens sans en avoir, lui, un seul qui soit réel. Il est incapable d'amour, il est resté célibataire. C'est peut-être pour cela que tout sentiment tant soit peu plus profond que les autres provoque sa jalousie et sa rancune. Quoiqu'il n'ait pas dirigé le coup meurtrier lui-même, il n'aurait pas su le faire, c'est quand même lui l'assassin mal masqué de la victime.

De même que, du point de vue de la signification, *Fin du Carnaval* cache le véritable coupable — non seulement aux protagonistes du drame, mais jusqu'à un certain point au spectateur lui-même, tant que celui-ci ne suit que l'histoire — de même, du point de vue de la construction dramatique, la pièce cache ainsi le conflit principal. Si nous ne prenions en considération que de simples faits et si nous voulions essayer de les interprêter idéologiquement, il pourrait sembler que dans *Fin du Carnaval* il s'agit d'un conflit entre un paysan indépendant et les partisans de la collectivisation des terres. Ce conflit qui, dans le courant de l'action, pousse l'histoire en avant, se réduit, rétrospectivement, à une simple intrigue. Mais essentiellement il s'agit de la lutte entre Croque-Mort et Král. Plus précisément de la lutte de Croque-Mort contre Král.

Le conflit n'est pas progressivement résolu par l'évolution des caractères, mais par leur dévoilement. Král est profondément attaché à ses terres et comme enraciné. Sa personnalité est stable, renfermée, lovée sur elle-même, des frontières bien accusées le séparent des autres, il est violemment retranché du nombre. Le taciturne Král ne se mêle de rien, il a des vues sur les choses, mais les tient pour lui; au fond il unit tout le village car tous ont au moins un intérêt commun que lui ne partage pas. Král reflète les caractères et les actes des autres comme un miroir où tous peuvent se contempler.

Contre l'immobilité concentrée de Král, le Croque-Mort fait jouer sa furieuse agilité ne s'arrêtant devant rien. Le mouvement est l'expression la plus frappante du vide du personnage. Par sa dispersion et ses regroupements, par des intrigues continuelles, le Croque-Mort semble se chercher lui-même. Il semble s'assurer qu'il existe réellement par ingérence permanente dans les affaires des autres. Parce qu'il n'a pas de visage propre, ni la force ou la faculté de voir la différence entre lui-même et les autres, il fond sa pseudo personnalité dans les autres, et c'est seulement dans leurs actes — inspirés par lui, bien entendu — que sa forme se cristallise et qu'il se voit. Le coiffeur bavard n'existe que dans la mesure où il peut se projeter et se refléter dans les autres, le faux-semblant de sa personnalité n'a son origine que dans le reflet des miroirs qu'il se tend à lui-même au moyen des autres. Malgré que le Croque-Mort infatigable s'efforce d'être toujours au centre de toute action, l'organisant continuellement, dans le fond il désagrège le village en créant tout un réseau d'intérêts contradictoires qu'il ne veut soumettre qu'à un seul intérêt — le sien.

Le Croque-Mort ne peut être pris sur le fait, car il agit toujours par l'intermédiaire des autres. Il essaie de plaire et de s'imposer aux gens pour en faire ses instruments, il leur vole leur personnalité, il les prive de leur identité — tous sont ses complices et c'est pourquoi aussi il peut ne paraître que comme un des complices. Il a réussi à diviser le village d'une telle manière que ses habitants ne peuvent plus se regarder droit dans les yeux quand déjà ils se regardent. Il s'est fait prévaloir au moyen d'eux : maintenant chacun porte dans son regard un rien du Croque-Mort.

Nous avons dit que le conflit central de *Fin du Carnaval,* c'est la lutte entre Croque-Mort et Král. Il est bien entendu que le sens profond de cette action objective ne réside pas dans la singularité et l'exclusivité du conflit de deux personnes réelles, historiquement déterminées, pour ainsi dire « vivantes ». Elevé sur le plan général, leur affrontement est de principe, il existe de toute éternité et n'a pas de solution.

C'est pourquoi aussi tout ce que ces personnages ont de concret au point de vue du temps et de l'espace, tout ce qu'ils ont d'accidentel et d'unique, forme un poème, une transposition artistique de la réalité. Et tout ce qu'ils ont en fait de principes et de positions d'une portée générale, n'est point une fantaisie du poète, mais bien la constatation d'un ordre, la vérité de la vie. C'est pour cette raison que le village prend la place du monde dans *Fin du Carnaval* : il devient sa parabole créée à la mesure d'une scène de théâtre.

C'est dans Croque-Mort que la liaison entre l'individuel et le général apparaît le plus clairement. Par bien des traits de son caractère il charme et il fait rire. Dans cette forme unique et individuelle il domine au milieu d'un village sans dépasser de beaucoup ses frontières. Pourtant si l'on dévoile l'essence de son existence et de son activité, on découvre une malveillance de dimensions monstrueuses, le mal dans sa forme active. Croque-Mort en tablier de coiffeur représente un danger localisé et temporaire. Croque-Mort en tant que principe menace la possibilité même de l'existence humaine dans ce monde. Et bien que l'auteur évite de rendre le personnage concret de Croque-Mort démoniaque et qu'au contraire il le rende plus proche en l'identifiant à son entourage et à l'expérience courante, il démontre cependant une présence discrète, mais permanente et réelle, du démon.

Tout comme dans le cas de Croque-Mort, chez Král les rapports avec le milieu et avec les conditions historiques données sont secondaires. Par exemple la question de l'entrée de Král à la coopérative n'est qu'un simple prétexte du conflit, elle représente sa projection actuelle, temporaire. Le conflit entre les coiffeurs et les Král ne peut malheureusement être supprimé par aucune mesure extérieure, sociale — il est essentiel et immanent. Là où la tension sociale existant entre les membres d'un organisme et sa structure en tant qu'unité a été abolie, une tension existentielle s'est produite, d'autant plus pressante, entre le monde de l'individu, compliqué et difficile à classer, et le monde de la communauté. Le problème de l'intégration de l'individu dans une société s'amplifie en un conflit permanent existant entre l'homme en tant qu'individu et la communauté humaine.

Ce n'est pas par hasard que celui dont le malheur est raconté dans *Fin du Carnaval*, s'appelle Roi (Král). C'est le caractère inassimilable de Král qui forme le présage de son destin, son attitude rigoureuse, intransigeante, sa fierté et son amour-propre. Dans les œuvres des poètes de l'antiquité cette prédestination s'appelle *hybris*. Les dispositions immanentes à l'action du drame ont dressé ce Král contre le mouvement social, contre l'histoire. Mais le sens métaphorique ou philosophique de la pièce a érigé contre lui — comme nous venons de le voir sur le cas de Croque-Mort — une force beaucoup trop mystérieuse, une force qui échappe à la motivation rationnelle et ne peut être vaincue par les mesures d'ordre social. Král est écrasé par une force démoniaque, déchaînée et vengeresse, par le mal aveugle. La culpabilité de Král n'est pas en rapport avec le prix qu'il doit payer. Dans son cas la justice des hommes reste impuissante. Voilà les raisons qui, à mon avis, nous permettent à juste titre de caractériser *Fin du Carnaval* comme une tragédie.

Josef Topol : « Fin du Carnaval »

(Résumé)

L'action se passe au village. Mais il ne s'agit point d'un « drame de village ». Le village participe à l'action en tant que communauté qui possède son chef, ses conventions, son éthique, sa « mémoire », ses connaissances des choses humaines, ses problèmes et sa conscience. Et qui a également ses intrus, briguant l'honneur d'être admis, comme par exemple le nouveau secrétaire ou deux jeunes gens venus de la ville, Raphaël et Pierre, qui veulent lui prendre leur « proie », la jeune fille Marie. La communauté dispose aussi de son fou, Henri, elle a sa victime, Vera, qui dut se sauver jadis des rancunes animant les villageois. En outre, elle abrite dans son sein un adversaire, un homme qui lui fait face à toute occasion, le paysan François Král (Roi).

La scène s'ouvre au moment où la communauté célèbre sa fête annuelle, le Carnaval. Ce jour ne laisse de côté personne, chacun subit son influence, bon gré mal gré. Comme chaque année, le coiffeur local surnommé Smrták (Croque-Mort), organise le défilé des masques; c'est d'ailleurs à cela qu'il doit son importance au village, son pouvoir, son influence déguisée.

François Král, le dernier paysan travaillant individuellement dans le village, est un personnage qui échappe à la communauté, qui mène avec elle une polémique, une controverse interminable, par ses actions et par son existence même. Toute tentative de compromis avec lui a échoué jusqu'à présent. Il ne se laisse pas « persuader », il ne veut pas se soumettre, et d'ailleurs tout le monde s'est déjà fait à cet état de choses. Seul le nouveau secrétaire, peu au courant, croit encore que l'on n'a pas fait tout le possible et qu'il faut, par conséquent, entreprendre une tentative nouvelle; aussi invite-t-il Král à participer à une réunion. Celui-ci ne vient pas, bien entendu. « Chacun ploie les genoux à présent, mais lui, il se tient debout comme un rocher, dame ! », commente Smrták, exprimant ainsi à la fois son admiration et son envie, sa sympathie et sa colère. D'ailleurs, le village entier observe Král avec le même mélange de sentiments, y compris ses amis. Chacun se sent irrité par son attitude, par l'attitude d'un homme qui échappe au destin commun, destin choisi ou bien accepté par tous les autres. C'est pourquoi Smrták conçoit l'idée de faire porter, dans le cortège carnavalesque, le fils de Král, le « fou » Henri, dans un cercueil, pour offrir à son père la vue de ses propres « funérailles », pour lui jouer un bon tour, pour ensevelir vivant, en sa personne, le « secteur agricole privé ».

Or, soulignons que l'opposition de Král à la communauté entière n'est pas due à son amour du patrimoine, purement et simplement, comme l'imagine le secrétaire. L'argument suprême que Král invoque, c'est: « Je ne laisserai pas ruiner mes champs! ». Son attitude envers la terre et le travail c'est avant tout une question de morale et de responsabilité. C'est pour cela que ses champs ont l'air d'un immense jardin, invitant celui qui les contemple à y planter les « dahlias et les muguets ». Král s'adonne totalement à ce qu'il fait, dans son travail il ne connaît point l'indifférence et il est incapable de comprendre un monde qui perd de plus en plus le sens du devoir et de la fidélité au foyer paternel, un monde où l'on se sent plutôt un hôte accidentel ou un passant. En outre, Král est un homme consciencieux, ouvert et cordial, un économe de qualité, accomplissant ses obligations. Par ses valeurs morales, il devient, sans le vouloir, la conscience même du village; il se fait respecter, mais en même temps son attitude est irritante.

Mais que faire de cette attitude dans un monde tendant à « la socialisation du travail », à l'industrialisation de la production agricole ? La certitude intérieure, l'amour de l'ordre qui sont à la base de la personnalité de Král, sont au fond archaïques. Tout indique que le processus historique condamne au néant l'existence même de Král. Aussi la controverse qu'il mène avec l'histoire ne lui apporte qu'une fin tragique. Mais c'est à l'histoire, en même temps, de forger un caractère et une morale qui soient susceptibles de remplacer la morale de Král.

Jusqu'à ce moment, l'analyse ne portait que sur le sort de Král à l'échelle sociale. Or il sera mis à l'épreuve aussi, de manière non moins douloureuse et tragique, en tant que père de deux enfants, Marie et Henri.

Les rapports de Král avec ses enfants sont nettement formulés dans la scène où les masques font tout pour entraîner le paysan avec eux, en l'invitant à s'ouvrir à leur jeu : ils déclarent venir chercher ses yeux et ses oreilles, vouloir emporter son âme. Ces mots sont prononcés pour plaisanter et sérieusement à la fois, mais Král réplique : « Je ne partagerai ma vie qu'avec mes enfants, c'est par eux que j'entends et que je vois, ils vivent de mon âme ». Malheureux, il ne soupçonne pas encore que le sort de ses enfants a déjà commencé à prendre un tournant différent du sien : les masques s'emparent d'Henri pour en faire leur fou, ils le portent dans un cercueil jusqu'à la cour de la maison de Král, pour y faire « les obsèques du dernier roi des champs ». Le père, auquel son propre fils inflige une offense publique, se rend compte qu'il est seul et qu'il ne peut plus espérer trouver un « successeur » dans son fils.

Et il en est de même avec Marie. L'étudiant venu de Prague, Raphaël, qui depuis bien des années vient passer ses vacances au village, lui fait la cour. L'amitié de Marie et de Raphaël, enfantine au début, s'est changée en amour, sentiment passionné surtout pour Raphaël, qui vient d'avoir une aventure amoureuse pour laquelle il a été chassé de l'école. Dans sa crainte de l'avenir, il s'attache désespérément à Marie qui revêt, à ses yeux, la forme toujours vivante de son ancienne pureté enfantine, maintenant perdue. Mais la pudeur de Marie, et les événements qui se déroulent dans le village, empêchent Raphaël de s'entendre avec Marie. Aussi a-t-il recours au dernier moyen qu'il croie encore posséder. Pour s'approcher de Marie, en dansant avec les autres masques, il se déguise en hussard, celui des masques qui est l'organisateur même de leur cortège. Dans ce costume, il invite Marie à la danse et lui annonce son plan : il va attendre sur la route pour partir avec elle, parce qu'elle est la seule qui puisse encore le sauver.

Mais Henri a remarqué le départ de Raphaël. Henri entend régler ses comptes avec les masques, enragé du fait qu'ils se sont servis de lui contre son père et qu'ils s'apprêtent même à enlever sa sœur; il s'attaque, le couteau à la main, à Raphaël qu'il tient pour un hussard véritable. Mais il se heurte au sabre que Raphaël porte avec son costume de hussard.

La mort d'Henri détruit le dernier espoir de Raphaël. Lorsque, devant le village assemblé, il a à rendre compte de ce qui s'est passé, il n'a plus de force pour se défendre. A ce moment, Marie comprend qu'elle aurait pu éviter les événements fatals, si seulement elle l'avait cru. Elle voit aussi que Raphaël assume délibérément la responsabilité entière pour ne pas l'humilier, elle, devant le village assemblé. La jeune fille voit dans le geste de Raphaël une preuve suprême d'amour et devant tout le monde elle se déclare solidaire du jeune homme, avouant sa part de culpabilité.

Les enfants ont abandonné leur père et Král demeure seul.

Nous avons dit que l'action du drame se déroule le jour du Carnaval. Seulement, ce n'est pas uniquement l'atmosphère qui importe. Les masques sont toujours là. Au début de la pièce les villageois essaient leurs costumes; à la fin, lorsque tout le monde se penche sur le cadavre d'Henri et s'apprête à juger Raphaël, les gens se démasquent et le village s'éveille de l'extase pour revenir à la réalité sombre et douloureuse.

De ce que nous venons de dire sur François Král et le sort de Raphaël et Marie, il ressort, sans doute, qu'il s'agit de drames croisés. Et les masques jouent le rôle d'un troisième plan, d'un plan social pour ainsi dire, sur lequel se dessine le destin des personnages; en effet, d'une part les masques interviennent directement dans l'action et, de l'autre, ils n'assistent qu'en spectateurs au conflit central. Ainsi le sort individuel acquiert une perspective nouvelle, et son sens même devient général, une sorte de parabole à l'échelle supérieure.

La liaison la plus intime entre les masques et le conflit central est assurée par le personnage d'Henri. Il est tenu pour fou, car son évolution mentale paraît s'être arrêtée au niveau des fables, de l'imagination enfantine. Il s'entend parfaitement avec les masques toutes les fois que disparaît le trait divisant la fantaisie et la réalité, la nature et l'homme. Mais sa simplicité et son absence d'hypocrisie le rendent incapable de comprendre le dessein des masques qui veulent le dresser contre son propre père. Le monde d'Henri, enfantin et pur, où tout est vrai et réel, ressemble le plus au monde que désire regagner, en vain, Raphaël et qui est aussi la cause de son amour pour Marie. Malgré le fait que la mort d'Henri a été causée par Raphaël uniquement par accident, elle matérialise en réalité une loi poétique, supérieure. Dans la personne d'Henri, Raphaël tue définitivement le paradis perdu de son enfance d'où il a été chassé et où il ne peut jamais revenir. C'est seulement en achevant cet acte que Raphaël est arraché d'un rêve quasi enfantin, pour se plonger dans la réalité des adultes. Il comprend qu'il ne peut plus se défaire de sa responsabilité et, qu'à l'avenir, il aura à décider de sa personne dans chacune de ses pensées et dans chacun de ses actes.

Le personnage d'Henri est celui qui montre le plus nettement avec combien de vigueur est assurée la cohésion compliquée du drame sur tous les plans et dans tous les rapports, qui s'éclairent les uns les autres. Sous une histoire prise dans la réalité contemporaine bon nombre d'autres plans se cachent, le défilé des masques dans le village devenant ainsi l'image du monde entier.

LE THÉATRE POLONAIS DEPUIS 1945

par Tadeusz SIVERT

Directeur de la section théâtrale
Institut d'art de l'Académie polonaise des Sciences

Je me permettrai de citer en commençant un passage d'une lettre de M. Bréal, adressée à la rédaction de *Théâtre en Pologne* :

> ...je regrette que Paris ne connaisse pratiquement pas la dramaturgie polonaise qui, elle aussi, doit avoir ses chefs-d'œuvre. Je formule donc un souhait : que, chaque saison, un théâtre parisien crée une pièce polonaise (1).

Mon exposé concerne la création dramatique dans la Pologne d'après guerre. Il y sera moins question de la mise en scène et de la scénographie que de la littérature dramatique, de son développement et de ses transformations, liés aux conditions de notre vie.

Il y a eu, après la guerre, plusieurs phases d'activité intellectuelle, politique et artistique, qui ont produit dans notre théâtre différents styles, différentes conceptions poétiques. Et s'il est évident qu'il s'inspire souvent des conquêtes d'autres théâtres, ce qui est compréhensible, il reste toujours original lorsqu'il se réfère aux traditions, aux mœurs, aux situations historiques de notre pays.

La reprise de la vie théâtrale en Pologne, pays complètement détruit par l'invasion nazie, commence en 1944, dans quelques villes, avec la présentation de la pièce de Wyspianski, *Wesele* (*Les Noces*). Il n'existait pas encore de pièces nouvelles et on choisit une œuvre excellente, écrite au début du XXᵉ siècle par le plus grand réformateur du théâtre polonais. Il avait conçu un grand théâtre, proche du théâtre romantique, mais d'une signification et d'un accent tout à fait nouveaux. Sa composition des dialogues est entièrement libre, les scènes sont courtes et frappent par leurs dialogues étincelants. Son style est brillant, des allusions politiques mordantes sont cachées sous les symboles et flétrissent les vices sociaux. Il opère une synthèse des divers éléments de l'art théâtral :

---

(1) Juillet 1965, publiée dans le n° 7/8.

dialogue, composition littéraire, musique, éclairage, décors, costumes, harmonie des couleurs, aboutissant à une vision théâtrale parfaite.

Notre célèbre metteur en scène, Léon Schiller, qui reprit cette conception à son compte, voyait en Wyspianski un grand artiste de théâtre. Gordon Craig admirait chez Wyspianski le réformateur, le novateur qui conçoit le texte dramatique comme un spectacle entièrement constitué.

Le choix de la pièce qui marque le début de la première saison théâtrale d'après guerre est significatif. La recherche d'un nouveau répertoire conduisit à la création d'une pièce nouvelle, *Les Deux théâtres* de Georges Szaniawski, écrivain déjà connu avant la guerre, dont la première eut lieu à Cracovie en 1946. (Bien entendu je ne parle ici que des pièces les plus importantes pour l'évolution de l'art dramatique polonais : on a produit, depuis la guerre, environ 400 pièces !)

Les Deux théâtres développe le thème de la confrontation du réalisme scénique, de la vérité représentée sur scène, avec le fantastique macabre qui pénètre l'histoire réelle en période de guerre. Le rêve, qui semble irréel, se confond avec la réalité, et en conséquence devient plus vraisemblable que la vérité même. Le personnage principal, un directeur de théâtre, ne veut pas présenter sur la scène un texte qui lui semble fantastique. Mais l'évocation des souvenirs de guerre vient prouver que l'invraisemblable peut se réaliser non seulement dans le rêve, mais aussi dans la vie. Cette pièce métaphorique se déroule sur deux plans : le théâtre où l'on joue et le théâtre de la vie réelle. Le spectacle rappelle la structure dramatique de Wyspianski, en particulier de la pièce intitulée *La Libération* (1903).

Les Deux théâtres est une pièce représentative des œuvres écrites immédiatement après la guerre sur le thème des tragiques souffrances qu'elle a infligées. On était alors à la recherche d'un style digne de cette tragédie nationale. Et la forme choisie fut celle du reportage, du documentaire authentique. Ces pièces, composées souvent comme de vastes fresques, transportaient à la scène des faits vécus, la vie et la mort des héros. Plusieurs pièces de ce genre ouvrent la période créatrice de l'après guerre.

Un autre drame révélateur, *La Fête de Winkelried*, écrit par Andrzejewski et Zagorski en 1944, publié en 1946, fut joué pour la première fois en 1956 à Lodz dans une mise en scène de Dejmek. En Pologne c'était déjà l'époque des perturbations politiques et intellectuelles. Dejmek, directeur du Théâtre Nowy (Nouveau) devint alors le représentant du nouveau courant politique et artistique au théâtre. Mais cette pièce était connue depuis dix ans, et elle appartenait au groupe d'œuvres lié aux premières transformations sociales de l'après guerre. Elle maintenait le contact avec notre tradition historique, en reprenant le thème du héros inutile. On y trouvait des analogies avec la pièce romantique de Slowacki *Kordian*, écrite en 1833. *La Fête de Winkelried*, surtout par sa mise en scène, ouvrit une nouvelle voie créatrice caractérisée par la critique des vices de la vie sociale et politique d'hier et d'aujourd'hui.

Dans les pièces de cette période, l'élément subjectif se rapportant à la réalité était presque entièrement supprimé. Le genre qui s'imposait était celui du drame politique engagé. Il s'agissait d'un engagement objectif, d'une propagande en faveur des doctrines et des principes acceptés par un groupe social ou par une organisation, à laquelle l'auteur se soumettait. Bien entendu, l'écrivain doué d'une personnalité, et désireux d'influencer, par ses propres convictions, les idées du milieu social, était placé devant ce dilemme : ou reculer devant la difficulté, ou accepter de produire des pièces schématiques, sous la pression de la politique culturelle. On comprend que dans une telle situation le facteur subjectif n'aît pas existé. On faisait des pièces sur les ouvriers ou les employés, avec un héros inflexible et constant, un « je sais tout » inspiré par les idées de l'organisation qu'il représentait. Il n'avait aucun conflit à résoudre, il énonçait des thèses, présentait des arguments toujours justes et sortait toujours vainqueur, ce que le public devinait dès le premier acte. Psychologiquement ces œuvres n'avaient ni caractère ni personnalité. Leur trait principal était de formuler une thèse étrangère à l'auteur. On disait alors : « cela ne fait pas tort à la thèse, mais cela fait tort à la création ». Ajoutons que le drame engagé a fait plus tard sa réapparition, mais sous un aspect entièrement nouveau.

Remarquons aussi que les pièces composées pour le festival ont été précédées par un chef-d'œuvre de Léon Kruczkowski, *Les Allemands*. La pièce fut créée à Cracovie le 22 octobre 1949 et quelques jours après à Varsovie, puis à Wroclaw, Berlin, Paris, Vienne, Prague, Bratislava, Budapest, Helsinki, Moscou, Rome, Bologne, Sofia, Tokio, Londres et plusieurs autre villes étrangères. L'écrivain a déclaré lui-même à propos de la genèse de son œuvre : « Il s'agit de montrer les idées de quelques personnages de nationalité allemande, appartenant à la même famille, et représentant différentes positions morales, politiques et humaines, vis-à-vis du problème allemand en général, et du problème nazi en particulier. L'auteur a voulu présenter ces personnages « chez eux », « entre eux », et pénétrer leurs pensées, leurs idées du point de vue de leur vie privée, personnelle » (2). Kruczkowski a posé le problème du « sonnenbruchisme », d'après le nom du héros, le professeur Sonnenbruch, savant et inventeur, homme très honnête, qui voudrait rester à l'écart des événements politiques et sociaux, c'est-à-dire de l'invasion nazie et des crimes de guerre. Bien entendu, il échoue. Sa pièce est écrite dans un style réaliste qui continue la tradition du style de Stefan Zeromski, dont il est le fidèle disciple, bien qu'il s'oppose à ses idées nées à l'époque du « modernisme » polonais. Il fait d'ailleurs suivre sa pièce d'un épilogue présentant de manière schématique la transformation du professeur Sonnenbruch en personnage positif, engagé dans les travaux du progrès social d'après guerre. Quelques années plus tard il comprit l'erreur de ce schématisme, et supprima l'épilogue, et depuis lors on joue cette pièce sur la responsabilité personnelle et l'engagement social sans épilogue.

---

(2) « Léon Kruczkowski et la génèse de sa nouvelle pièce », *Dziennik Literacki*, 1949, n° 42.

Kruczkowski est l'auteur de plusieurs œuvres dramatiques de haute qualité qui précèdent et suivent *Les Allemands*. La plus intéressante, *Le Premier jour de la liberté,* publiée et jouée en 1959, développe le thème de la véritable liberté de l'homme, et sa dernière pièce, *La Mort du gouverneur* (1961), écrite dans un style métaphorique, a pour thème la justice.

L'échec du drame de festival amena les auteurs dramatiques à créer un genre nouveau, moins engagé dans la réalité politique et sociale du moment, mais ne fuyant pas pour autant les problèmes d'actualité, suggérés par des analogies, des allusions ou des associations d'idées. On écrit des pièces historiques, popularisant les divers moments de l'histoire nationale. Et aussi, de 1951 à 1954, des pièces plus légères, des comédies satiriques ou divertissantes.

Les dix années qui suivirent la Libération furent donc caractérisées par des pièces-reportages sur le cataclysme de la guerre et sur la vie collective, par des œuvres politiquement engagées, normatives et dépourvues de tout élément subjectif, tendant à transformer la vie sociale, par des drames historiques où notre passé national était interprété d'une façon toute moderne, et enfin par des pièces gaies.

Les perturbations politiques et sociales de 1956 influent sur l'évolution des idées artistiques et ouvrent de nouvelles voies au théâtre. Les œuvres sont plus pénétrantes, plus audacieuses. On joue les pièces de Lutowski, Skowronski, Zawieyski, et beaucoup d'autres, dont la composition est plus parfaite. C'est alors que font leurs débuts de jeunes écrivains comme Abramow, Broszkiewicz, Choinski, Drozdowski, Herbert, Iredynski et surtout Mrozek et Rozewicz. C'est l'époque de l'invasion des scènes polonaises par l'avant-garde étrangère avec Beckett, Ionesco, Genet, Dürrenmatt, Frisch et tant d'autres. On joue également Anouilh, Giraudoux, Camus, Sartre, Ghelderode, Brecht, etc. Enfin on porte à la scène les œuvres de précurseurs comme St. I. Witkiewicz (surnommé Witkacy), Gombrowicz, Galczynski.

Cette avant-garde polonaise était née avant la guerre. Elle s'était développée en dehors de la vie théâtrale, car ses pièces étaient peu connues, et ne furent jamais jouées. C'est le théâtre d'après-guerre qui révéla l'œuvre de Witkacy. Celui-ci avait débuté comme dramaturge en 1918, et il trouva ses continuateurs dans le théâtre contemporain de Mrozek, qui présenta sa première pièce *Les Policiers* en 1958, et de Rozewicz. On joua pour la première fois après la guerre, en 1959, au Théâtre Dramatique de Varsovie, deux pièces de Witkacy : *Dans une petite maison de campagne,* et *Le Fou et la Religieuse.* A cette époque le même théâtre présenta au public la pièce de Gombrowicz, *Yvonne, princesse de Bourgogne,* et accueillit dans son répertoire les pièces de Dürrenmatt, Ionesco et Sartre. *Le Théâtre contemporain* de Varsovie commença aussi à jouer Sartre, Camus, Beckett, Ionesco, Montherlant, Williams et Dürrenmatt.

On voit que la nouvelle avant-garde polonaise est influencée par les dramaturges d'Occident, mais elle trouve son inspiration essentielle dans la tradition indigène de l'entre-deux-guerre.

Considérons un moment l'œuvre de Witkacy pour préciser ses conceptions dramatiques, ses tendances et son apport artistique. L'un de nos critiques contemporains, J. Klossowicz, dans un article publié dans *Le Théâtre en Pologne* (3), écrit à son sujet :

Witkiewicz (surnom Witkacy) appartenait au groupement éphémère des « formistes », le plus original des courants d'avant-garde polonaise. Dans son œuvre il est allé toutefois bien au-delà des théories artistiques du formisme, créant son propre système esthétique et philosophique qu'il appliqua d'une manière conséquente. La théorie de Witkiewicz était basée d'une part sur la tendance à une rénovation formelle du drame, à la création d'une forme théâtrale pure, proche en de nombreux points du langage théâtral d'Artaud. D'autre part il voyait dans le drame un modèle intellectuellement vérifiable du métaphysique Mystère de l'Existence — la raison d'être qu'il comprenait à la Heidegger (bien qu'il ne connut pas la doctrine de Heidegger). La théorie esthétique et philosophique de Witkiewicz a donné au théâtre des résultats absolument extraordinaires, si l'on considère qu'il a écrit presque toutes ses pièces et ses études sur le théâtre et le drame dans les années 1918-1926. A Witkiewicz en 1918, tout comme à Ionesco dans les années 50, il importait surtout de dégager la vérité du théâtre et du drame, de les débarrasser de la gangue des conventions et du goût du public bourgeois. Le meilleur moyen d'y parvenir est, selon lui, la déformation comprise comme un moyen de destruction qui, finalement, doit conduire à la naissance d'une nouvelle forme dramaturgique, d'un nouveau langage du théâtre. Il s'employa à cette déformation d'une manière très conséquente, en commençant par la langue de la pièce qui est chez lui à l'inverse de la traditionnelle caractérisation du personnage par le langage dont il use. Il procédait ensuite à la destruction du caractère des héros de ses drames en leur donnant des traits dénaturés, voire surnaturels. Enfin, il détruisait aussi, sans pitié, l'action du drame, avant tout en renversant la logique de la succession des événements. Les pièces de Witkacy sont à proprement parler dépourvues d'action. Celle-ci est remplacée par une suite d'incroyables spirales. Les héros assassinés au premier acte ressuscitent au second et continuent à vivre de terribles péripéties qui en fin de compte ne mènent nulle part. Le drame finit au point où il a commencé. L'existence de ses héros est absurde ainsi que leur action scénique. Ici, l'esthétique de la dramaturgie de Witkacy rejoint sa philosophie et sa conception de l'histoire. Car Witkacy, auteur de plus de trente pièces que l'on pourrait définir en quelques mots comme des tragédies-farces burlesques dans le style de Ionesco, était en même temps l'un des auteurs les plus avertis de cette époque du point de vue social et historique (...) Les héros, les situations et l'action scénique sont en même temps sublimes et ridicules, tristes et drôles, grandioses et lamentablement insignifiantes.

Le premier continuateur de Witkacy fut Gombrowicz, mais actuellement c'est surtout Slawomir Mrozek. Il n'est pas difficile de comprendre dans quelle atmosphère se révéla l'œuvre de Mrozek. Sans doute, le nouveau théâtre polonais rappelle-t-il celui de Beckett, Ionesco ou Genet, mais il en diffère considérablement dans la mesure où il continue la tradition de Witkacy, Gombrowicz ou Galczynski, créateur de saynètes surréalistes. La parabole philosophique de

---

(3) J. KLOSSOWICZ : « Le drame d'avant-garde des vingt ans de l'entre-deux-guerres », *Le Théâtre en Pologne*, 1965, n° 7/8.

Beckett a un caractère naturaliste, indépendant de la convention scénique dans laquelle elle est représentée. La métaphore de Mrozek, sorte de parodie littéraire ou de farce, sert de moyen d'expression à une critique politique et sociale, aussi bien que philosophique. Elle lutte contre la mauvaise tradition et la mauvaise convention artistique, et elle devient en même temps internationale. Mrozek utilise dans son œuvre une action dramatique absurde, mais il oblige son spectateur à chercher des situations correspondantes dans la réalité. C'est à travers l'humour souvent macabre, les situations invraisemblables, les conflits grotesques, les railleries mordantes que se manifeste la satire. Par exemple, considérons la farce intitulée *Strip-tease.* Deux hommes, leurs serviettes à la main, apparaissent sur la scène. Ils parlent d'une façon conventionnelle. Tout à coup une voix leur ordonne de se déshabiller. Puis apparaît une main surhumaine qui les emporte tous les deux hors de la scène. Comme action, c'est peu, mais il faut écouter le dialogue. Contraints de se dévêtir, les deux héros mettent à nu tout leur égoïsme, leur conformisme, et leur lâcheté. Ils se dévoilent comme de misérables êtres humains. Les personnages de Mrozek sont des demi-symboles. Ils jouent un rôle important dans la société, mais ils ne sont pas des caractères concrets. Sa dernière grande pièce, *Tango,* représentée sur plusieurs scènes en 1965-1966 (Belgrade, Bydgoszcz, Varsovie, Gdansk, Brno, Düsseldorf) est devenue un événement de cette saison théâtrale. Nous citerons l'opinion du *Théâtre en Pologne* (4) :

> *Tango* confirme la classe de cet écrivain qui aborde un problème politique extrê-
> mement important : la confusion d'idées et le manque d'idéal qui sont le terrain d'élec-
> tion de la dictature personnelle. L'auteur cherche à révéler ici les racines du fascisme.
> Bien entendu, *Tango* aborde également d'autres problèmes, mais celui-ci en est le centre
> et permet de compter cette pièce parmi les œuvres politiquement engagées.

La satire de Mrozek est issue de la tradition polonaise. Elle concerne les problèmes polonais, mais elle est en même temps universelle. Sa dernière pièce, *Le Cerf,* fut jouée à la télévision de Varsovie le 28 février 1966. Le 18 mars de la même année le Théâtre de Poche de Paris représenta trois pièces en un acte de Mrozek : *Strip-tease, En Pleine mer* et *Bertrand.*

Rozewicz, lui, est plus près du style de Ionesco. *Notre petite stabilisation* rappelle par sa composition *Les Chaises.* Son Théâtre est celui de la vie humaine, dont la véritable valeur ne peut être conquise que par l'engagement et la lutte. La stabilisation, la passivité, y est présentée comme une chose dangereuse et répugnante. Sa première grande pièce, *Le Dossier,* dévoile la faiblesse de l'homme qui ne sait pas répondre aux principales questions sur le sens de la vie. Rozewicz, comme Mrozek, cherche à résoudre, ou tout au moins à poser des problèmes de nature morale et sociale. Il le fait à l'aide de conventions scéniques tout à fait modernes, recourt aux moyens de l'expressionnisme et du surréalisme, et ne

---

(4) H. Bieniewski : « La dramaturgie des années soixante », *Le Théâtre en Pologne,* 1965, n° 7/8.

16. SLAWOMIR MROZEK : Tango.

recule pas devant les effets brutaux, fantastiques, surprenants. Le réel et l'absurde, l'ironie, le tragique et le comique se mêlent dans cette œuvre que l'auteur qualifie lui-même de « théâtre du réalisme poétique ». Il révèle la poésie des situations et des objets quotidiens. Le changement de perspective, le rapprochement de la scène et du spectateur, permettent de représenter les pièces de Rozewicz sur de petites scènes, dont la mieux adaptée est celle du théâtre en rond. C'est ainsi que deux pièces de Rozewicz, *Les Témoins* ou *Notre petite stabilisation* et *Le Vieillard ridicule*, furent représentées en janvier 1966 sur la petite scène ronde de l'Ateneum de Varsovie. Rozewicz est déjà bien connu dans le monde, et les spectateurs de Varsovie, Cracovie, Essen, New-York, Berlin, Belgrade, Livourne, Helsinki, Tel Aviv ont pu voir son *Dossier* (5). Il faut constater cependant que parfois le théâtre de Rozewicz n'est pas encore pleinement compris.

En résumé on a vu se constituer, au cours de ces dix dernières années, notre « avant-garde » que caractérise l'audace des thèmes, le mordant de l'expression, la construction libre, métaphorique. L'écrivain cherche de nouvelles solutions à son art. La composition tend délibérément à la déformation, à l'absurde, au fantastique. L'auteur puise dans la tradition littéraire de son pays, mais affirme son originalité en utilisant des thèmes actuels, des structures dramatiques tout à fait modernes.

L'engagement, dans ce nouveau théâtre, a perdu son caractère normatif, schématique. Les problèmes sont présentés d'une manière vive, naturelle et vraie. La création, sincère et personnelle, devient convaincante. L'auteur révèle ainsi toute la profondeur de l'art et du goût de notre époque.

---

(5) Depuis cet exposé il a été présenté au Studio des Champs Elysées, à Paris, dans une mise en scène d'André Perinetti.

LES AUTEURS ÉTRANGERS CONTEMPORAINS
SUR LA SCÈNE SLOVÈNE

par Filip Kalan KUMBATOVIČ

Recteur de l'Académie de Théâtre, Radio, Cinéma, Télévision de Ljubljana

Si j'ai choisi, dans le domaine des recherches que vous entreprenez, sur les rapports entre les tendances nouvelles de la dramaturgie et le dynamisme social, un sujet — le destin des auteurs étrangers sur la scène slovène — qui peut susciter des études comparées sur un thème très actuel mais encore mal exploré, c'est parce que l'expérience acquise au cours des métamorphoses violentes de notre société à la suite de deux guerres mondiales, nous a appris qu'un véritable homme de théâtre — qu'il soit auteur, metteur en scène, comédien, critique, historien ou tout simplement spectateur engagé — ne peut vivre en dehors de son époque, et de ses systèmes politiques.

Le véritable créateur de théâtre, celui qui est pleinement conscient du fait que toute création vivante implique à la fois la scène et l'auditoire, les comédiens et les spectateurs, les artistes et les critiques, doit savoir conduire sa barque dans un détroit dangereux entre deux écueils.

D'une part les conditions politiques de son pays l'isolent, d'une manière ou d'une autre, de l'activité culturelle des autres pays, avec le risque que son imagination créatrice, entravée par les exigences idéologiques du moment, ne puisse se manifester que dans le domaine des nouveautés techniques. D'autre part il veut s'arracher, en pleine connaissance des contradictions absurdes du monde actuel, à la traditionnelle opposition de l'artiste et de la société, pour formuler ses réponses aux problèmes actuels dans le langage égocentrique de son existence individuelle, privée, donc volontairement enfermée dans la prison des illusions antisociales.

Ces deux écueils auxquels se heurtent les véritables créateurs, si dangereux dans la société contemporaine, le sont particulièrement lorsque les hommes de théâtre doivent s'imposer dans les conditions de vie culturelle d'un peuple dit « petit ». Ils les inquiètent beaucoup plus que certains autres créateurs et arbitres, fiers d'appartenir à quelque grande culture, reconnue par tous depuis des siècles. Cela se comprend facilement du fait qu'historiquement le répertoire théâtral des

« petits pays » naît toujours d'une confrontation annuelle entre les auteurs
étrangers et leurs propres auteurs et que, dans ce répertoire, les auteurs étrangers
sont toujours en majorité. De ce fait, cette confrontation demande une culture
esthétique et une expérience idéologique, ou bien une connaissance très précise
des événements théâtraux du passé et du présent, aussi bien chez ceux qui doivent réaliser cette symbiose des éléments nationaux et étrangers sur la scène, que
chez les spectateurs à qui cette représentation est destinée.

Cette symbiose, imposée depuis des siècles au répertoire des « petits » comme
un besoin vital, apparut seulement dans le monde des « grands » à l'occasion des
profondes transformations sociales qui suivirent la deuxième guerre mondiale.
Alors on vit Paris, qui acceptait depuis toujours le répertoire étranger avec mille
précautions, adopter des auteurs étrangers comme Ionesco et Beckett et leur
accorder tous les privilèges d'artistes naturalisés. Il est vrai qu'on pourrait discerner les origines de cette tendance dès la fin du siècle dernier, au temps du
naturalisme et du symbolisme, alors qu'Ibsen et Strindberg préoccupaient déjà
toutes les capitales théâtrales. Cependant ces contradictions ne se transformèrent
en véritables paradoxes qu'au milieu de ce demi-siècle, quand sur la carte géopolitique de notre vieux continent apparurent des aires d'influence théâtrale tout
à fait nouvelles.

Ces contradictions, ces paradoxes peuvent être illustrés de manière fort
suggestive par le théâtre de Slovénie, car sur les scènes de ce petit pays les pièces
d'auteurs étrangers ne cessent de provoquer une vive agitation chez tous ceux qui
s'intéressent à sa politique culturelle.

Il s'agit, par son étendue tout au moins, d'un très petit pays puisque dans le
cadre de la Yougoslavie actuelle la superficie de la république de Slovénie n'occupe
que 20.000 kilomètres carrés d'un territoire situé entre les Alpes, l'Adriatique et
la Plaine pannonienne, et que la population de tout le territoire ethnique slovène
de part et d'autre des frontières de l'Etat, après les lourdes pertes subies au cours
de la deuxième guerre mondiale, et après les péripéties politiques et sociales des
premières années de l'après-guerre, n'approche que progressivement du chiffre
de deux millions. Ce pays jouit pourtant depuis des siècles de tous les avantages,
et subit tous les désavantages, de sa situation géographique : il est placé au
carrefour géopolitique, culturel et historique des routes menant vers le nord et
le sud, vers l'est et l'ouest, car sa capitale Ljubljana se trouve sur l'antique route
traversant toute l'Europe Centrale et reliant Prague, Vienne et Graz à Trieste et
à Venise, et son territoire ethnique s'étend encore de nos jours très loin au delà
des frontières de l'Etat, dans les pays voisins, l'Autriche et l'Italie.

Et pour bien illustrer la situation théâtrale de ce pays, on doit ajouter que
la minorité slovène soutient depuis des années un théâtre professionnel à Trieste,
en territoire italien, et que les théâtres slovènes font des tournées en territoire
autrichien, à Klagenfurt et à Graz. Bref, la confrontation annuelle ne se limite
pas aux auteurs étrangers et aux auteurs du pays. On doit comparer aussi les
expériences scéniques effectuées dans des milieux assez différents : l'Italie, l'Autriche, et les autres républiques de la Yougoslavie actuelle.

*
* *

Les pièces étrangères jouées sur les scènes slovènes correspondent à première vue assez exactement à celles qui sont représentées dans les autres républiques yougoslaves. Ceci était vrai surtout de la période 1945-1950, alors que toute l'administration de l'Etat était encore centralisée dans les organismes de la fédération et des républiques et que les programmes des théâtres professionnels montraient encore des tendances conformistes, et quelques traces d'un activisme politique né de la coexistence du romantisme révolutionnaire avec les thèses soviétiques sur le réalisme socialiste.

Mais déjà à cette époque on remarquait dans le répertoire, dans les réalisations et dans les réactions du public et de certains critiques, un certain écart par rapport aux suggestions idéologiques que les militants appelaient alors « la ligne générale ». Au cours de cette période il n'y eut sur les scènes slovènes qu'une dizaine d'auteurs soviétiques (Afinogenov, Gorbatov, Katajev, Kornejcuk, Lavrenjev, Petrov, Simonov, Skvarkin, Trenjov) déjà partiellement connus par les représentations d'avant-guerre. Parmi les pièces de ces auteurs, la plus souvent jouée était l'aimable comédie de Skvarkin, *L'enfant d'autrui*, pièce sans prétentions idéologiques et pleine d'efficacité théâtrale, qui avait déjà remporté un vif succès en 1935. Au cours de la première saison d'après-guerre, lorsque la pièce fut reprise par le metteur en scène Bojan Stupica, le succès fut tel qu'elle fut reprise dix ans après par le Théâtre Municipal de Ljubljana, dans une mise en scène nouvelle de Vladimir Skrhsinsek.

Une analyse détaillée de ces premières années de l'après-guerre prouverait que cette résistance latente des gens de théâtre slovènes à un répertoire dirigé ne cachait pas quelque aversion pour la représentation de l'actualité sociale et politique, car toutes les pièces de propagande des auteurs slovènes (Matej Bor, Mira Miheliceva, Igor Torkar, Vitomil Zupan) furent jouées au cours de cette période par d'excellents acteurs et dans des mises en scène bien préparées. Non, cette résistance est née d'une méfiance traditionnelle envers toute intervention dans la vie culturelle ressemblant à une recommandation ou à une interdiction officielles. Cette méfiance, caractéristique de ce petit peuple qui vit depuis toujours dans une situation historique précaire, serré entre des voisins plus puissants, tire son origine d'une vieille expérience des tracasseries de l'Etat. Le théâtre slovène a végété presque trois siècles sous la menace incessante des décrets d'une censure tatillonne, légués *via facti* et *ad usum delphini* de chancellerie en chancellerie, depuis 1770, année des premières recommandations personnelles de l'empereur d'Autriche Joseph II, jusqu'à 1941, moment de la chute de la Yougoslavie des Karageorgevic, sans qu'aucune autorité du pays n'ait songé à les annuler *de jure*.

Cette manie héréditaire de la censure atteignit le comble du grotesque à la veille de la deuxième guerre mondiale, au cours de la saison 1938-39, lorsque le public du Théâtre National de Ljubljana interrompit seize fois par ses applaudissements la représentation du drame de Cankar, *Les Valets*, joué en version intégrale à l'occasion du vingtième anniversaire de sa mort. Cette pièce de critique sociale, dirigée contre l'intolérance de principe des autorités et contre l'obéissance veule des citoyens, avait été écrite, *nota bene,* dès 1910. Interdite sous l'ancienne Autriche, elle ne fut portée à la scène qu'après la chute de l'empire des Habsbourg en 1919, et de façon très caractéristique à Trieste, puis à Zagreb et enfin à Ljubljana. En 1938, l'enthousiasme démonstratif des jeunes spectateurs provoqua une réaction assez cocasse du Conseil de Censure des autorités locales : ce Conseil exigea de la direction du théâtre la suppression de certains passages et l'interdiction des applaudissements — et il l'exigea par un document officiel (IV, n° 62/2-39), daté du 7 février 1939, où on citait parmi les arguments légaux trois articles de l'Ordonnance sur les théâtres (Theaterordnung) promulguée dans la ville impériale de Vienne en 1850, et signée par Alexandre Bach, ce ministre des Affaires Intérieures de sinistre mémoire !

Cette méfiance traditionnelle à l'égard de la valeur didactique du théâtre fut peut-être renforcée, dans les premières années de l'après-guerre, par des comparaisons entre les pièces de propagande politique et les programmes à tendances jdanoviennes d'une part, et, de l'autre, les souvenirs de ce que fut le répertoire du théâtre partisan slovène au temps de la lutte pour la libération. Car ce répertoire des comédiens maquisards, destiné aux combattants et aux militants du minuscule territoire libéré entre les fronts, n'était pas limité aux éphémérides de propagande. On y jouait, tout près des fronts, sur une véritable scène et dans des costumes stylisés, des pièces de Linhart et de Cankar, de Tchekhov et de Molière. On restait donc fidèle à la tradition de ce petit peuple placé au carrefour des cultures européennes qui, même pendant les pires épreuves de son histoire, n'a jamais voulu renoncer à un libre accès à toutes les cultures du monde.

*
* *

Ces données sur le cosmopolitisme héréditaire des gens de théâtre nés au bord de l'antique route reliant Vienne et Venise, et éprouvés par les conflits anciens opposant l'Orient à l'Occident, nous permettront de montrer comment s'est faite, entre les saisons 1950-51 et 1955-56, c'est-à-dire pendant la première accalmie qui a suivi le conflit entre la Yougoslavie et le Kominform, la réorientation des théâtres slovènes, d'un répertoire plus ou moins dirigé où se faisaient entendre certains accords venus de l'Est, vers un libre choix de pièces contemporaines, et de préférence françaises, suisses, anglaises ou américaines.

Les signes extérieurs de ce passage d'un répertoire dirigé à un choix libre étaient semblables, du moins en apparence, dans toutes les républiques yougoslaves. Le désir de posséder un répertoire aussi varié que possible, l'ambition de connaître les nouveautés des pays étrangers, la passion des expériences que suscitait leur mise en scène, favorisèrent une rapide transformation des programmes et, partiellement, aussi des réalisations. Du moins en ce qui concerne les théâtres de quelques centres importants du pays. Durant ces années, Belgrade et Zagreb rivalisèrent de hâte, comme s'il ne s'agissait pas de mettre à l'épreuve des valeurs nouvelles, mais de gagner une bataille entre des maisons de haute couture.

Tout faisait présumer que Belgrade sortirait vainqueur de cette compétition, car les nouveautés y étaient importées depuis toujours sans beaucoup de scrupules. On y voyait aussi surgir, comme par miracle, des textes en vers et en prose d'auteurs du pays qui convoitaient le titre de modernistes. Mais on trouvait dans ces nouveautés — qui souvent n'étaient que des adaptations bâclées de l'ancien réalisme descriptif à quelque autre formule technique — bien des choses glanées un peu partout, de Breton à Eliot, de Proust à Joyce, et de Hemingway à Faulkner.

Si nous essayons de porter un jugement sur ces années de transition, qui vont, en deux temps, dans la chronique politique, du conflit avec le Kominform jusqu'à la mort de Staline (1948-1953) et de la mort de Staline jusqu'au XXᵉ Congrès du Parti soviétique (1953-1956), et si nous nous en tenons seulement aux apparences, nous sommes amenés à dire qu'il s'agit de ce processus bien connu dans le dynamisme culturel des pays de l'Est que l'Occident décrit par un terme emprunté à la météorologie : le « dégel ». Et si nous voulons rester fidèles à cette terminologie métaphorique, nous dirons que les données sur les changements atmosphériques présentaient pour cette période le tableau suivant :

Skopje : climat continental oriental sans changements, avec quelques légers rafraîchissements venus du nord; Belgrade : à l'ouest progresse un front de haute pression atmosphérique, perturbations temporaires à l'est; Zagreb : variable et nuageux avec des précipitations temporaires en province; Ljubljana : alternance des courants alpins et méditerranéens, brouillard dans les dépressions avec quelques éclaircies dans le littoral, prédominance du soleil sur les hauteurs, les vents comme d'habitude de l'ouest, menace d'orages soudains de caractère local.

Comparée avec celle des autres républiques yougoslaves, l'activité théâtrale des scènes slovènes se poursuit au cours de ces années de transition presque sans oscillations d'un extrême à l'autre; ceci vaut tout au moins pour la mise au programme et la réalisation des pièces étrangères, car déjà au cours de cette période, des auteurs comme Miller et Williams, Anouihl et Camus, entrent au répertoire presque sans objections. Ce qui déclanche de temps en temps quelque polémique fielleuse, interne ou publique, ce sont toujours de nouvelles pièces d'auteurs du pays (Matej Bor : *Le Retour des Blažons,* Vrnitev Blažonovih, 1948; Joze Javoršek : *Le Verre grossissant,* Povečevalno steklo, 1956) — polémique provoquée à première vue par l'intervention discrète des fonctionnaires, et aujourd'hui presque inexplicable aux chercheurs malgré toute la documentation publiée ou non qui est accessible.

De ces anciennes polémiques autour des auteurs du pays, notre rétrospective d'aujourd'hui ne peut dégager qu'une seule caractéristique générale :

Tout semble montrer que ces polémiques n'étaient pas provoquées par le contenu satirique de ces pièces (Bor : la corruption de certains nouveaux fonctionnaires, soutenue par l'autorité malgré le passé suspect de ces despotes; Javoršek : la calomnie, prétexte légal de la persécution des citoyens impopulaires) mais par certains épisodes où l'auteur se livrait à une satire sociale, par des allusions maladroites à tel ou tel sujet actuel qui de tout temps a contrarié la haute bureaucratie du pays, tout simplement parce que ces allusions, portées à la scène, passent de la peu inquiétante existence abstraite des problèmes politiques à l'inquiétante existence concrète de la chronique scandaleuse du jour.

Ces polémiques contre les auteurs du pays n'étaient qu'un reste de la censuromanie héritée de la vieille Autriche, et soutenue par les exemples d'intolérance venus de l'Est au temps de Staline. Et la mise au programme et la réalisation scénique des œuvres d'auteurs étrangers contemporains devait ressusciter au cours de cette période de transition l'ancienne tolérance cosmopolite des gens de théâtre de cette partie de l'Europe Centrale.

Contrairement à ce qui se passe dans les autres républiques yougoslaves, les données pour les saisons postérieures à 1950 prouvent indubitablement que les théâtres slovènes, bien qu'ils soient peut-être un peu plus lents à accepter les pièces étrangères, adoptent celles-ci en accord avec les lois tacites qui, au cours des crises sociales de la Slovénie, résolvent toujours les contradictions de telle sorte que les expériences du passé s'unissent aux exigences du jour de manière presque imperceptible en une synthèse dynamique que nous aimons à décrire comme le mouvement continu de l'évolution culturelle.

*
* *

Ces aspirations à une union discrète du passé et du présent, à première vue presque conservatrice — les modernistes des clans artistiques de Belgrade les avaient souvent qualifiées ironiquement de traditionnalistes — s'imposaient surtout par suite de la mise au programme d'auteurs étrangers contemporains. Car cette admission des pièces étrangères au répertoire permanent n'était pas toujours déterminée par la culture esthétique et l'expérience idéologique des gens de théâtre, mais souvent tout simplement par la mémoire, par la mémoire théâtrale des valeurs déjà éprouvées, de l'actualité du théâtre au sens le plus large du terme, de tout ce qui a préoccupé le monde du théâtre de la fin du siècle dernier à nos jours.

Prenons le cas d'Arthur Miller qui, après deux présentations réussies de ses pièces (*Ils étaient tous mes fils* en 1950 et *La mort d'un commis-voyageur* en 1953), a été admis au répertoire permanent des théâtres slovènes. Peu de temps après les créations américaines on a monté quatre autres pièces de cet auteur qui ont fait la quasi-unanimité des critiques et des spectateurs : *Les Sorcières de Salem* (1955), *Je me souviens de deux Lundi* et *Vue du Pont* (1956), *La Chute* (1965). Il est évident qu'Arthur Miller n'a pas été admis sur les scènes slovènes à cause de ses sympathies pour les milieux de gauche comme cela se produisait dans certains pays de l'Est. Au contraire. Tout semble montrer que ces pièces se sont intégrées dans le répertoire slovène grâce à une tradition éprouvée, car les gens de théâtre n'y voient qu'une nouvelle variante de la traditionnelle critique sociale d'un Ibsen ou d'un Shaw. C'est une variante chargée des sédiments d'une mentalité et d'une sensibilité, bien connues dans les milieux petits-bourgeois de l'Europe Centrale (ce qui représente l'héritage des origines autrichiennes si évidentes chez cet auteur) — une variante à peine modernisée par quelques réminiscences techniques de l'expressionnisme des années 20, mais adaptée pour la réalisation scénique par un jeu réaliste plus ou moins psychologique dans la bonne tradition de Stanislawski et Dantchenko, américanisée d'après les expériences du cinéma.

Considérons maintenant le cas, opposé en apparence à celui de Miller, d'un autre Américain, l'écrivain du Sud Tennessee Williams.

Cet auteur a été admis, lui aussi, après deux représentations réussies de *La Ménagerie de Verre* et *Un Tramway nommé Désir* (1953), au répertoire permanent. Et ses autres pièces ont été jouées peu après dans divers théâtres slovènes : *La Chatte sur un toit brûlant* en 1958 et 1965, *Orphée* et *La Rose tatouée* en 1960, *Doux oiseau de la jeunesse* en 1961. Bien que diversement accueillies par les critiques, ces pièces ont provoqué partout les mêmes réactions des spectateurs. Ces réactions ne sont que des reflets des expériences de la vie subconsciente, acquises par la tradition culturelle de l'Europe centrale. Pour les vieux abonnés, les pièces de Williams représentaient parfois une nouveauté grâce aux détails sur la vie sociale dans le Sud des Etats-Unis peu connue jusqu'alors. Mais les épisodes provocants de la vie sexuelle des personnages ne les surprenaient nullement car ils connaissaient tous, au moins par ouï-dire, le domaine classique de la psychanalyse, avec les premières descriptions du refoulement des complexes dans la sphère de la psychopathologie sexuelle, de l'homosexualité latente aux excès du sado-masochisme. Cette mémoire est héréditaire : lorsque les pères de nos intellectuels d'aujourd'hui faisaient leurs études à Vienne, Sigmund Freud, Otto Weininger et Karl Kraus scandalisaient le public autrichien par leurs attaques incessantes contre les tabous de la vie sociale. Et c'est à cette époque que l'auteur slovène Ivan Cankar écrivit sur le milieu viennois un court roman, *La Maison de Sainte-Marie de Grâce,* publié en 1904, qui, par ses qualités artistiques, dépasse les applications de la psychanalyse d'hier et d'aujourd'hui. Et si critiques et spectateurs acceptaient les auteurs américains contemporains à cause de leurs affinités avec des précurseurs proches ou lointains qu'ils connaissaient, les pièces françaises accueillies sur les scènes slovènes — tout au moins lors des premières saisons qui ont suivi 1950 — suscitaient aussi un contact immédiat entre la scène et l'auditoire. Dans la comédie grâce à des qualités purement théâtrales déjà appréciées entre les deux guerres, dans le drame et surtout dans la pièce à thèse grâce à la force suggestive d'une éloquence dialectique imprégnée de l'inquiétude morale de l'humanité d'aujourd'hui.

Les pièces d'Anouilh offrirent au public slovène un excellent exemple de ces passages constants du théâtral pur à la dialectique et de la dialectique au théâtral.

Il est vrai que la plupart de ses pièces furent accueillies comme de simples mais spirituelles variantes de la pièce bien faite du temps de Sarcey et de la comédie de boulevard qui s'imposa au xixe siècle sur la scène slovène. D'autres faisaient entrevoir aux spectateurs les problèmes existentiels, posés par l'éloquente participation de Camus et de Sartre à la discussion des contradictions de la société actuelle. Si bien que l'ordre dans lequel ces pièces se suivent sur la scène slovène, en passant du théâtral à la dialectique et de la dialectique au théâtral, semble dessiner une courbe montante et descendante — *L'Invitation au Château* et *Le voyageur sans bagage* en 1952, *Colombe* en 1955, *L'Alouette* en 1956 et 1959, *L'Ecole des Pères* en 1957 et 1959, *Ornifle* en 1959, *Antigone* en 1960, *L'Hurluberlu* en 1964, *La Répétition ou l'Amour puni* en 1960 et 1965, *Ardèle ou la Marguerite* en 1965, *Le Bal des Voleurs* en 1965 —. Mais on pourrait noter qu'*Antigone* avait été traduite et préparée pour une représentation privée avant 1953, bien qu'elle ne fut montée qu'en 1960.

L'accueil réservé sur la scène slovène à Jean Anouilh, praticien du théâtre possédant toutes les qualités d'un auteur de boulevard contemporain, ouvrait la route aux autres auteurs français d'audience européenne, Albert Camus et Jean-Paul Sartre, bien que le choix des œuvres de ces auteurs fût différent et très caractéristique en particulier dans le cas de Camus. Si l'on peut dire que le choix des pièces d'Anouilh entre 1952 et 1965 a varié constamment, sans souci de leur chronologie, suivant leurs vertus purement théâtrales ou leur contenu, on doit constater que les pièces de Camus ont été reprises sur les théâtres slovènes dans l'ordre inverse des créations parisiennes : *Etat de Siège* en 1956 (Paris, 1948), *Les Justes* en 1956 (Paris, 1949), *Le Malentendu* en 1957 (Paris, 1943), *Caligula* en 1963 (Paris, 1944). Les causes de cette inversion sont évidentes car le choix des œuvres était en rapport avec l'actualité, directe ou indirecte, de leur thème. Ce choix se porta d'abord sur les problèmes moraux de l'occupation et de la résistance révolutionnaire débattus dans *L'Etat de Siège* et dans *Les Justes,* puis sur le thème de l'absurde, illustré dans *Le Malentendu* et dans *Caligula.*

Ce phénomène d'opportunité politique, si caractéristique des années de transition entre le dirigisme et la liberté de choix, se répète d'une manière encore plus évidente pour les débuts de Sartre sur la scène slovène. La première pièce de cet auteur qui fut jouée en slovène, en 1954, puis en 1965, *La Putain respectueuse,* avait été créée à Paris en 1946. Cette pièce contre la discrimination raciale fut très tôt populaire dans les pays de l'Est. Le choix des pièces suivantes fut effectué, presque comme pour Camus, et à l'exception des *Sequestrés d'Altona* qui fut reprise dès 1960 (Paris, 1959), dans l'ordre inverse des créations : *Huis-Clos* en 1958 et 1964 (Paris, 1944), *Morts sans Sépulture* en 1959 (Paris, 1946), *Les Mouches* en 1961 (Paris, 1943), *Les Mains sales* en 1961, 1964, 1966 (Paris, 1948), *Le Diable et le Bon Dieu* en 1964 (Paris, 1951).

Notons, en marge de cette énumération des reprises slovènes d'auteurs français, que, parmi les nombreuses pièces d'Anouilh, *Antigone* fut la seule à influencer directement les œuvres dramatiques d'auteurs slovènes, cela même avant d'avoir été jouée, et que *L'Alouette,* après deux reprises, a évincé dans le souvenir des gens de théâtre la populaire *Sainte Jeanne* de Bernard Shaw. Quant à l'œuvre de Sartre, il suffit de dire que *Huis-Clos* a été inscrit au programme scolaire de l'Académie slovène d'art dramatique.

On pourrait étendre indéfiniment les recherches comparatives sur les premières représentations slovènes d'auteurs étrangers contemporains, on aboutirait presque toujours à la conclusion préliminaire que la plupart des pièces ont été choisies en tant que moralités du monde contemporain, ou en tant qu'allégories chargées de critique sociale. Mais on constaterait aussi que ces représentations slovènes — à l'inverse de ce que nous avons observé pour Sartre et Camus — correspondent le plus souvent avec les dates de création des textes originaux à l'étranger. Deux exemples seulement : Frisch et Dürrenmatt. Max Frisch : *Biedermann et les incendiaires* en 1959 (création 1958), *Andorra* à trois reprises différentes en 1962 et 1963 (création 1961), *Don Juan ou l'amour de géométrie* en 1965 (création 1952). Et Friedrich Dürrenmatt : *Visite de la Vieille Dame* en 1958 (création 1955), *Les Physiciens* en 1961 (création 1961), *Romulus le Grand* en 1960 (création 1948).

On peut ajouter que durant ces dernières années quelques pièces d'auteurs américains ont donné lieu à des réalisations scéniques nombreuses et excellentes, et ont reçu un accueil extrêmement favorable des spectateurs. Cela surtout à cause des créations très spirituelles des comédiens. Il s'agit de *The Zoo story, The Sandbox, The American Dream, Who's afraid of Virginia Woolf* d'Edward Albee et de *Oh Dad, Poor Dad* d'Arthur Kopit.

Ce n'est pas sans raison que nous avons choisi ces deux auteurs américains, Arthur Miller et Tennessee Williams et ces trois dramaturges français, Jean Anouilh, Albert Camus et Jean-Paul Sartre, pour l'analyse du destin des auteurs étrangers sur la scène slovène. Une étude comparée des premières représentations slovènes de ces auteurs et de l'efficacité actuelle de leurs pièces fournirait des résultats très caractéristiques de la situation culturelle de ce pays situé à un carrefour de l'Europe Centrale; car les descriptions sociologiques et sexologiques de Miller et de Williams y apparaîtraient reléguées au second plan de la mémoire du spectateur, tandis qu'on constaterait la présence vivante des trois auteurs français.

Anouilh, homme de théâtre à l'état pur par son origine, condamné à la théâtralité selon la formule célèbre d'Evreinoff, maître de la pièce bien faite, auteur dont le succès auprès des spectateurs est garanti d'avance, que ces pièces soient un jeu purement théâtral ou le développement de thèmes moraux.

Camus, presque déjà classique dans sa révolte humaniste, peut-être un peu rebutant pour le grand public, mais interlocuteur fidèle des intellectuels de la résistance dans ses méditations sur la morale du monde actuel. Et cela surtout dans ce bréviaire des intellectuels sur les contradictions de la révolution qu'est *L'homme révolté*.

Enfin Sartre qui, malgré ses théories philosophiques si compliquées sur la détresse existentielle de l'homme d'aujourd'hui, et malgré les situations si mélodramatiques et si forcées de ses pièces, produit toujours un grand effet sur le public, ne serait-ce que par la dialectique brillante de ses dialogues.

Ces trois auteurs, si différents et pourtant porte-paroles du monde actuel, peuvent plaire ou déplaire, selon les spectateurs, mais restent vivants dans la conscience de l'auditoire. Vivants pour la simple raison que leur confession d'artiste, issue de l'inquiétude morale contemporaine, ne laisse pas tomber l'imagination créatrice dans le piège des exigences idéologiques, et que cette confession ne les isole pas non plus dans la prison volontaire des illusions anti-sociales. Vivants aussi parce qu'ils ne vivent pas en dehors de cette époque divisée par les systèmes idéologiques et les frontières politiques — que nous sommes obligés de vivre à la fois seuls dans le labyrinthe des inquiétudes subconscientes et unis aux autres par les manifestations surconscientes des jungles sociales; de vivre n'importe comment, accablés par tous les maux de l'inévitable banalité de l'existence quotidienne et par le fratras des slogans politiques du jour; de vivre en doutant, que nous l'avouions ou non, du sens de notre existence sur cette planète, si pleine de troubles, et avec l'espoir, avoué ou nié, en une meilleure coexistence des hommes.

INDEX ALPHABÉTIQUE

TABLE DES ILLUSTRATIONS

TABLE DES MATIÈRES

ACHEVÉ D'IMPRIMER
EN
DÉCEMBRE 1967
SUR LES PRESSES DE
L'IMPRIMERIE LOUIS-JEAN A GAP
POUR LA TYPOGRAPHIE
ET PAR
LES ATELIERS D'IMPRESSIONS D'ART JEAN BRUNISSEN
A PARIS
POUR LES PLANCHES HORS-TEXTE EN PHOTOTYPIE

Dépôt légal n° 367 - 1967